ŚLEPNĄC OD ŚWIATEŁ

JAKUB ŻULCZYK

ŚLEPNĄC OD ŚWIATEŁ

Świat Książki
wydawnictwo

Wydawca
Joanna Laprus-Mikulska

Redaktor prowadzący
Katarzyna Krawczyk

Redakcja
Roman Honet

Korekta
Marianna Filipkowska
Irena Kulczycka

Wydawnictwo Świat Książki
02-103 Warszawa, ul. Hankiewicza 2

Warszawa 2019

Księgarnia internetowa: swiatksiazki.pl

Łamanie
Joanna Duchnowska

Druk i oprawa
DRUK-INTRO S.A.

Dystrybucja:
Dressler Dublin Sp. z o.o.
05-850 Ożarów Mazowiecki, ul. Poznańska 91
e-mail: dystrybucja@dressler.com.pl
tel. + 48 22 733 50 31/32
www.dressler.com.pl

ISBN 978-83-813-9226-6
Nr 90090681

ISBN 978-83-813-9173-3
Nr 90090635

Niewolnik rozpoczął swoją opowieść:
– Kto przestaje nad sobą panować, ten stracił już poważanie u innych, a niebawem postrada i życie. Dlatego nie bądźcie zdziwieni, panie, kiedy spostrzeżecie, że mimo powszedniej niedoli – o której ogromie się przekonacie, wysłuchawszy cierpliwie mojej opowieści – nie oduczyłem się uśmiechać.

Hans Henny Jahnn, *Opowieść niewolnika*
tłum. R. Wojnakowski

Piątek

20:46

Jesteśmy w Warszawie. Jest dziewiętnasty grudnia. W radiu zapowiadano silne, nawet dziesięciostopniowe mrozy. Na razie prognoza się sprawdza.

Miasto wygląda jak nabazgrane kolorowymi flamastrami na czarnej płachcie przez ogromne, nadpobudliwe dziecko. Gdzieś z oddali przebija się uszkodzona, świąteczna melodia, przez szum, przez zupę z głosów i kroków, pracujących silników, trzasków zamykanych drzwi. Ta melodia dźwięczy mi w całym ciele jak zapowiedź bólu zęba.

Miasto otwiera oczy, zamknięte w dzień, budzi się cicho i ciężko, przypomina schlanego mężczyznę. Jego powieki rozchylają się powoli, zmęczone, sklejone ropą. Jest spuchnięte, tak jakby w ściany, w chodniki, w okna, w kostkę Bauma – w to wszystko wsiąknęła już na stałe czarna, brudna woda. Przydałby się deszcz, burza, potężny piorun, który chociaż na chwilę przeczyściłby powietrze, wyprasował je.

Przydałaby się powódź.

Miasto otwiera się przede mną jak wymięty egzemplarz taniej książki. Na chwilę otwieram usta, jakbym miał zacząć bezgłośnie śpiewać. Zaraz je zamykam. Z perspektywy tylnego siedzenia wygląda to tak, jakbym po prostu ziewnął. Miasto również otwiera usta. Obudziło się. Chce jeść.

– Czy mógłbyś nie jarać w moim samochodzie? – rzucam to pytanie w kierunku tylnego siedzenia, nawet się nie odwracając.

Wyjeżdżamy z Pileckiego w Puławską. Będziemy jechać cały czas prosto aż na Śródmieście.

– No, ale co chcesz? – odpowiada mi z tylnego siedzenia Stryj.

A może Stryj to ten drugi.

– Gówno. Nie pal, kurwa – odpowiadam.

Otwieram mu tylną szybę, aby wyrzucił papierosa. Pstryka papierosem i cicho warczy, odruchowo, jak skarcony pies.

Nie ma gorszego zapachu niż fajki wklepane na stałe w skórzaną tapicerkę. To smród skóry starego palacza, jego dłoni, oddechu.

Co do tapicerki, jeżdżę grafitowym modelem Audi RS4 z 2009 roku, benzyniak, 305 koni. Silnik 2,2. Był używany, ma śmieszny przebieg; kobieta, od której go kupiłem, jeździła nim prawdopodobnie tylko do najbliższej galerii handlowej. Być może – teoretycznie – nie powinienem jeździć takim samochodem.

– Jakiś pedał siadł ci na zderzak – mówi Stryj.

Zjeżdżam na prawo, aby go puścić. Wymija mnie szybko, po chwili widzę, jak wymija kogoś innego, przyśpiesza i przejeżdża na czerwonym.

– Ki chuj? – mówi Stryj. – Kojarzysz?

Wzruszam ramionami. To nie ma żadnego znaczenia. Jeśli ktoś lub coś ma cię zaskoczyć, i tak to zrobi, nieważne, jak nerwowo będziesz się rozglądał, jak cicho będziesz szedł, na ile zamków będziesz zamykał drzwi. A ktokolwiek jechał tym samochodem, już mnie nie zaskoczy. Widziałem go, mam go na mapie. Biorę go pod uwagę. Wiem o jego istnieniu.

Muzyka, bo nie mogę znieść tych odgłosów, które bez przerwy wydają ci dwaj z tyłu. To dziwne sapanie, które może być po prostu sposobem, w jaki oddychają. To kwestia ich powiększonych serc, wody zebranej w stawach, rozrzedzonej krwi. Jeden z nich bez przerwy bębni palcami dłoni o kolano. Nie będę już zwracał mu uwagi. Nie można zabraniać człowiekowi jego kompulsji i tików. Zwłaszcza człowiekowi mającemu za sobą dziesięć lat pod celą i wyglądającemu jak stary buldog, któremu ktoś na chwilę włożył pysk w blender.

– Co to za muzyka, kurwa, ty, czy na stypę jedziemy? – pyta ten drugi.

– *Wariacje Goldbergowskie* – odpowiadam.

– Co? – pyta.

– *Wariacje Goldbergowskie* – powtarzam. – Bach.

– Meloman, kurwa jego mać – cmoka Stryj.

– Skąd ty w ogóle jesteś? – pyta ten drugi.

– Skądś jestem – odpowiadam.

– Skąd? – pyta.

– Mieszkam w Warszawie, tak jak ty – odpowiadam.

Już nic nie mówi. Dojeżdżamy do placu Unii Lubelskiej.

Wstałem o piętnastej. Jestem wyspany i skupiony. Rano dostałem lekkiego skurczu w nodze, ale to nic poważnego. To tylko niedobór magnezu. Spałem dziesięć godzin. Po obudzeniu zrobiłem sto pompek i wziąłem zimny prysznic. Po wyjściu z łazienki wypiłem wyciskany sok. Zjadłem płatki z mlekiem. Potem, jeszcze przed wyjściem, jajecznicę z czterech jajek. Jakiś chleb – koniec bochenka zaczynał już pleśnieć, ale jedynie sam koniec. Odkroiłem ten koniec i wyrzuciłem do śmieci. Zjadłem resztę.

Wolę nie jeść w czasie pracy. Chyba że jest okienko, gdy wszyscy wywąchali już swoje, ale jeszcze im nie zeszło; wtedy mam chwilę, zanim zaczną dobijać się znowu, aby domówić. Ale gdy nie ma okienek – zjedzenie czegoś zajmuje, z podjechaniem, zamówieniem i zapłaceniem, minimum dwadzieścia minut, nawet jeśli to jest gówniana zapiekanka.

W dwadzieścia minut mogę zarobić tysiąc złotych.

W przeciętnej pracy biurowej ilość realnego czasu pracy w ciągu dnia wynosi jakieś trzydzieści procent. Reszta to Facebook, papierosy, jedzenie wiórów na lunch, sranie, walenie konia, sny na jawie. U mnie ilość realnego czasu pracy to cała doba, oprócz snu. Wrócę do domu pewnie około dziewiątej; na liczniku będę miał kolejne pięćset kilometrów. Będę musiał chwilę poćwiczyć, aby nie obudzić się skurczony jak starzec po kilkunastu godzinach za kółkiem.

Teraz czuję się dobrze. Kolejny raz poczuję się dobrze we wtorek rano.

Miasto oddycha, ciężko, sapie, próbuje odkrztusić nagromadzoną w gardle flegmę, a jego oddech idzie prosto z flaków, z kanałów, nieświeży i ciężki; jego serce łomocze jak wielki bęben. Czuję, jak po mieście rozsypują się rozszerzone źrenice, uśmiechy, okrzyki jak brzęczące pięciogroszówki. Jadę powoli wzdłuż szpaleru migających w mroku sylwetek.

Ludzie. Wylewają się na zewnątrz, w światła i ciemność, w swoje życie, w weekend, w hałas, jak rozsypane ogromną dłonią paciorki. Idą na Koszykową, na plac Zbawiciela, który właśnie przecinamy, a który wygląda na opanowany przez demonstrację związku zawodowego lunatyków, na Mazowiecką, na Żurawią, na Solec. Odwiedzę dzisiaj każde z tych miejsc. Mniej więcej wiem, gdzie będę o których godzinach. Miasto ma swoje cykle dobowe. W konkretnych częściach miasta imprezy zaczynają się, szczytują i kończą o konkretnych godzinach. I cokolwiek by się działo, Śródmieście zawsze poddaje się ostatnie.

Oba telefony już dzwonią. Niech dzwonią. Będą dzwonić do samego rana. Na razie tracę czas, ale wciąż mam nadzieję, że stracę go relatywnie niewiele.

Około dziesięciu minut szukam miejsca do parkowania. Dopiero po chwili dociera do mnie, że ci dwaj z tyłu wciąż rozmawiają. Dziwnie cicho. Jakby nie chcieli zagłuszyć muzyki. Wyłączam ją. Od razu zaczynają mówić głośniej.

– Przysięgam, kręcili pornosa. No, kurwa. Tam, na tym kiblu na samym dole – mówi ten drugi.

– W damskim czy w męskim? – pyta Stryj.

Już ich odróżniam. Głos Stryja jest bardziej chrapliwy, ciężki, jakby w gardło wbiło mu się coś małego, inwazyjnego, coś, czego nie może odcharknąć i odpluć.

– W damskim, kurwa, dwóch typów i dupa, a trzeci stoi i kręci na smartfona. Jadą ją we dwóch, beka, i pokazują do aparatu, że zajebiście, a ta nic nie klei, równie dobrze mogliby na nią srać.

– I co zrobiłeś?

– Powiedziałem, że chować chuje i spierdalać.

– A przynajmniej w gumie ją ruchali?

– Ta, w gumie. – Ten drugi się śmieje. – W czterech gumach.

– No to ładnie. – Stryj się śmieje. – I przestali?

– Od kopa, człowieku. Naćpani jak skurwysyn. Dobra – kończy w momencie, gdy wreszcie znajduję miejsce do parkowania, wciskam się cudem między range rovera a citroëna. Stryj puka mnie w bark. Odwracam się. Podaje mi gumowe rękawiczki.

– Wchodzisz z nami – mówi Stryj.

Jego głowa ma kształt i fakturę omszałego kamienia. Miliony lat temu, gdy ten kamień był jeszcze miękką gliną, ktoś wepchnął w nią oczy, narysował wąską linię ust, grubym palcem wymazał siatkę niekształtnych blizn na policzkach.

– Jestem tam do czegoś potrzebny? – pytam.

– Czy ty, kurwa, jesteś Eko Taxi? – odpowiada pytaniem na pytanie.

Bez słowa biorę od niego gumowe rękawiczki i zaczynam je zakładać.

Chowam wszystko do kieszeni kurtki. Dokumenty, kluczyki, telefony.

– Piotrek mówił, że jesteś z nami w tym, to jesteś z nami – mówi Stryj.

– To sprawa Piotrka? – pytam.

– Tak, kurwa, to sprawa Piotrka, dlatego idziemy ją razem załatwić – mówi.

– Mam kogoś bić? – pytam.

– Nie, masz być – odpowiada Stryj.

Niech im będzie. Wzruszam ramionami, kiwam głową i zamykam drzwi.

Stryj podchodzi do domofonu, wpisuje numer mieszkania, wciska przycisk z kluczykiem, wprowadza kod. Wchodzimy na klatkę kamienicy. Gdzieś z góry, na moje ucho z trzeciego piętra, słychać odgłosy imprezy. Ciche zderzenia szkła, przytłumione porykiwania tępych cip, brzmiące jak dobiegające gdzieś z daleka alarmy przeciwlotnicze. Słychać, że to impreza studentów pierwszego i drugiego roku, że nie ma tam żadnych moich klientów. Jeśli cokolwiek tam wąchają, to mefedron z internetu. Muzyka w podłączonej do laptopa starej miniwieży taka sama jak w radiach taryfiarzy. Nauczyłem się nie zwracać na nią uwagi.

– Dobrze – mówi ten drugi.

Jest młodszy od Stryja, ma ciemną karnację, wygląda trochę jak Arab. Ma na sobie bluzę i dresy. Stryj nosi marynarkę, ewidentnie szytą na zamówienie. Jego ciało objętością przypomina segment. W bicepsie ma prawie tyle, co ja w pasie. Porusza się niezgrabnie, jakby jego ciało nie czuło pionu, przechyla się lekko na boki; do tego stawia drobne, szybkie kroki, jakby wciąż truchtał. Razem wyglądają jak jeszcze spokojne, jeszcze przez chwilę najedzone zwierzęta, ale zmiana tego stanu to kwestia sekund.

Przystaję w połowie schodów, tuż przy drzwiach, zza których wydobywa się dźwiękowy obłok imprezy, aby z czystej ciekawości go zapytać:

– Po chuj ci ta marynarka?

– Idę zaraz do roboty – odpowiada.

– A jak się ubrudzi? – pyta Śniady.

– Teraz ją zdejmę, spokojnie – odpowiada.

Mieszkanie, do którego mamy wejść, jest na ostatnim piętrze. Numer piętnaście. Staję za nimi. Jako jedyny nie mam zadyszki. Znowu dzwoni mój telefon. Tym razem odbieram.

Stryj puka do drzwi spokojnie, jakby był kurierem albo dostawcą pizzy.

– Nie mogę teraz gadać – mówię.

Ktoś o coś prosi. Że niby Powiśle, za dwadzieścia minut.

– Oddzwonię, nie mogę teraz gadać – powtarzam.

– Ta dziewczyna – mówi Śniady do Stryja – potem Lenek z Bolkiem ją ruchali.

– Ale już w gumie – mówi Stryj.

– Wiadomo – odpowiada Śniady.

– Normalnie jakby miała urodziny. – Stryj się śmieje.

– A wiesz, że chyba miała – mówi Śniady. – Zamawiali tam na stolik, kurwa, jakieś szampany. Jakiś tort był.

Puka jeszcze raz. Ktoś podchodzi do drzwi, powoli; zatrzymuje się. Nasłuchuje. Patrzy przez wizjer. Impreza z dołu, jak na pstryknięcie palcem, robi się głośniejsza o jakieś trzydzieści procent.

Mam nadzieję, że załatwią to szybko. Tracę czas. Telefon znowu dzwoni. Gdzieś w tym momencie na mapie miasta jest kilkanaście osób, które myślą tylko o tym, aby dać mi swoje pieniądze. Hajs parzy ich w dłonie. Wypala im dziury w kieszeniach. Chcą się go pozbyć jak najszybciej, jak ubrań po zmarłych.

Jeden pokój w Warszawie; nie wiem, dlaczego pomyślałem o nim właśnie teraz. Może to podobna elewacja klatki schodowej. Pokój znany mi tak dobrze, że wiem, co jest w której szufladzie. Wiem, gdzie zbiera się w nim najwięcej kurzu. Mogę wymienić po kolei wszystkie ustawione na regale książki. Pokój z wyjściem na mały balkon, z którego widać budynek szkoły podstawowej. Pokój, który o świcie, przy odpowiednim rozchyleniu rolet, wygląda jak wnętrze brudnoróżowego akwarium. Pokój, który jest jak kraj. Zakaz wjazdu do tego kraju jest wbity dożywotnio w mój paszport czarną i niezmywalną pieczątką.

Przestaję o nim myśleć w momencie, gdy facet po drugiej stronie otwiera w końcu drzwi z rezygnacją kogoś, kto wie, że nie ma innego wyjścia. Wchodzimy do środka i błyskawicznie zamykamy je za sobą.

Wchodzę ostatni, zamykam drzwi na zamek.

Przedpokój jest obity drewnopodobną sklejką, zamontowaną tutaj w późnych latach osiemdziesiątych.

To dwupokojowe mieszkanie, nieremontowane od dobrych piętnastu lat. W przedpokoju półka z książkami, makulatura: Robert Ludlum, Łysiak, instrukcje dla hufców harcerskich, roczniki rozwiązanych krzyżówek. Jeden z pokoi po prawej jest zamknięty, nie pali się w nim światło. Jeszcze bardziej na prawo widać łazienkę i kuchnię. Facet, a właściwie chłopak, stoi w drzwiach do pokoju po lewej, zalanego bladym, oślepiającym światłem. W środku widać stolik z puszkami po piwie, przepełnioną popielniczką, białymi smugami na blacie, pustą butelką po taniej wódzie. Do tego małe, dziecięce biurko ze stacjonarnym komputerem. Trzydziestocalowa plazma przyczepiona do ściany, playstation. Tapczan, na nim rozrzucone jakieś ubrania, kołdra bez poszewki. Gołe okno. Oprawiony w antyramę plakat z Lionelem Messim, biegnącym z wzniesionymi rękami po zdobyciu jakiejś bramki. Zaschła paprotka.

Smród tysięcy wypalonych papierosów, potu, niepranych ubrań, niezliczonego kaca. Mimo to podłoga jest w miarę czysta. Ktoś czasami tu sprząta. Na pewno nie on. Tu mieszka ktoś jeszcze.

Stoi w lekkim rozkroku, ma na sobie dresy i klapki, nieogolony, z potarganymi, jasnymi włosami. Jest lekko nalany, ma początki brzucha piwnego, na przedramieniu wydziaraną elkę. Wygląda na trzydzieści lat, ale wiem, że ma mniej. Nic nie mówi.

Stryj zdejmuje marynarkę i wiesza ją na wieszaku.

To trwa tylko chwilę. Stryj i Śniady ruszają w jego kierunku. On się cofa, przez chwilę idzie rakiem, przyspieszając i tracąc równowagę. Dobiegają do niego. Stryj uderza go w pysk, słychać głośne chrupnięcie, jakby zgnieść w rękach kilka plastikowych kubków. Śniady zrzuca wszystko ze stołu na podłogę, Stryj zaczyna kopać chłopaka, ten na początku wydaje ciche jęki, kwilenia, dopiero po chwili zaczyna krzyczeć, wyć, coś, że pomocy, coś, że przestańcie, coś jak zwykle. Przyciszam to w głowie. Rozglądam się dalej po pokoju.

– Gdzie jest hajs?! – pyta Stryj – Wiesz, kurwa, że znajdę. Wiesz, że znajdę.

Chłopak pokazuje palcem.

– Szafa, portmonetka – mówi.

– Jacuś, otwórz, przelicz – mówi Stryj.

Otwieram szafę. Bluzy z kapturem, koszulki z nadrukiem. Tani garnitur. Karton ze szpargałami, niedziałające słuchawki, ładowarki do telefonów, stare gazety. Brudna, zaśniedziała od nalotu faja wodna. Czarna portmonetka z herbem Legii. Otwieram. W środku plik stów i pięćdziesiątek, gruby na dwa palce. Z tyłu słyszę, jak chłopak dostaje jeszcze jednego kopa. Chrupnięcie. Usta, które nie wiedzą, czy krzyknąć, czy zassać jak najwięcej powietrza.

– Przelicz – mówi Stryj.

Przeliczam.

– Jakieś trzydzieści koła – mówię.

– Równo? – pyta.

– Nierówno. Trzydzieści jeden tysięcy dwieście pięćdziesiąt – odpowiadam.

– Nie, już nie – charczy chłopak.

Słyszę, jak odpluwa na podłogę mokrą, lądującą z plaskiem gulę. Odwracam się.

– Trzymaj to na razie – mówi Stryj.

– I co? – pyta Śniady.

– Coś, żeby wiedzieli – mówi Stryj.

– Ręce – mówi Śniady.

– Nie! – krzyczy chłopak.

– Ryj – mówi Śniady.

– Ręce – powtarza Stryj.

– Poczekajcie – mówię.

Jakiś cichy dźwięk z pokoju obok, niechciane szurnięcie, przestawienie. Dźwięk, którego miało nie być.

– Co? – pyta Stryj.

Daję mu znak ręką, aby zajął się swoimi sprawami. Wycofuję się do przedpokoju.

– Jacuś, wrażliwy jest, widzisz – mówi Stryj nie wiadomo, czy do Śniadego, czy do mnie, czy w powietrze.

Przedpokój tonie w mroku. Stoję przed drzwiami do pokoju po prawej. Już nie widzę, co Śniady i Stryj robią z chłopakiem. Wystarczy, że to słyszę. Najpierw wycie, płacz, a potem coś pstryka, jakby w nieokreślonym, delikatnym mechanizmie poluzowała się najważniejsza zastawka. A zaraz później wrzask, szybko stłumiony czymś przystawionym do twarzy: poduszką albo zgniecionym w kulkę podkoszulkiem.

– Kurwo, leż cicho, pedale jebany – mówi Śniady.

Otwieram drzwi do pokoju. Jest ciemno. Przez chwilę słyszę coś w rodzaju pisku, z cichym wciągnięciem powietrza. Wyciągam telefon i świecę przed siebie latarką.

Chrupnięcie, jakby ktoś nagle rozdeptał z całej siły twardy owoc, i znowu przeciągły wrzask chłopaka.

Na dwuosobowym materacu w męskim podkoszulku leży dziewczyna. Ma najwyżej dwadzieścia lat, obejmuje kołdrę, wpatruje się we mnie wytrzeszczonymi oczami zgonionego zwierzęcia. Pierścionek na każdym palcu. Pasemka. Na szyi, pod uchem, mały tatuaż. Jaskółka. Oddycha szybko, trzyma w sobie wrzask, mnóstwo wrzasku, stara się, aby jak najwięcej tego wrzasku pochłonęła kołdra, którą zaciska w ustach. Kołdra jest przesiąknięta jej śliną. Obserwuję przez chwilę, jak dziewczyna drży, zmrożona strachem, pragnąca uciec gdziekolwiek, wycofać się, ale w tym pokoju poza materacem jest tylko okno, więc leży w nim jak w klatce.

– Bądź dalej cicho, tak jak byłaś – mówię do niej.

Kiwa głową jakieś trzydzieści razy w przeciągu pół minuty.

– Rozumiesz, co do ciebie mówię? – mówię cicho.

Ten chłopak z drugiego pokoju zagłusza moje słowa, bo właśnie łamią mu drugą rękę, ale ona i tak kiwa głową, i w końcu wypuszcza kołdrę z ust, próbuje patrzeć poza światłem latarki, próbuje zobaczyć moją twarz. Widzę jej sylwetkę. Pod podkoszulkiem widać wyraźny, okrągły brzuch. Jest w siódmym, może nawet w ósmym miesiącu ciąży.

Wychodzę i zamykam drzwi. Stryj i Śniady są już w przedpokoju. Stryj zakłada marynarkę.

– O co ci chodziło? Ktoś tam jest? – pyta Stryj.

– Nie. – Kręcę głową.

Wychodzimy z mieszkania, oni pierwsi. Zamykam

drzwi. Na korytarzu ul dźwięków, pijanych studentów, polskich piosenek nagranych Bogu na wstyd wybucha jak nagły, cuchnący wyziew z chorego żołądka.

– Rzucisz mnie na Świętokrzyską? – pyta Stryj.

– A ty jak? – pytam Śniadego.

– Ja też tam wyskoczę – odpowiada Śniady. – Potem się przejdę.

Schodzimy po schodach, wychodzimy na zewnątrz. Przecieram usta. Powietrze włazi mi pod kurtkę, jakby ktoś obcy nagle wsunął mi pod kurtkę zimne dłonie.

– Hajs – mówi Stryj.

Podaję mu plik. Stryj kiwa głową i chowa pieniądze do kieszeni spodni.

– To już wszystko? – pytam.

– Możemy dzwonić. – Stryj kręci głową.

– Dwadzieścia po dziewiątej – mówię, pokazując wyświetlacz telefonu. – Godzina. Zabraliście mi godzinę. Mogę ci powiedzieć co do złotówki, ile to dla mnie godzina.

– Chcesz rekompensatę, kurwa, czy jak? Ile ci zajechać? Pięć paczek? Dziesięć paczek? – podnosi głos Stryj, wyciąga z kieszeni plik banknotów, podchodzi do mnie na jeden mały krok.

Stoję w miejscu. Jednym nieznacznym ruchem ręki otwieram samochód.

– Naprawdę? Nie masz? Pusty jesteś? – pyta ponownie.

– Wsiadaj – mówię i otwieram drzwi od strony pasażera.

Wsiadam do samochodu. Nawet na niego nie patrzę, tylko czekam, aż wsiądzie, aż zorientuje się, że nie mówi już do mnie, ale do powietrza. Śniady orientuje się pierwszy. Wsiada. Przez chwilę w lusterku widzę jego spojrzenie. Wygląda na tego bystrzejszego, na kogoś, kto umie w porę przerywać bezsensowne sytuacje, ograniczać straty czasu.

Przekręcam kluczyk w stacyjce, samochód wypełnia się muzyką. Ściszam ją. Jeszcze przez chwilę patrzę w okna mieszkania, z którego przed chwilą wyszliśmy. To, które było ciemne, dalej jest ciemne, a drugie nadal pozostaje jasne. Piętro niżej kilka pijanych lasek siedzi na parapecie, palą papierosy, próbują trafić wydmuchiwanym dymem w uchylone okno. Stryj wsiada, tym razem z przodu.

– Zapnij pasy – mówię do niego i ruszam.

– Ile pali? – pyta.

– W mieście coś pod piętnaście – odpowiadam, lekko cofając i wyjeżdżając na jezdnię.

– Poza miastem pewnie nie wiesz? – Śmieje się.

Również się uśmiecham. Nie wiem, czy ten samochód był kiedykolwiek poza Warszawą. Mam go od roku.

– Róg Mazowieckiej – mówi Stryj i dodaje: – Wiesz co, fajne to autko, ale, kurwa, przypałowe, powiem ci.

– Trudno. Nie będę jeździł renaultem clio – odpowiadam.

Wiem, że nie powinienem jeździć takim samochodem. On z kolei nie musi wiedzieć o tym, że o tym wiem.

– Ile za niego dałeś? – pyta ponownie.

– Około dziewięciu dych.

– Gotówą? – pyta.

– Nie, zapłaciłem mu w dywanach – odpowiadam.

– Co? – pyta.

– A czym? – pytam.

Miasto jest już wysycone ludźmi. Idą w grupach, wyszczerzeni do najbliższych paru godzin życia, wylewają się z przejść podziemnych, wsiadają do i wysiadają z taksówek. Jeszcze wyprostowani, jakby przyczepieni do niewidzialnych strun. Jeszcze młodzi w ten najbardziej irytujący sposób: sprawiający wrażenie, jakby przebrali się w ubrania własnych rodziców. Maszerujący. Wyprostowani. Wzorowi oficerowie własnych życiorysów. Idący po drobne zwycięstwa, po identyczne, nudne przegrane. Biegnący przed siebie po to, aby na chwileczkę zapomnieć. Przyszli lub obecni menedżerowie średniego szczebla, asystenci i asystentki, czyjeś prawe lub lewe ręce, studenci albo ich sprytniejsi koledzy. Rozpoznający się na ulicy, mylący się z kimś nawzajem, całujący, prowadzący się do domów, na bifory, potem do klubów, wyłażący z taksówek. Część z nich już mnie potrzebuje. Niektórzy niedługo zaczną.

Niektórzy może chcieliby, aby gdzieś w wiszącym nad tym wszystkim powietrzu, tym powietrzu, które ma niezmiennie czarny kolor, było coś jeszcze. Jakiś głos. Jakieś echo. Jakaś prawda. Jakiś skarb. Niektórzy może łudzą się, że to coś tam jest, ale większość z nich w ogóle o tym nie myśli. Myślą o jedzeniu, seksie, płatnościach, podatkach. Przede wszystkim myślą o pieniądzach. O tym, że mają ich za mało. Ci, którzy myślą o czymś więcej, są z góry na przegranej pozycji. Są zdekoncentrowani. Z rozkojarzonym błędnikiem, jakby coś nagle uderzyło ich w skroń. Wpatrywanie się w tę czarną kartkę powietrza nie ma najmniejszego sensu. To, co tam jest, zawsze będzie niewidoczne, gdy stanąć naprzeciwko. To coś, tę prawdziwą treść miasta, można zobaczyć tylko kątem oka, mimochodem.

Tak samo jak nie ma sensu wpatrywać się w ludzi. Są identyczni. Trajektorie ich ruchów, ich myśli, ich lęki są zbieżne w stu procentach. Odróżniają się tylko szczegółami. Mundurkami. Można oceniać i opisywać ludzi, grupować ich w podzbiory, katalogować, przypisywać im miejsca na własnych siatkach, mapach. Ale jesteśmy tutaj wszyscy tacy sami jak rozproszone punkty, bezładnie i bez skutku próbujące wrócić do wspólnego stanu skupienia, złączyć się w jedną plamę.

Ja, Śniady, Stryj, ci wszyscy ludzie – jakby ktoś kiedyś trzymał nas skondensowanych w jeden, organiczny kisiel w wielkiej puszce spreju, a następnie wstrząsnął nią i pomalował miasto grubymi pociągnięciami. Pokrył je nami. Z lotu ptaka musimy wyglądać jak długie, nieregularne smugi bladej i mięsnej piany.

Za siedem godzin będzie ich o połowę mniej, zaczną iść wolniej, krzywiej, staną się głośniejsi i biedniejsi. Nieudane podrywy. Oczyszczone karty. Zgubione telefony. Jaskiniowe wykrzykiwania przezwisk i imion.

Temperatura na zewnątrz spadła o jeden stopień. Gdzieś niedaleko niebieskie światła ambulansu kładą na otoczenie lodowaty filtr. Wszystko robi się na chwilę wyraźniejsze, widoczniejsze w wyższej rozdzielczości.

Skręcam w Świętokrzyską i zatrzymuję się na awaryjnych.

– Zobaczymy się jeszcze dzisiaj. – Stryj wyjmuje z kieszeni marynarki gumę do żucia i wpycha sobie do ust. – Na pewno.

– Być może – odpowiadam.

Podaję mu rękę. Odwracam się i podaję rękę Śniademu. Wychodzą. Wycofuję. Jadę dalej, w kierunku Nowego Światu.

Ten chłopak, któremu połamali ręce – przez chwilę przychodzi do głowy – jest jak włosek z grzybni, która pokrywa to miasto, mchu kretynów. Z ludzkimi błędami jest tak samo jak z aspiracjami, lękami, fantazjami – jest ich wyłącznie kilka rodzajów. Ich wykres, gdyby ktokolwiek go stworzył, byłby równie prosty do zrozumienia, jak zasady gry w wojnę. Nie widzieć tego, to nie widzieć zupełnie nic. Ten ćwierćmózg sam połamał sobie ręce i sam zabrał sobie swoje własne pieniądze.

Zawsze trzeba o tym pamiętać. Nie licząc niektórych rodzajów raka, wszystko, co spotyka ludzi, wyrządzają sobie sami.

Włączam muzykę z powrotem. Ten irytujący dźwięk,

to sapanie, słyszę je znowu, chociaż poza mną nie ma w tym samochodzie zupełnie nikogo. To miasto wydziera kolejny oddech ze swojego przerośniętego, nasterydowanego serca.

SEN

Mam tylko jeden rodzaj koszmaru – sen, w którym nie wiem, gdzie jestem.

Z reguły ląduję w miejscu, które jest granicą cywilizacji; punktem, za którym zaczyna się dzicz. Węzłem, przejściem – chociaż nie mam pojęcia, między czym a czym. Jednopasmowa, wyasfaltowana droga w środku lasu. Brudna, opuszczona plaża rozpuszczająca się w szarej, ciężkiej masie horyzontu; wyłącznie majaczący w oddali statek daje mi do zrozumienia, że znalazłem się w świecie, w którym ktoś jeszcze żyje. Ale może na statku nikogo nie ma. Może jest jedynie dryfującą po wodzie, pustą skorupą. Rogatki jakiegoś nieokreślonego miasta, szare prostopadłościany pokrytych brezentem, opustoszałych budynków, rozbite latarnie, majaczące kontury zabudowań i tylko szum przejeżdżających samochodów, gdzieś bardzo daleko.

Nie mam przy sobie telefonu, dokumentów, pieniędzy. Nic. Znam tylko swoje imię; nie pamiętam swojej daty urodzenia, nie pamiętam adresu, numeru telefonu, nie pamiętam, jak nazywają się moi rodzice, jak nazywa się moje rodzinne miasto. Jestem nikim. Jestem nigdzie. Nie jestem głodny ani nie chce mi się pić. Jestem rozbudzony.

Z reguły idę przed siebie, szukając kogokolwiek, drogi, śladu, i trwa to bardzo długo, całymi godzinami. Wiem, że nikogo nie spotkam. Wiem, że nawet jeśli kogoś spotkam, nie zapytam go o drogę, bo będzie mi wstyd.

Ten sen powtarza się co jakiś czas. Wybudzam się z niego na bezdechu, gwałtownie połykając powietrze, jakby ktoś trzasnął mnie pięścią w splot słoneczny. Ten lęk tkwi we mnie jeszcze przez chwilę, gnieździ mi się w ustach, ślisko spływa w dół przełyku, jakbym połykał żywą, tłustą larwę. Muszę zapalić światło, muszę zobaczyć, że w moim mieszkaniu wszystko znajduje się na swoim miejscu, jest znajome. Szafa. Telewizor. Półka na książki. Naczynia w kuchni. Moje ubrania, złożone na kanapie. Siadam wtedy na łóżku i zaczynam recytować swoją datę urodzenia, PESEL, numer telefonu, adres zamieszkania. Potem leżę jeszcze przez pół godziny na łóżku, bez ruchu. Wstaję. Robię sobie kawę. Biorę prysznic. Oglądam telewizję, dopóki nikt do mnie nie zadzwoni.

Tej nocy śniły mi się bloki, osiedle.

Jak zwykle nie wiedziałem, gdzie jestem. Nie wiedziałem, czy jestem gdziekolwiek. Ten sen okazał się jednak trochę inny, był pewną wariacją; przede wszystkim nie byłem w nim sam. Towarzyszył mi około dwunastoletni chłopak w bawełnianych dresach i bluzie, z przetłuszczonymi, dłuższymi włosami, opadającymi mu na twarz. Zorientowałem się, że jest mojego wzrostu, że również jestem chłopcem mniej więcej w jego wieku. Było słonecznie, staliśmy na dużej, zielonej, otwartej przestrzeni placu zabaw. Na zewnątrz znajdowało się sporo ludzi: dzieci, małolatów, ich rodziców. Wszyscy siedzieli na ławkach, grali w piłkę, rozglądali się dookoła, zabijali czas. Dwóch dziadków grało przy stoliku szachowym; paru innych ze skupieniem obserwowało partię, która równie dobrze mogła trwać już parę dni. Ktoś grał w ping-ponga. To musiała być niedziela, bo grupy wystrojonych ludzi wlewały się powoli do kolejnych klatek albo przystawały jeszcze na chwilę przed blokami, rozmawiając.

Przed nami wyrastało z ziemi pięć mieszkalnych bloków, wczepiających się w niebo jak szaro-czarne, brudne pazury. Cztery z nich, zbliżone do siebie, wznosiły się nieme jak zatrzymana azbestowa artyleria; jeden był trochę oddalony, stał z boku, ustawiony pod odmiennym kątem do pozostałych. Wiedziałem, że idziemy dokładnie tam i że nie powinniśmy tego robić.

Szliśmy powoli w kierunku budynku, prowadząc rozmowę; to była dziecięca, podwórkowa logistyka, ustalanie kolejności wydarzeń, jakbyśmy szli kraść jabłka, albo wykupić zapas gum marki Turbo z osiedlowego sklepu za odłożone pieniądze. Zastanawialiśmy się, o której godzinie mamy wrócić do domów, aby nikt nie zaczął podejrzewać, że tam byliśmy. Pewnie po dwudziestej pierwszej, mówił chłopak. Musimy wyrobić się do dwudziestej pierwszej. Szedł powoli, ociągał się, co chwila przystawał, aby splunąć albo odwrócić się za czymś schowanym w trawie i widocznym tylko dla niego. Sprawiał wrażenie, jakby miał ciężką nerwicę. Nie dziwiło mnie to. Wiedziałem, że bije go ojciec. Mówił niewyraźnie, usta miał pełne kukurydzianych chrupek, które bez przerwy wyciągał z trzymanej przed sobą wielkiej torby. Raz po raz wyciągał paczkę w moim kierunku. Chrupki zdawały się nie kończyć. Nie chciałem ich. Nie byłem głodny.

Chłopak zapytał mnie, czy mam przy sobie latarkę. Zorientowałem się, że mam. Że mam również scyzoryk oraz gaz pieprzowy. Zaczynałem rozumieć, że idziemy do miejsca, do którego pod żadnym pozorem nie możemy się zbliżać, że do oddalonego bloku na końcu osiedla nikt nie chodzi.

Ten chłopak musiał być kimś w rodzaju mojego najlepszego kolegi. Mówił bardzo dużo, ale nie rozumiałem z tego prawie nic, jakby mówił do mnie po rosyjsku. W miarę jak przybliżaliśmy się do bloku, zauważyłem, że ma elewację ciemniejszą od pozostałych, pokrytą sadzą. Jakby jakiś czas temu ktoś próbował go podpalić.

– A jeśli ona tam jest? – zapytałem go.

Zacisnął usta, ale po chwili się uśmiechnął.

– Nie ma jej, zobaczysz – odpowiedział. – Oni wszyscy kłamią.

Odwróciłem się. W pobliżu nas nie było już żadnych ludzi.

– Oni wszyscy kłamią – powtórzył.

Poszliśmy dalej.

Z każdym krokiem wiedziałem i pamiętałem coraz więcej. Wiedziałem, że mieszkali tam ludzie, ale z biegiem czasu wszyscy się wynieśli albo do innych bloków, albo w ogóle do innych miast. Część poumierała. Wszystkie wejścia do klatek były zamurowane. Wszystkie dzieci z osiedla miały bezwzględny zakaz zbliżania się do tego miejsca. Ci, którzy tylko mieli taką możliwość, wyprowadzili się z osiedla – nie mogli znieść jego obecności.

Każdy krok wyświetlał we mnie kolejną informację.

To blokowisko przypomniało mi Olsztyn, Jaroty. Albo Łódź, Bałuty. Albo Bydgoszcz, Fordon. Albo Nową Hutę. Przez chwilę. Ale to nie było żadne z tych miejsc. W żadnym mieście na świecie nie było takiego miejsca.

Gdy podeszliśmy pod blok, poczułem smród, fetor wdzierający się bezpośrednio do nosa i przylepiający do gardła, kwaśny, siarczany płaszcz. Smród, który jest tak silny, że powoli zaczyna być smakiem.

Większość okien w bloku została wybita. Na odpadającym, szarym tynku widniały napisy w niezrozumiałym dla mnie języku, nakreślone czarną smołą; może ten język był mi nieznany, a może po prostu nie umiałem czytać.

– Wejście jest z tyłu – powiedział chłopak.

– Kto ci to powiedział? – zapytałem.

– Po prostu wiem to. Chodź – odparł.

Okrążyliśmy blok, aż w końcu pokazał mi wybite okno do piwnicy, jedyne niezamurowane. Znajdowało się w obetonowanym wgłębieniu, przykrytym od góry metalową kratą. Dno wgłębienia pokrywała warstwa zbitego szkła, zgaszonych papierosów, zużytych kondomów. Były tu od kilkunastu lat. Odpadki po życiu. Resztki.

Podnieśliśmy kratę i odrzuciliśmy ją na bok. Okazała się zaskakująco lekka.

– Mówiłem ci – powiedział.

– Dlaczego zostawili to jedno otwarte? – zapytałem.

– Nie wiem, zapomnieli o nim – odparł.

Ale ja wiedziałem, czułem, że zostawili je specjalnie.

Coś tykało w powietrzu jak ogromny, zawieszony nad nami zegar. Czułem to, te dziwne skoki, jakby ktoś przewijał dzień do przodu, jakby z każdą sekundą czas pozbywał się kolejnej godziny, która leciała w dół, szybko i nagle jak cegła zrzucona z ogromnej wysokości.

Gdy weszliśmy do środka, na zewnątrz zapadł już zmierzch. Smród był nie do opisania, wypełniał pomieszczenie jak zawieszona w powietrzu wata, wdzierał się do nosa, pozostawiając na zatokach oblepiającą wilgoć. Nie czułem takiego zapachu nigdy w życiu, nigdy na jawie. Trochę jak pleśń, fermentująca tkanka. Zgorzel. Jak litry wydzieliny z zepsutych zębów porozlewane po podłodze, nasiąknięte nimi ściany.

Pomieszczenie było puste. Przed nami widniały zbite z desek drzwi. Chłopak pchnął je do przodu tak lekko, jakby materia całego pomieszczenia znajdowała się pod jego pełną kontrolą, jakby mógł przesuwać i wznosić ściany, stawiać schody, zmieniać układ całych pomieszczeń.

Smród narastał, chociaż wydawało się to niemożliwe. Właził w pory skóry, nasycał nos. Chciało mi się wymiotować, ale nie miałem czym. Chłopak wciąż jadł chrupki. Szliśmy po schodach, świecąc latarką; na chwilę zatrzymałem snop światła na ścianie i zobaczyłem, że są pokryte brązowym, burym nalotem, przypominającym wilgotną rdzę. Weszliśmy na piętro. Doszliśmy do wejścia na klatkę. Obok były windy. Na ścianie ktoś napisał sprejem wielki napis: ODDAWAJ KURWO CO ZABRAŁAŚ. Obok: BĄDŹ PRZEKLĘTA STARA KURWO WIEDŹMO. Poniżej widniał szereg mniejszych bazgrołów, podpisów, inskrypcji. Daty. Nazwiska. Kreski. Coś w rodzaju dziecięcego rysunku. Obdarte fragmenty przyklejonych do ścian plakatów, powiadomień. Patrzyłem na to przez chwilę, ale mój kolega kazał mi iść dalej. Ruszyłem za nim; nagle jakby przestał się ociągać: szedł pewnie i szybko i nie odwracał się już co kilkadziesiąt sekund za siebie. Sprawiał wrażenie, jakby był u siebie, był w domu.

Przystanął przed windami i nacisnął kilka razy guzik przywoływania. Smród wypełniał mnie od środka. Wił mi się w brzuchu jak wielki połknięty robak. Jeśli wrócę, ten zapach pozostanie ze mną do końca. Nigdy go nie zmyję. Usłyszałem coś dobiegającego z góry, bzyczenie, hałas, buczenie – agonalne odgłosy starego, potężnego urządzenia.

– Słyszysz? – zapytałem mojego kolegę.

– Nie – odpowiedział – nic nie słyszę.

Winda zadziałała. Usłyszałem tępe, głośne zgrzytnięcie i masa metalu zaczęła jechać w dół. Chciałem zapytać go, jak to możliwe, skoro budynek został już dawno odcięty od jakiegokolwiek zasilania.

– Podobno jest na jedenastym piętrze – odpowiedział.

Pokiwałem głową.

– Druga winda też działa, ale ona zawiezie nas gdzie indziej – dodał.

Weszliśmy do środka. Nie było światła. Słyszałem tylko swój oddech, szybki i rwany. Jakby bzyczenie ogromnej liczby much. Mrok. Ciepło, w środku było ciepło, nawet gorąco. Mój kolega nacisnął przycisk oznaczony numerem jedenaście, nawet nie pomagając sobie latarką. Doskonale wiedział, gdzie jest. Ruszyliśmy. Strach stał się jak wlewana mi na siłę do ust woda; nie potrafiłem go połknąć, krztusiłem się nim.

Winda sunęła powoli, nieregularnie, przystając co parę sekund, jakby ożywiał ją mechanizm zasilany pracą czyichś rąk.

Wiedziałem, że stąd nie wyjdę.

– Chyba chcę wracać – powiedziałem, ale wiedziałem, że jest już za późno.

– Zobaczysz, że jej tam nie ma – odparł.

Winda jechała niezmiernie długo. W nieskończoność. W końcu zatrzymała się na jedenastym piętrze.

Przyszło mi do głowy, że jeśli nie wrócę do domu na dwudziestą pierwszą, nikt nie przyjdzie nawet mnie tu szukać. Na tym piętrze nie było już napisów na ścianach ani śmieci na podłodze. Pozostał wyłącznie brunatny nalot na każdej poziomej i pionowej powierzchni. Sprawiał wrażenie, jakby był żywy: kipiał, pączkował, rozmnażał się. Mój kolega zgniótł coś w ręku i wyrzucił pod nogi. To było opakowanie po chrupkach.

Coś wydało hałas, głos. Bezkształtny jęk, bezzębne zawołanie. Dźwięk nie odbił się od ścian, ale rozpełzł się po nich jak śluz. Biegnące za nim echo przypominało syknięcie.

– Nikogo tu nie ma – powiedział mój kolega. – Idź.

Popatrzyłem się na niego. Poświeciłem mu w twarz latarką. Pokręcił głową.

– Idź do przodu.

Kiwnąłem głową. Nie było innego wyjścia. Wiedziałem, że nie mam jak uciec. Wiedziałem, że winda nie zadziała wtedy, gdy ja nacisnę guzik, że musi to zrobić on. Wiedziałem, że wszystko jest postanowione.

Ruszyłem w stronę wyłamanych drzwi do jednego z mieszkań. Panował nieprzenikniony mrok. Stąpałem po podłodze, moje buty się do niej przyklejały; była pokryta jakby cienką warstwą roztopionej gumy.

– Gdzie jesteś? – zapytałem mojego kolegę.

Nie odpowiedział.

Coś wydało kolejny jęk, zaraz obok. Zaskrzeczało. Wiedziałem, że to coś, co jest w środku, mieszkańcy blokowiska utożsamiają z kobietą. Wiedziałem, że napis na dole był o niej. Wiedziałem, że mój kolega mnie okłamał. Wiedziałem, że jest już na dole. Że najprawdopodobniej opuścił już ten budynek.

Wziąłem oddech, wiedząc, że razem z powietrzem połykam coś, co nigdy nie powinno dostać się do środka ludzkiego organizmu. Ciężkie stopy trucizn, grzyby, zarazę.

Zrobiłem kolejny krok do przodu. Coś zaczęło wyłaniać się z ciemności, kontury. W rogu pustego pomieszczenia o zabitych oknach, pod ścianą, coś siedziało, czekając na mnie. Nie miało kształtu żadnej żywej istoty, to była bezładna kupa materii, która jakby ściekła z sufitu, osadziła się i okrzepła właśnie tam.

Wiedziałem, że zaprowadził mnie tu specjalnie. Wiedziałem, że złożył mnie w ofierze. Że co jakiś czas ktoś musi zostać tu przyprowadzony, aby cała reszta mieszkańców mogła w spokoju egzystować.

Coś w kącie poruszyło się.

Nie mogłem już się poruszać. Zamieniłem się w bryłę, z ustami zatrzymanymi we wrzasku. Czekałem.

Nie wiedziałem o tym, idąc tutaj. Czy gdybym wiedział, zacząłbym uciekać? Czy zacząłbym biec w drugą stronę, w kierunku ludzi stojących nieopodal bloku, dzieci na placu zabaw? Czy nie zaczęliby znikać, gdybym zaczął biec w ich kierunku?

A może złapaliby mnie i wszyscy wspólnie zaciągnęli tu na siłę?

Obudziłem się na podłodze około szóstej rano.

Dopiero po chwili zrozumiałem, że zadaję sobie te pytania na głos.

22:15

Stoimy na Mokotowskiej, przed jakimś miejscem. O takich miejscach mówi się po prostu: miejsca; nie wiem, czy to klub, kawiarnia, czy galeria – to po prostu pewna modna w tym tygodniu przestrzeń wynajęta dzięki znajomościom dobrze ustawionego rodzica. Obok jest butik jakiegoś polskiego projektanta. Naprzeciwko prywatna przychodnia ginekologiczna. W środku – chyba – pokaz mody albo wystawa projektów, albo zdjęć z sesji, albo cokolwiek w tym rodzaju, zdjęć brzydkich, chudych, trupio udrapowanych dziewcząt, które pewnie są tu też we własnych osobach. Sztuka. Moda. Estetyka. Dużo moich dobrych klientów wierzy w te bzdury.

Wejście okupuje ten specyficzny typ młodych dup, noszących pstrokate, niesymetryczne ciuchy, przegłodzonych, z telefonami wszczepionymi w łeb, w identycznych, nabijanych ćwiekami butach. Do tego młodzi, chudzi kolesie w długich płaszczach i zadbanych fryzurach. Ktoś udaje, że miksuje płyty. Ktoś nerwowo rozlewa drinki z wódy i soku w kartonie. Ludzie dzwonią po taksówki, akcja powoli dobiega końca; wszyscy przenoszą się gdzie indziej. Wyrok zapadł. Tu już nic więcej się nie wydarzy.

Obok nas przejeżdża karetka. To już piąta, którą mijam tego wieczoru.

– Powiem ci, że półtora tysiąca kliknęło, że przyjdzie. Ale jak zwykle. Jest dwieście, może trzysta – mówi szybko, tak szybko, że nie wiem, skąd ma ślinę na tyle słów. – To jest, powiem ci, wirtualne uczestnictwo, czy jak to się tam nazywa. Jak klikną, że mają wziąć udział, to już jest tak, jakby naprawdę przyszli. I co z tego? To są nowe, polskie marki. Naprawdę nowi projektanci. Zajebista robota. Ludzie dokładają do interesu, ściągają materiały, kurwa, z Ameryki Południowej, bo chcą zrealizować jakąś wizję, rozumiesz? Mają wyjebane, kto się w tym sfotografuje, czy się zaprzyjaźnią z jakąś aktorką, która polezie w tym potem na premierę *Wawy na gorąco*, stary. Nie, kurwa, *Dzień z Wolim i Tysiem*. Ludzie mają wyjebane. Idą tłumami. Do znajomych. Nie idą na to, co się dzieje, tylko do znajomych. Zawsze przychodzą do swoich znajomych. Znajdź choćby dziesięć osób, które przyprowadzą ci Warszawę. Wtedy będziesz miał Warszawę. Zawsze tak, kurwa, jest.

– Nie wiem – odpowiadam.

– A ja wiem. Mówię ci, że tak jest. Ile miejsc się na tym wyjebało – mówi, po czym wydmuchuje nos. Walił już dzisiaj. Na pewno. – Znajomi są gdzie indziej – dodaje, rozglądając się dookoła, odrobinę zbyt nerwowo.

– Nie wiem, bo nie mam Facebooka – odpowiadam.

Otwieram schowek. Wkładam rękę głębiej, do zapadki. Wyjmuję dwie samary.

– Stary – mówi – jeśli chcesz być fajny, musisz się starać bardziej.

– Nie wszystkim chodzi o bycie fajnym – odpowiadam.

– To czemu nie masz Facebooka? – pyta. – Za takimi rzeczami stoi pewne założenie.

– Ja nie mam nawet komputera – odpowiadam. – To znaczy mam jeden, w jednym miejscu, ale nie używam go do tych wszystkich, wiesz, internetowych spraw.

Patrzy na mnie przez chwilę, jakbym był pokryty łuską.

– Nie wierzę ci. Pier-do-lisz. Pierdolisz – mówi.

Widać, że jego niewiara jest szczera, idzie z głębi jego ptasiego, dobrego, pedalskiego serca.

– To psuje pamięć – mówię. – Muszę dbać o pamięć.

– Wciąż nie rozumiem, stary, kurwa. – Uśmiecha się. – Oświeć mnie.

Ma na imię Łukasz, chyba. Dzwoni do mnie od roku,

za to często. Zawsze kupuje minimum jeden cały worek. Jest miły, nie stwarza problemów. Gej, niski, szczupły, ze starannie przystrzyżonym zarostem, zawsze w celowo komicznych ubraniach, wąskich spodniach, muszkach, fularkach. Lubię go. Przyjechał tu skądś, tak samo jak ja. Robi jakąś karierę, pracuje w jakiejś prasie, podobno pisze coś w internecie, ma jakiegoś bloga, przynajmniej tak twierdzi. Nie wygląda na kogoś, kto porusza się do przodu, siadając na kutasach. Jest cyniczny, czasami opowiada dobre dowcipy. Nawet gdy wypowiada się o kimś lub o czymś z uznaniem, ma spojrzenie człowieka, w którego oczach cały świat składa się z gówna.

Lubię go. Zawsze ma pieniądze. Jest uprzejmy. Nigdy nie jest zanadto pijany. Nigdy nie każe się wieźć do bankomatu. Zawsze ma odliczone pieniądze. Lubi sobie pogadać, więc go słucham. Dobry klient. Miły człowiek.

– Osiemset – mówię mu.

Daje mi osiemset, dokładnie rozciągając każdą stówę.

– O co chodzi z tą pamięcią? – pyta ponownie.

– Ile numerów telefonów znasz na pamięć? – odpowiadam. – Dat czyichś urodzin? Nazwisk? Potrafisz sobie przypomnieć wszystkie godziny spotkań z przyszłego tygodnia?

Nie odpowiada. Kiwa głową.

– Masz ulubiony zespół? – pytam go ponownie. – Wymień dziesięć jego piosenek.

– Ty wolisz mieć wszystko w głowie – mówi. – Rozumiem.

– Ja nic nie wolę. To ty, tak jak wszyscy, wyjąłeś sobie wszystko z głowy i włożyłeś w tablet, w komputer, w chmurę, w cokolwiek – odpowiadam. – W pamięć zewnętrzną. Co się stanie, jak pamięć zewnętrzna się zepsuje?

– To ma sens – odpowiada, po czym dodaje: – Wiesz

co, muszę ci coś powiedzieć. Zawsze chciałem ci to powiedzieć.

– Nic z tego nie będzie – mówię mu. – Lubię dziewczyny, Łukasz.

– Chciałem ci powiedzieć, że naprawdę dobrze się ubierasz, jak na... – przerywa. Nie wie, jakiego słowa użyć.

– Handlarza – pomagam mu skończyć zdanie.

– Naprawdę dobrze się ubierasz. Ile dałeś za ten płaszcz?

– Tysiąc dwieście euro – odpowiadam.

– To Margiela? – pyta.

– Lanvin – odpowiadam. – Nic z tego nie będzie, Łukasz. Nie kocham cię.

Uśmiecha się. Chowa samary do kieszeni. Przez chwilę patrzy na skłębiony przy wejściu tłum, jakby był obcym gatunkiem, jakby próbował zrozumieć jego zachowania. Nieświadomie krzywi się, jakby połknął coś kwaśnego.

– Gdzie potem idziesz? – pytam.

– W „Basenie" będzie grubo. Rozdanie „Wjazdów".

– Czego?

– Takie nagrody miejskie – odpowiada. – Będziesz tam dzisiaj. Na pewno.

– Może – mówię. – Może tam będę, a może nie.

– Na razie. – Podaje mi rękę.

Ściskam mu dłoń, patrzę, jak wysiada.

Trzaska drzwiami. Telefon. Pazina. Wiem, gdzie jest.

– Będę za dziesięć minut – mówię.

– Wiesz, gdzie jestem? – pyta retorycznie.

– Tak. – Kiwam głową.

Rozłączam się.

Mam przeczucie, że będzie padać śnieg. Już za chwilę. Niebo nadyma się, wzbiera. Znowu otwieram usta, znowu bezgłośnie. Nic nie ma. Jakby ktoś w nocy wyjął coś ze mnie podczas snu. Organ, o którym nie miałem pojęcia. Będzie padać, wiem to. Muzyka. Debussy. Kolejna karetka. Widzę Łukasza, jak idzie i wtapia się w tłum. Ruszam.

23:10

Są trzy rzeczy, które robią wszyscy w Warszawie.

Po pierwsze, ludzie mówią. Mówią za dużo. Mówią bezładnie. Mówią o sobie nawzajem, za swoimi plecami. Mówią, kto komu wisi pieniądze, kto kogo ostatnio wypierdolił z interesu. Mówią, kto jest słaby, gdzie jest słaby, kiedy stał się słaby. Mówią o tym, co inni mówią o innych. Mówią o tym, kto się z kim rucha. Kto kogo zdradził. Kto kogo porzucił. Mówią, aby mówić. Mówią, mówią i mówią. Piją po to, aby mówić jeszcze więcej. Jeszcze głupiej. Informacje przeciekają przez nich, lecą im z oczu, z uszu, spomiędzy nóg. Nieistotne i istotne. Te powszechnie wiadome i te poufne. Wciąż mówią. Mówią, dopóki nie padną. Mówią po to, aby za chwilę powiedzieć jeszcze więcej. Mówienie ich podnieca, rozszerza im źrenice, przyśpiesza oddech, zwilża śluzówki. Gdy jest połączone z byciem słuchanym, wtedy staje się lepsze i ważniejsze niż seks. Lepsze i ważniejsze, bo bardziej ekonomiczne. Mówienie różni się od seksu zdecydowanie korzystniejszym stosunkiem energii zainwestowanej do energii uzyskanej.

Po drugie, ludzie handlują. W efekcie zarabiają albo dużo, albo gówno. Jeśli wiedzą, jak handlować, zarabiają dużo. Jeśli wydaje im się, że wiedzą, zarabiają gówno. Handlują tym, co wiedzą, tym, co mają, i tym, czego nie mają; handlują, chodząc, handlują, kłamiąc, pokazując się, licząc, pisząc. Handlują swoimi pomysłami, wymyślając kampanie marketingowe, handlują kondycją swoich stawów, rozwożąc pizzę albo wtykając ulotki burdeli za wycieraczki samochodów. Są jak ślepe, puszczone za tropem psy. Nie widzą. Wąchają. Szukają pieniędzy. Wyciągają je spomiędzy przerw między płytami chodnikowymi. Wyciskają je z powietrza, z siebie nawzajem. Ale przede wszystkim ludzie handlują, mówiąc.

Po trzecie, ludzie w Warszawie wąchają kokainę. Właśnie tu wchodzę ja, cały na biało.

Kokainę walą wszyscy, których na to stać, i dosyć spory procent tych, których na to nie stać. Walą prawnicy. Politycy. Lekarze. Właściciele przedsiębiorstw. Kierownicy przedsiębiorstw. Menedżerowie niższego szczebla. Menedżerowie wyższego szczebla. Gwiazdy telewizji. Pracownicy telewizji. Właściciele agencji reklamowych. Pracownicy agencji reklamowych. Finansiści. Deweloperzy. Pisarze. Malarze. Muzycy. Publicyści. Fotograficy. Dziennikarze. Producenci. Wydawcy. Restauratorzy. Bandyci. Adwokaci. Alfonsi. Kurwy. Hotelarze.

Wszyscy, wszyscy bez wyjątku walą kokainę. Nieważne, jak byłaby słaba, droga, pożeniona. Wszyscy traktują ją jak rytuał. Jak gest. Jak oczywisty emblemat. Walenie kokainy jest jak noszenie zegarka. Jak wracanie do domu taksówką. Jest jak mówienie i zarabianie pieniędzy. Jest naturalną konsekwencją jednego i drugiego. Jest najlepszą pomocą i w jednym, i w drugim.

W Warszawie każdy ma trzy najważniejsze numery telefonów. Te numery są zawsze w określonym porządku, jak miejsca na podium. Złoty medal należy do osób, które im płacą. Brązowy do osób, z którymi właśnie sypiają. Ja mam srebro. Dla wszystkich ludzi, których mam w komórce, jestem drugim najważniejszym numerem.

Dlatego nie ma sensu zadawać mi pytań, dlaczego, skoro jeżdżę z towarem od ośmiu lat, nigdy nie zostałem zawinięty.

Ale w tym wszystkim ciekawa jest jeszcze jedna sprawa.

Wszyscy w Warszawie handlują, ale ja handluję kokainą. To pewna różnica. Kokaina jest czymś namacalnym, czymś, czego można dotknąć, czymś, co coś rzeczywiście zmienia, przynajmniej na krótką chwilę. Kokaina jest prawdziwa. Jest czysta, biała, twarda, w dużych, stugramowych kościach przypomina wypolerowane do białości kamienie. Pięści. Jest prawdziwsza od złota i diamentów – kiedy ostatnio widziałeś sztabkę złota? Kokainę miałeś w nosie w ostatni weekend.

Kokaina nie podlega kursom i spekulacjom. Inwestuje się w nią i zarabia na niej prawdziwe pieniądze. Ponosi się za nią prawdziwą odpowiedzialność. Dzisiaj, kiedy wszyscy handlują fikcją, wartościami dodanymi, opakowaniami opakowań, gdy większość kapitału to pustka, mydliny, dopisywane cyfry, gdy wszyscy pokornie przyklejeni do komputerów czekamy na pęknięcie balonu, ja obracam prawdziwym kapitałem.

Nie jestem z tego powodu jakoś szczególnie dumny. Po prostu to wiem. To jest prawdziwy handel. Handel, w którym mówi się niewiele, tylko tyle, ile wystarcza. Operuje się liczbami, równoważnikami zdań. Tu nie ma analiz rynku, kampanii reklamowych, sondowania produktu. Nie trzeba. To realne produkty. Prawdziwe pieniądze.

Pieniądze, które wisi mi Maluch, też są prawdziwe. To dziewięćdziesiąt tysięcy złotych gotówką, prawdziwe jak kurwa mać.

Jesteśmy w klubie, którego właścicielem jest Maluch. Klub nazywa się „Betlejem". Dźwięk przetacza się po wylanej betonem podłodze jak grzmot. Kilkadziesiąt osób tańczy, dotykając się albo próbując się dotykać. Reszta obściskuje bar, zamawia następne szybkie serie kolejek, pokrzykuje na barmanów, wali otwartymi dłońmi w blat, mówi, mówi, mówi.

„Betlejem" to wielki klub, zajmujący całą kamienicę w centrum miasta. Przed 1989 rokiem mieścił się tu dziecięcy szpital chorób zakaźnych. Rzekomo w piwnicy, w której było prosektorium, ktoś niedawno zorganizował orgię. Przyszło dużo ludzi, ale podobno nikt nie uprawiał seksu.

Stoję w cieniu, w jednym z zakamarków, razem z Paziną. Piję wodę. Pazina podwójną wódkę na lodzie. Pazina jest drobna i chuda, ma ufarbowane na czarno, spięte w kok włosy, jej dłonie bez przerwy się poruszają jak dwa małe, walczące pająki. Pali cienkiego papierosa. Jest trochę pijana. Przypatruje się ludziom ze spokojem kogoś, kto wie o nich zbyt wiele, aby nimi pogardzać. Jest prawdopodobnie jedynym przyjacielem, jakiego mam. To znaczy nie do końca wiem, na czym miałoby polegać posiadanie przyjaciela. Ale Pazina jest osobą, która połyka sekrety, która wie, kiedy mówić, a kiedy być cicho, która odbiera telefony i potrafi być o czwartej nad ranem w miejscu, w którym nie powinna być, po to, aby coś przejąć, zawieźć do siebie, schować i z nikim o tym nie rozmawiać.

Nigdy ze sobą nie spaliśmy. Ten pomysł nawet się nie pojawił, tak jak nie pojawia się między rodzeństwem albo pomiędzy statystycznym mężczyzną a żoną jego brata.

– Współczuję ci – mówi. – Być tutaj trzeźwym to gorzej, niż być skacowanym w pracy.

– Nie mamy pracy, Pazina – przypominam jej.

– Ja mam – odpowiada. – Ty też.

– Nie mamy – mówię. – To jest zarabianie pieniędzy. Ale to nie jest praca.

– W sumie nikt tutaj nie pracuje – mówi.

Pazina ma około trzydziestu lat. Nigdy nie pytałem jej o dokładny wiek. Od jakichś dziesięciu lat zarządza miastem: jest menedżerką klubów, organizatorką koncertów, wynajduje lokale do wynajęcia. Zna chyba wszystkich, chyba wszyscy znają ją, i chyba ona wie o nich wszystko. Umie świetnie liczyć, lepiej ode mnie; bardzo ją za to szanuję. Co zastanawiające, w ogóle nie dba o swoje własne pieniądze i tego kompletnie u niej nie rozumiem. Wydaje i rozdaje wszystko od razu. Czyści karty kredytowe. Płaci za obcych. Stawia, pożycza, pomaga. Jakby wiedziała, że gdy skończą się jedne pieniądze, zaraz pojawią się nowe. Nigdy nie umiałem wytłumaczyć jej tego, że jest inaczej.

Jest twarda i spokojna. Umie powstrzymać sto pięćdziesięciokilowego draba przed zmasakrowaniem drugiego człowieka. Wyciągać ludzi z tych prawdziwych i z tych wmówionych depresji. Sama nigdy nie wyciągnęła się ze swojej. Mówi, że tylko ją wypiera. Wiem, że nie wyciągnie się z niej nigdy – Pazina tak naprawdę od lat mieszka w małym, czarnym pomieszczeniu bez okien, z małą klapką w drzwiach na podawanie jej jedzenia. Za dużo przeszła, żeby kiedykolwiek je opuścić. To kolejny powód, który sprawia, że ją szanuję, mogę z nią rozmawiać, czuję wagę jej słów. Została pocięta, poszarpana przez ludzi i przez okoliczności.

– Idziesz do niego? – pyta.

– Za chwilę – odpowiadam. – Niech się jeszcze bawi.

– Za chwilę w ogóle nie będzie rozumiał, co się do niego mówi – zauważa.

– To dobrze – odpowiadam.

– Będziesz go straszył? – pyta.

– Czy ja kiedyś kogokolwiek straszyłem? – odpowiadam pytaniem na pytanie.

– To chyba twoja była – mówi Pazina, wskazując palcem na przeciwległy róg korytarza, na skupisko kilku osób przyciśniętych do ściany, trzymających w ręku drinki. Kojarzę ich. I widzę ją. Dziewczynę, która mieszka w tamtym pokoju. Tym, do którego mam zakaz wstępu. Dziewczyna ma na imię Beata. Nie powinienem o niej myśleć. To potwornie mnie rozprasza, odrywa mnie od rzeczywistości, rozmazuje mi obraz. Ale widzę ją, wyraźną jak plamę na białej koszuli; stoi nieruchomo, wyższa i ostrzejsza od reszty, słucha kogoś, starając się wyhodować na swojej twarzy uśmiech. Wiem, że zaraz stąd wyjdzie. To nie jest jej miejsce. Po prostu przyszła zobaczyć, co się dzieje. Delikatnie się otrzeć. Wygląda, jakby ktoś wydrapał ją na tym obrazie żyletką.

Ci ludzie, którzy z nią stoją – znam ich. Jeden z nich to operator filmowy, młody siusiak, histeryk. Drugi, dyrektor kreacji, chyba znowu czynny alkoholik, facet z brzydką dziewczyną, czterema psami i studenckim poczuciem humoru. Trzeci jest trzydziestopięcioletnim DJ-em, tak smutnym, jak tylko smutny może być trzydziestopięcioletni DJ. Zresztą znam wszystkich. Mam zapisane w pamięci pół tego miasta, tak samo jak Pazina. Wiemy, kto jak się nazywa, z kim kto rozmawia, kto gdzie zarabia, jakie ma słabości, co lubi, czego się boi, kiedy należy przestać z nim rozmawiać i czy w ogóle warto to robić. Bez tego robienie czegokolwiek w Warszawie jest równie sensowne, jak pielenie pola minowego.

Jednak ja mam jeszcze w pamięci ludzi, o których Pazina nie ma zielonego pojęcia i nie chce go mieć. Nazywa to ciemną strefą, pyta mnie, czy dziś jestem w ciemnej strefie. Odpowiadam, że tak. Ona więcej nie pyta. Połyka to. Nie chce wiedzieć. To kolejna z jej dobrych cech. Że często nie chce wiedzieć, a większość tych ludzi tutaj, w tym klubie, w tym mieście, chce wiedzieć wszystko. Jest to ich największa z życiowych aspiracji.

– No i co? – pyta mnie, patrząc na nich.

– Co co? – odpowiadam.

– Coś cię kłuje? – pyta.

– Nie – odpowiadam.

– Kłamiesz – stwierdza.

– Nie myślę o tym. To bardzo dekoncentruje – odpowiadam.

– No to inaczej: czy czujesz się zdekoncentrowany? – pyta.

– Nie, nigdy – odpowiadam.

Stukamy się szklankami. Kiwam jej głową. Bez słowa idę na zaplecze, a ona rozumie, że nie muszę o tym mówić. Lubię Pazinę. Nie musimy tracić benzyny na tak zbędne rzeczy, jak powitania, pożegnania, buziaki, podania ręki, uściski. Żadne z nas nie analizuje tej sytuacji, nie obraca jej w głowie, nie myśli o niej. Jesteśmy dla siebie odpoczynkiem. Jak spacer.

Maluch jest na zapleczu. Nazywa je biurem, może dlatego, że pomalował pomieszczenie na biało, a do środka wstawił szafkę z Ikei i długi stół. Szafka jest pełna dokumentów. Przy ścianie stoją ustawione w równych rzędach środki czystości, skrzynki wódki, rolki papieru toaletowego, puste segregatory. W środku jest też chuda blondynka, która wygląda na dwadzieścia osiem lat, ale pewnie nie ma nawet osiemnastu; nosi bluzę pokrytą kwiatowym nadrukiem, skórzane, obcisłe spodnie i ma nieobecne spojrzenie kogoś, kto ziewa na widok porno ze zwierzętami. Maluch dzieli kreski na stole. Za oknem widać Pałac Kultury i Nauki, oświetlony na fioletowo.

– Kopę lat, Jacuś. – Wstaje, podchodzi do mnie, strzela swoją dłonią o moją, próbuje mnie objąć, cofam się o krok.

– Siądziesz? – pyta.

Kiwam głową. Patrzę na dziewczynę.

– Ja jestem Marta – mówi, jakby żuła gumę, chociaż nie ma nic w ustach.

– Marta, wyjdź – mówię do niej.

Maluch zatrzymuje się, jakby ktoś znienacka zrobił mu zastrzyk. Ona nie reaguje, patrzy na mnie przez chwilę, żując niewidzialną gumę.

– To moja dziewczyna – mówi i opiera się dłonią o blat, przechylając głowę w prawo jak pies, który próbuje zrozumieć, co mówi do niego właściciel.

Maluch naprawdę nazywa się Dawid, ale jest Maluchem od momentu, gdy kiedyś, w latach dziewięćdziesiątych, wystąpił w filmie *Stawiam na wygraną*. Była to komedia sensacyjna, akcja rozgrywała się w środowisku młodych i pięknych złodziei samochodów. Ci, którzy jeszcze pamiętają ten film, twierdzą, że był gorszy nawet od drugiej części *Młodych wilków,* tej z Anną Muchą i ułamkiem w tytule.

Maluch grał tam drugoplanową rolę durnia o pseudonimie „Maluch", nieszczęśliwie zakochanego w głównej bohaterce, którą grała wokalistka zespołu Big Day. Jego rozterki miłosne zakończył śmiertelny postrzał otrzymany od rosyjskiego gangstera, którego grał Aleksander Bednarz. Od tamtej pory Maluch jest Maluchem. Dla wszystkich, nawet dla tych, którzy nie pamiętają filmu.

Sam nie pamiętam, jak wyglądał w filmie. Teraz wygląda źle. Ma półdługie, przetłuszczone włosy, zarost, wymiętą flanelową koszulę, oczy mówiące „nikogo nie ma w domu", przyklejony, naprężony uśmiech. Ma trzydzieści cztery lata, jest współwłaścicielem czterech klubów w Warszawie. Ostatnio otworzył budę z wegańskim jedzeniem – twierdzi, że najważniejsze w tym momencie jest dla niego zdrowe odżywianie. Pomimo zdrowego odżywania ma zepsute, brązowe zęby, poza przednimi dwoma, wstawionymi niedawno. Prawdziwe stracił, gdy podszedł do grupy ochroniarzy gdzieś na Sienkiewicza i zapytał, czy ruchają się w dupę. Teraz twierdzi, że w ogóle tego nie pamięta.

Wali mnóstwo towaru. Gdyby tylko płacił, byłby znakomitym klientem. Poza tym pije. Pije więcej, niż musi, a musi pić dużo. Dwa lata temu pękła mu śledziona. Ledwo go odratowali. Ma długą i brzydką bliznę na brzuchu. Po pierwszej półlitrówce lubi ją pokazywać.

Ma długi, cholernie dużo długów. Nikt nie wie, ile i u kogo, łącznie z nim samym. Ja wiem o moim długu. Przyszedłem o nim porozmawiać.

– Tracimy czas. Ja tracę czas – mówię do niego.

– Musimy być niemili? – pyta.

– Nie jesteśmy niemili – odpowiadam.

Przez chwilę jeszcze stoi przy biurku, potem daje dziewczynie znak głową, aby wyszła. Wychodzi powoli, powłóczy nogami jak obrażone dziecko, które po godzinnych perswazjach poszło odrabiać lekcje. Nie zamyka za sobą drzwi. Maluch podchodzi i robi to za nią. Wraca do stołu, gestem podobnym do zapraszania wskazuje na usypane kreski. Kręcę głową.

– Nigdy nie bierzesz swojego towaru? – pyta.

– To mój towar? – pytam.

Wzrusza ramionami. Kiedy wciąga do nosa, jego ciało na chwilę tężeje, zapada się w sobie, jakby miał skurcz. Gdy kończy, bierze butelkę wody, wylewa sobie odrobinę na dłoń i wciąga wodę. Wydaje przy tym obrzydliwy dźwięk, jakby powolne wysmarkiwanie się w palce.

– Koksik lubi pływać – mówi. – Podobno Łazuka tak mówił.

– Mam dla ciebie propozycję – informuję go.

Siada. Uśmiecha się. Ja nie. Ma w sobie coś z hieny, z brzydkiego i chorego zwierzęcia. W pewnym sensie jest moim błędem. Być może powinienem lepiej go wyczuć, uważniej go obserwować, wcześniej skasować mu linię kredytową.

Działam jak bank – jeśli klient jest okej, jeśli kupuje u mnie regularnie, za wystarczająco dużo forsy, jeśli nie spóźnia się z płatnościami, wtedy ja mam przygotowane dla niego oferty. Debety, linie kredytowe, promocje. Jeśli ktoś kupuje u mnie towar za dziesięć tysięcy tygodniowo – a jest takich kilkunastu, i nie są to dla nich wielkie pieniądze – a potem dzwoni i mówi o nagłym podżyrowaniu kredytu, nierozstrzygniętym przetargu, szybkiej inwestycji, i prosi mnie o debet na dziewięćdziesiąt tysięcy, wtedy się zgadzam. To kwestia oceny tej osoby. W większości przypadków się nie pomyliłem. W przypadku Malucha – tak. Chociaż to była też kwestia przysługi. Wie, kim jestem, a wpuszcza mnie do każdego ze swoich klubów. Nie jest to konieczne, ale jest miłe.

– Słucham twojej propozycji – mówi.

– Lubię ten klub – odpowiadam.

– Co w nim lubisz? – pyta.

– To, że przychodzi tu coraz więcej ludzi, i nie są to brodate brudasy deliberujące godzinami nad jedną wódką – odpowiadam.

– Też go lubię. – Kiwa głową.

Jakby jakaś niewidzialna ręka powoli rysowała na jego twarzy ślady zrozumienia, wypisywała mu w środku głowy „Mane, tekel, fares". Muzyka z piętra niżej wypełnia pomieszczenie jak brudny obłok. Na dole tańczą duchy, nie rozmawiają, nie widzą siebie nawzajem, bawią się źle.

– Powiedzmy, że potraktujemy mój dług jako kupienie udziałów – mówię mu.

– Kurwa, Jacuś, ja mam dla ciebie w przyszłym tygodniu trzydzieści koła. – Zrywa się z miejsca. – Na bank, ugadane. Zrobiliśmy taki *deal* z jedną whisky... Mam wpływ na firmowe, spokojnie.

– Potraktujmy mój dług jako kupienie udziałów – powtarzam. – Jestem tu tylko pośrednikiem. Powiedzmy, że udziały przeszłyby w ręce kogoś, kto jest moim kolegą, którego lubię i który ma doświadczenie w prowadzeniu lokali gastronomicznych.

– Kurwa, Jacuś. – Przysuwa się do stołu. – Nie róbmy tutaj, kurwa, Pruszkowa.

– Ja miałbym z tego pewien procent w zyskach – mówię. – No i, wiesz, wpuszczałbym tu czasami jakieś pieniądze.

– Ja nie mogę ci tu nic uprać, stary, wiesz, jak jest. Progi podatkowe. Zabójca gastronomii. Ludzie się zastanawiają, dlaczego w Polsce nie ma gwiazdek Michelin – odpowiada i widzę, że zaczynają mu drżeć ręce.

– Dziewięćdziesiąt tysięcy to jest sporo kasy – przypominam mu – nawet dla ujemnego milionera.

– Nie mogę, Jacuś, kurwa, proszę – mówi błagalnie.

Boi się, a towar i wóda pompują w nim ten strach, rozgrzewają mu brzuch i mózg. Widzę po nim, jak podnosi mu się temperatura, jak dostaje gorączki. Ale wciąż próbuje przykleić sobie uśmiech, który pojawia się i znika na jego twarzy co kilkanaście sekund jak błąd montażowy. Wciąż próbuje żartować.

– Nie traktuj tego jako wyboru – mówię. – Potraktuj to tak, że wyciągam do ciebie rękę. Lubię cię. Chcę ci pomóc. Przewróciłeś się pijany na ulicy, ktoś cię okradł, wpierdolił ci, a ja chcę cię podnieść, zaprowadzić na chatę, przekimać cię na kanapie.

Ktoś puka do drzwi.

– Otwórz – mówię. – Jestem dobrym człowiekiem – dodaję.

Ktoś puka ponownie.

– Wpuść – mówię.

– Tak?! – pyta głośno Maluch, zwracając się w stronę drzwi.

Wstaje, przeciąga się, otwiera stojącą na regale butelkę whisky, nalewa sobie trochę do szklanki. Wypija łyk. Podaje mi. Kręcę głową.

– Poczekaj chwilę – mówi.

Do środka wchodzi ochroniarz. Od razu widzę, że to pies. Szeroki, krótki facet z gębą, która pomimo braku zarostu zawsze będzie wyglądać jak pięć minut po zgoleniu wąsów. Polar, bojówki. Buty do wspinaczki. Krótka szyja. Pies na sto procent, dorabiający. Obrzucamy się przez chwilę wzrokiem, jego spojrzenie jest tępe jak stara łyżka. Razem z nim przyszło dwóch wychudłych chłopców: obydwaj w obcisłych spodniach, fullcapach, z tunelami w uszach i całą resztą pstrokatych atrybutów gimnazjalnej młodzieży. Za nimi, na deser, zjawiła się dziewczyna identycznego wzrostu i postury, różniąca się od nich jedynie długością włosów.

– I co się stało? – pyta Maluch komicznym tonem Pana Kleksa, Korczaka z pękniętą śledzioną; opiera się o szafkę i wpatruje się w tę trójkę uszkodzonych nastolatków.

Chłopcy spuszczają głowy, patrzą tylko na siebie nawzajem, dziewczyna również próbuje złapać z nimi kontakt wzrokowy, ale oni wymykają się jej spojrzeniu, jakby się jej wstydzili.

– My już sobie pójdziemy – mówi w końcu jeden z nich.

Brzmi, jakby właśnie przechodził mutację.

– No nie wiem, czy tak prędko sobie pójdziecie – odpowiada Maluch.

– Naprawdę. Już nic nie mamy. To była pomyłka – dodaje ten drugi.

– Spuścili w kiblu – mówi ochroniarz.

– Zawsze można zrobić test – odpowiada Maluch.

Widzę, jak ochroniarz się uśmiecha. Patrzę na zegarek. Tracę czas. Ale dam Maluchowi jeszcze chwilę. Niech poczuje, że ma odrobinę kontroli nad rzeczywistością. Niech poczuje się trochę pewniej. To ten typ człowieka, któremu strach sznuruje cały przewód pokarmowy i krtań aż do końca języka. Gdy naprawdę się boi, milknie, wyłącza uszy, przestaje rozumieć. Niech wróci na ziemię. Niech się otworzy. Wtedy powtórzę mu jeszcze raz to samo, co powiedziałem mu przed chwilą.

– Czy ty widzisz – pyta mnie Maluch – czy ty widzisz, że tu rozgrywa się bitwa o przyszłość i dusze dzisiejszej młodzieży? Popatrz na nich, ile oni mają lat? Powinni grać w piłkę, jeździć pod namiot, cokolwiek, kurwa, powinni pisać wiersze i grać w zespołach, a oni non stop siedzą, kurwa, na insta, a jeśli ruszają tyłki, to żeby wciągać koks w moim kiblu, w moim klubie. Zaraz pewnie zaczęliby robić słoneczko, gdyby nie wszedł tam Janek.

Czy ty widzisz w ogóle, co się z nimi, kurwa, dzieje? Nie masz ochoty czegoś z tym zrobić?

– Nie uczę w szkole – odpowiadam.

– My już naprawdę idziemy. Przepraszamy – mówi dziewczyna.

Ma cichy, łagodny głos kogoś, kto przeprasza wszystkich za wszystko przez całe swoje życie.

– Dawać to, co wam zostało – mówi Maluch.

– Nic nam nie zostało – odpowiada jeden z chłopaków.

– To dawać portfele – mówi Maluch.

– Ej, bez przesady, kurwa – mówi drugi, starając się podnieść głos.

– Janek, pokaż mu blachę – prosi Maluch.

Pies grzebie w spodniach, po chwili wyciąga odznakę. Obraca ją przez chwilę w grubych, bulwiastych palcach jak kartę do gry. Podtyka ją chłopakowi pod nos. Ten lekko tężeje, robi krok do tyłu. Jest mu bardzo gorąco, widać to. Janek, czy jak on się tam nazywa, bierze odznakę do ręki. Chowa ją do tylnej kieszeni spodni.

– Portfele i to, co zostało – powtarza Maluch.

Dziewczyna znów chce, aby tamci na nią popatrzyli, ale nie potrafią. Sięga do torebki. Zaczyna w niej szybko grzebać. Maluch bierze do rąk portfele i worek towaru. Towar chowa do kieszeni, zaczyna przeglądać portfele. W jednym znajduje dwieście złotych. Podaje je Jankowi. Chłopak kiwa głową jeszcze raz. Dziewczyna zaczyna cicho płakać. Janek, jakby nagle ktoś go włączył, zgniata dwie stówy, wkłada je do kieszeni spodni i idzie w kierunku drzwi. Zanim wyjdzie, odwraca się do Malucha.

– To jest do załatwienia, o co prosiłeś. To kopyto – mówi, patrząc raz na mnie, raz na niego.

– Pogadamy później – odpowiada Maluch.

– W każdym razie to jest do załatwienia – powtarza pies; ma głos i wymowę, jakby trzymał w ustach kulę z chleba.

Niepostrzeżenie kiwa głową. Wychodzi.

– To nie jest miejsce, do którego byle łach z gimnazjum może przyjść i się naćpać, rozumiesz? To jest, kurwa, klub w centrum Warszawy, tu są zapraszani DJ-e z zagranicy, są koncerty, to nie jest dyskoteka „Egipt" pod Piździchowem – mówi Maluch do jednego z chłopaków.

Ten odpowiada kiwnięciem głowy. Jest wciąż przerażony, ale myśli o tym, że wszystko dobrze się skończyło. W jego żołądku ulga i strach biją się z zestawem z McDonalda i pięcioma wypitymi browarami.

– Jak rozumiesz, to spierdalaj – mówi Maluch i zaczyna dzielić kolejne kreski.

Kątem oka widzę, że ta trójka jeszcze stoi, jakby nie rozumiała po polsku, tylko cały ten czas kiwała głowami, jak przestraszony Japończyk przy kasie na polskim dworcu.

– Spierdalaj – powtarza i dopiero wtedy szybko wychodzą, zostawiając za sobą otwarte drzwi.

Maluch wstaje i je zamyka.

– Boisz się czegoś? – pytam i dodaję: – Nie sądzę, abyś miał się czegokolwiek bać.

– Nie, niczego – odpowiada, patrząc na mnie pytająco.

Strach zatyka go z powrotem od razu, gdy tylko mu o tym przypomniałem.

– To po co ci pistolet? – pytam go spokojnie.

– Ty nie masz pistoletu? – pyta.

Nie odpowiadam.

– Słuchaj, dam ci tydzień. Pomyśl. Wiesz, ja wiem, że zalegasz z czynszem. Że spółdzielnia ma problem. Że wisisz pieniądze miastu. Że parę osób chciałoby, żeby ktoś to wszystko uregulował. Że zaraz masz głosowanie o koncesję – spokojnie mówię mu o tym, co wiem.

Nie patrzy na mnie. Siada przy stoliku. Wciąga kreskę. Po chwili podnosi głowę.

– Mogę dać ci dzisiaj dziesięć tysięcy. Utarg z tygodnia – mówi.

Na twarzy wciąż ma przyklejony uśmiech, ale w jego spojrzeniu jest jakaś nieokreślona prośba.

Wstaję i podchodzę do drzwi.

– Daję ci tydzień. Nie dzwoń w innej sprawie niż „mam" – mówię.

Zostawiam go zastygłego, przyklejonego do blatu w swoim biurze i wychodzę na zewnątrz. SMS od Paziny: *Musiałam iść, zadzwonie jutro*. Chowam telefon do kieszeni, idę na dół, w kierunku baru. Rozglądam się przez chwilę, odruchowo szukając Beaty. Ale ona już poszła, nie ma jej, zostawiła swoich ludzi, którzy rozproszyli się po „Betlejem", tworząc nowe grupki i konfiguracje. Pytanie, czy wyszła właśnie dlatego, że zobaczyła mnie w tłumie, pojawia się na chwilę w moich myślach, ale zaraz znika. Zdmuchuję je jak zapałkę. Takie pytania sprawiają, że nie zauważę tego samochodu, który powinienem zauważyć, porozmawiam z kimś, z kim nie powinienem rozmawiać, odbiorę telefon, którego nie powinienem odebrać.

Jeszcze przez chwilę, dosłownie przez ułamek sekundy, myślę o tym, gdzie mogła pójść i z kim. Z kim dzisiaj będzie w łóżku. Ale to też znika. Bardzo szybko. Potem już tylko przepycham się przez tłum do wyjścia, po drodze podaję ręce, patrząc przez twarze, jakby były przezroczyste, nie liczę, ile razy, nie wiem komu. To niedobrze, że nie wiem komu, bo powinienem ich wszystkich rozpoznawać, zapisać to w głowie, kto to był, w jakiej kolejności. Ale zaczynam być zmęczony. To tylko ludzie z hipsterskiego klubu. Nie mają żadnego znaczenia.

Najgorsze jest to, że traciłem dzisiaj bardzo dużo czasu.

1:50

– No ale ten bankomat jest zaraz na rogu, kurwa, stary. No weź. No proszę cię – mówi.

– Nie jestem taksówką – odpowiadam.

– Kurwa, no ale jak mam ci zapłacić?

– Jeszcze nie musisz mi płacić, bo jeszcze nic nie dostałeś – odpowiadam.

On nic nie mówi.

– Zawsze tak z tobą jest – dodaję.

– Wezmę dwie – mówi.

Dzwoni mój telefon, odbieram.

– Czekamy tutaj już pół godziny – mówi głos w telefonie.

– Poczekajcie jeszcze chwilę, jadę – odpowiadam.

Wyrzucam go przy bankomacie. Czekam. Nie lubię tej nocy. Prawie nic się nie zgadza, nic się nie udaje. Jest coś nieciekawego w powietrzu, coś, co nie pozwala doprowadzić spraw do końca, coś, co wyzwala złe intuicje. Jakby ktoś uruchomił zły program rzeczywistości, program, którego procedury muszą być doprowadzone do końca – aż do kompletnego krachu.

Otwieram bezgłośnie usta. Wypluwam to. Nie wierzę w intuicję. „Nie ma czegoś takiego jak intuicja – powtarzam sobie w myślach. – Intuicja to po prostu przejaw osobowości paranoidalnej" – powtarzam jeszcze raz, biorę głęboki oddech. Intuicja to tylko chuchanie w trzymane w dłoni kości. Nic więcej.

Najpierw przez piętnaście minut nie mógł znaleźć mojego samochodu. Nie wiem, od kogo ma mój numer. Jest typem człowieka, o którym nie potrafię powiedzieć, czy jest fabrycznym durniem, czy zgłupiał po drodze. Wszystko jest w nim skretyniałe i uszkodzone, wygląda jak postać, która ma parodiować jakiś typ człowieka w polskim serialu telewizyjnym, pracownika agencji reklamowej albo operatora, ale ta parodia jest nieśmieszna. Chce wyglądać dobrze, ale jest źle ubrany i uczesany, źle mówi, zachowuje się nie tak jak trzeba. To mogłoby przekonać kobietę spod Przemyśla, która wysyła przepisy na pastę z podrobów do pisma „Przyślij przepis", a w sobotnie wieczory ogląda maratony kabaretowe. Ale dla mnie, dla ludzi stąd, coś się nie zgadza.

Chociaż – podobno – wszyscy go bardzo lubią.

– Ej, kartę mi zjadło – mówi, otwierając drzwi. – Kurwa, przysięgam. Połknął mi kartę, pierdolony.

– Wsiadaj – mówię, chociaż przez dwie sekundy walczę z tym, aby wyjść z samochodu, złapać go za mazak i trzasnąć nim o maskę.

– Co teraz? – pyta, nerwowo rozglądając się dookoła.

– No właśnie, co teraz? Miałeś kupić dwie – odpowiadam.

– Mam gotowiznę na chacie – mówi.

– To czemu nie zszedłeś z nią od razu? – pytam.

– Teraz mi się przypomniało. Mam odłożone na mieszkanie – mówi.

– Osiem stów – mówię mu.

– Mam tyle – odpowiada.

Po chwili zatrzymujemy się pod kamienicą na Filtrach. Wychodzi z taksówki, trzaskając drzwiami. Jest naćpany po uszy. Jego ciało podskakuje jak odlane z galarety, jakby ktoś z boku co chwila delikatnie nim potrząsał.

– Poczekasz, czy idziesz ze mną? – pyta.

– Poczekam – odpowiadam.

– Ale to może chwilę potrwać – mówi.

Wzdycham jeszcze raz. Wysiadam i idę za nim. Jeszcze parę godzin tej nocy; czekam na jej koniec jak na wypłatę, jak na telefon ze szpitala. On otwiera drzwi, wchodzimy na podwórko, wpisuje kod do domofonu, myli się przy tym trzy razy, po czym wchodzi do środka.

– Może PIN też wpisywałeś źle? – pytam go.

– Że co? – pyta, odwracając się do mnie; zza rogowych okularów przebija się wzrok kogoś, kto nie zna związku przyczynowo-skutkowego między nożem, masłem i chlebem.

– Już nic – odpowiadam.

Wchodzimy na górę, on otwiera drzwi; to duże, przestronne mieszkanie, całe zawalone przedmiotami, ubraniami, kartonami. Na kanapie siedzi dwóch jego kumpli. Są średnio przytomni, ale jeszcze potrafią załapać, że coś się zmienia, że jest przed nimi obca osoba. Pod ścianą stoją sztalugi, antyramy, obrazy na płótnie.

– Moja dziewczyna właśnie się wyprowadziła – tłumaczy, zakreślając jednocześnie ruchem ręki cały ten pierdolnik.

– Nie wzięła ze sobą rzeczy? – pytam.

– No właśnie nie – odpowiada.

Siadam na krześle i czekam, aż znajdzie pieniądze. Jego kumple siedzą naprzeciwko, taksują mnie otępiałymi, znudzonymi spojrzeniami zwierząt. Jeden duży, umięśniony, misiowaty, drugi chudy, spłoszony, z wklęsłą klatką piersiową i rozbieganymi oczami. Obaj ubrani podobnie, w bluzy Carhartt, czapki z daszkiem, buty Supra. Pełnoletni hip-hopowcy. Jednego z nich kojarzę z imprez, na których chyba puszcza cudzą muzykę.

– Siemasz – mówi ten większy.

– Cześć – odpowiadam.

– Kurwa, były tu! Były tu przecież! – słyszę jego krzyki z sypialni. – Gdzie jest, kurwa, ten becel? Gdzie pieniądze są?

– Gdzie pieniądze są?! – powtarza drugi i zaczyna się śmiać. – Gdzie te pieniądze są?! – zaczyna się drzeć.

– Weź, cicho bądź, kurwa – mówi mój klient.

Przestają zwracać na niego uwagę. Jeden z nich włącza jakiś filmik na YouTube. Na filmiku jest jakiś przedstawiony od pasa w dół idiota, który chodzi po mieszkaniu w samych slipach Calvina Kleina i z ewidentną wadą wymowy pokrzykuje coś o bogactwie.

– A z czego zapłacisz? – pyta ten drugi, chudszy, który wciąż na mnie patrzy.

– Stary mi przeleje, kurwa! – odkrzykuje. – Jutro mi przeleje przecież, ja pierdolę! Dzwonię do niego i mówię, żeby przelał, to przelewa.

Stary mu przeleje. Tak, przecież kiedyś mówił mi coś o sobie i swoim starym. Mówił, że jego ojciec ma fabrykę pod Wrocławiem robiącą meble. Że gdy skończy trzydzieści pięć lat, będzie czekać na niego pięćdziesiąt milionów złotych. Tak, mówił coś, że jeździ jaguarem, chociaż pracuje w jakiejś galerii czy gdzieś tam, czy jest bileterem w teatrze, czy cokolwiek, i zarabia tam, tak jak wszyscy, maksymalnie dwa tysiące miesięcznie brutto, czyli śmieciówkę.

Za kanapą stoi obraz. Na białej, zagruntowanej powierzchni czarne, drukowane litery: KTO BOGATEMU ZABRONI?

– To malowała twoja dziewczyna? – pytam.

– Nie, ona nie jest już moją dziewczyną – mówi, wracając do salonu.

Otwiera szufladę jednej z komód. Wyrzuca z niej skarpetki, gacie, niektóre jeszcze w opakowaniach, tak jakby chodził do H&M lub Zary i raz na parę miesięcy robił zapasy bielizny na parę lat.

– Zobacz lepiej to. – Ten drugi włącza teledysk jakiegoś polskiego rapera.

Nie wiem za dużo o polskim hip-hopie i nie mam potrzeby poszerzania mojej skromnej wiedzy. Słuchałem paru piosenek, które miały na celu pokazać tym, którzy nie wiedzą, jak jest naprawdę, jak naprawdę jest. Jeśli jest tak, jak w tych piosenkach, to żyjemy naprawdę w trochę innym świecie. Ta, którą włącza, jest o facecie, który pali papierosy, nie ma pieniędzy i ucieka z siłowni do kolegi, aby się nawciągać. Opisuje, jak pije kompot, patrząc przez okno, i się boi.

Śmieją się z tego kawałka, ale znają go na pamięć. Dopowiadają końcówki zwrotek.

Jest druga w nocy. Pieniądze przeciekają mi przez palce. Ta noc przypomina stanie w ogromnym korku. Po drugiej stronie Wisły czeka na mnie czterech obiecujących narkomanów pracujących od niedawna w dziale audytu w PwC. Chyba dostali premie, chcą towaru za dwa koła. Miałem być u nich dwadzieścia minut temu. Co mnie, kurwa, obchodzą lęki faceta ze ściany wschodniej, siorbiącego kompot w swojej kawalerce w piątkową noc, gdy za oknem taksówkarze wiozą do burdeli lokalnych królów branży utylizacyjnej.

– Ale beka – mówi jeden z nich.

– Dawno temu się rozstaliście? – pytam go, patrząc, jak wywala na podłogę kolejną szufladę.

– Dwa tygodnie – odpowiada, nie patrząc na mnie.

– Czemu? – pytam.

– Nie sprzątała. – Odwraca się do mnie z tym swoim spojrzeniem kogoś, kogo codziennie rano zadziwia fakt, że budynki na ulicach nadal są jakimś cudem przymocowane do ziemi, zamiast odlecieć w kosmos.

– Kochaliście się? – pytam.

– Zajebiście się ruchała – odpowiada – ale miała trochę nie tak w bani.

– Co to znaczy? – pytam.

– Ale co? – odpowiada pytaniem na pytanie.

– Że miała nie tak w bani – odpowiadam.

– Często ryczała bez powodu – mówi – No i jak była młodsza, to się cięła. I inne takie.

– Dużo rozmawialiście? – pytam.

On wywala ostatnią szufladę. W końcu coś znajduje i chyba są to moje pieniądze, bo jego galaretowate ciało podskakuje, a on sam odruchowo klaszcze w dłonie.

– Jest! Kurwa! – krzyczy.

– Bardzo się cieszę – informuję go.

Odwraca się do mnie, trzyma w ręku wachlarz ze stów, na oko jakieś dwa tysiące, wyjmuje z niego osiem stów, daje mi, wkładam je do kieszeni. Wyjmuję dwie samary, podaję mu do ręki. Zaciska je w pięści, jakby nie do końca wierzył w swój odruch chwytny.

– Może powinniście więcej ze sobą rozmawiać – mówię.

– Ona dużo gada – odpowiada. Rozgląda się po mieszkaniu. – Musi przyjechać po te rzeczy. Ma to zrobić od tygodnia, ja pierdolę.

– Zawieź je jej – mówię.

– To ona się wyprowadza – odpowiada.

Już wiem, dlaczego nie mogę na niego patrzeć. Nie dlatego, że jest głupi, i nie dlatego, że podskakuje przede mną jak coś pobudzonego i pozbawionego mięśni, jak naelektryzowany kisiel.

Nie mogę go znieść, bo jest taki jak dziesiątki tysięcy kolesi w Warszawie.

Ma kutasa, ale nie jest mężczyzną. Nie szanuje kobiet. Nie słucha ich. Pieprzy je po to, aby odznaczyć kolejną kreskę na ścianie, pozacierać ręce przez chwilę, że teraz jest ich już trzydzieści siedem, a nie tylko trzydzieści sześć. Jest ciotą, której trzeba podcierać dupę, gotować obiadki, robić za nią pranie. Wszystko, co mówi, brzmi piskliwie jak prośby małego dziecka o zabawkę. Tym głosem, pozornie niskim, ale ze schowanym gdzieś pod spodem piskiem, każdemu opowiada wszystko. Przykleja się do ludzi lepkimi, trzymanymi przedtem w gaciach paluchami, wpycha im do głów wątpliwej jakości informacje, aby wzbudzić ich zaufanie. Żongluje sekretami. Krótko trzyma w ustach, a następnie wypluwa wstydliwe fakty. Kłamie. Łasi się. Wije. Jest miękki. Jest z tego złego miotu, który nigdy nie ma własnej myśli, suchej ręki, pełnego wzwodu.

– Niech spierdala. Nie będę za nią latał. Przez rok żyła za mój hajs – mówi, dzieląc kreski na stoliku.

Tamci dwaj odrywają się od laptopa i przysuwają do niego, rozciągając się jak przed serią ćwiczeń.

– Gdzie pieniądze są? – powtarza ten drugi i się śmieje.

Tak samo ten trzeci.

– No właśnie, gdzie pieniądze są – odpowiadam.

– Na razie – mówi kiślowaty.

Obok obrazu z napisem KTO BOGATEMU ZABRONI? jest jeszcze jeden. Przedstawia małe dziecko, stojące na sankach na szczycie góry. Dziecko jest tylko konturem. Niebo jest czerwone jak świeża krew. U podnóża góry czai się wściekły pies, narysowany gniewnymi kreskami, rozlany, jakby był w trakcie transformacji w breję. Patrzę na niego przez chwilę, prowadzi mnie gdzieś, ale jeszcze nie wiem gdzie, w niejasne wspomnienie, w obce miejsce.

– Chcesz kupić? – pyta kiślowaty.

– Kupić? – odpowiadam.

W końcu siada na kanapie obok swoich ziomów, wciąga kreskę, odrzuca głowę do tyłu i wypija haustem szklankę whisky.

– Dwa koła i jest twój. Ona akurat tyle mi leci za rachunki – mówi.

– Nie wiem. Może – odpowiadam.

– Wyświadczyłbyś jej przysługę – mówi. – Kurwa, zedrę z niej ten hajs. Wyjmę jej go z dupy.

– Gdzie pieniądze są? – pyta jeden z jego koleżków i od razu wybucha śmiechem, patrząc niby na mnie, ale tak naprawdę przeze mnie, gdzieś daleko, w coś niewidocznego.

4:10

– Za dziesięć minut u rusków – mówi Stryj i rozłącza się.

Miałem jechać do domu. Miałem jechać do domu i pójść spać. Zażyć tabletkę, wypić herbatę, położyć się do wanny. Zasnąć w wannie. Po dwóch godzinach przenieść się do łóżka, jeszcze na trzy godziny. Włączyć cicho muzykę. Debussy'ego. Miało mi się nic nie śnić. Miałem odpocząć.

Oddzwaniam do niego. Odbiera.

– Co to znaczy za dziesięć minut? – pytam. – Ja jadę do domu, kurwa!

– Nie jedziesz do domu – mówi i znów się rozłącza.

U rusków, czyli w budynkach starej radzieckiej ambasady przy Sobieskiego. Jest tam klub, knajpa, jak zwał, tak zwał, trudno to nawet określić – klub, o którym wie niewiele osób, klub, do którego wchodzi się, dzwoniąc przez domofon. Z reguły nie wpuszczają nikogo. Czasami wynajmują to miejsce na różne imprezy w rodzaju urodzin lub pępkówek, ale na co dzień to miejsce spotkań rusków. W opustoszałych dziesięciopiętrowcach przypominających szare, martwe, wyciągnięte palce, mieszkali kiedyś ludzie radzieckiego wywiadu. Teraz nie mieszka tam nikt. Klub działa dalej. Przy ulicy cały czas zatrzymują się samochody na rosyjskich rejestracjach. Czasami stoją tam nawet po parę dni. W międzyczasie nikt nie wchodzi. Nikt nie wychodzi. Zmieniają się tylko strażnicy stojący na bramkach.

Jestem tam po piętnastu minutach. Zły i zmęczony. Na zewnątrz jest potwornie zimno, wiatr wślizguje się pod ubrania, tnie skórę. Śnieg przecina powietrze jak małe brzytwy. Zamykam drzwi od samochodu. Nie lubię parkować przy ulicy na dłużej, nigdy tego nie robię.

– Halo? – w głośniku słychać stary, ociężały głos z rosyjskim akcentem.

– Jacek – odpowiadam. – Ja do Stryja.

Chwila ciszy. Po chwili furtka bzyczy. Wchodzę do środka. Na oblanym zimnym światłem, zaśnieżonym podwórku jest tylko strażnik palący szluga, niezwracający na mnie najmniejszej uwagi. Gdzieś w oddali majaczą ławki. Trzy bloki wyglądają jak ciemne, martwe monolity. Gdy patrzę na nie dłużej niż kilkanaście sekund, mam wrażenie, że zaczynam pod nimi leżeć, że dociskają całą swoją masą mój splot słoneczny, że zaczynają mnie przyduszać.

Wchodzę do środka. Jest pusto. W środku jest osiemdziesiąty siódmy rok. Lamperie, boazeria, zapach zbutwiałego drewna, podłogi mytej lizolem. Sala restauracyjna w peerelowskim ośrodku wczasowym. Stół do bilardu. W drugiej sali stoliki, kilka pojedynczych osób. Zamglone światło. Na ścianie telewizor LCD, jedyne, co może przypominać, że nastąpiło już wstąpienie Polski do NATO. Za barem dwóch mężczyzn w koszulach, kamizelkach i muszkach, jeden po sześćdziesiątce, drugi znacznie młodszy, ma niewiele więcej niż dwadzieścia lat. Obrzucają salę pozbawionymi wyrazu spojrzeniami, udają, że coś robią, wycierając po kilka razy tę samą szklankę. Podchodzę do baru. Zamawiam colę. Nie mają nawet kasy fiskalnej, wszystko liczą na kalkulatorze, a potem wpisują do zeszytu w kratkę.

– Coś do coli? – pyta jeden.

– Nie mogę – odpowiadam. – Nie piję.

Nie piję, bo pracuję siedem dni w tygodniu. Nie piję w pracy. Prowadzenie po pijaku samochodu, w którym może się znajdować kilkadziesiąt tysięcy gotówką, pół kilo narkotyków i broń, można zaklasyfikować jako rzecz generalnie nieprzemyślaną. Nie walę towaru. Robiłem to kiedyś, żeby móc pracować dłużej. Potem Barnej, jeden z chłopaków, którzy biegali po Śródmieściu, umarł na zawał serca. Barnej był zajebiście ambitny. Miał dwadzieścia kilka lat, wyciskał na siłowni, trenował kick-boxing w jakimś klubie. Umiał się napierdalać. Chciał zarobić jak najwięcej i udawało mu się to; tydzień przed śmiercią finalizował kontrakt na kupienie kamienicy w Katowicach. Chciał zarobić jeszcze więcej, więc nie spał. Odbierał o każdej porze. Dojeżdżał w każde miejsce. Wciskał ludziom towar tak, jak piętnaście lat temu domokrążcy wciskali naszym rodzicom odkurzacze Rainbow.

Gdy jego dziewczyna znalazła go w łóżku, gdzie leżał od trzech dni, wzruszyłem ramionami. Nie lubiłem go, chociaż nie był aż takim durniem jak inni. Myślał tyle, ile potrafił. Nie przesiadywał w burdelach, nie rozmawiał z kurwami, nie ładował forsy w zegarki medium range, na których musiały się zawijać rękawy bluz. Nie nosił biżuterii. Nie pokazywał się. Był po prostu wciąż głodny, ten głód rósł w nim w postępie arytmetycznym, musiał żreć forsę jak białko, wyobrażałem sobie, że ją zapieka, marynuje, że zżera pieniądze w kanapkach. Karmił się nimi i puchł od nich. Nie byłem na pogrzebie. Pochodził z dobrego domu, a jego matka podobno do dzisiaj jest przekonana, że handlował na giełdzie.

– Ej! – słyszę głos Stryja.

W tym samym momencie włącza się zawieszony na ścianie telewizor. Nasmarowany oliwą, napompowany mężczyzna wyszczekuje rosyjski tekst do dyskotekowej piosenki, przypominającej uderzanie czymś metalowym o ścianę.

Odwracam się.

Stryj wygląda jak zasapane zwierzę, jakby od tego momentu, gdy wysadziłem ich przy rogu Mazowieckiej i Świętokrzyskiej, przebiegł sto kilometrów. Bluza pod skórzaną kurtką lepi mu się do ciała. Ma szeroko otwarte oczy. Jest nawciągany. Pociera długo dłonią o dłoń, rozgląda się dookoła. Gdy kończy, widzę, że ma na rękach krew. Dużo, świeżo zakrzepłej. Nikt nie zwraca na to uwagi. Piosenka dyskotekowa nagle się kończy. Cycata Rosjanka z ustami jak dwa tłuste, czerwone robaki zaczyna śpiewać rzewną balladę. Siedzi na patio luksusowej willi, ubrana w zwiewną, białą sukienkę. Biała sukienka na silikonowych cyckach, krew na dłoniach.

Stryj podchodzi do baru. Idzie powoli, praktycznie człapie. Pokazuje palcami znak zwycięstwa. Stary polewa mu dwie wódki. Stryj wypija.

– Co jest? – pytam go.

– Poczekaj chwilę – mówi. – Zaraz.

– Miałem jechać do domu – mówię, patrząc na skos przez salę.

Przy stoliku pod ścianą siedzi tłusty mężczyzna przed sześćdziesiątką, nosi niedobraną marynarkę, pije wódkę i je śledzie. Ma zaczesane do tyłu, siwe włosy. Cinkciarz. Zawałowiec. Obok niego siedzi kobieta. Patrzy na niego uważnie, jakby próbowała odgadnąć, o czym myśli. Jest zgrabna, lecz zniszczona, ma twarz, która każe podejrzewać, że ktoś kiedyś gasił na tej twarzy papierosy.

– Nie pojechałeś do domu – mówi Stryj.

Do środka wchodzi Śniady. Jest spokojny, leniwy, zmęczony. W ręku trzyma małą sportową torbę Adidasa. Sprawia wrażenie, jakby właśnie wrócił z siłowni. Staje pośrodku sali, nie podchodzi do nas, wygląda, jakby nas się nie spodziewał. Wtedy Stryj kiwa na Śniadego. Stary wpuszcza nas za bar, przechodzimy obok niego, ale on nawet na nas nie patrzy, nie podnosi głowy. Jest człowiekiem absolutnie nieprzejętym obecnością innych ludzi. Wchodzimy na zaplecze, stary zamyka drzwi.

Stoimy we trójkę w ciasnym pomieszczeniu, wypełnionym zamrażarkami z butelkami wódki Nemiroff. Nie ma okna, żadnej wentylacji, w środku jest ciepło jak w suchej saunie.

– Pokaż mu – mówi Śniady.

Stryj wciąż dyszy; kładzie na jednej z zamrażarek torbę. Otwiera ją. W środku jest kokaina, jakiś kilogram. Może półtora. Piguły. Kryształy MDMA. Kilkadziesiąt tysięcy euro w gotówce. Stryj zamyka torbę. Zapala papierosa. Od razu się krztusi. Mam momentalnie suche gardło, jakbym sam zapalił, coś wżera mi się w śluzówkę.

– No i co? – pytam.

– To był Sikora – odpowiada Śniady.

– No tak, ale co z tego? – pytam.

Stryj ma o wiele więcej krwi na rękach, niż na początku mi się wydawało.

Sikor. Znam Sikora. Sikor to pedał. Nie dziwi mnie, że w końcu zderzył się z łapami Stryja. Podobno biegał nawet z heroiną. Nakręcał ludzi. Wpierdalał ich. Wciskał kit. Zostawiał dychy, dwudziestki towaru niby na przechowanie u swoich co bardziej elektrycznych koleżków i mówił, że wyjeżdża na wakacje. Czekał, aż wszystko wywąchają, i wydzwaniał po forsę. Pożyczał, nie oddawał, nie odbierał, kręcił. Palił crack, i to dużo. A przede wszystkim był kłamliwy, podrygiwał, zacierał ręce, uśmiechał się nerwowym brechtem cwaniaczka, który za każdym razem, gdy dasz mu dwadzieścia złotych i wyślesz go po piwo, przyniesie ci reszty o złotówkę mniej, niż powinien.

– Musiał się wypłacić – mówi Śniady.

– Teraz będzie musiał pożyczyć na implanty – odpowiadam.

– Nie tylko – mówi Śniady.

Opieram się o zamrażarkę i rozglądam po szafkach nabitych butelkami i plastikiem.

– Dobrze, ale po co ja tu jestem? – pytam.

– Przechowasz to – odpowiada Stryj.

Nie odpowiadam.

– Nikt cię z tym nie skojarzy. Ty wiesz, jak chować – mówi Stryj.

– Dziesięć procent może być dla ciebie – mówi Śniady.

– Chuj mi z tych dziesięciu procent. To są jakieś lewe mońce – odpowiadam.

– Przechowaj mi to, kurwa – mówi Stryj i dodaje: – Tu jest pięćdziesiąt tysiaków euro. Równo.

– Ktoś po to przyjdzie – mówię.

– Nikt po to nie przyjdzie – odpowiada Stryj.

– Zawsze ktoś przychodzi – odpowiadam.

– Nie do ciebie, dlatego to weź – mówi Stryj.

To potrwa jeszcze chwilę. Stanie tutaj, patrzenie na siebie nawzajem, oddechy, krztuszenie się Stryja. W rogu pomieszczenia jest mały zlew i kawałek mydła. Stryj zauważa je dopiero po chwili. Podchodzi do zlewu, zaczyna szorować ręce. To potrwa jeszcze chwilę; kilka cennych minut, przez które mógłbym spać, przez które benzodiazepiny wsiąkałyby mi w krew, wtapiały mnie w sen, roztapiały sny.

– Ja po to przyjdę – mówi Stryj.

– Nie zastanawiasz się, skąd to miał? – pytam.

– Gdzieś za dwa tygodnie – kończy poprzednią myśl.

Jest człowiekiem, którego umysłowość czasami nie potrafi nadążyć za nagłą zmianą wątku. Zwłaszcza jeśli przed chwilą zrobił z kogoś inwalidę.

– Jeśli on sam skądś to zawinął? – pytam.

– Chuj w to wszystko – mówi Śniady. – Miał, to wzięliśmy.

– A jeśli on też skądś to wziął? – pytam.

Jeszcze raz patrzę do torby, biorę do ręki pieniądze, towar, próbuję ocenić na oko, ile tu jest, no ale w tej torbie jest trochę, licząc razem pieniądze i towar, jest w niej na przykład kilkudziesięciometrowe mieszkanie na Śródmieściu. Odkładam ją z powrotem.

– Schowaj to tam, gdzie chowasz – mówi Śniady. – Piotrek mówił, że ty jesteś najbardziej zaufany. Żeby tobie to dać. No i dziś się dobrze zachowałeś.

Stryj bierze pierwszy głębszy oddech.

– Wiadomo, że on leciał każdemu. Więc skąd on to miał? Odkuł się? – Podnoszę pieniądze do góry, tacy ludzie jak oni są wzrokowcami, trzeba im pokazywać, aby wytłumaczyć. – Nie ma chuja.

– No właśnie – mówi Stryj. – Chodzi o to, aby poobserwować.

Nie chcę tego. To nie moje. Nigdy nie chciałem niczego, co nie jest moje, o czym nie wiem dokładnie, skąd pochodzi. To niebezpieczne, to kretyńskie. W tej torbie nie ma towaru i forsy, w tej torbie jest coś o nieznanym mechanizmie, coś, co śmierdzi, coś, co może w każdej chwili wybuchnąć. Brudna bomba.

– Piotrek mówił, żeby to dać tobie – powtarza Stryj.

– Porozmawiam z nim o tym za tydzień – mówię, zapinam torbę i przewieszam ją sobie przez ramię.

Czuję bijące od niej niezdrowe ciepło. Jakby w środku było zdychające zwierzę.

Wychodzę z zaplecza, nie czekam na nich, wychodzę spoza baru. Słyszę ich poza sobą. Człapią powoli. Też jadą do domu. Do jakichś mieszkań. Może do jakichś kobiet albo dziwek. Wychodzę na zewnątrz. Puste dziesięciopiętrowce wygrażają mi jak martwe, betonowe, ogromne palce.

– Ej! – woła za mną Stryj.

Odwracam się.

Śniady idzie w kierunku samochodu. Stryj stoi przede mną. Wygląda, jakby chciał o coś zapytać. Na jego twarzy widać to dziwne zmieszanie dorosłego faceta, który za parę sekund ma opowiedzieć lekarzowi o problemach z prostatą.

– Co? – pytam.

– Nie mogę spać – odpowiada.

Czekam, co powie dalej. Ma wciąż krew za paznokciami, przygląda się im. Cicho sapie.

– Nie mogę, kurwa, od dwóch miesięcy – mówi.

– Idź do lekarza – radzę mu.

– Co ja będę chodził po konowałach, kurwa, jak pierdolnięty? – pyta.

– Hydroksyzyna – mówię.

– Chuja daje – odpowiada. – To jest tak, jakby coś mną miotało. Rzucało mną. Z jednej strony na drugą. I w żołądku. Tu. I ni chuja. Nic. Ziewam. Nie mogę otworzyć oczu. Ale nie zasnę. Kurwa, jakby coś mi jadło żołądek od środka. Wiesz, o co chodzi?

– Flunitrazepam – odpowiadam mu.

– Co to? – pyta.

– To się dosypuje do drinków dupom – mówię. – Nie ma już w aptekach. Ale mogę popytać.

– Potrzebuję dużo – mówi.

– Wiem – odpowiadam.

– Dzięki – mówi.

Podaje mi rękę. Żegnamy się, ale jeszcze przez chwilę idziemy we dwóch. Nie odwraca się, nie ogląda. Rozchodzimy się do swoich samochodów. Nie patrzę za nim. Wsiadam do swojego. Jest jeszcze zimniej. Patrzę na telefon. Dziesięć nieodebranych. Ktoś gdzieś jeszcze się bawi, jeszcze czeka: potrzebuje więcej, chce się czegoś pozbyć, uśmiercić coś w sobie. Ktoś chce być mądrzejszy, uważniejszy, chce wytrzeźwieć, chce lepiej pieprzyć, widzieć odrobinę wyraźniej. Od jutra znowu jestem do usług. Od jutra z powrotem wsiadam do samochodu. Cały na biało.

Problem w tym, że nikt tutaj nie będzie widział wyraźniej. Do oczu wstrzyknięto im mleko, miotają się po swoich życiach jak oślepione zwierzęta po zamkniętych klatkach. Łakną, lgną do siebie nawzajem tylko po to, aby siebie wyrzucić i zgnieść, pozbyć się siebie za dzień, za miesiąc, za rok, a w interesach, w seksie, w przyjaźni – oszukać, wykorzystać, skłamać. Trzymają się swojej własnej wolności, jak najebany trzyma się chwiejnego słupa. Ale nie ma żadnej wolności. Nie dlatego, że ktokolwiek tym wszystkim steruje. Wolności nie ma dlatego, że wszyscy zawsze będą chcieli czegoś więcej, niż mogą mieć. Ja handluję złudzeniem, że rzeczywiście może im się to udać. Ono trwa chwilę. Jest nieprawdą. Bardzo go potrzebują.

Ale jak mówiłem wcześniej – nośnik tego złudzenia jest najprawdziwszym z surowców.

Jadę w stronę domu. Włączam muzykę jedynie po to, aby po chwili ją wyłączyć. Patrzę na drogę, bardzo uważnie obserwuję przejeżdżające samochody, staram się przeczytać, a potem zapamiętać minimum dwadzieścia numerów rejestracyjnych. Takie ćwiczenie umysłu.

Czasami się modlę, chociaż nigdy nie pomyślałem o Bogu dłużej niż przez minutę. Ale się modlę. Otwierając usta, nie wydając dźwięku.

Modlę się o deszcz.

Modlę się, tak.

Boże Wszechmogący, w Trójcy Jedyny, ześlij deszcz.

Boże Wszechmogący, ześlij deszcz, potężny deszcz, taki, który jeszcze nigdy nie padał, deszcz jak bombardowanie, deszcz jak nalot. Ześlij deszcz i zatop to miasto. Zrób to szybko, zanim ktokolwiek zdąży zareagować. Zanim włączą się alarmy. Niech woda wyleje się z Wisły, niech rozleje się po obu brzegach, niech zatopi Pragę i Powiśle, niech zatopi Żoliborz i Targówek, Mokotów i Wawer. Niech pada. Niech wszystko zaleje woda, czarna, brudna, zimna. Niech płynie. Niech przykryje kamienice, ulice, wieżowce, skrzyżowania, niech po samą iglicę przykryje Pałac Kultury i Nauki. Zatop nas, Boże, bo jeśli tego nie zrobisz, będziemy biegać tutaj w kółko, zderzać się ze sobą, uderzać w ściany, które sami postawiliśmy, będziemy wściekle szarpać tę brudną tekturę, z której to wszystko jest zrobione, aby wydusić z niej cokolwiek, miłość, pieniądze, nas samych, coś, czego tak naprawdę w ogóle tam nie ma, a jeśli nawet jest, to zaledwie na chwilę, i znika szybciej, niż się pojawiło. To jak próbować złapać w ręce małego ptaka. To bez sensu. Skończ to, Boże, bo to, co się dzieje, jest suche, jest ciche, jest bez puenty, jest smutniejsze niż zła komedia. Niech lunie i niech pada. Boże Przenajświętszy, niech pada.

Niech zaleje restauracje i burdele, niech zatopi biurowce i wynajęte biura, domy i mieszkania, niech zatopi kluby go-go, siedziby telewizji, agencje reklamowe, niech zatopi Ząbkowską i Marszałkowską, Puławską i Koszykową, Jana Pawła i Sobieskiego. Niech zatopi kościoły, wietnamskie budy, centra handlowe, bazary, szpitale, Pałac Prezydencki, Uniwersytet Warszawski, bary mleczne, knajpy z sushi, niech zatopi kluby, te z placu Zbawiciela i te z Mazowieckiej, niech zatopi „Betlejem", niech zatopi nas i wszystkich, których znamy. Zatop tych porządnych i zatop kurwy i frajerów. Zatop prawdomównych i zatop oszustów. Matki, ojców i dzieci. Zarobionych i biednych. Pryncypałów i podwładnych. Zatop nas, Boże, zabij nas, święć się imię Twoje. Zatop nas, bo nie zasługujemy na nic innego. Niech woda się wylewa, niech zabiera wszystko ze sobą do rzeki, w nicość, z prądem, do końca, bez końca, aż do morza. Przecież nic więcej się nie wydarzy. Być może dawno temu, bardzo dawno temu coś się wydarzyło, ale to było nieważne mignięcie, flesz w czarnej przestrzeni, po którym już dawno wyświetliły się napisy końcowe. Zatop to miasto, bo inaczej będę jeździł po nim jeszcze przez miliony lat. Zatop to miasto, abym w końcu przestał słyszeć szum, głuchy krzyk. Zatop nas, bo nie potrafimy ani myśleć, ani kochać. Bo tego nie chcemy. Bo idziemy przez las, pijani od słów. Zatop mnie, bo ja tego nie chcę. Chcę tylko pieniędzy i nocy. Chcę tylko patrzeć i liczyć. Nic więcej nie chcę i nie umiem robić, a przecież nie ma na co patrzeć, Boże, i nie ma czego liczyć, Boże, to wciąż ten sam, wyraźny obraz, na którym widziałem już wszystkie możliwe detale. Zatop ich wszystkich, bo nie wiedzą, co czynią, bo nie wiedzą, kim są, bo wychodzą w dzień i w noc tak samo bezmyślni, tak samo oszukani jak małe dzieci, które wbiegają do ogromnego, rozświetlonego lunaparku i przez chwilę jeszcze biegną, unoszone przez muzykę, reflektory, odgłosy, dźwięki i melodie, śmiech klaunów, brzęk monet, ale po chwili zatrzymują się i stoją nieruchomo, nie wiedząc, co się dzieje, głuchnąc od hałasu, ślepnąc od świateł.

Wysłuchaj mnie, Boże Przenajświętszy. Wysłuchaj, chociaż nie mam nic, co mógłbym zaoferować Ci w zamian.

W imię Ojca i Syna, i Ducha Świętego.

Amen.

Sobota

14:10

– I co ja mam zrobić? – pyta.

Brzmi jak pijana aktorka z polskiej telenoweli, która właśnie zeszła z planu i patrząc w lustro w garderobie, zorientowała się, że ma sześćdziesiąt lat.

– Nie wiem, co masz zrobić, mamo – odpowiadam.

Przede mną, na stoliku z Ikei, stoi miska stygnącego jedzenia. Coś hinduskiego, zamówionego przez telefon z knajpy parę ulic stąd i przywiezionego przez zdyszanego, grubego faceta po pięćdziesiątce. Nie wiem do końca, co to jest. Wybrałem na chybił trafił z karty. Obiad na śniadanie. Biorę trochę na łyżkę. Połykam. Jest w miarę dobre, ostre i tłuste. Jedzenie dla alkoholików. Przełykam jeszcze trochę, parzy mnie w przełyk.

– Jak powiem ojcu i Paulinie, że nie przyjedziesz znowu na święta? – pyta.

– Nie wiem, co im powiesz – odpowiadam.

– Nie wierzę, że musisz pracować w pierwszy dzień świąt – mówi. – Nie wierzę w to. Nikt nie pracuje w pierwszy dzień świąt.

– Sprzedawcy na Orlenie – odpowiadam jej, z jedzeniem w ustach.

– Co? – pyta.

– Sprzedawcy na Orlenie pracują w pierwszy dzień świąt – powtarzam.

– Nie bądź bezczelny – odpowiada moja matka.

Mam zaciśnięty żołądek. Jednak nie mogę jeść. Może zjem coś wieczorem. Zapiekanki. Hot dogi. Zastanawiam się, dlaczego od całego tego potwornego żarcia nie wyglądam jeszcze jak Borys Jelcyn. Zawsze pochłaniam je szybko, jakbym się go wstydził.

Patrzę na równe rzędy koszul, swetrów i spodni. Ułożone kolorami w odcieniu od najciemniejszego do najjaśniejszego. Zrobiłem to wczoraj, gdy nie mogłem zasnąć.

Patrzę na moje ubrania i myślę, na jaki sposób będę dzisiaj niewidzialny.

Moja matka zaczyna coś mówić, długo opowiada jakąś historię o swojej przyjaciółce, której mąż zdradza ją z młodszą kobietą, i chyba zrobił jej dziecko, a ona oblała mu samochód farbą i wybiła szyby. Nie słucham jej. Myślę o niewidzialności. Absolutną podstawą robienia tego, co robię, jest być przezroczystym.

– Dopinamy kontrakt z Tajwanem – odpowiadam. – To są miliony euro. Dziesiątki milionów euro, mamo.

– I co ja powiem ojcu? – pyta moja matka.

– Potrzebujecie jakichś pieniędzy? – pytam ją.

Nie jestem z Warszawy. Jestem przyjezdny. Jest taki dziwny termin, „słoik", określający ludzi, którzy przyjechali tutaj w poszukiwaniu czegoś lepszego, wyjechali ze swoich Radomiów, Tarnowów, Koszalinów, Ostrowców Świętokrzyskich; byli najlepsi w klasie, mieli same celujące na świadectwach maturalnych. Przyjechali tutaj po indeksy, po stanowiska, po kredyty na mieszkania na Kabatach i w Nowym Wilanowie, po samochody w leasingu, po karty kredytowe, po życie. W pewnym sensie jestem jednym z nich. Jestem nawet od nich zabawniejszy. Przyjechałem do Warszawy z Olsztyna po to, aby zostać artystą.

Teraz następuje przerwa na śmiech z taśmy, ten sam,

którego używają we wszystkich sitcomowych serialach pod każdą szerokością geograficzną.

– Z babcią jest bardzo źle – mówi moja matka.

– Zdaję sobie z tego sprawę – odpowiadam.

– Nie wiem, czy sobie zdajesz – mówi matka. – Już nic nie kojarzy. Michał, przecież oni są z Pauliną od pięciu lat, ostatnio zapytała, kto to jest. Mieszają jej się fakty. Pytała ostatnio, czym się zajmujesz, wymyśliła sobie, że masz żonę, że ma na imię Marlena, a Marlena jest przecież jej siostrą.

– Nigdy nie była za dobra w kojarzeniu – odpowiadam.

– Po co ja w ogóle z tobą rozmawiam? – pyta moja matka.

– Nie mam pojęcia – mówię.

Biorę do ust jeszcze trochę jedzenia, trochę po to, aby cokolwiek zjeść, a trochę po to, aby nie musieć mówić. Oglądam swetry, spodnie, sportowe buty. Wszystkie moje pary butów są czarne. To siła nawyków. Zdaję sobie sprawę, że na co dzień wyglądam jak menedżer wyższego szczebla. Szef accountów stojący w kolejce po wino u Mielżyńskiego.

Kolejna przerwa na śmiech z taśmy.

Przezroczystość. Jeśli robisz to, co ja robię, musisz wyglądać tak, aby nikt na ulicy, w metrze, w centrum handlowym nie skierował na ciebie wzroku. Widziałem zbyt wielu przewiezionych książąt, którzy wylądowali pod celą, bo lubili łańcuchy, bisiory, srebrne zegarki, buty czarodzieje, lubili brylantynę na włosach, lubili chodzić na dresowo, lubili machać do kurew samarami i mówić, że tam, gdzie mogą razem pojechać, jest tego więcej.

– Słuchaj. A ciotka Marlena to w ogóle chce twój obraz – mówi moja mama.

– To niech go sobie bierze – odpowiadam.

Właśnie. Obraz.

Śmiech z taśmy numer trzy.

Przyjechałem do Warszawy, żeby zostać artystą. Skończyłem liceum plastyczne. Moi rodzice mieszkają w Olsztynie na Jarotach, w części, na którą mówi się „Hamburg". Moja mama pracowała jako nauczycielka w szkole, teraz jest już na emeryturze. Mój ojciec jest milczącym człowiekiem z zaciśniętymi ustami, który przez całe życie zajmował się chodzeniem po mieszkaniu w sztywny, naprężony sposób, obrzucaniem zaniepokojonym wzrokiem ścian w naszym mieszkaniu. Chciał być pisarzem i dramaturgiem, wylądował jako dożywotni dyrektor jakiejś fundacji wspierającej rozwój kultury lokalnej.

Rzadko rozmawiałem z ojcem. Moja siostra komunikowała się z nim, wydzierając się i trzaskając drzwiami. Ja nie komunikowałem się z nim w ogóle. Mój ojciec, co ciekawe, nigdy niczego mnie nie nauczył: grania w piłkę, wkręcania śrub, prowadzenia samochodu. Sam do dzisiaj nie wiem, czy w ogóle posiada te umiejętności. Pamiętam, bardzo niewyraźnie, że gdy w domu cokolwiek się psuło, zaczynał panikować. Panika objawiała się u niego tężeniem twarzy oraz jeszcze większą kwadratowością ruchów, poruszał się po mieszkaniu szybkimi, rwanymi skokami, jak psujący się robot.

Moja siostra zawsze chciała malować. Skończyła nawet ASP. Ja również prawie skończyłem ASP. Moja siostra ma teraz ze swoim narzeczonym dziecko, które widziałem raz, i ledwo co funkcjonujący sklep z materiałami plastycznymi. Ja handluję kokainą. Zarabiam od pięćdziesięciu do stu tysięcy złotych miesięcznie. Na rękę. W gotówce.

Moja matka jest przekonana, że pracuję w warszawskim oddziale międzynarodowej korporacji.

– Przyjadę po Nowym Roku – mówię mojej mamie.

– Czemu dopiero po Nowym Roku? – pyta moja matka.

– Lecę do Singapuru – odpowiadam.
– Przecież kontrakt jest w Tajwanie – mówi moja matka.
– Jeden jest w Tajwanie, a drugi w Singapurze – odpowiadam.

Nie będę miał czasu przyjechać do nich po Nowym Roku, chociaż mam wtedy wolne. To wbrew pozorom martwy okres. Najgorszy. Ludzie trzymają się postanowień noworocznych, wykupują karnety na siłownie, chlają tylko w piątki i o połowę mniej, doczytują do połowy książki o harmonii, medytacji i pogodzeniu ze światem, odstawiają biały chleb. No i obiecują sobie, że nie będą wciągać. Robią sobie kompleksowe badania, detoksykacje i hydrokolonoterapie. Z reguły lekarz mówi, że z sercem wszystko w porządku. Idą jeszcze parę razy na siłownię. Potem przychodzi początek lutego i wszystko wraca do normy.

Zaczynają chlać, wciągać, zasypiać i pieprzyć się w taksówkach, tak jak robili to do tej pory.

Zanim to się stanie, po raz pierwszy od dziesięciu lat wyjeżdżam na trzy tygodnie. Nikt jeszcze o tym nie wie i nikt prawdopodobnie się nie dowie; po prostu wyłączę telefon, stracę dużo pieniędzy, ale to nieistotne. Lecę do Argentyny. Nie wiem, dlaczego akurat tam; czytałem kiedyś wywiad z wokalistą amerykańskiego rockowego zespołu i on powiedział, jaka jest największa wartość w posiadaniu pieniędzy. Powiedział, że pieniądze dają mu to, że w każdej chwili może pojechać na lotnisko, sprawdzić rozkład lotów, wsiąść w pierwszy lepszy samolot, dolecieć do każdego miejsca na świecie, wynająć hotel i chodzić samemu po ulicach.

Spodobało mi się to. Chcę zobaczyć inne ulice niż te. Brudne i lepkie, ale w inny sposób. W dodatku Argentyna jest daleko, daleko, jak tylko się da.

Dzwoni drugi telefon. To Stryj. Nie chcę z nim rozmawiać, ale jeszcze bardziej nie chcę rozmawiać z moją matką, więc mam pretekst, aby kończyć.

– Martwię się o ciebie – mówi.

Jej głos staje się zniekształcony, jakby jej gardło zaczynało puchnąć. To znak, że zaraz zacznie płakać, ale jeszcze się powstrzymuje.

– Czemu się martwisz? – pytam.

– Mam przeczucia – odpowiada. – Mam przeczucia, że coś się stanie.

– Co by się miało stać? – pytam ją.

– Nie wiem co, Jacek – mówi. – Samolot, cokolwiek, nie wiem.

– Nie mam siły na twoje histerie – odpowiadam, dwoma palcami delikatnie wyciągając w końcu ze stosu odpowiedni sweter.

– Uważaj na siebie – mówi.

– Nie robię w życiu nic innego niż uważanie na siebie – odpowiadam zgodnie z prawdą.

– Na razie – mówi moja matka.

Biorę do ręki drugi telefon.

– Na razie – odpowiadam.

Biorę go tylko po to, aby położyć go z powrotem na stoliku. Przebieram się. Zjadam jeszcze parę łyżek hinduskiego żarcia. Oddzwaniam.

– No i jak tam? – pyta Stryj.

Jest zasapany, jakby przed chwilą przebiegł kilka kilometrów. Ale może ma tak zawsze. To przerost serca od sterydów, niedoczynność płuc.

– Nijak – odpowiadam. – Tam jest więcej pieniędzy, niż mówiliście.

Stryj wydaje z siebie dźwięk podobny do „hm".

– Jakieś pięć tysięcy więcej – odpowiadam.

– Wiedziałem, że dobry z ciebie chłopak – mówi.

– To nie jest gimnazjum, kurwa, żeby robić sprawdziany – odpowiadam.

– Coś ty taki nerwowy? Weź się ziółek napij. Albo konia zwal – mówi Stryj.

– Na razie – mówię i rozłączam się.

Po chwili wkładam oba telefony do marynarki.

Przeliczałem te pieniądze nad ranem w bezpiecznym miejscu. Nie trzymam w mieszkaniu niczego: ani pieniędzy, ani towaru, ani pistoletu. To byłby czysty idiotyzm. Gdzieś, w mieście, daleko, w jego głębi, na blokowisku, jest kawalerka, którą kupiłem za gotówkę i której oficjalną właścicielką jest młodsza siostra Paziny, mieszkająca od piętnastu lat w Australii. To jeden z ostatnich bloków na dalekiej północy Gocławia. W klatce mieszkają sami emeryci. Nikogo nic nie interesuje poza tym, aby było cicho. Czasami przyjeżdżam tam w dzień, żeby nie budzić żadnych podejrzeń. Czasami rano zostawiam cicho grającą muzykę i przyjeżdżam wieczorem, aby ją wyłączyć. Wyjmuję śmieci ze skrzynki na listy. Raz narysowałem sam kredą na drzwiach K+M+B.

W tym mieszkaniu mam obecnie jakieś pół kilograma, to niewiele. Dwie wagi. Folię. Prasę. Pistolet gazowy. Pistolet na ostrą amunicję. Jakieś dwieście tysięcy złotych, kilkadziesiąt tysięcy dolarów i kilkadziesiąt tysięcy euro w gotówce, w paczkach, równo poukładanych w foliowych workach. Oprócz zamków nad drzwiami jest także mała kamera, która bez przerwy przekazuje obraz do mojego telefonu.

Nigdy w życiu tam nie spałem. Od czasu, kiedy kupiłem to mieszkanie, nie było w nim nikogo poza mną.

Zakładam zegarek. Wkładam buty. Spałem bardzo mało i nie śniło mi się prawie nic. Przypominam sobie słowa mojej matki o spadającym samolocie. Przez chwilę mielę je w głowie jak monetę w palcach.

Ale to tylko błąd w oprogramowaniu. Nie ma czegoś takiego jak intuicja. Intuicja to przejaw osobowości paranoidalnej. Powtarzam w myślach, powoli: „intuicja to przejaw osobowości paranoidalnej".

17:00

– Cześć – mówi cicho, jakby przekazywała coś szyfrem, a ze mną dzieje się coś niedobrego, coś, co nie powinno się stać: w brzuchu eksploduje mi ładunek elektryczny, a widelec, który trzymałem w dłoni, z brzękiem wypada na talerz.

Dopiero po paru sekundach mój mózg czyta, że to ona. Widzi jej ostro narysowaną twarz, wycięty nos, zaszklone oczy, przerwę między zębami. Blond włosy. Jest wysoka, smukła, stojąc nad moim stolikiem, wygląda jak oskarżający mnie prokurator.

Wbija się jak sztylet w przestrzeń przede mną.

Jest piękna. Ma spokojną, zimną, chłodną twarz. Jest piękna, a do tego jest zajebistą dupą; między jednym a drugim jest znaczna różnica, ale ona plasuje się w obu tych kategoriach. Znowu ogarnia mnie to uczucie, którego zaznawałem, gdy byliśmy razem, przez tych kilka razy, gdy pokazaliśmy się gdzieś publicznie – że jestem w pewien sposób dumny z tego, że ona jest przy mnie. Że ona mnie wzmacnia. Że lubię się z nią pokazywać, tak jak inni obnoszą się z zegarkami, marynarkami, biżuterią.

Była moim złotym zegarkiem. Bardzo głupi błąd. Jest kojarzona. Występowała w teledyskach, w sesjach zdjęciowych, pojawiała się na billboardach, reklamowała jakąś bieliznę. Ludzie znają jej twarz. Moją znają tylko trochę, ale ona zawsze jest pod kątem, bokiem, niewyraźna, niedoświetlona. Z rozmazanym makijażem mówiła mi nad ranem, przed snem, w moim mieszkaniu, że koleżanki pytają ją, czemu zadaje się z dilerem, skoro może mieć każdego faceta.

Wtedy zawsze odpowiadałem jej, że dilerzy to są w salonach samochodowych. Ja jestem detalistą.

Gdy wypuszczam widelec, ktoś się odwraca, ktoś skupia na mnie niepotrzebną uwagę, ktoś chrząka. To jedynie spojrzenia i chrząknięcia, ale są mi bardziej niż zbędne.

– Co słychać? Nie poznajesz mnie? – pyta.

– Poznaję cię – odpowiadam. – Widziałem cię w „Betlejem".

– To możliwe. – Kiwa głową. – To możliwe, że gdzieś mnie widziałeś.

Dosiada się do mnie, a ja pozwalam na to zupełnie bez sensu. Ale zanim usiadła przede mną, zanim rozpoznałem, że to ona, zanim w ogóle do mnie podeszła, zdarzyło się coś jeszcze głupszego. To kolejny dzień utraty kontroli, zagapień, zgubień, zawieszeń, widelców wypadających z rąk. Kolejny dzień tików, niepowstrzymanych w porę impulsów. To jest najgorsze.

Chodzi o to, że jeśli czegoś nienawidzę, to złego traktowania kobiet.

16:20

Jeśli czegoś nienawidzę, to właśnie traktowania kobiet jak szmaty. Nie wiem, skąd to mam. Może to jedna z niewielu rzeczy, którą mojej matce udało mi się bardzo skutecznie wpoić.

– Jak facet uderza kobietę, to zasługuje na karę śmierci – mówiła moja mama.

Może być tak, że kobiety źle traktują tych mężczyzn, którzy nienawidzą, gdy źle się je traktuje. Może tak być, a może to po prostu głupie zdanie, takie, które mogłoby paść w złym polskim filmie, w scenie, gdy bohaterowie palą papierosy na jakimś balkonie, wpatrując się w Pałac Kultury i Nauki.

Może. W każdym razie nienawidzę złego traktowania kobiet.

Jestem w centrum handlowym. Przedzieram się pomiędzy tabunami ludzi, wlewających się do sklepów, wypadających ze sklepów, obwieszonych tobołami. Gdy zaczynam myśleć o ich liczbie, naprawdę niespotykanym zagęszczeniu, rozumiem, że jednak są święta, że rzeczywiście za tydzień jest Wigilia.

Przyszedłem kupić sobie tylko perfumy i buty. Ewentualnie coś zjeść. Tłuste hinduskie jedzenie dla alkoholików zostało w domu, zjadłem go niewiele, strawiło się szybko.

To było nierozsądne. Ale ten cham naprawdę nie powinien tak odzywać się do swojej dziewczyny.

Stali oboje przy wyjściu z drogerii, on wyglądał jak zbieg z hangarowej dyskoteki, miał włosy na żel, szeroką klatkę i blezer, który obciskał go jak wielki, kolorowy kondom. Patynowane dżinsy i buty czarodzieje. Do tego twarz osoby, która urodziła się z alkoholowym zespołem płodowym: szeroka, spłaszczona, bez rynienki nad górną wargą. A ona wyglądała jak klasyczna polska miss pomarańczy, w dżinsach biodrówkach i kusej kurtce, jej włosy dzieliły się na pasemka, odrosty i włosy farbowane, o nie do końca określonej, flamastrowej barwie. Może nawet byłaby ładna, gdyby do twarzy nie miała przyklejonej maski z tapety i strachu. Była jednym wielkim przestraszeniem. Wyglądała jak coś, co ma być za chwilę zgniecione. Minąłem ich, ale zatrzymałem się na dźwięk jego słów.

– Pokaż mi, kurwa, telefon – powiedział.

Mówił bardzo głośno, ale ludzie nie zwracali na nich uwagi. Jego głos brzmiał jak tępe szczekanie, jakby próbował krzyczeć, mając pełno chleba w ustach. Połykał końcówki wyrazów.

– Pokaż mi, kurwa, ten telefon – powtórzył.

– Nie, kurwa – odpowiedziała.

– Pokaż go, kurwa, znowu ten chuj do ciebie pisał – powiedział.

– Ty jesteś nienormalny, jebnięty jesteś – odpowiedziała.

Szarpnął ją i zabrał jej torebkę. W jej twarzy rzeczywiście byłoby coś ładnego, gdyby ją zmyć i odkazić.

– Co ty, kurwa, robisz? – zapytała.

Ochroniarz przy drzwiach żuł gumę, wpatrując się w inny punkt. Nienawidzę traktowania kobiet tak jak szmat, nawet jeśli są równie piękne, jak billboard reklamujący dachówki.

– Co ty odpierdalasz? – zapytała jeszcze raz.

– Kurwo, zamknij się! – wrzasnął. – Zamknij się, bo ci zajebię tu przy wszystkich!

Ktoś się odwrócił, jakaś starsza kobieta, lecz poszła dalej. Wtedy zauważyłem dużą grupę ludzi, całą wielopokoleniową rodzinę, wyłaniającą się zza rogu, sunącą powoli arterią, dokładnie pomiędzy ochroniarzem a nimi. Kiedy ta grupa zaczęła przesuwać się obok nich, on ją uderzył.

Błyskawicznie wmieszałem się w tę grupę, tak, to było bardzo głupie, ale przecisnąłem się przez nich, szybko doszedłem do niego i z całej siły trzasnąłem go w splot słoneczny, tam gdzie stykają się nerwy. Nie umiem się bić, ale umiem uderzać. Stało się z nim to, co dzieje się zawsze: jego nerwy na chwilę przestały pracować, sparaliżowało mu układ oddechowy, skulił się, jakby ktoś wbił mu w brzuch nóż, otworzył usta i próbował złapać oddech. Dziewczyna zastygła i wszystko byłoby w porządku, gdyby nagle nie zaczęła krzyczeć.

Wiedziałem, że zacznie krzyczeć. Wiedziałem, że bardzo go kocha, a on bije ją co drugi dzień, jest dla niego jak wycior, myje nią podłogę, ale ona nie potrafi się uwolnić, co więcej, chce tego. To zawsze tak wygląda. W każdej przestrzeni, w każdej klasie społecznej. W blokach na Ursynowie i willach w Konstancinie. Ludzie uwielbiają być ranieni. Odruchowo i posłusznie idą tam, gdzie jest ból. Kojarzą go z bezpieczeństwem. Mylą z miłością. To nawet nie jest smutne, to banalne jak cykl dobowy i prawie wszyscy są do tego przyzwyczajeni.

Ale nienawidzę złego traktowania kobiet.

Gdy zaczęła krzyczeć, ja byłem już kilkadziesiąt metrów dalej, za załomem, ale widziałem kątem oka, jak ona odsuwa się od niego o krok, a jemu wraca oddech i zaczyna szukać mnie wzrokiem, i widziałem, jak przez chwilę ochroniarz, jakby już rozumiejąc, co się stało, szuka mnie w tłumie.

Po chwili byłem w restauracji. Zrobiłem tak już parę razy. Raz pod klubem na Mazowieckiej parę miesięcy temu. Innym razem nad ranem, gdy wracałem do domu, gdzieś na wysokości placu Na Rozdrożu widziałem kolesia, który ciągnął dziewczynę do domu za włosy, jak jaskiniowiec w złej kreskówce. Trzasnąłem go z łokcia w czubek głowy, a potem nadepnąłem mu na twarz, aż chrupnął mu nos. Tamta nie krzyknęła, odwiozłem ją do domu; nie odezwałem się do niej ani słowem ani ona do mnie.

Przez chwilę myślałem, że ta małpa w kondomiarskim swetrze tu przyjdzie, ale nic takiego się nie wydarzyło. Gdyby przyszedł, gdyby zadzwonił po policję, a wyglądał na takiego, co lubi zadzwonić sobie na psy, miałbym problem.

– To głupie – powiedziałem do samego siebie.

Wyłączyłem telefon, zamówiłem sałatkę i wodę. Wtedy przyszła ona i stanęła przede mną, wyraźna jak nóż.

17:10

Rozmowy, podczas których obie strony się boją, nie udają się nigdy.

Ona boi się na pewno, ja nie wiem, czy się boję. Nie wiem, bo nie potrafię zlokalizować w sobie strachu. Nie umiem do końca wyczuć, która emocja tak naprawdę nim jest. W takich sytuacjach czuję, jak coś rośnie mi w żołądku, napiera na jego ściany, porusza się w nim wokół własnej osi; na przykład w momentach, gdy jakiś samochód jedzie za mną dłużej niż przez kilka minut. Gdy w środku tego samochodu jest dwóch facetów, auto nie ma kołpaków i kierowca robi nawrotki wtedy, gdy ja również je robię. Jestem pewien, że to grupa. Wiem, że oni wiedzą; wiedzą, że ja wiem. Ale w tym wszystkim nie wiem, czy to strach, czy niepokój. To po prostu ciało obce w żołądku, które pojawia się i znika, nawet nie rozciągając jego ścian.

– Jak się czujesz? – pyta.

– Dobrze – odpowiadam.

Może jesteśmy przestraszeni, a może po prostu nie mamy już sobie zupełnie nic do powiedzenia.

– Ja niespecjalnie – odpowiada.

Zawsze mówiła o sobie bez zapytania, pierwsza, tak samo jak pierwsza potrafiła udzielać ludziom pijanym korepetycji z dobrego wychowania.

– Czemu? – pytam.

Z tego, co pamiętam, całe jej życie polega na czuciu się niespecjalnie.

– Mam problemy ze snem – odpowiada. – Praktycznie w ogóle nie śpię.

Poznałem ją przez jednego z klientów, który próbował być również moim kolegą. Facet, który przez parę lat był dyrektorem banku w Londynie. Typ, który w domu ma schowaną średnio ładną, bułkowatą żonę, poznaną w trzeciej klasie ogólniaka, a wychodzi na miasto otoczony szpalerem długonogich kóz. Ona była jedną z tych kóz, ale odróżniała się od nich, miała szlachetniejszą twarz, cichszy głos, i coś mieszkało w jej oczach, jakaś dziwna nostalgia, złamanie, skwaszenie.

Miała spojrzenie kogoś, kto miał jakąś wiarę, nieważne w co, lecz stracił ją w ułamku sekundy. Tak mi się wtedy wydawało. Później okazało się, że nawet ja umiem dopowiedzieć sobie fantazję do czegoś, co po prostu leży przede mną na stole, wyraźne, widoczne w wysokiej rozdzielczości i po prostu jest, jakie jest, nic więcej, nic mniej. Miała spojrzenie kiepskich aktorek z filmów puszczanych o trzeciej nad ranem, gdy mówią kiepskim aktorom, że muszą od nich odejść, że są najwspanialszymi mężczyznami, ale one po prostu nie potrafią z nimi wytrzymać.

Spojrzenie kurwy, która się wzrusza, oglądając zły melodramat.

– To tak jak każdy – mówię.

– Nieważne, czy śpię sama, czy z kimś – mówi i dodaje: – Może czasami mi się uda, na godzinę dziennie.

– Ja śpię świetnie – informuję ją.

Sypia z kimś, ktoś ją pieprzy, pewnie jest ich kilku, w trybie trzyzmianowym, a ona mówi o tym spokojnie, jakby była na lekach uspokajających albo rozmawiała ze starszą osobą, patrząc na mnie spokojnym, pustym wzrokiem.

– Co słychać? – pyta.

– Wyjeżdżam – odpowiadam.

– Na stałe? – pyta z lekkim lękiem.

– Nie, na trzy tygodnie. Do Argentyny – mówię spokojnie.

– Cieszę się – odpowiada. – Zawsze mówiłam ci, abyś to zrobił.

Nie przypominam sobie, aby kiedykolwiek powiedziała coś takiego.

– Musimy się kiedyś spotkać, porozmawiać – mówi po dłuższej chwili, gdy ja sprawdzam telefon.

– Właśnie się spotkaliśmy i rozmawiamy – mówię.

– Słuchaj, to jak wyszło... – Pochyla głowę, aby nie patrzeć mi w oczy.

– Jak wyszło, tak wyszło – mówię. – Teraz to nie ma żadnego znaczenia.

– Dla mnie ma – mówi.

– Dla mnie nie – kłamię.

Kłamię, bo nadepnęła mi na twarz, bo złamała mi nos. Kłamię, bo coś we mnie było, coś, o czym nie wiedziałem, a ona mi to zabrała. Kłamię, bo gdy zabrałem ją od mojego kolegi bankiera i zaprowadziłem do hotelu, i pieprzyłem ją tam bite dwa dni, już wtedy wiedziałem, że ona wchodzi mi pod skórę przez oczy, przez otwory w ciele, że będę o niej myślał wtedy, kiedy nie powinienem. Że będzie mnie rozpraszać.

A ona jest świetna w rozpraszaniu, umie przekierować całą uwagę wyłącznie na siebie. W jej oczach jest coś smutnego, proszącego i zimnego. To, co na ekranie jest kiepskim aktorstwem, w rzeczywistości jest świetną manipulacją. Te oczy płaczą i zarabiają.

Może za często do niej dzwoniłem. Może powiedziałem jej za wiele o sobie. Może popełniłem ten błąd, koszmarny błąd, przytulania się do niej w środku nocy i słuchania, jak oddycha. Może pozwoliłem sobie za bardzo przy niej odpoczywać. Może po raz pierwszy w życiu od czegokolwiek się uzależniłem.

– Nie masz żadnych problemów? – pyta.

– Jakich problemów? – odpowiadam pytaniem na pytanie.

– Wiesz jakich – mówi.

– Nie, wszystko jest pod kontrolą – mówię.

– No tak. – Podnosi głowę, jakby nagle odzyskała

odrobinę kontroli nad sytuacją. – Nie znam nikogo, kto miałby więcej kontroli nad wszystkim niż ty.

Ona szybko zaczęła uciekać. Nie odbierać telefonów. Wymigiwać się od spotkań. Krzyczeć przez telefon, że ją osaczam w momencie, gdy po prostu potrzebowałem jej przy sobie. Słyszałem ją najebaną, słyszałem głosy w tle, męskie, żeńskie, słyszałem muzykę. Nie wiedziałem, gdzie była, i nie chciałem wiedzieć, ale po prostu chciałem, żeby była obok. A jej bycie obok wcale nie oznaczało czegoś nadzwyczajnego. Nawet nie było obecnością.

Potem Pazina powiedziała mi, że widziała ją z jakimś facetem. Facetami. Jednym, drugim, trzecim. Tymi uśmiechniętymi lamusami, którzy w swoim mniemaniu są świetnie ubrani, którzy mają studia produkcyjne i domy mediowe, którzy w jednej dłoni trzymają darmowego drinka i żwawo gestykulują drugą, którzy przeciągaliby wyrazy i sypali z półuśmieszkiem drętwe dykteryjki nawet przed plutonem egzekucyjnym. Ja chciałem ich wtedy mordować, a to było bardzo niedobre. To, że jakiś facet chce wyruchać jakąś kobietę, nawet jeśli przez chwilę była twoja, to żaden powód do morderstwa.

W końcu przestałem zwracać uwagę na to, co istotne. Zacząłem odbierać nie te numery telefonów, co trzeba. Zacząłem źle liczyć i źle spać.

W momencie, gdy chciałem ją skasować, odciąć, gdy byłem gotowy na to, aby to zrobić, ona zjawiała się znowu, stawała bez zapowiedzi nad ranem w moich drzwiach, zgnieciona jak stary paragon, z rozmazanym makijażem. Bez słowa wchodziła do środka i zaczynała się rozbierać.

Nie umiałem zamknąć przed nią drzwi.

– Ja się po prostu bałam – mówi. – Bardzo się bałam.

– O co? – zapytałem.

– Zaangażować się w faceta, którego mogą w każdej

chwili zamknąć – mówi po chwili, to zdanie wypada z niej, jakby odkrztusiła tkwiący jej w gardle korek.

– Doskonale to rozumiem – mówię.

Ona przez chwilę nie reaguje. Podchodzi kelnerka, pyta, czy coś jej podać. Ona kręci głową, jak przyłapane na kradzieży w sklepie, wypierające się wszystkiego dziecko.

– Spotkajmy się jakoś tak, żeby nie być, wiesz, przestraszonymi, zaskoczonymi – mówi po chwili, podnosząc wzrok.

– Może. Kiedyś – mówię, wsadzając sobie w końcu do ust trochę sałatki i dodając z pełnymi ustami: – Po prostu zadzwoń.

– Na który telefon? – próbuje żartować.

– Wiesz, na który – odpowiadam.

Potem Pazina powiedziała mi, że jeden z facetów pojawia się przy niej częściej niż pozostali. Wiedziałem, który to, znałem go. Bardzo często brał ode mnie towar, a potem przestał; słyszałem, że boi się, że coś mu zrobię. Nie wiem, co tak naprawdę miałbym mu zrobić. Zemsta jest bzdurą. Na jego miejsce od razu pojawiłoby się dziesięciu innych. Karma to sprawiedliwość bez satysfakcji.

Nie miała zamiaru się z czegokolwiek tłumaczyć. Spotkaliśmy się dwa, trzy razy, przelotnie. Zawsze w miejscach publicznych, zawsze na chwilę. Nawet nie patrzyła mi w oczy. Wszystko, co mówiła, brzmiało jak „daj mi spokój". Nie prosiłem jej o nic, bo nigdy nie prosiłem o nic nikogo, stałem przed nią przez chwilę, a potem odwracałem się i szedłem w swoją stronę. Ona wtapiała się w tłum. Ale wtedy czułem się jak świeżak w wojsku, jak bite dziecko, jak cwel. Właśnie wtedy. Ten jeden raz.

Parę dni później w końcu skasowałem jej numer.

Ludzie sypiają ze sobą, nic ekscytującego. Zdjąć przed kimś ubrania i położyć się na kimś, pod kimś lub obok kogoś to żaden wyczyn, żadna przygoda. Przygoda następuje później, jeśli zdejmiesz przed kimś skórę i mięśnie i ktoś zobaczy twój słaby punkt, żarzącą się w środku małą lampkę, latareczkę na wysokości splotu słonecznego, kryptonit, weźmie go w palce ostrożnie jak perłę i zrobi z nim coś głupiego, włoży do ust, połknie, podrzuci, zgubi. Potem, znacznie później, zostaniesz sam z dziurą jak po kuli i możesz wlać w tę dziurę mnóstwo cudzych ciał, substancji i głosów, ale nie wypełnisz, nie zamkniesz, nie zabetonujesz, nie ma chuja.

Każdy ma tę małą lampkę, ten kryptonit. Ja też. Nigdy nie powinienem go nikomu pokazywać.

Ona wstaje, bierze kurtkę. Nagle staje się złamana, szara, spatynowana. Coś straciła, a strata zawsze boli, nawet jeśli traci się coś, czego tak naprawdę się nie chciało, co tylko trzymało się na czarną godzinę.

– Na razie. Odezwę się – mówi. – Chyba że mam ci w ogóle już nigdy nie przeszkadzać. Jeśli tak, to mi to powiedz.

Nic nie mówię.

– Powiedz mi to teraz – powtarza.

– Na razie – mówię.

Patrzę to na telefon, to na talerz wciąż pełen rozbełtanej sałatki. Patrzę na nią, jak odchodzi, dyskretnie wymija kelnerkę, przyśpiesza i znika w tłumie, nie podnosząc głowy, spoglądając pod nogi. Może po drodze wpadnie na kolesia w kondomowatym swetrze. Może ktoś na nią czeka w domu. Może jest z kimś po prostu umówiona. Może pójdzie dziś z kimś do łóżka.

Nie wiem.

Nie chcę wiedzieć.

Kładę pieniądze na stole i powoli wstaję, aby wyjść.

Skasowałem jej numer, ale wciąż znam go na pamięć.

21:30

Odbiera dopiero za piątym razem.

– Halo – mówi, ma zdyszany głos.

Jest w szatni na siłowni. Wiem, gdzie, wiem, o której na nią chodzi, i wiem, o której kończy. Lekarz zalecił mu basen i regularne ćwiczenia, bo wiosną wylądował na ostrym dyżurze ze stanem przedzawałowym. Piotrek ma czterdzieści cztery lata i piętnaście kilo nadwagi, zbite z trzydziestu. Może dlatego, że uwielbia się obżerać, zwłaszcza na noc. Jeździ range roverem. Jest moim hurtownikiem. Bardzo poważnym bandytą.

– Muszę się z tobą zobaczyć – mówię zgodnie z prawdą.

Muszę się z nim zobaczyć. Powoli kończy mi się towar, zaczynam schnąć.

– W niedzielę – odpowiada.

– Niedziela jest jutro – informuję go.

– Więc jutro – potwierdza i dodaje: – Kurwa, chyba zaraz wyrzygam własną kichę, ja pierdolę.

– Forsujesz się – zauważam.

– Tylko to mi zostało, Jacuś – odpowiada.

Cisza w słuchawce. Stoję na Jerozolimskich, pod KFC. Rozglądam się za tą dziewczyną. Jest. Jak zwykle z małym, białym psem. Uśmiecha się i powoli idzie w kierunku mojego samochodu.

– O której? – pytam.

– Osiemnasta może być, tam gdzie zawsze – odpowiada. – Ten trener to Hitler jebany jest. On chce, żebym ja tutaj pierdolnął. To jest, kurwa, nieludzkie. Ja nie jestem już gówniarzem, żeby się tak katować, Jacek.

– Oszczędzaj się – mówię.

– Na razie – odpowiada.

Wchodzi do samochodu, siada z tyłu. Słyszę szczekanie psa.

– Putin, cicho – mówi.

– Naprawdę się tak nazywa? – Odwracam się do niej.

– Tak, ale to nie był mój pomysł – odpowiada i dodaje: – Jak wygląda dzisiaj twoje szczęście?

– Moje szczęście? A to dobre. – Kręcę głową.

– Każdy ma jakieś szczęście – mówi z uśmiechem, który kompletnie neutralizuje jej słowa.

– Bardzo chciałbym myśleć tak jak ty – odpowiadam jej i odwracam się do niej z uśmiechem.

Jest jedną z niewielu osób, do których się uśmiecham.

Kupuje u mnie co dwa tygodnie, zawsze twierdzi, że robi to dla kogoś. Ma na imię Anastazja. Ma śliczną buzię i wielkie oczy, kobiecą, rozłożystą figurę przyszłej matki, kształtne piersi, pupę, uda. Długie, czarne włosy. Faceci miękną przy niej jak pleśniejący owoc. Sprawia, że przestają bać się założenia rodziny.

– Tylko żeby Putin nie nasrał mi w samochodzie. – Śmieję się.

– Byłeś na wakacjach? – pyta.

– Nie, ale niedługo wyjeżdżam, tak że nie bój się, jak nie będę odbierał – odpowiadam i wyciągam to, czego chce zawsze: dwójkę towaru i jedynkę MDMA, podaję jej na tylne siedzenie, a ona jak zawsze wręcza mi równo odliczone pieniądze.

– To bardzo dobrze. Odpoczniesz. Zaczniesz normalnie oddychać. To bardzo ważne.

– A jak wygląda twoje szczęście? – pytam.

Nie pośpieszam jej. Niech siedzi. Gdy wsiada do mojego auta to trochę tak, jakby ktoś wstawił mi na tylne siedzenie grzejnik emitujący jakiś przyjemny aromat, coś w rodzaju domowego ciasta. Gdy wsiada, przez chwilę jest tak, jakby ktoś w moim samochodzie zrobił Wigilię.

Oczywiście to tylko złudzenie.

Kiedyś wsiadała do mojego samochodu, gdy podwoziłem gdzieś jakiegoś znajomego. Od razu zapytała, kim jest kolega, bez wahania; kobiety są o wiele mądrzejsze i rozważniejsze od mężczyzn. Nigdy nie podnoszą głosu, nie schodzą pijane, nie każą się wozić pół godziny po dzielnicy w poszukiwaniu bankomatów, nie pierdolą bzdur.

– Zszywam to szczęście z powrotem do kupy – odpowiada z uśmiechem.

– Podarło się? – pytam.

– Kompletnie. Ale, wiesz, da się je uratować. Trzeba tylko użyć innych nitek – mówi.

– Może to też kwestia materiału – odpowiadam.

Wiem coś o niej, wiem nawet dużo. Przez parę lat była dziewczyną Malucha, i właśnie stąd ją znam, migała mi zawsze w jego otoczeniu jak przyklejona do brudnej ściany błyszcząca, kolorowa nalepka. Maluch zdemolował ją tak, jak tylko można zdemolować ledwo co pełnoletnią dziewczynę, która do tej pory interesowała się głównie uśmiechaniem się, wąchaniem kwiatów i jeżdżeniem konno. Dymał inne laski praktycznie na jej oczach. Wyzywał ją, zostawiał, upokarzał, a potem zawsze wracał po nią jak po swoje. Człowiek mający w swojej naturze żądzę posiadania będzie trzymał przy sobie coś, czego w ogóle już nie używa. Podobno parę razy ją uderzył. Przy innych ludziach. Zamienił ją w piękny, ale zupełnie rozstrojony instrument, na którym nikt już nigdy dobrze nie zagra.

Anastazja teraz lubi się mścić. Wiem, że bierze to swoje ciepło i bierze ten swój uśmiech, i używa ich po to, aby rozsmarowywać nimi po ścianach kolejnych biednych pacjentów, którzy dają się na nie nabrać, przyciąga ich do siebie, a następnie metodycznie wrzuca ich do zsypu. Robi im kilkudniową Wigilię, sugeruje między słowami śluby i dzieci, wytwarza przestrzeń pełną spokoju, ciepły dom, przystań, a parę dni później przestaje odbierać od nich telefony. Albo spotyka się z nimi i mówi, że nie jest jeszcze gotowa. Albo po prostu wali ich po rogach. I tak dalej, i tak dalej. Wszystko kończy się na kulturalnych podziękowaniach od osoby, która już się najadła, nie do końca jej smakowało, a na pewno nie potrzebuje dokładki. Na szczerych życzeniach wszystkiego najlepszego.

Wiem, że w tym wszystkim potrafi być czuła. Potrafi słuchać. Świetnie gotuje. Podobno w łóżku jest medalistką olimpijską. Ze dwie jej ofiary nawet mi o tym wspominały; siedzieli pokruszeni w tym samym samochodzie, prawie płacząc, międląc w palcach piątki, odwracając wzrok, żebym nie widział, jak szklą im się oczy. Byli w stanie, w którym byle impuls, fragment piosenki *Kroplą deszczu namaluję cię*, plakat komedii romantycznej sprawiłby, że rzuciliby się pod pierwszy nadjeżdżający samochód.

Nawet ją za to lubię. Lubię, gdy kobiety są trochę złe. Gdy są oszustkami, gdy są zaburzone, gdy grają. Mają do tego prawo. Lubię ją za to, bo nic od niej nie chcę. Może gdybym uwierzył w to, że mogę mieć tę Wigilię na stałe, sprawy wyglądałyby inaczej. Ale jestem na to zbyt rozsądny, zbyt chłodny, zbyt trzeźwy.

– Śniłeś mi się, wiesz? – pyta nagle. – Śniłeś mi się, że płynąłeś gdzieś łódką. Morze było ogromnie wzburzone, padało, były błyskawice, ale ty płynąłeś. Bardzo równo. Byłam całkowicie spokojna, że nic ci się nie stanie.

– To bardzo ładny sen – odpowiadam. – Ty mi się niestety nie śniłaś. Nie mam nic w zamian. Przepraszam.

– Ty chcesz handlować nawet snami, Jacek? – Uśmiecha się.

Ja również znowu się uśmiecham. Naprawdę ją lubię. Wyczerpuję przy niej swoje limity uśmiechów.

– Gdzie dziś się bawisz? – pytam ją.

– U mojej przyjaciółki – odpowiada. – To coś w rodzaju wieczoru panieńskiego.

– Wychodzi za mąż? – pytam.

– W pewnym sensie. To taka jakby buddyjska ceremonia – odpowiada. – Ślubu będzie udzielał im jakiś guru. Nie wiem jaki.

– Tak czy srak, wychodzi za mąż – mówię. – Poczekaj, dam ci coś specjalnego. Daj mi z powrotem to, co ode mnie dostałaś.

Z zaintrygowaniem zwraca mi towar.

– Mam coś lepszego – mówię i podaję jej kolumbijczyka, którego sto gramów Piotrek podarował mi w wielkopańskim geście jakieś trzy tygodnie temu.

Mam go tylko dla najlepszych klientów i sprzedaję dwa razy drożej niż normalną torbę.

– Ile mam ci dopłacić? – pyta.

– Nic – mówię. – To prezent od firmy. Baw się.

– Ojej. Dziękuję ci bardzo. Bardzo, bardzo dziękuję – odpowiada, otwiera oczy jeszcze szerzej, ma teraz w sobie coś z laleczki; wygląda, jakby ktoś ją miesiącami strugał, rzeźbił i wygładzał, jakby była czyimś wypieszczonym dziełem.

– Zawsze mi dziękujesz. Nie musisz tyle dziękować – mówię.

– Nie, to nie jest drobnostka. – Uśmiecha się.

– Uważajcie z tym – mówię.

Niech uważają. To ma w sobie nawet trzydzieści procent czystego towaru. To cholernie dużo.

– Najpierw po małej kreseczce – mówię.

– Po małej kreseczce – powtarza i dodaje: – To prezent na święta?

– Uważaj na siebie – radzę jej szczerze, z całego serca. Nie chcę, aby ktokolwiek ją zadeptał. Niech ona depcze. Niech idzie.

– Uważam na siebie i ty też na siebie uważaj. I bądź szczęśliwy – odpowiada. – Putin, chodź – mówi do psa i zamyka drzwi, i odchodzi w noc.

Jeszcze przez chwilę czuję ciepło z tylnego siedzenia. Ciepło nieprawdziwej wigilii. Zapach sztucznej choinki.

23:10

Oni wszyscy są tutaj i ja jestem razem z nimi – w środku, w kwadratowej, gierkowskiej willi na Saskiej Kępie. Jakieś dwieście osób. Wernisaż zdjęć przedstawiających zamglony las, rozlane na podłodze wino, małe cycki chudych i brzydkich dziewczyn, wino w plastikowych kubkach, jointy, ludzie zbici w gęste grupki na centymetrach kwadratowych przestrzeni. Naczelni magazynów o czymś, co nazywa się styl życia, pedały, hipsterscy liderzy opinii, fotografowie, DJ-e, kuratorzy. Występuje jakiś zespół, który w ogóle nie umie grać; chłopak za perkusją ledwie trafia w bębny i talerze; brzydka dziewczyna w koronkowym body i w rogatywce na głowie pręży się przed mikrofonem, co kilka taktów wyjękując parę nieskładnych sylab. Kilka chudych i brzydkich dziewcząt, być może tych samych co na zdjęciach, próbuje do tego wszystkiego podskakiwać.

Przyjechałem tutaj z wieczoru kawalerskiego właściciela knajpy z arabskim żarciem niedaleko Novotelu. Tutaj zejdzie mi mniej więcej połowa tego, co tam. Branża kreatywna nie zarabia ostatnio zbyt dobrze. Przestrzenie reklamowe się kurczą. Spadają budżety. Kryzys zmniejsza powierzchnię. Ściany przybliżają się do siebie, metraż się kurczy, zgniecenie tych, co w środku, jest nieuchronne.

Wszyscy tutaj są niby uśmiechnięci, dotykalscy, paplający, ale gdzieś wewnątrz trzyma ich niewypowiedziane napięcie, każdy szuka wyjścia, a przynajmniej rozszczelnienia, przez które wpadnie trochę świeżego powietrza. Boją się o swoje wystawy, magazyny, miejsca przy biurkach, inicjatywy, projekty, targi rzemiosła, manufaktury odzieżowe. Chociaż przyrost naturalny w tej grupie prawie nie występuje, niektórzy mają też dzieci i boją się o nie. Boją się o ich opiekunki, które umożliwiają im przyjście tu dzisiaj. O ich przedszkola. O kupowane w Berlinie ubranka. O zajęcia z pływania pod wodą dla niemowląt.

W powietrzu unoszą się takie wyrazy, jak projekt, montaż, reżyseria, barter. Ten odcinek sponsoruje literka K jak Kreacja. Prawie każdy tutaj coś robi, każdy jest na swój sposób artystą, każdy generuje jakąś wartość i treść, która tak naprawdę nikogo nie obchodzi, która rozpuszcza się bezgłośnie w powietrzu już na granicy Żoliborza i Bielan. Kręcą krótkie filmy, realizują spektakle, organizują targi, robią wystawy, tworzą wydarzenia, redagują, piszą, składają wnioski.

Ale na razie wszystko jeszcze jest w porządku. Jeszcze się śmieją, wymieniają informacje. Jeszcze je filtrują. Jeszcze mają nadzieję na jakąś zmianę, na lepsze jutro, na większe pieniądze. Jeszcze płynie w nich jakaś ciepła krew.

Na swój sposób oni wszyscy są sympatyczni i niegroźni. Gdyby mogli, podrapaliby się do krwi, ale urodzili się bez paznokci. Mogą się tylko do siebie uśmiechać, jak najedzone eunuchy. Stres osadza im się w węzłach chłonnych, wypłukują go wódą.

Wchodzę po schodach na piętro. Ktoś dobija się do zamkniętej od wewnątrz łazienki. Jakaś mdlejąca dziewczyna osuwa się na stojącego przed nią faceta, nie umiejąc już mu odmówić. Ktoś kłóci się z kimś o jakiś film. Przeciskam się przez ludzi, niektórzy kiwają do mnie głowami. Podchodzę do tego, który zamawiał. To roztrzęsiony blondyn w pikowanej, krótkiej kurtce, czerwonych butach, z przesterowaną gestykulacją i spojrzeniem kogoś, kto właśnie uciekł nieznanym oprawcom goniącym go przez ciemny las. Widać, że ma problemy. Oczy mu tańczą. Oddech ma szybki i płytki. Co chwila wyciera nos chusteczką.

– Nie jest dobrze, stary – mówi na początek. – Właśnie straciłem kupę forsy.

– Zdarza się – odpowiadam.

– Nie, naprawdę nie jest dobrze – mówi. – To jakiś potworny koniec roku. Ten był najgorszy.

– Ile? – pytam go.

– Dwójkę – odpowiada.

Daję mu dwójkę, biorę pieniądze.

Kupuje ode mnie bardzo dużo. Czasami dzwoni do mnie w dzień. Jest fotografikiem, lubi grzać w pracy i po niej. Mówi, że ma wtedy większą kontrolę nad otoczeniem. Mówi dużo o biznesie, rozgrywaniu, bezwzględności, pieniądzach, chociaż wszystko na ten temat wie z seriali telewizyjnych.

– Znasz Góreckiego? – pyta. – Syna tego krezusa od mebli?

– Nie wiem. – Wzruszam ramionami.

– Na pewno brał od ciebie parę razy – mówi. – Gadałem z nim o tym.

– Nie pamiętam tych, co brali po parę razy – odpowiadam.

– Taki małolat. W okularach. Jeździł jaguarem – mówi.

– No może. I co z nim? – pytam.

Już go kojarzę. Byłem u niego wczoraj. Próbował sprzedać mi obraz swojej dziewczyny.

– Rano znaleźli go martwego w mieszkaniu. Dziewczyna miała brać od niego rzeczy, bo się wyprowadzała, miała jeszcze klucze – mówi wyraźnie zdenerwowany, przestępując z nogi na nogę, jakby próbował ze mną tańczyć.

– Ona go znalazła? – pytam.

– Tak, na łóżku – odpowiada – w ubraniu. Wezwała karetkę. Prawdopodobnie zawał serca.

Rozglądam się dookoła. Wszyscy udają, że nie zwracają na nas żadnej uwagi, i są w tym całkiem nieźli: zawieszają wzrok na mnie i na nim przez ułamek sekundy, aby potem odwrócić się w inną stronę. Ta informacja była już dzisiaj przekazana wielokrotnie. Teraz, gdy patrzę na nich, wiem, kto właśnie o tym mówi. Żywa gestykulacja, kiwanie głową, zatroskane spojrzenia. Będą tym żyć jeszcze przez następny tydzień.

– Dwudziestosześcioletni gość miał zawał? – dziwi się głośno, zadając pytanie, nie wiem, czy mnie, czy samemu sobie, i zaraz dodaje: – Od towaru? Przecież to niemożliwe. Musiał mieć jakąś ukrytą wadę.

– Jaką wadę? – pytam go.

– Nie wiem, serca? – odpowiada.

– Nie mam pojęcia. Nie jestem lekarzem – mówię mu i dodaję: – Zaraz muszę spadać.

Sprzedałem mu to, co sprzedaję każdemu. Nie ma żadnych dowodów, że brał to ode mnie. Na pewno stwierdzą obecność w organizmie, ale policja nawet nie pójdzie w tym kierunku, a jego rodzice po prostu to przełkną. Jeśli facet siedzi na milionach, nie będzie rysował na grobie syna wyrazu „ćpun". Jeśli ktoś dorobił się dużych pieniędzy, to znaczy, że umie przykręcić w sobie wszelkie emocje i zawsze będzie myślał przede wszystkim o reputacji.

Gdy odwiedziłem go wczoraj, był po paru workach. Miał płytki oddech, przekrwione oczy. Ale to był jego wybór, aby zadzwonić po repetę. To zawsze jest ich wybór. Są dorośli, mają dowody osobiste, NIP-y, numery PESEL, mózg i rozsądek. Jeśli sami wyłączyli sobie te dwa ostatnie, to nie jest już mój problem.

Nie wiedzieć czemu, nagle myślę o jego karcie, która utkwiła w bankomacie. Po chwili przestaję. Nigdy go nie lubiłem. I nigdy nie zaczynam lubić ludzi wyłącznie z tego powodu, że umarli.

– Ale z drugiej strony, jeśli to twój towar? – pyta. – Wiesz, jeśli go walnął i...

– Nie umrzesz od tego. – Wskazuję na jego zaciśniętą pięść, w której jest worek.

– Nie o to mi chodzi. Załóżmy, że miał ukrytą wadę serca i, wiesz, to mu nie pomogło – mówi.

– To co? – pytam.

– To jak się z tym czujesz?

– Co to za pieniądze, które straciłeś? – pytam go.

– Koleżka wyjebał mnie z interesu – mówi. – Kawał chuja.

Zaczyna opowiadać jakąś historię o wspólnie prowadzonym sklepie internetowym ze zdrową żywnością. Mówi bardzo szybko, połyka wyrazy, przerywa ten ciąg miejscami na oddech, podczas których rzuca krótkie „wiesz", „stary", „rozumiesz", „man". Nie słucham go, nie interesuje mnie to.

– Ja naprawdę nie chcę wiedzieć o takich rzeczach – mówię. – Ten twój kolega też ode mnie kupuje.

– To było osiemdziesiąt tysięcy na koncie firmowym, stary – mówi i już wiem, dlaczego nie mogę go słuchać, to jego mokre, miękkie „r", jakby miał nadprodukcję śliny w ustach i nie nadążał z jej przełykaniem.

– No dobrze, ale mam mu nie sprzedawać, czy o co ci chodzi? – pytam.

– Najlepiej by było – odpowiada.

– Tak nie będzie – mówię. – Mnie to naprawdę nie interesuje. Każdy ma swoje interesy.

– Więc jak się z tym czujesz? Z tym chłopakiem? – pyta jeszcze raz.

– Szkoda mi go – kłamię.

On kiwa głową. Zostawiam go z tym. Odwracam się i kieruję do wyjścia. Zatrzymuje mnie dzwonek. Patrzę na telefon. To mój najlepszy klient. Wiedziałem, że dzisiaj zadzwoni. Jest sobota. Nie było innej możliwości. Przeciskam się przez zbite grupki, ktoś próbuje mnie zaczepić, zapewne coś kupić, rozpoznaje mnie, ale nie mam już czasu. Niektórzy jawnie wciągają towar z wolnych, płaskich powierzchni, chociażby ta czarnowłosa i blada kobieta, nosząca ubrania osoby o dwie dekady młodszej, zmarszczona od papierosów jak wysuszony owoc. Wysoki, wątły, krótko ostrzyżony chłopak, któremu podaje banknot, nie jest jej partnerem, lecz synem. Znam ich oboje. Kupują mało, nie mają pieniędzy. Pracują w umierających kolorowych magazynach, których nie czytają nawet ich redaktorzy. Do willi wciąż wchodzą kolejni ludzie. Idę do samochodu. Czas zarobić prawdziwe pieniądze. Mój najlepszy klient dzwoni do mnie jeszcze raz. Odbieram.

– Potrzebuję ze trzydzieści – mówi.

– Może od razu pięćdziesiąt? – pytam.

– Słuchaj, niech będzie i pięćdziesiąt – odpowiada. – Ja lubię, kiedy możliwości są nieograniczone i kiedy wszyscy są z tego powodu spokojni.

– Twój spokój jest dla mnie w jakimś sensie ważny – mówię.

– Ja akurat zawsze jestem spokojny. Ale żeby dawać ten spokój innym ludziom, wiesz, trzeba narzędzi – mówi.

To człowiek, którego każde zdanie jest na swoim miejscu; brzmi, jakby było doskonale przećwiczone. Dorobił się na tym fortuny. Szanuję go za to.

– Kiedy będziesz? – pyta.

– Za godzinę – odpowiadam.

– Dobrze – mówi. – Czekam.

Myślę jeszcze przez chwilę o dziewczynie, która znalazła kiślowatego. Może wcale nie wróciła po swoje rzeczy. Może chciała z nim porozmawiać. Może wciąż lubiła albo nawet kochała go za tę jego frajerskość, rozdygotanie, pieniądze ojca. Być może. To już nie ma znaczenia.

00:50

Pieniądze.

Zawsze chodzi wyłącznie o pieniądze. O nic innego. Ktoś może powiedzieć ci, że to niska pobudka. To nieprawda. To jedyna pobudka.

Załóżmy, że poznajesz dziewczynę i zakochujesz się, a ona po chwili zostawia cię dla innego faceta. Zanim zaczniesz sobie zadawać pytania w rodzaju, czy ten facet jest bardziej opiekuńczy, męski, stanowczy, ma silniejszy charakter, w większym stopniu potrafi ją opanować, zwróć uwagę na jedną rzecz – on zawsze zarabia więcej pieniędzy niż ty. Ma również wyższą pozycję, więcej władzy, lepszy samochód, jest bardziej pewny siebie, ale to są tylko konsekwencje pieniędzy. Nie masz prawa mieć pretensji do tej dziewczyny. Gdy ty dostajesz propozycję lepiej płatnej pracy, też tylko udajesz przed samym sobą, że się zastanawiasz.

Załóżmy, że ktoś cię odsunął, oszukał, wykorzystał, zdradził, zwolnił. Pozbawił cię tego, co teoretycznie ci się należało – teoretycznie, bo tak naprawdę nic i nigdy ci się nie należy. Zastąpił cię kimś innym. Powiedział ci nieprawdę. Wykluczył cię ze spółki. Doprowadził cię do bankructwa. Przejął twoje mieszkanie. Skrzywdził twoją rodzinę. Zawsze chodzi wyłącznie o pieniądze. Zawsze musisz myśleć o tym, że ty na jego miejscu zrobiłbyś to samo, a ludzi, którzy by tego nie zrobili, jest naprawdę niewielu; w najlepszych wypadkach zostają bohaterami czytanek szkolnych, jak ojciec Kolbe albo Korczak.

Człowiek to zwierzę z impulsem akumulowania dóbr, robienia zapasów. Agresywne, terytorialne, głupie. Zabijające z łatwością, gdy ktoś ma naruszyć jego interes i integralność. Nic więcej, nic mniej. Atawizmy. W dziewięćdziesięciu procentach składamy się z atawizmów, reszta – język, kultura, religia, etyka – to tylko wypadki przy pracy.

To, co robię, to pieniądze. Nic innego. Produkowanie pieniędzy, pranie ich i magazynowanie. Handluję kokainą wyłącznie dla pieniędzy. Nie dla rzeczy, które mógłbym za nie kupić, tylko dla nich samych. One są najważniejsze. To, co ci dają, to świadomość tego, gdzie jesteś i ile możesz. Nie ma nic cenniejszego od tej świadomości.

Ona jest jak supermoc. Jak możliwość przechodzenia przez ściany.

Milion złotych w upranej gotówce – a kiedyś dokładnie tyle pieniędzy leżało w skrytce na Gocławiu: sprasowanych, owiniętych kilkoma warstwami folii, wepchniętych w sportową torbę, taką, w jakiej nosi się ręcznik i czepek na basen – jest jak skafander kosmiczny. Odgradza cię od wszystkiego. Pozwala ci być obok.

A nie ma lepszego miejsca niż obok.

Ich brak jest źródłem wszelkiego zła, jest jak ostatnie stadium nowotworu, jak najgorsza niemożność, jak spacer na celowniku. Wciska cię między ludzi, kładzie cię pod nimi. Spuszcza ci na twarz cudzą ślinę, podeszwy butów, beton. Niektórzy się do niego przyzwyczajają, spuszczają głowę, odmierzają czas, przeciągają go, zatykają się wątpliwymi rozrywkami, jak seriale ściągnięte z internetu. Ludzie przyzwyczajają się do wszystkiego. Do samotności, głodu, zimna, gówna, zasieków, śmierci. Aby to przetrwać, mają do dyspozycji fantazje, wizualizacje, wypieranie. Gdy człowiekowi nic innego nie zostaje, każdy potrafi zamknąć oczy i nakręcić w głowie setki wariantów jednego, oscarowego filmu ze sobą samym w roli głównej, a potem stanąć na niewidocznym podium: kochany, akceptowany, wygrany.

Uśmiechnąć się. Pomachać prawdziwemu sobie, schowanemu gdzieś w oddali.

Podziękować Bogu i rodzinie.

Może dlatego robię to, co robię, bo nigdy tego nie miałem. Nie pamiętam, abym przez całe życie marzył o czymkolwiek. Po prostu chciałem czegoś i wiedziałem, że będę to miał, tylko trochę inaczej i w innym terminie, niż chciałem.

Poszedłem na studia, bo musiałem iść na jakieś studia. Pojechałem do Warszawy, bo nie chciałem mieszkać dalej w Olsztynie. To ładne, małe, zielone miasto dla studentów i emerytów. Poszedłem na studia artystyczne z jakiejś niejasnej intencji, uszytej z przegrywanych kaset mojej siostry, albumów o sztuce, niejasnych, oglądanych na kasetach wideo filmów typu *Zagubiona autostrada,* jointów, których paliłem bardzo dużo na osiedlu, oraz jakiej takiej umiejętności rysowania. Lubiłem rysować. To metodyczne, powolne, skrupulatne zajęcie. Jak ważenie i liczenie.

Do tego wychowałem się w dziwnej, niepraktycznej, faworyzującej artystyczne zawody i czytającej książki rodzinie. Być może z tego powodu, gdy w końcu dostałem się na studia, moi rodzice wysyłali mi miesięcznie coś około niecałego tysiąca złotych.

Wylądowałem w jakimś czteropokojowym mieszkaniu na Pradze. Do końca nie wiem, ile osób poza mną w nim mieszkało. Może sześć. Wszyscy zajmowali się wciąganiem amfetaminy, pieprzeniem się, gdzie popadnie, deptaniem po porozrzucanych wszędzie przedmiotach. Jedzeniem zupek chińskich i pasztetów. Piciem wina Sophia za sześć pięćdziesiąt za butelkę. Puszczaniem Davida Bowiego z laptopowych głośników. Wszędzie walały się śmieci, farby, kable, butelki z terpentyną. Moja matka dzwoniła do mnie co drugi dzień zapytać, jak się czuję. Za każdym razem, gdy przyjeżdżałem do domu, dawała mi naręcza poupychanych w próżniowe pojemniki kotletów, krokietów i wędlin. Za każdym razem, już wychodząc z autobusu, wyrzucałem je do pierwszego napotkanego śmietnika.

Znajomi ze studiów byli zabawni jak film komediowy produkcji polskiej. Każdy z nich marzył o zarabianiu pieniędzy, mniejszych, większych, dużych, ale nikt nie potrafił się do tego przyznać. Ci przyjezdni, poupychani po wynajętych mieszkaniach i akademikach, nienawidzili tych miejscowych, z dobrych domów, przyjeżdżających na uczelnię samochodami, wyfiokowanych lasek w dobrych ubraniach. Niektóre przyjezdne dziewczyny, te ładniejsze, szybko znajdowały sobie miejscowych chłopaków i wprowadzały się do ich podarowanych na osiemnastkę mieszkań.

Wszyscy moi rówieśnicy byli nawzajem swoją kserokopią. Swoim skanem. Wszystkich czekało dokładnie to samo. Wejście na kolanach w otoczoną zasiekami rzeczywistość. Serial obyczajowy pod tytułem *Szare miraże*. Kredyty. Wyrzeczenia. Próby zachowania jakiejkolwiek życiowej autonomii. Związki, które prędzej czy później zawsze trafi szlag. Ukrywanie się. Ucieczki. Dwa, trzy, cztery, pięć, osiem tysięcy złotych miesięcznie. Mniej lub bardziej niewolnicze stawki. Podatki. Prywatne ubezpieczenia medyczne lub ich brak. Za dwadzieścia lat każdy z nich albo będzie żulem, albo takim jak wszyscy inni prolem, kmiotem klasy średniej z wiecznie niespłaconym debetem na koncie.

Widziałem ich, patrzyłem przez nich, jakby byli powietrzem, i widziałem brudną, niedomalowaną ścianę, potłuczone kafelki. Widziałem bohaterów studenckiej etiudy filmowej. Widziałem ludzi w moim wieku skażonych przez swoich rodziców, napchanych przez fałszywe obietnice, nakarmionych kłamstwem – że życie jest jakąś szansą, że gdzieś tam czeka na nich szczęście i spełnienie, że świat, w którym funkcjonują, pozwoli im stać się wymarzonymi wersjami siebie. Wszyscy byli jak pijane kobiety, chodzące w kółko po swoim pokoju i wyobrażające sobie, jak odbierają Nagrodę Nobla na oczach mężczyzn, którzy kiedyś odeszli do młodszych lub ładniejszych. Wszyscy byli roszczeniowi jak małe dzieci, jak lunatycy pewni tego, że wystarczy poczekać, aż ktoś zapuka do drzwi i zaproponuje im życie gwiazdy rocka.

Oni wszyscy byli tacy sami, nieważne, czy uczyli się, żeby zostać artystami, lekarzami, prawnikami, nauczycielami, filozofami.

Wiedziałem, że za dziesięć lat każde z nich będzie zadawać sobie dwa pytania – kurwa, dlaczego? I, kurwa, kto jest temu winien?

Nikt nie jest temu winien. Tak został skonstruowany system i zawsze będzie na tym polegał. Wiedziałem, że trzeba po prostu wyjść z budynku, zamiast szukać odpowiedniego pokoju.

Dlatego jestem tutaj. Dlatego jestem w tym samochodzie. Dlatego jadę na Gocław z siedzącą obok Paziną.

Dlatego śpię w dzień i nie śpię w nocy. Dlatego spędzam czas, licząc.

Nawet gdy mnie zawiną na dwa lata, na pięć, to i tak gdzieś tam będą moje pieniądze. I tak będę wolnym człowiekiem. Wolniejszym niż oni wszyscy.

Jak to się stało, że mam ten samochód, nie pochodząc z Warszawy, nie znając tu na początku praktycznie nikogo, będąc smukłym i wiotkim chłopakiem z pierwszego roku malarstwa, to zupełnie inna historia, ale można przyjąć, że to kwestia pewnych predyspozycji. Zawsze lubiłem skrupulatne, metodyczne zajęcia. Zawsze lubiłem ważyć i liczyć. Zawsze miałem doskonałą pamięć. Nigdy nie lubiłem mówić, a zwłaszcza powtarzać tego, co usłyszałem. Bardzo szybko się okazało, że niewiele czuję. Na przykład podczas bicia. Albo przesłuchiwania.

Albo obserwując, jak jedna osoba obcina drugiej wszystkie palce po kolei.

Wchodzimy na klatkę schodową. Pazina nic nie mówi. Odebrałem ją z jakiejś imprezy, na której czuła się gorzej niż zwykle. Była mi wdzięczna. Jechaliśmy tutaj bez słowa, i to jest kolejna rzecz, za którą ją lubię: nie muszę się do niej odzywać ani ona do mnie. Nie ma między nami przymusu rozmowy. Wiem, że to ją rozluźnia, sprawia, że czuje się bezpiecznie.

Otwieram bagażnik. W środku jest reklamówka z hipermarketu, pełna herbaty, kawy, słodyczy, jedzenia dla psa i kota.

– Dla kogo to? – pyta Pazina.

Na osiedlu jest ciemno i głucho. W oknach palą się nieliczne żarówki, przypominając światła ostrzegawcze. Gdzieś w tle słychać bardzo cichy dźwięk, jakby kilkadziesiąt kilometrów stąd ktoś uruchomił syrenę alarmową. Ludzie siedzą w domach. Umierają w nich. Oglądają telewizję. Piją wódkę. Przystawiają żonom żelazka do twarzy. Biją dzieci. Potem te dzieci płaczą same, na klatkach schodowych. Niedługo potem zaczynają brać sterydy. Albo palić brauna, by zasnąć. Bo wszyscy tutaj, i dzieci, i ich rodzice, śpią ciężko i źle.

Gdzieś z daleka szczekają psy.

– Dla kogo to? – powtarza Pazina.

– Dla sąsiadki – odpowiadam i zamykam bagażnik.

Sąsiadka mieszka obok. Nazywa się Halina, ma prawie osiemdziesiąt lat, perukę i ledwo słyszy. Gdy otwiera drzwi do swojego mieszkania, ze środka dobiega mdły, ciężki zapach zepsutych zębów, naftaliny i czegoś zawiesistego, mięsnego, trzymanego na wolnym ogniu przez wiele godzin.

– Dzień dobry. Wszystko u pani w porządku? – pytam.

– Dawno pana nie było, panie Piotrze – mówi.

Dla niej nazywam się Piotr. Podaję jej do rąk siatkę. Chwyta ją kurczowo, jak rękę własnego dziecka.

– Nie trzeba było, matko jedyna – mówi.

– Byłem na wakacjach – odpowiadam. – Niedługo wylatuję znowu.

– Gdzie? – pyta.

– Do Argentyny – odpowiadam.

– Dobry wieczór – mówi do Paziny, dopiero ją zauważając.

– Dobry wieczór – odpowiada Pazina.

– Macie te możliwości – mówi moja sąsiadka.

– Nikt o mnie nie pytał? Nie było tu nikogo? – pytam jak zawsze.

Ona jak zawsze odpowiada:

– Nie, nie, panie Piotrze. Ale jakby kto pytał, to ja mam ten numer, który pan dał... – mówi.

Kiwam głową. Żegnam się z nią. Zamyka drzwi. Zapach zostaje na klatce. Wchodzimy z Paziną do środka.

– To sprytne – mówi.

– Nie ściągaj butów – odpowiadam.

Wyłączam kamerkę nad drzwiami. Podchodzę do komputera, kasuję wszystkie poprzednie nagrania. W środku jest tak, jak było zawsze. Szafa. Stolik. Waga. Nóż. Papier toaletowy, rękawiczki, środki odkażające, alkohol. Pod ścianą słoiki z kreatyną, odżywkami dla kulturystów. Trzy torby: jedna z pieniędzmi, druga z kokainą. Z boku trzecia, ta, którą wczoraj w nocy przywiózł mi Stryj.

Biorę tę drugą, kładę na stół. Otwieram.

– Co jest sprytne? – pytam.

– Mieć szpiega w postaci starej społeczniary – mówi. – I ją obłaskawiać.

– To stara i samotna kobieta, której nikt nie odwiedza. Córka jest w Australii, syn chuj wie gdzie, nie wiadomo, czy żyje. Nigdy nie widziała swoich wnuków – odpowiadam.

– Bo to cię wzrusza. Akurat – mówi Pazina.

Wyjmuję sto gramów. Dla pewności kładę je na wadze. To wszystko, co mi zostało. Muszę spotkać się z Piotrkiem. Kończą się rezerwy.

Mam nadzieję, że nie będzie żadnego problemu. Że nic nie przechwycono w porcie w Gdańsku, że nie przecięto opon w żadnym supertirze z Rumunii wiozącym elementy taśm fabrycznych albo wiatraków słonecznych. Że gdzieś daleko nie nastąpiły żadne chwilowe, nieprzewidziane okoliczności.

– Zadajesz sobie kiedyś pytanie – mówi Pazina, rozglądając się dookoła – kto tak naprawdę nad tobą jest?

– W jakim sensie? – odpowiadam.

– Kto sprowadza, kto to wszystko trzyma, kto pozwala na wpuszczanie tego wszystkiego do Polski – mówi, oparta o szafę.

Wie, że może zadać mi to pytanie. Odcinam połowę dużej kości, kruszy się przy tym na kilkanaście mniejszych. Wszystko zgarniam do plastikowej torebki. Z mieszkania nade mną słychać ciche, tępe stuknięcie. Jedno, drugie, trzecie. Na chwilę przestaję. Po parunastu sekundach zgarniam do torebki resztki, rozsypane smugi.

– Nie – odpowiadam, odwracając się – nigdy nie zadaję sobie tego pytania.

– Wiesz to? – pyta.

– Nie – odpowiadam.

– Z czym to żenisz? Zawsze chciałam wiedzieć. – Pokazuje palcem.

– Po co o to pytasz? – mówię.

Wsadzam folię z pięćdziesięcioma gramami do kieszeni płaszcza. Pazina wyjmuje papierosa i zapalniczkę.

– Pazina, tu się nie pali – mówię.

– Z ciekawości – odpowiada i chowa papierosa z powrotem.

Kładzie zapalniczkę na stole.

Znowu słychać kilka głuchych stuknięć. Tym razem to pukanie do drzwi. Pazina ogląda się w ich stronę. Zasuwam torbę. Stawiam pod ścianą. Wyjmuję z szafy pistolet. Pazina lekko drży, przysuwa się do ściany. Glock 19C, po prostu go mam, po prostu kiedyś go kupiłem. To tylko narzędzie, jak sprzęt kuchenny, zewnętrzny dysk do komputera. Jest w tym mieszkaniu na wypadek, gdyby ktoś zapukał do drzwi.

– Kurwa, Jacek – mówi cicho Pazina.

– Spokojnie – odpowiadam jej równie cicho.

Wsuwam broń z tyłu, za spodnie. Patrzę przez judasza. Za drzwiami stoi sąsiadka. Otwieram.

– Zapomniałam, panie Piotrze. Listonosz panu przyniósł. Powiedział, że się już nie zmieściło do skrzynki – mówi, wkładając mi do ręki kopertę.

– Dziękuję. – Biorę od niej przesyłkę.

– To ja panu dziękuję, nie trzeba było – odpowiada.

– Dobranoc – mówię.

Chce chyba jeszcze coś powiedzieć, przeciąga ten moment jak każda osoba, która nie rozmawia już z ludźmi, została wypchnięta ze struktury i na gwałt potrzebuje jakiejkolwiek komunikacji: wydzwania na infolinie, przesiaduje godzinami ze świadkami Jehowy, próbuje zagadywać listonoszy, dodzwonić się do Radia Maryja. Aby ktokolwiek z nią rozmawiał.

– Dobranoc, panie Piotrze, jest pan dobrym człowiekiem – mamrocze.

Zamykam drzwi. Wyciągam pistolet ze spodni.

– Strzeliłeś z tego kiedyś? – pyta Pazina.

– Czy ty robisz ze mną dzisiaj wywiad? – odpowiadam.

– Po co w ogóle to masz? – pyta.

– Zdarzyła mi się kiedyś pewna sytuacja – odpowiadam.

– Jaka? – pyta.

– Spadamy – mówię.

Wychodzimy, zamykam drzwi na dwa razy. Pistolet znowu mam wsadzony za spodnie. Zatrzymuję się przez chwilę na klatce. Próbuję coś usłyszeć, ale w bloku panuje zupełna cisza. Już śpią. Już zrobili swoje. Czekają na jutro.

– Jaka sytuacja? – pyta jeszcze raz, już w samochodzie.

Wkładam pistolet do schowka.

– Pewnego razu jeden koleś zamknął mnie u siebie w mieszkaniu. Miał broń. Chciał się czegoś dowiedzieć – mówię powoli, wyjeżdżając z osiedla.

Na ulicy nie ma nikogo. Przez chwilę wydaje mi się, że pod spożywczakiem po drugiej stronie widzę parę stojących postaci, ale to tylko iluzja, cienie drzew, koszy na śmieci.

– Wiedziałeś to, czego chciał się dowiedzieć? – pyta.

– To nie ma znaczenia – odpowiadam. – Trzymał mnie tam dziesięć godzin. Wciąż pod bronią. Nie wyszedł nawet się odlać. Był okropnie nawąchany, pocił się jak świnia. Odkładał broń na chwilę, gdy męczyła mu się ręka. To było nawet zabawne.

– I jak to załatwiłeś? – pyta.

– Mówiłem mu to samo zdanie przez dziesięć godzin – odpowiadam.

– Jakie? – pyta.

– Że tracimy czas i pieniądze. I on, i ja – mówię, wyjeżdżając na Bora-Komorowskiego.

Jedziemy na Saską Kępę, w okolice Francuskiej. Do mojego najlepszego klienta, który właśnie znowu do mnie dzwoni.

– I poskutkowało? – zapytała.

– Po dziesięciu godzinach, tak – odpowiadam. – Do niektórych osób trzeba mówić naprawdę długo.

– Myślałam, że może go rozbroiłeś – mówi.

– Cierpliwością – odpowiadam, a Pazina wybucha śmiechem, chociaż to, co powiedziałem, wcale nie było śmieszne.

– Nie ma nikogo mniej zabawnego niż ty. Nie ma, przysięgam – mówi.

Zatrzymujemy się na światłach. Za nami staje jakiś samochód, odruchowo odwracam się, by zobaczyć, kto w nim siedzi. Dwie rozchichotane dziewczyny jadące na imprezę małą, miejską alfą romeo. Jedna łapie moje spojrzenie. Druga poprawia makijaż w lusterku. Odwracam głowę z powrotem.

– Będziesz czekać na dole? – pytam ją.

– Mówiłam ci już, że tak. Tylko po co? – pyta.

– Rozglądaj się – mówię.

– Za czym? – pyta.

– Za wszystkim – odpowiadam. – Czy ty za pięć minut zapytasz mnie, jak masz na imię, czy o co ci chodzi?

Zaczyna mnie irytować, a może byłem poirytowany już wcześniej, ale z reguły nie zadaje tylu pytań. To trochę wbrew niej. Osoba, która widziała i przemyślała tyle przeróżnych sytuacji, nie pyta o wszystko, lecz po prostu akceptuje rzeczy takie, jakimi są.

– Myślałam, że w całej tej zabawie chodzi o to, że fajnie jest z kimś porozmawiać – mówi.

– Ludzie, którzy lubią sobie rozmawiać, idą robić na taryfę – mówię.

Nie odpowiada.

– Przepraszam – dodaję. – Po prostu zamknij samochód, stój obok i się rozglądaj, dobra? Czy ktoś nie patrzy za długo na mój samochód. Czy nie patrzy na blachy. Mogę tam zostać dłużej.

– Coś się dzieje? – pyta.

– Nie, nic się nie dzieje – odpowiadam.

Nagle coś sobie przypominam. Biorę do ręki telefon. Maluch. Wciąż nie zadzwonił. Nie dziwi mnie to, ale moja propozycja była nie do odrzucenia. Dzwonię do niego. Poczta głosowa.

Po krótkiej chwili wiem już, co mam zrobić.

Wybieram numer Stryja. Nie odbiera. Nagrywam mu się na pocztę.

– Na pewno? – pyta Pazina.

Kręcę głową.

Ta noc jest jak każda inna, wszystko skończy się tak samo jak zawsze. Wrócę do domu. Pójdę spać. Wszystko skończy się tak samo. Powtarzam to sobie w myślach o parę razy za dużo.

02:07

Mój najlepszy klient. Otwiera mi drzwi w marynarce z zakasanymi rękawami i wymiętym podkoszulkiem pod spodem. Ten wymięty podkoszulek zabrał jego prywatnej stylistce całe popołudnie. Tak samo trampki na nogach, zwykłe, założone na bose stopy, czarne. Pilnujący wejścia do budynku portier rozpoznał mnie od razu, kiwnął do mnie głową, dał mi kartę wstępu, odruchowo pokazał palcem, gdzie jest winda. Jestem na specjalnej liście osób niepytanych o nazwisko.

Z jego mieszkania dobiega hałas, w środku jest jakieś kilkadziesiąt osób.

– Jacek! Zapraszam cię, jak zwykle, bardzo serdecznie – mówi i podkreśla to ruchem ręki.

Wchodzę.

Stojąc przede mną, wygląda prawie tak samo jak na billboardach, na których reklamuje kolejny talent-show albo promocje sieci komórkowych. Dopiero po parunastu sekundach wpatrywania się w jego twarz widać pewne zasuszenie, zmęczenie, niedobrą cerę. To, że ma czterdzieści pięć lat, a nie dwadzieścia mniej. Ale ma w sobie coś z szemranego nastolatka, nie jest do końca przebrany, jest w nim pewien rodzaj rzutkiej głupoty. Sprawia wrażenie, jakby cały czas gdzieś z tyłu głowy miał świadomość tego, że zaraz może zadzwonić dzwonek na lekcję.

– Proszę, proszę – mówi. – Napijesz się czegoś?

– Wody – odpowiadam.

Ma mieszkanie w dobrym guście, chociaż wchodząc do niego pierwszy raz, spodziewałem się czegoś pstrokatego, mieszczańskiego: koszy pełnych korków do wina, portretów malowanych na zamówienie. Tymczasem wnętrze jest czyste, sterylne, czarno-białe, wyglądające jak z dobrego katalogu, praktycznie pozbawione właściwości, puste. Liczba mebli została ograniczona do minimum. Jego kuchnia nie udaje, że kiedykolwiek w niej coś ugotował, jego półki nie udają, że czyta. Za to ma ładną podłogę, ciemną, z polerowanego betonu.

To mieszkanie człowieka, który nie potrzebuje domu, który chce czuć się jak duch, jak tymczasowy lokator.

Gdy jestem w jego towarzystwie, myślę o tym, że chciałbym mieć twarz, której nikt nie rozpoznaje; człowieka, który nigdy się nie urodził, którego nie ma w żadnych rejestrach, którego nikt nie zna, nikt nie kojarzy. Człowieka, którego nikt nie żegna ani nie wita, którego wszyscy mijają; czasami chciałbym mieć taką twarz, codziennie inną, aby codziennie wszystko zaczynało się od nowa. To byłby najlepszy kamuflaż. Nie znać i nie być obok nikogo, być zupełnie transparentnym.

Mój najlepszy klient – wiem, że on ma tak samo. Że to jego największe marzenie, że oddałby za to wszystkie swoje pieniądze.

– Słuchajcie, wszystko już jest w porządku! – Odwraca się do swoich gości i pokazuje na mnie ręką. – Posiłki nadeszły. Alianci wylądowali. Nie proszę o oklaski. Proszę o chwilę skupienia.

Przez chwilę wszyscy zatrzymują się w pół ruchu i patrzą na niego. Nikt nie spogląda w moją stronę, ja nie zwracam niczyjej uwagi. To dobrze. Ludzie są przyzwyczajeni do tego, że on wypełnia im pole widzenia. Ta cisza i pauza trwa tylko chwilę. Po sekundzie wszyscy wracają do tego, co robili przedtem – obłapywania się, rozmawiania, rechotania, tańczenia do kawałków Davida Bowiego, tych samych, które w mieszkaniu na Pradze Południe leciały z laptopowych głośników. Poznaję tych ludzi, mniej więcej. Czasami migają mi nad ranem w telewizorze, gdy próbuję zasnąć. Siedzą oprószeni podkładem na wygodnych kanapach w studiu telewizji śniadaniowej, dyskutują o lekach homeopatycznych, nienawiści w internecie, legalizacji marihuany, kuchni molekularnej oraz fotoradarach. Wtedy pomagają mi zasnąć. Wieczorami grają w teatrze albo w reklamach. Czasami nawet grają w filmach. Mężczyźni są napuchli, ich ciała poddały się już grawitacji; używają wymiennie kilku tych samych rodzajów uśmiechów, które mają w repertuarze, zastanawiają się, co zrobić z pieniędzmi, czy uda im się przełożyć spotkanie w sprawie otwarcia nowej restauracji na Puławskiej, bo o tej samej godzinie mają sesję zdjęciową z okazji kolejnego rozwodu. Kobiety są naciągnięte, po trzydziestce, ich ciała zostały już wyciosane i wyleczone z urodzonych jakiś czas temu dzieci przez występowanie w programach o tańcu, ubrania uszyte przez młodych projektantów krępują im ruchy, są w nich wiejskie i niezgrabne, ich łydki i przedramiona mają kolor tanich lodów. Gdyby ktoś wysadził się w tym pomieszczeniu w powietrze, cała Polska nie miałaby następnego dnia o kim czytać w płowiejących na wystawach kiosków pismach za dwa złote.

Są zabawni. Lubię ich. Przede wszystkim są uprzejmi, szczerze sympatyczni, z prostego powodu – nie mają innego wyjścia. Wzbudzają tyle samo zaufania co byli esbecy. Ludzie interesują się nimi na zasadzie kanalizowania nienawiści. Zdają sobie z tego sprawę, chociaż ich wiedza o świecie pochodzi z tych samych pism, w których pojawiają się na okładkach, albo tych, których ostatnie strony zawierają satyryczne rubryki na ich temat. Lubią je czytać, biorą to za oznakę dystansu do siebie. Przebywają w świecie zupełnie pozbawionym punktów odniesienia. Są jak trzymane w przezroczystych bańkach dzieci. Turlają ich powiewy klimatyzowanego powietrza. Nie widzą niczego dookoła, ich świat wygląda dokładnie jak świat przedstawiany w serialach, w których występują – trochę droższa Ikea z przebitkami na Pałac Kultury i Nauki.

Znam jednego lekarza, którego numer telefonu ma

każdy z nich. Miły facet około pięćdziesiątki. Właśnie rozwodzi się z żoną, która chyba nie wytrzymała nerwowo tego, że musi być gotowy na każde ich wezwanie w środku nocy, na przykład gdy taka impreza jak ta już powoli dobiega końca, a oni muszą być o ósmej nad ranem na planie, na sesji zdjęciowej, na biznesowym spotkaniu, na przedpremierowych próbach. Przyjeżdża do nich, podłącza ich do kroplówek, podaje im koktajle z witamin, tabletki przeciwlękowe, pseudoefedrynę, odwraca głowę, gdy wydzielają sobie zostawione na czarną godzinę kreski. Po godzinie udaje im się osiągnąć stan, w którym mogą udawać, że rozumieją, co się do nich mówi.

Znam go, naprawdę przemiły facet. Sprzedaję mu towar. Potrzebuje go dużo, naprawdę dużo; śpi po dwie godziny dziennie, w dzień normalnie pracuje w szpitalu.

Oprócz tego jest tu jeszcze parę innych osób. Muzycy dawno już przeterminowanego zespołu rockowego, który w latach osiemdziesiątych zapełniał dowolne obiekty sportowe w Polsce, a teraz występuje na Dniach Ziemniaka pod Parzęczewem. Ale to dobre pieniądze, nie ma co ich krytykować. Spłacają alimenty i opłacają nałogi. Raz w roku można sobie zafundować głębszy detoks, leczenie u tybetańskiego mnicha, vipassanę, wdrapanie się z przewodnikiem na jakiś bezkolizyjny nepalski pagórek. Jednym z moich wspomnień z dzieciństwa jest to, jak brat mojego ojca śpiewa po pijaku ich piosenki. Teraz stoją razem, rozglądając się dookoła, wyglądając jak grupa spiskujących przebierańców z balu karnawałowego.

Do tego młode laski, tępe szpundle o ustach napompowanych tak, aby jak najlepiej obciągać, z cyckami na wierzchu, przypieczone na solarium kurewki z bogatszych rodzin z Polski B, hostessy, wielokrotnie i systematycznie dymane przez dziesiątki nieświeżych kutasów w każdy otwór po to, aby zostać sfotografowane i włożone w bęben plotkarskich stron w internecie. Snują się po dwustu metrach mieszkania mojego najlepszego klienta z kiełbasianymi uśmiechami; niepiśmienne kutasiary, wyglądające starzej od swoich własnych matek. Gdy wyglądały trochę młodziej, obciągały w „Platinum" za kokainę. Dwie z nich stoją obok nalanego producenta filmowego o wyglądzie czarnego charakteru z nieudanego filmu science fiction, faceta o twarzy podpułkownika KGB i posturze ogromnego, foliowego worka z wodą.

Jest jeszcze parę osób, sprawiających wrażenie, jakby miały stąd zaraz wyjść, jak prezenter telewizji informacyjnej oglądający pod światło trzecią dziś butelkę wina, który tylko czeka, aby zapostować zaraz jakiś internetowy dowcip o Władimirze Putinie, ale teraz głośno o czymś opowiada, jakby próbował wygrać konkurs recytatorski.

Wszyscy są nawaleni jak samoloty, krzykliwi i naćpani.

Czekam na mojego klienta, on porusza się między nimi miękko i powoli, nie ma tej specyficznej nerwowości, którą wyhodował w sobie w telewizji. W swoim programie podskakuje zniecierpliwiony jak dziecko, wtrąca się, grozi palcem, wyrzuca słowa, irytuje rozmówców. Tutaj jest im podporządkowany. Głaszcze ich, aby się nimi karmić, dba o ich dobre samopoczucie, aby nasycić się nimi jeszcze bardziej. Mają go za swój autorytet. Są na jego łasce. Wszyscy tutaj uważają go za najinteligentniejszą osobę, jaką kiedykolwiek poznali. On otacza się nimi z pełną premedytacją.

Ma w sobie wciąż coś z lamusa, z bitego przez kolegów dziecka, które było stawiane na bramce tylko po to, aby specjalnie zarabiać piłką w łeb. Ale lubię go. Lubię ludzi, którzy konsekwentnie lepią siebie, obierają ze skórki, strugają jak brzydki przedmiot z drewna po to, aby jak najwięcej na sobie zarobić, którzy są chodzącymi billboardami samych siebie.

Udało im się wyjść poza.

Chcę wyjrzeć przez okno, ale żadne z okien, przynajmniej w tym pomieszczeniu, nie wychodzi na ulicę.

Stoję pod ścianą i udaję, że patrzę w ekran telefonu. Mój klient na chwilę wmieszał się w tłum. Poklepuje kogoś po ramieniu. Rzuca w czyjąś stronę dowcip, jakby wrzucał papier do kosza na śmieci. Potem do mnie wraca.

– Chodźmy chwilę pogadać, dobra? – mówi.

Kiwam głową. Idę za nim. Wchodzimy do jego sypialni, zamyka za sobą przesuwane drzwi. Na dużym łóżku leżą ubrania gości, płaszcze, kurtki, damskie torebki. Z sypialni jest przejście do drugiej łazienki. On na chwilę zastyga. Patrzy w stronę drzwi do łazienki. W środku ewidentnie ktoś się pierdoli.

– Przepraszam cię za to – mówi, ewidentnie zakłopotany.

Wiem, że w pracy nie pozwala sobie na ten wyraz twarzy. To miłe i szczere z jego strony.

Puka do drzwi, ale w środku nikt nie reaguje.

Od dziesięciu lat prowadzi swój talk-show w telewizji. Show nazywa się jego imieniem i nazwiskiem – *Mariusz Fajkowski Show.* Do tego pracuje w radiu, pisze felietony. Jest wszechobecny. Non stop kręcą się wokół niego młode dupy, może mieć je wszystkie, więc afiszuje się z nimi w drogich samochodach. Pozwala się fotografować, niby ukradkiem; czasem pobije jednego z fotografów za wcześniejszym porozumieniem stron i późniejszą rekompensatą. Prawdopodobnie odbija sobie w ten sposób za tę szatnię w liceum.

Wiem, że prawdziwe interesy robi gdzie indziej, i z doskonałym skutkiem. Zna się na Foreksie, nieruchomościach, obligacjach. Partnerów w swoich interesach traktuje jak narzędzia, chyba że mają od niego więcej pieniędzy. Wtedy umiejętnie z nimi tańczy, ale prowadzi w tym tańcu. Jest znany prawie każdemu Polakowi, i to imponuje jego znajomym. Jest potwornie sprytny i śliski. Nigdy nie udaje przy tym szlachetnego. Jest bezwzględny i skuteczny, inteligentny, nikogo nie kocha. Nie ma przyjaciół. Potrafi za to idealnie udawać dobrego kolegę. Nigdy nie traci nad niczym kontroli, osiągnął perfekcję w programowaniu samego siebie.

W kontaktach ze mną jest uczciwy. Od czterech lat, odkąd współpracujemy, nigdy nie prosił o żaden kredyt ani debet. Nigdy nie był mi nic winien – uwielbia mieć przy sobie gotówkę, ma pełne kieszenie banknotów. Czasami je gubi, jakby celowo. Mówi, że uwielbia znaleźć w swoim mieszkaniu tysiąc złotych, tak jak inni ludzie znajdują pięć złotych. Sam się z tego śmieje, mówi, że to jego słabość, mała słoma z butów, dowód na to, że tak naprawdę jest gdzieś z okolic Krosna.

– Obaj tu wylądowaliśmy, ale jak widać, przejęcie się udało – powiedział mi kiedyś.

Przedstawił nas sobie chyba ten sam facet, który poznał mnie z Beatą; łaził za nim po różnych branżowych imprezach jak cień i głośno śmiał się w jego towarzystwie, od czasu do czasu klepiąc go po ramieniu. Zresztą nie pamiętam. Zaufałem mu szybko. Zawsze był konkretny. Nigdy nie widziałem go, jak wciągał.

Robię sobie miejsce, by usiąść na łóżku, odsuwając część kurtek i płaszczy. On naciska klamkę drzwi do łazienki, są otwarte. W środku jest dziewczyna i dwóch kolesi. Bardzo młoda blondynka, skądś ją kojarzę, również musiała pojawić się w telewizji, kiedyś, w którymś z momentów, gdy próbowałem zasnąć. Stoi zgięta wpół, opierając się dłońmi o brzeg wanny. Ma pochyloną głowę. Cicho stęka, gdy jeden z facetów, lekko otyły i nalany, wchodzi w nią i wychodzi. Drugi siedzi na toalecie, nieporadnie próbuje zapalić cracka. Wszyscy troje odwracają się dopiero po chwili. Jeden zostawia dziewczynę, szybko podciąga spodnie, drugi koleś chowa fajkę z crackiem do kieszeni marynarki. Ona wstaje i powolnym ruchem wkłada majtki, opuszcza sukienkę. Wszyscy patrzą na mojego klienta bez słowa; przypominają trójkę uczniów nakrytych w szkolnym kiblu na paleniu papierosów.

W całej tej scenie jest coś zabawnego. Zastanawiam się, dlaczego nic nie słychać z pozostałej części mieszkania. Drzwi do tego pomieszczenia muszą być dźwiękoszczelne.

– Przepraszam was bardzo, ale musicie stąd wypierdalać – mówi spokojnie, tonem głosu osoby przedstawiającej rzeczowy argument.

– Przepraszam cię, Mariusz, *sorry*, przepraszam – mówi koleś, jeszcze przed chwilą pieprzący tę małolatkę, która właśnie szybko wychodzi z łazienki, staje obok mnie i zaczyna szukać na łóżku swojej torebki.

– Już idziemy do salonu – mówi ten drugi, który przed chwilą chciał zapalić cracka.

Jest w nich coś z przekarmionych noworodków, z zarostem namalowanym sprejem na twarzach.

– Nie, nie zrozumieliśmy się, panowie – mówi Mariusz – ale może to ja wyraziłem się niejasno. Macie wypierdalać z mojego mieszkania.

Dziewczyna na chwilę odwraca się w ich stronę. Jest lekko zamroczona, ale wie swoje. Jest za chuda, przegłodzona, naturalna waga jej ciała jest wyższa; dopiero niedawno nauczyła się chodzić na obcasach. Może mieć maksymalnie dziewiętnaście lat. Przez chwilę patrzymy sobie w oczy z taką samą emocją, z jaką patrzy się za okno, jadąc rano autobusem do pracy. Znajduje swój płaszcz. Bierze torebkę. Wychodzi. Gdy dociera do drzwi, lekko się potyka, ale zaraz odzyskuje równowagę. W pewnym sensie jest mądrzejsza od nich wszystkich, od razu reaguje na polecenia.

– Tylko ja rucham w tej łazience. Powiem wam dlaczego. To moja łazienka, w mojej sypialni – mówi mój najlepszy klient. – Czy to nie jest jasna sytuacja? Rozumiecie prawo własności, prawda? Czy zrobić wam mały wykład na ten temat?

– Słuchaj, tak wyszło, wiesz, to był moment, wiesz – mówi ten od cracku.

Wstaje z kibla. Rozkłada szeroko ręce na znak, że jest mu głupio.

– No ona chciała, nie, Mariusz? – dodaje drugi.

– Czy myślisz, że mam ochotę wdeptywać we własnej łazience w coś, co wydostało się z twojego ciała na moją podłogę? – pyta Mariusz.

Nie odpowiadają.

– Czy wiesz, że gdyby były to Stany Zjednoczone, a niestety nie są, to miałbym prawo was zastrzelić? – pyta.

Obaj jeszcze przez chwilę stoją w miejscu, jakby analizują, co przed chwilą do nich powiedział.

– Na co, kurwa, czekacie, pedały? – pyta. – Przepraszam cię za to wszystko – mówi, odwracając się do mnie.

– Nie ma problemu – odpowiadam.

Tamci podchodzą do łóżka, gwałtownie szukają swoich płaszczy. W końcu je znajdują. Wychodzą szybko, nie zamykają za sobą drzwi. On robi to za nich. Jest wściekły, ale wie, jak to zamaskować. Zaciska usta, poprawia na nosie okulary, przez chwilę patrzy gdzieś w bok, wygląda jak na pewnej okładce, na której go widziałem; udawał na niej wściekłego, rozgoryczonego, wyrażającego sprzeciw człowieka. W artykule, który zapowiadała okładka, przeciwko czemuś protestował. Chyba przeciwko fanatyzmowi prawicy albo schamieniu polskiego show-biznesu. Tak naprawdę nie protestuje przeciwko niczemu. To tylko jego gra, klucz do znajomości, informacji, kontraktów. Politycy go lubią, pamiętają o nim. On również o nich pamięta. Gdy wypowiada się publicznie, jest jednoznaczny w swoich sympatiach.

Jest naprawdę niegłupi, jak na człowieka z telewizji. Wie, gdzie są schowane słodycze.

– Zawsze dowiesz się czegoś nowego o ludzkiej bezczelności. Gdzie byli ich rodzice, kiedy trzeba było ich wychować? Przywozili dywany z Bułgarii? Biznes z zapiekankami tak dobrze się kręcił? – mówi i otwiera szafkę przy łóżku, wyciąga z niej butelkę whisky i dwie szklanki.

– Ja nie piję – mówię.

– Nie rozumiem – odpowiada i kręci głową.

– Prowadzę – mówię.

– Teraz rozumiem. – Kiwa głową. – Trzeba mi przypominać o takich sprawach. Jestem stary. Mam potwornie złą pamięć.

Nalewa sobie pełną szklankę i wypija ją duszkiem. Nigdy przedtem tego nie robił. Za każdym razem, gdy widziałem go z alkoholem, traktował go bardziej jako rekwizyt.

– Piętnaście tysięcy, jak dla ciebie – mówię.

– Słuchaj, Jacek, powiem ci coś szczerze, okej? – odpowiada, nalewając sobie następną szklankę. – Mnie uwłaczają promocje. Ja jestem zbyt bogaty, by dostawać zniżki. Rozumiesz? To, co uważam za najbardziej nieprzystojne ze wszystkiego, to semickie podejście do pieniędzy. Nie cierpię ludzi, którzy mają karty kredytowe z minerałów niewystępujących na Ziemi, a kupują wciąż w Biedronce. Nie nagrywasz tego, co? Zabiliby mnie, gdybym powiedział coś takiego. „Semickie podejście do pieniędzy". Ale rozumiesz, o co mi chodzi? Kapitału nie akumuluje się za pomocą drobnych. On nie rośnie w skarpecie. Ludziom to wmówiono.

– Ludziom wmówiono wszystko – odpowiadam, uśmiechając się.

– Wiem, że się zgadzasz, bo rozumiesz, o co chodzi

w forsie. – Wyciąga do mnie wskazujący palec. – Rozumiesz. Niewielu rozumie.

Robi kroki w tył i w przód, przeczesuje ręką włosy. Coś jest nie tak. Jest napięty, jakby przez główne nerwy jego ciała ktoś poprowadził metalowe linki i pociągał za nie od tyłu. Wygląda, jakby dopadł go nerwoból. Nie chodzi o tych zjebów pieprzących się w jego toalecie. O tym już nie myśli. Widzę to po nim, widzę, jak napinają mu się barki, jak palce jego wolnej ręki ugniatają coś niewidocznego.

– No to dwadzieścia koła. Niech ci będzie. Nie kłócę się z klientami – mówię.

– No co ty, dla mnie? Stałego klienta? Jacuś! Mordo ty moja! – wykrzykuje, zaczyna pozornie bezwładnie machać rękami, jak w swoim programie.

– Dwadzieścia. – Kręcę głową.

– No dobrze, dwadzieścia – mówi.

Wyjmuje z kieszeni pieniądze. Zaczyna je liczyć, robi to szybko, podoba mi się to. Wyjmuję jego torbę, kładę na szafce przy łóżku. Sprawdzam telefon. Pazina milczy. Ale – *numer, z którym próbowałeś się skontaktować, jest już dostępny*. Maluch.

Dopija kolejną szklankę.

– Wszystko w porządku? – pytam.

– Śledziłeś ostatnio kursy dolara? – odpowiada pytaniem na pytanie.

– Nie śledzę kursów – mówię.

– Żyjemy w ciekawych czasach – mówi. Nalewa sobie jeszcze. – W bardzo ciekawych.

Nie reaguję. On przez chwilę przypatruje mi się badawczo, jakbym był kimś zupełnie innym i on nagle rozszyfrowałby moją tożsamość.

– Wyglądasz, jakbyś chciał mi powiedzieć, że przesadzam – mówi. – To jest dobre. Facet, który sprzedaje mi koks, chce mi powiedzieć, że przesadzam.

– Nic nie mam zamiaru ci mówić – informuję go. – Jesteś dorosły. Wiesz swoje.

– Wiesz, czasami dzieje się coś nie tak. Znasz to, nie? Coś niezaplanowanego – mówi.

– Znam – mówię. – Trudno. Tak bywa. Ale można tego uniknąć.

Odwraca się w stronę swoich dźwiękoszczelnych drzwi, jakby próbował przez nie cokolwiek usłyszeć.

– Czasami nie – mówi.

– Słuchaj, przykro mi, cokolwiek się dzieje – odpowiadam.

Podaje mi pieniądze. Chowam je do kieszeni.

– Nic się tak naprawdę nie dzieje. – Macha ręką. – To jest tak, jakby padał deszcz, ale ja jestem pod dachem. Wybudowałem sobie dobry dom. Mógłbym być reklamą pokryć dachowych. Wisieć na billboardzie w Łomiankach.

– Muszę lecieć – mówię.

– Poczekaj. Właśnie zarobiłeś dwadzieścia tysięcy. Możesz poczekać – odpowiada.

Kręci szklanką w dłoni, odstawia ją.

– Co sobie pomyślałeś, jak tu wszedłeś? – pyta.

– Że jest sobota wieczór, więc się bawisz – odpowiadam.

– Myślisz, że naprawdę mam ochotę, aby ci ludzie byli w moim domu? – pyta.

– Skoro tu są? – odpowiadam.

Ktoś puka do drzwi sypialni. Mariusz otwiera. Za drzwiami stoi kobieta po trzydziestce, atrakcyjna blondynka w czarnej sukience. Proste blond włosy. Ostre rysy. Szczupła, trochę umięśniona. Patrzy na niego pytająco, w sposób, który każe myśleć, że kiedyś ze sobą sypiali i że trwało to długo, i że niekoniecznie wszyscy musieli o tym wiedzieć.

– Przeszkadzam? – pyta.

– O co chodzi? – odpowiada Mariusz.

– Cześć – mówi do mnie.

– Cześć – odpowiadam.

Wchodzi do środka. On zasuwa drzwi. Ona patrzy na szklankę i butelkę.

– Próbujesz dorównać do wszystkich? – pyta kobieta.

– Omawiamy z kolegą bardzo ważną sprawę – odpowiada, pokazując na mnie ręką. – Kolega jest z konkurencji. Jest w pewnym sensie moim informatorem. Jak brzmi ten termin po angielsku?

– *Whistleblower* – mówi, patrzy na mnie i dodaje: – Myślałam, że jest dilerem.

– Musiała mnie pani z kimś pomylić – odpowiadam i patrzę w telefon.

Piszę SMS-a do Malucha. Jest krótki: *Co slychac?*

Dziewczyna wzdycha. Patrzy na niego z jakimś szczególnym rodzajem troski, jak starsza siostra.

– Co się stało, czemu oni wyszli? – pyta.

– Nic się nie stało. Widocznie musieli już iść – odpowiada.

– A ona? – pyta.

– Widocznie musiała już iść – on powtarza.

– Płakała, jak wychodziła – mówi.

– Nie wiem, dlaczego płakała, Marta, ty oczekujesz, żebym ja wiedział, czemu kobiety płaczą. – Wzrusza ramionami. – Dzisiaj okazało się, że jej ojciec jest nisko w sondażach. Wiesz, to młoda dziewczyna. Jest jeszcze niegotowa na zmianę. Wyprowadzka do Brukseli, gdy dookoła jest tyle koleżanek.

Ona uśmiecha się gorzko, kręci głową.

– Od tylu lat ci powtarzam: patrz, gdzie wsadzasz, naprawdę – mówi.

– Jesteś wulgarna i prostacka – odpowiada i nalewa sobie jeszcze whisky. – Idź powiedzieć moim gościom, że zaraz przyjdę.

– Na razie – mówi do mnie, ja odpowiadam jej kiwnięciem głowy, zamyka drzwi, znowu zostawia nas samych.

– Nie widziałeś tu tej dziewczyny – mówi. – Nie tej przed chwilą, tylko tej z kibla. To chyba zrozumiałe.

– Ja zupełnie nie mam pamięci do twarzy. – Wzruszam ramionami.

– Wydaje mi się, że masz doskonałą – odpowiada i pyta: – Na czym skończyliśmy?

Rozkładam ręce. Mogę go słuchać jeszcze przez jakieś dziesięć minut. W pewnym sensie nie mam wyboru, to mój najlepszy klient. Wydaje na towar jakieś pięćdziesiąt tysięcy miesięcznie. Gdyby tylko chciał, mógłbym uruchomić mu linię kredytową na pół bańki bez najmniejszego problemu. Ma u mnie pełen pakiet VIP.

– Na tym, czy cieszą cię twoi goście – przypominam mu.

– Ludzie. Czy cieszą mnie ludzie? – Podnosi ręce do góry. – Wiesz, jakich ludzi towarzystwo cenię sobie najbardziej?

– Jakich? – pytam.

– Takich jak ty. Ludzi, którzy nie mają żadnej potrzeby ze mną rozmawiać – mówi.

– Bardzo mi miło – odpowiadam.

– Słuchaj, kurwa, ja od trzydziestu lat, od czasu, gdy musiałem wystąpić na apelu szkolnym i czytać list dziękczynny do dyrekcji, nie powiedziałem niczego po to, aby komuś było miło – mówi zdenerwowany.

– Intencje a efekt to dwie różne rzeczy – zauważam.

On się uśmiecha.

– Zaprosiłbym cię do swojego programu – mówi. – To byłoby naprawdę coś. Tylko musielibyśmy wymyślić dla ciebie trochę inną tożsamość. Przedstawiłbym cię jako prawnika celebrytów. To byłoby naprawdę dobre. Tak, stary. Masz w sobie coś z prawnika. Asertywną lakoniczność. Czy lakoniczną asertywność, czy pies to jebał. Byłbyś naprawdę dobrym papugą.

SMS od Paziny: *Ile jeszcze?*

Pietnascie minut – odpisuję.

– Wiesz, o co w tym chodzi? – Pokazuje palcem na butelkę i worek koksu.

Po chwili bierze worek, zanurza w nim palec, wciera trochę towaru w dziąsła. Mlaszcze, jakby zjadł kawałek czekolady.

– Oświeć mnie – mówię.

– To – pokazuje na butelkę, a potem na worek – i to – one cię kochają. Nie chodzi tylko o to, że ty je kochasz.

Wzdycham. Chyba się naćpał i napił, chyba, bo nigdy nie można tego o nim powiedzieć z całą pewnością; ma niebywały poziom samokontroli, jest w tym wszystkim jak android. Jak postać z filmu science fiction. Mówi tak samo płynnie, z taką samą wyćwiczoną pewnością, porusza się prawie tak samo, jest w tym tylko pewne złamanie, które trzeba dostrzec, zwrócić na nie uwagę. Robi się gumowy. Jego twarz jest naciągnięta na coś zupełnie innego. Na inną treść. Na zdegustowanego chłopca. Zdradza go wyłącznie wzrok, spojrzenie człowieka znajdującego się w pomieszczeniu, w którym wszystko – ściany, podłoga, meble – zrobione jest z gówna.

– Nie o to chodzi, że ludzie kochają kokainę i alkohol – mówi dalej, przybiera tę samą pozę, jaką ma na początku swojego programu. – Że ty je kochasz. To alkohol i towar kochają ciebie.

– To ciekawe, ale nie bardzo rozumiem – odpowiadam.

– Już ci tłumaczę. Kokaina i alkohol kochają cię najbardziej na świecie. Bezwarunkowo. Jak matka, jak Jezus Chrystus. Popatrz na to w ten sposób. Są zawsze, gdy ich potrzebujesz. Nie pytają cię nigdy o zdanie. Nic od ciebie nie chcą. Kosztują zawsze tyle samo. No dobra, wiem, akcyzy, wahania rynku, ale generalnie – kosztują zawsze tyle samo. Zawsze dadzą ci komfort. Pocieszenie. Sprawią, że poczujesz się lepiej. O każdej porze dnia i nocy. Jak to nazwać inaczej, jeśli nie miłością? Przecież to definicja miłości. Najczystszej z możliwych. O którym z ludzi w swoim życiu mógłbyś to powiedzieć? Że kochają cię tak mocno i tak czysto?

– Ja nie mam zbyt wielu ludzi w moim życiu – odpowiadam.

– A myślisz, że ja mam? – odpowiada pytaniem na pytanie.

– Całe dwustumetrowe mieszkanie – mówię.

Na chwilę zastyga, jakby zorientował się, że się wygłupia; że właśnie zaczyna wygłaszać bezładny monolog o miłości i wódzie w obecności obcego faceta. To trochę tak, jakby ściągnął spodnie i zaczął płakać nad tym, że ma małego, nieczynnego kutasa, którym bez pomocy tabletek może już tylko szczać.

– Może odpocznij. Prześpij się trochę – mówię.

– Ja mam ludzi na liście płac od takich rad, Jacek – mówi. – Ty jesteś na mojej liście płac z innego powodu.

– Lecę – mówię.

– Nie, zostań jeszcze – prosi mnie.

– Chyba twoi goście na ciebie czekają – informuję go i pokazuję mu towar.

– Nie umrą – mówi.

Siada obok mnie, na odległość łokcia. Wypija jeszcze łyk. Lekko się garbi, chowa klatkę piersiową, jest dziwnie skruszony, jak ktoś, kogo właśnie uderzono. Przestaje mi się to podobać, nie mam ochoty, by twarz nagle wybuchnęła mu łzami, by osmarkany zaczął mówić coś o swojej matce, że nigdy go nie przytulała, a ojciec rozkazywał mu ustawiać buty w korytarzu od linijki. Nawet nie dlatego, że nie mam na to czasu, że na dole stoi Pazina, która właśnie wysłała mi wiadomość o treści: *Juz?* To sprawia, że przestaję go szanować. Powinien zachować to wszystko dla siebie.

– Masz kogoś? Masz jakąś kobietę? Pytam, bo niektórzy tego potrzebują. W sensie: na stałe. Potrzebują pewnej permanentności, poczucia, że coś się nie kończy – mówi.

– Nie – odpowiadam.

– Nie spotykasz się z nikim? – powtarza pytanie.

Wyrazy walczą mu w ustach.

– Jestem w pracy. Muszę iść – mówię.

– Słuchaj. Jesteśmy kumplami. Możemy o tym porozmawiać – odpowiada i zaczyna usypywać sobie kreskę.

– Nie spotykam się z nikim. Ja nie mam tej potrzeby, o której opowiadasz – odpowiadam.

– To co robisz? Burdele? Laski na telefon? Płacisz za czyjeś studia? – pyta.

– Nie – odpowiadam.

– To o co chodzi? Jesteś pedałem? Przepraszam, że pytam. To nie moja sprawa, wiesz, po prostu pytam z ciekawości. To jakaś niezdrowa ciekawość dowiedzenia się czegoś o tym, kim jesteś – mówi, wciąga, krztusi się, odchyla głowę. Patrzy na mnie z powrotem. – Z reguły od razu widzę, z kim mam do czynienia. Z tobą mam pewien problem – dodaje.

– Nie powinieneś nazywać mnie pedałem – informuję go.

Podrywa się, jakby dostał zastrzyk energii. Wyrzuca ręce do góry.

– No tak, zapomniałem – mówi szybko, bezładnie, wyrazy potykają się o siebie. – Jesteś kolesiem z ulicy, bandziorem, nie mogę tak mówić. Przecież to u was najgorsza obelga, co? Co za to robicie? Ucinacie palce, wywozicie do lasu? Sasza i Grucha zapraszają do bagażnika? Łopata gratis, plus ostatni telefon do narzeczonej? Kochanie, wiesz co, nie mogę gadać, mam broń przy głowie, bo właśnie nazwałem jednego z dilerów kokainy pedałem. Tak, tego, którego poznałaś wtedy na imprezie. Tak, to był diler. Wiem, że mówiłem, że to inwestor z Belgradu, ale...

– Mniej więcej coś takiego – mówię i nie wiedzieć czemu, zaczynam się przez chwilę śmiać.

– Żartowałem z tym pedałem. Naprawdę. Nie gniewaj się. Wiem, że... Znam jedną taką, która z tobą spała – mówi.

W tym momencie przestaje mi się to podobać.

– Nie rozumiem – mówię.

– Nic, nic – mówi. – Po prostu zgadałem się...

– Czemu rozmawiasz z ludźmi na mój temat? – pytam.

Milknie, napręża się. W oczach ma strach.

– Mówiłem ci, żebyś tego nie robił.

– Wiesz, jesteś ciekawym człowiekiem. Masz ciekawą pracę. Ja zadaję się z aktorami i polskimi artystami i nie wiesz, jakie to jest nudne i męczące – obcować z ludźmi, którzy się cały czas masturbują, dla których druga osoba to o jedną za dużo w towarzystwie – mówi.

– Czemu rozmawiasz z ludźmi na mój temat? – powtarzam pytanie.

Pazina. Dzwoni. Odbieram.

– Już, minuta – rzucam.

– Wybacz, po prostu... poznałem dziewczynę, która powiedziała, że cię zna – mówi, opuszczając ręce na znak rezygnacji.

– Znam dziewczyny. Spałem z dziewczynami. Spałem nawet z kobietami. Co z tego? – Wstaję, odruchowo sprawdzam, czy mam pieniądze w kieszeni.

– Nie gniewaj się – prosi. – Wyluzuj, naprawdę. Nie znam, wiesz, tego bon tonu... Rozbijam się o to, jestem durniem. Jestem głupi, popatrz na mnie. Od stóp do głów. Nie wiem, co się mówi, a co nie.

– Wracaj do swoich gości.

– Wiesz co, powiem ci, że powiedziałem przepraszam

więcej niż raz od czasu pewnego obozu młodzieżowego, gdy moja dziewczyna nakryła mnie... Wiesz, mówiły, że są rodzonymi siostrami. Nie mogłem przepuścić takiej okazji. Jacek. Naprawdę. Musiałem się czegoś o tobie dowiedzieć.

– Nie gniewam się. Przecież nie wisisz mi żadnych pieniędzy. – Klepię go po ramieniu i otwieram drzwi.

Gdy wychodzimy z sypialni, znowu przez chwilę wszyscy patrzą w jego stronę. Są nieprzytomni, elektryczni, ich impreza coraz bardziej zaczyna przypominać wyjazd integracyjny. On w ułamku sekundy zmienia twarz na taką, jaką miał, gdy otworzył mi drzwi. Bystry półuśmiech. Wersja z billboardu. Odruchowo, bez zastanowienia wybiera odpowiedni moduł.

– Lubię cię. Jesteś ciekawym człowiekiem – rzuca i wpada w tłum swoich gości.

Jedna z młodych, napompowanych dziewczyn zawisa na nim i trąca go biodrem. Idę szybko w kierunku drzwi. Słyszę go przez chwilę, jak mówi coś o samochodzie, który ostatnio kupił, wylicza jakieś parametry, jak odwraca się do tej napompowanej dziewczyny i mówi do niej głośno, że ma niezwykle wygodną wannę, z której korzysta wyłącznie on. Że może się o tym przekonać, jeśli nie ma nic przeciwko. Jego głos ma ten sam ton, którym mówi w swoim programie. Nie czeka na odpowiedź. Nie znosi sprzeciwu. Drzwi za mną zatrzaskują się, odcinają go w połowie zdania.

03:05

– Dzięki – mówię do Paziny.

Wysiadam na chwilę z samochodu. Bolą mnie plecy. Przeciągam się, strzyka mi w barkach i w klatce piersiowej, wydaję dźwięki jak klekocząca drewniana zabawka.

– Nie ma za co – odpowiada.

Stoimy pod jej klatką jak skrępowana para, która zbytnio przeciąga moment wejścia na górę. Pazina zapala jeszcze papierosa. Patrzy na mnie dziwnym wzrokiem, nie wiem do końca, czy to troska, czy pretensja.

Jestem zmęczony. Jest zbyt wcześnie, abym był zmęczony, ale jestem; coś uderza mnie w mózgu, w ustach mam smak, jakbym próbował połknąć płyn z akumulatora. Trochę kręci mi się w głowie, mam miękkie kolana, jakbym długo szedł. A to dopiero początek.

– Może chcesz ze mną polecieć? – pytam, sam nie wiem czemu.

– Co? – pyta.

– Do Argentyny. Na trzy tygodnie. W piątek – mówię.

– Lecisz do Argentyny? – pyta.

– Muszę zobaczyć, czy nikt jej nie wymyślił – odpowiadam – bo coraz bardziej to podejrzewam. Że wszystkie inne miejsca są wymyślone.

Zaczynam wyobrażać nas sobie w absurdalnej sytuacji: na plaży, wpatrzonych w zachód słońca, trzymających w dłoniach niedobre drinki z powtykanymi palmami, tak samo nieobecnych, zaciśniętych w sobie jak teraz, i w środku parskam śmiechem. Jesteśmy tacy sami, jesteśmy nigdzie i znikąd; na każdym zdjęciu z wakacji, gdziekolwiek byśmy pojechali, wyglądalibyśmy jak doklejeni przez kiepskiego grafika.

To nie ma znaczenia, w jaki sposób tu wylądowaliśmy. Jesteśmy stąd.

– Czy ty naprawdę myślisz, że wytrzymałbyś dłużej z kimś non stop przez parę dni? – pyta.

– Jakbyś nie zadawała mi głupich pytań, to tak – odpowiadam.

– Wiesz co – mówi po chwili – jak sobie pomyślę, że to ja jestem najbliższą ci osobą, robi mi się potwornie przykro. Jak na jakimś starym, społecznym filmie brytyjskim. To nie jest taki smutek, że chce ci się płakać; to smutek, od którego boli cię szyja. Smutek jak reumatyzm.

– Dziękuję – mówię.

– Zadaję ci czasami głupie pytania, bo w ogóle cię nie znam – mówi. – Wiem, kim jesteś. Wiem, że masz matkę i ojca w Olsztynie. Wiem o Paulinie, i to jest dużo, bo wiem, że coś czujesz.

– Ludzi się poznaje nie przez to, co mówią, tylko przez to, co robią. Przez sytuacje – odpowiadam.

– Mogę przypomnieć ci wiele sytuacji – mówi.

– Dlatego też trzymam cię przy sobie. – Uśmiecham się.

– Mówisz jak bandyta – stwierdza.

Jest o czym przypominać. Znam Pazinę jeszcze z czasów studiów w ASP. Poznaliśmy się na jakiejś imprezie, nie pamiętam dokładnie gdzie. Chyba na początku próbowała mnie podrywać, pytać, dlaczego niewiele mówię, patrzeć mi głęboko w oczy. Ale to był raczej odruch, bo miała wtedy faceta, kolegę Malucha, muzyka, półprzytomnego dziecioroba, który wkładał innym kobietom łapy między nogi, gdy ona tylko zamykała oczy, aby kichnąć. Stanęło na tym, że zaczęliśmy się spotykać, a ja zacząłem jej słuchać. Mówiła dużo, gęsto, obficie, sporo przy tym gestykulowała i płakała. Ja odpowiadałem jej krótkimi komendami: „Zostaw go!", „To śmieć!", „Połam mu palce!". Nieświadomie zachowywałem się jak przyjaciółka. Nie chciałem z nią sypiać, bo lubiłem jej obecność w tak niewymuszonej formie, w jakiej ją miałem, i wiedziałem, że gdy zaczniemy ze sobą sypiać, ta niewymuszoność zniknie.

Fakt, nie mówiłem jej zbyt wiele o sobie. Ale cały czas miałem wrażenie, że nie mam jej o czym mówić. Rzeczy, które działy się w moim życiu, przepływały obok mnie jak niezdrowy obłok, smród mijanego na ulicy menela.

To wszystko też w sumie zaczęło się przez nią. Jej kolega handlował pigułami i MDMA. Trochę, pokątnie, na boku. Więcej zżerał, niż sprzedawał. Potem gdzieś komuś oddawał te pieniądze. Najpierw poznałem jego, a potem tego kogoś. Tym kimś był koleś o ksywie Rekin, młody i bystry, rapowy chłopak z Gocławia. Wiedziałem, jak rozmawiać z takimi chłopakami, pamiętałem to ze swojego osiedla. Mówić niewiele, tylko to, co potrzebne, patrzeć prosto w oczy. Nie pokazywać pogardy. Nigdy nie miałem żadnych problemów w rozmawianiu z ludźmi z ulicy. To kwestia nastawienia, odpowiedniej sprężyny w środku, postawy ciała. Miałem ją w sobie w naturalny sposób, bo zawsze szanowałem bandytów, o wiele bardziej niż wszystkich innych ludzi.

Zawsze szanowałem tych, którzy przebywają obok rzeczywistości, biorąc sobie z niej to, czego potrzebują, zawsze tyle, ile chcą. Wystarczyło pokazywać ten szacunek, nie odzywać się niepytanym.

To Rekin zapytał mnie kiedyś, czy nie chciałbym zarobić z nim jakichś pieniędzy. Powiedział, że ma do opierdolenia dobre kwasy i MDMA, a wśród tych wszystkich artystów i lamusów, których znam, może być na to parę chętnych osób.

Odpowiedziałem mu, że tak. Że praktycznie wszyscy, których znam, byliby chętni.

Mniej więcej tak to się zaczęło.

– Nie wiem, czy ja wytrzymałabym z tobą trzy tygodnie. – Uśmiecha się.

– Po prostu boisz się wyjechać – mówię.

– Ty się boisz jeszcze bardziej – odpowiada.

Telefon. SMS. Stryj. *Juz jestem, co jest?*

– *Sorry,* po prostu dzisiaj jestem drażliwa i dziwna i proszę, nie sugeruj się czymkolwiek. – Macha ręką.

Odpisuję: *Potrzebuje, abys mi pomogl. Oddzwon.*

Przez chwilę patrzy jeszcze przeze mnie, jakby za mną ktoś stał. Nie odwracam się.

– Mówiłam ci, że spotykam się z kimś? – pyta.

Stryj pisze: *Chodzi o tego pedala?*

– Nie mówiłaś – mówię.

Odpisuję: *Tak.*

– Nie pytasz mnie nigdy o takie rzeczy – mówi.

– Bo to twoje prywatne sprawy – odpowiadam.

Stryj pisze: *Moge zebrac ekipe.*

– Mógłbyś czasami. Dobra, jeszcze raz przepraszam. To odbija się na tobie – mówi.

– Co odbija się na mnie? – pytam.

Odpisuję: *Potrzebnych jest czterech. Moze pieciu.*

– Nie wiem. – Kręci głową. – Jestem jak te wszystkie idiotki, które mają po dwadzieścia parę lat i wydaje im się, że mają czas i są ładne, i są rozpieszczone powodzeniem, i że cały świat składa się z fantastycznych facetów, których można odpychać, odsuwać, grzać się przy nich dwa, trzy miesiące, a potem przeskoczyć na następnego. Jestem jak te wszystkie cipy, które nie wiedzą, co robią.

Stryj pisze: *20 minut.*

Odpisuję: *OK.*

– Czemu taka jesteś? – pytam ją.

– Bo jest we mnie za bardzo zakochany – odpowiada. – I to swędzi.

– Zakochany?

– Bardzo tęskni. Bardzo potrzebuje... nawet nie sypiać ze mną, ale leżeć w łóżku. Wiesz, o co chodzi. Jest wyziębiony, musi się ogrzać – mówi.

– A ty w nim? – pytam.

– To wspaniały facet – mówi. – Kilka lat starszy. Po rozwodzie. Ma dziecko. Jest dobry. Słucha. Wie swoje. Czyta książki. Jest cierpliwy. Jest wytrzymały. Jest bardzo wytrzymały. Potwornie dostał po dupie.

– Nie odpowiedziałaś mi na pytanie – mówię.

– Trochę chyba tak – mówi po chwili, zapala jednego papierosa od drugiego, robi krok do tyłu, rozgląda się nagle dookoła jak ktoś, kto ma halucynacje, komu mieszają się zmysły, kto wącha wiatr.

SMS: *Przyjedz po nas na Mazowiecka. To Piotrek wie?*

Odpisuję: *Piotrek chce.*

– Ja po prostu już nie umiem, Jacek. Jestem stracona – stwierdza. – A chciałabym. Każdy przecież chce. To jest jedyna rzecz, która pozwala ci żyć, noż kurwa.

– Nie zgub się w tym wszystkim – mówię i całuję ją w policzek.

– Wiem, że to zrobię – mówi. – Wiem, że to zrobię i że sama się zgniotę, i zgniotę jego, a on już nie może dostać po ryju następny raz. Nie może. Jest za dobry.

Kiwam głową.

– Nasze miejsce jest tutaj, w nocy, bez nikogo – mówię.

– W tym jebanym, kurwa, w dupę gównie – dopowiada.

– Jesteśmy bandytami, Pazina – dodaję.

– Chyba ty – odpowiada. – Chyba twój stary.

– A ty stoisz ze mną w nocy pod klatką schodową. Nie jesteś z nim – mówię. – I to sobie uświadom. Że gdybyś chciała, to byłabyś z nim, a nie ze mną.

– A weź spierdalaj. Idź stąd. Precz – mówi i lekko mnie odpycha.

Uśmiecha się przy tym kącikiem ust, niewyraźnie.

– Idę precz – mówię.

– Do ciemnej strefy? – pyta.

– Muszę odzyskać pieniądze – stwierdzam.

– Tylko nikogo nie zabij – mówi.

– Jeśli nie będzie potrzeby – odpowiadam.

Wpisuje kod domofonu. Wchodzi do środka. Drzwi do bramy zamykają się z nagłym huknięciem. Rozcieram ręce. Otwieram samochód. Czas jechać dalej. Maluch. Wiem, gdzie jest, jest u siebie, więc może jakaś mała część jego nieczynnego mózgu podejrzewa, że będzie miał dzisiaj gości.

SMS: *Sprzet brac jakis? Gaz? Batona?*
Odpowiadam: *Kopyto.*

4:30

– Moja refleksja jest taka, że ludzie są popierdoleni. – Stryj odwraca się w stronę tylnego siedzenia, na którym siedzą Śniady i jeszcze trzeci facet. Ma ksywę Bujas i jest największy i najmłodszy spośród tej trójki. Wygląda jak napompowany sprężonym powietrzem niemowlak. Tuż pod skórą na czaszce ma twardy beton. Wygląda, jakby włożono go do mojego samochodu jeszcze na taśmie fabrycznej, tuż przed zamontowaniem dachu. Je chyba piątego białkowego batona w przeciągu pół godziny.

– Ja nie wiem – mówi Stryj. – Weź mi to, kurwa, wytłumacz. Co to jest, zły dotyk?

Obaj z tyłu parskają śmiechem. Śmiech brzmi jak płachty metalu spadające do ogromnej studni.

– Czy matka zbyt energicznie myła ich w wannie? No powiedz, Bujas – mówi.

– Matka albo ojciec – zauważa Bujas.

– Nie ma wejścia to, kurwa, nie ma wejścia. Nie ma. Ten chłopak, selekcjoner, on jest dobry, i to zawsze lepiej niż gdyby dupa siedziała, dupa nigdy nie wyrobi, zawsze wda się w dyskusję – mówi Śniady.

– No ale co im się we łbie jebie, że skaczą z łapami? – pyta Stryj.

Jesteśmy na skrzyżowaniu Alej i Marszałkowskiej. Miasto pozornie śpi. Pozornie, bo nikogo nie ma na ulicach, bo nie ma ruchu; ale jest obudzone, bardzo, po prostu jego życie przeniosło się za zasłonę, do środka, do żołądka.

– Najebani są – stwierdza Śniady.

– Nie, to nie to – mówi Stryj. – To nie to. To brak kultury osobistej. Zwykłe chamstwo.

– No i dużego przecież łatwiej trafić – stwierdza Śniady – bo wolny.

Wszyscy wybuchają śmiechem, który wypełnia mi samochód jak wybuch głośnika basowego. Stryj odpina sobie z boku batona i zaczyna klepać nim lekko o udo, jakby był pałką perkusyjną. Baton to teleskopowa, metalowa pałka. Ma około pół metra długości, sprężynuje; uderzając nim po nogach z odpowiednią siłą, od razu zwalasz uderzonego na ziemię. Z reguły uderzony machinalnie oddaje mocz. Stryj posługuje się batonem z lubością, trzyma go w dłoniach jak drogą i delikatną zabawkę.

– Ale tych trzech dzisiaj to była masakra – mówi Stryj. – Kurwa. Zawód: syn, jak nic. Jebane pedały. Możesz zabrać człowieka ze wsi, ale nie zabierzesz wsi z człowieka. I ta kurwa, co się darła. Myślałem, że jej też pierdolnę, albo przynajmniej wytargam za kudły. Przysięgam, że jakby ona doskoczyła z łapami, to tak by było.

– Ich często baby nakręcają. Jakby myślały, że mają, kurwa, Pudzianów – mówi nagle Bujas.

Jego głos jest sztucznie niski, jak obniżony w programie komputerowym.

– Pudzianowi łatwo pierdolnąć, bo wolny. – Śniady się śmieje.

– Nie myślą nic. Kobiety nie myślą, Bujas – mówi Stryj, wzdycha i dodaje: – Kobiety po prostu lubią zadymę.

– Znajdź, kurwa, porządną i normalną. – Śniady wzrusza ramionami. – Same kurwiska dookoła. Wystarczy, że jeden pengi wyjmie i już raca leci z dupy. Ty, widziałeś ten filmik w internecie, kurwa?

– Tak – odpowiada Stryj.

– A, to chuj – mówi Śniady.

– Kurwa, debilu, powiedz dokładnie jaki, to ci powiem, czy widziałem, czy nie – podnosi głos Stryj.

– Ten, na którym chłop chce się umówić z dupą na

kawę. Ta mu odmawia, więc odchodzi i otwiera ferrari. I ta od razu przybiega – stwierdza Śniady.

– Nie można mieć tego nikomu za złe – mówię.

– Co? – pyta Stryj.

– Nic. Nie można mieć tego nikomu za złe, że idzie tam, gdzie są pieniądze – stwierdzam.

Zatrzymuję się tuż pod „Betlejem", między taksówkami. Z okien pulsują kolory. Fioletowy, czerwony, żółty, zielony. To, czego nigdy nie było, jest jeszcze raz, przechodzi mi przez głowę; to już się wydarzyło, we śnie, w innym miejscu.

Dotykam dłonią głowy. Chyba boli. Mrugam. Tak jakby z dnia na dzień wszystko robiło się coraz bardziej zamglone, stopniowo, o ułamek procenta. Jakby sen wlewał się do jawy przez jakieś małe pęknięcie, rozrzedzał ją, nadżerał. Muszę coś z tym zrobić. Więcej spać. Iść po leki.

– Włazimy? – pyta Stryj.

Kiwam głową. Wychodzimy z samochodu.

Bramka o nic nie pyta. Wpuszczają nas za darmo. Kiwają do siebie głowami. Nie ma tego, który był ostatnio. To dobrze. Mógłby zacząć robić problem. Mówiłem im przedtem, że na wejściu jest pies. Wchodzimy na górę.

W „Betlejem" dopiero o tej porze wszystko się zaczyna. Powietrze ma konsystencję obłoku, w kranach jest tylko ciepła woda, aby nikt nie oszczędzał na zimnej mineralnej z baru, ludzie podskakują i ocierają się o siebie jak nakręcane zabawki. Nikt nie jest tutaj przytomny, nikt nie wyjdzie stąd żywy. Brudny, stłumiony puls idzie przez ściany, wprowadza wszystkich we wspólne tętno. Są już nie do odróżnienia, są już poza swoim wyglądem, swoimi ciałami, ubraniami. „Betlejem" to o tej porze ostateczny przystanek, zajezdnia autobusowa. Meta.

Gdybym przyszedł tu o szesnastej, impreza wyglądałaby tak samo. Ludzie tańczyliby z taką samą werwą, gdyby zamiast tej muzyki włączyć im odgłos wody kapiącej z kranu.

Maluch miał dobry pomysł. Zamienić tę nijaką przedtem knajpę w czynne non stop piekło, brudne, przepocone, ciemne, niewentylowane – w czarną jamę, gdzie mogą schować się wszyscy ci, którzy nienawidzą własnych domów. A jest ich w Warszawie naprawdę dużo.

W każdym razie sprzedaje się tu mnóstwo koksu, MDMA, ekstazy. Będzie sprzedawać się jeszcze więcej. Znacznie, znacznie więcej. Tu nie chodzi już nawet o długi Malucha. One są tylko pretekstem. Tu chodzi o to, aby ten koks, ta MDMA, te piguły były ode mnie, od Piotrka, mojego hurtownika, od jego pryncypałów. Aby były od nas, aby wszystko szło naszym kanałem, abyśmy mieli pełną kontrolę nad tą sytuacją. Siali, pielili, zbierali plony. Teraz panuje tu kompletny burdel; ten klub jest jak Hala Mirowska, każdy może tu wejść z własnym towarem i rozłożyć w rogu stoisko. Ta przestrzeń wymaga posprzątania. Deratyzacji. Wprowadzenia swojej bramki. Postawienia swojego słupa. Wtedy można zacząć zarabiać. To Warszawa, tutaj bez pytania można sobie co najwyżej otworzyć kawiarnię.

Podłogę pokrywa błoto i szkło. Chrupie nam pod nogami. Nikt nie zwraca na nas żadnej uwagi. Jakaś wciskająca się w ścianę para jest na granicy całowania się i dymania, zaraz spowodują u siebie nawzajem zawał serca, ich usta i języki są już za suche, aby dalej to robili, ale nie mogą przestać. Mózgi zalewa im serotonina. Nie widzą i nie słyszą. Jutro nie będą nawet o tym pamiętać.

Idziemy piętro wyżej. Chyba zauważyli nas barmani. Chyba jeden z nich powiedział coś do drugiego na ucho. Poza nimi nikt nas nie dostrzega. Stryj ma wciąż w ręku batona, wciąż klepie nim miarowo o udo, jakby odmierzał sobie rytm chodu. Nieumyślnie wpada na niego jakiś chudy, telepiący się typek; wtedy Stryj po prostu podnosi go i przestawia obok, jakby ten ważył trzy kilo.

– Siema – mówi Maluch, gdy wchodzimy do jego biura.

Siedzi przy stole. Jego mokra twarz ma kolor brudnej gliny. Ma suche usta. Pije coś ze szklanki napełnionej lodem, najprawdopodobniej czystą wódkę. Na mój widok krzywi się, jakby dostał kolki. Na początku w ogóle nie zauważa Stryja, Śniadego ani Bujasa. Bujas zamyka za sobą drzwi. Maluch patrzy. Mruga oczami, jakby chciał odegnać przywidzenie. Oprócz niego w środku jest jeszcze dwóch kolesi, brodacz w koszuli w kratę i roślejszy, ogolony na łyso facet. Kojarzę ich. Brodacz, z tego, co pamiętam, ma ksywę Balon. Był wspólnikiem Malucha w prowadzeniu jakiejś innej knajpy przy placu Zbawiciela. Ma udziały w jakiejś hiphopowej firmie, sam jest nikim, ale zna odpowiednich ludzi. Chyba domyślam się, po co się tu zjawili: jeśli mam rację, to cała sytuacja jest bardziej niż zabawna.

Mam wrażenie, że to pomieszczenie wygląda zupełnie inaczej niż wczoraj. Może to kwestia oświetlenia. Zapalona jest tylko lampa w rogu, poza nią światła są zgaszone, może to dlatego, że Maluch jest w takim stanie, że przy pełnym oświetleniu dostałby wylewu w gałkach ocznych.

– Cześć, Jacek, słuchaj... – Ociera dłonią usta i wstaje. – Może za chwilę pogadamy, co? Bo ja mam tu pewną sprawę.

– Siadaj – mówię.

– Mówiliśmy o wtorku – odzywa się Balon. – Dasz radę na wtorek?

– Remont, kurwa, stary, remont... Słuchaj, będzie dobrze, naprawdę – mówi Maluch. – Wszystko da się zrobić. Ludzie ludzi robią, co nie?

– Wiesz, jak to wygląda – mówi łysy facet, patrząc na mnie, na trójkę za mną, na Malucha.

Stryj parska śmiechem. Robię krok do tyłu, robię mu miejsce, aby stanął na przodzie. Niech on to reżyseruje. Słyszę muzykę, jak narasta, jak na *crescendo* kawałka nakłada się krzyk kilkuset osób.

To wciąż dopiero początek.

– Jacek, naprawdę, zaraz skończymy, dobra. Minutka, stary – prosi Maluch.

– Wtorek – mówi Balon.

– Dobra, już, wypierdalać – mówi Stryj.

– Że co? – pyta Balon.

– Zaraz, zaraz... – Maluch wstaje.

Stryj bierze zamach, słyszę świst, Maluch krzyczy, łapie się za nogę, klęka. Stryj się uśmiecha. Tamci dwaj nie reagują. Brodaty chce wstać, ale łysy powstrzymuje go ręką.

– Czy ja ci mówiłem, żebyś wstał? Mówiłem do twoich kolegów, aby wypierdalali – mówi Stryj.

– Co wy odpierdalacie?! – wrzeszczy Maluch.

– Musicie zgłosić się po swoje później – mówię do brodatego.

– Nie rozumiem – odpowiada brodaty.

– Są ważne i ważniejsze zobowiązania – mówię.

– To miejsce było wyremontowane za mój sos, stary. Przyszedłem po swoje, tak jak i ty. Ale to nie jest tak, że twoje jest ważniejsze od mojego – mówi.

Patrzę mu w oczy. Jest odważny, nie udaje; był już przy paru takich akcjach. Rozumie je. Potrafi już je oglądać jak film. Wie, że to sytuacja przypominająca turbulencje w samolocie; trzeba być cicho, wykonywać polecenia stewardes, nie wychylać się.

– Wypierdalać! – krzyczy Stryj. – Czy ja, kurwa, mówię po murzyńsku?

– Oni rozumieją – mówię do Stryja.

Kiwam głową. Oni wstają, podchodzą do drzwi, w końcu wychodzą; zamykam je za nimi na klucz. Siadam na tym miejscu, na którym siedziałem ostatnio. Zaczyna się robić wygodne i znajome.

– Napijecie się czegoś? – pytam Stryja i jego kolesi.

Pokazuję palcem na butelki whisky stojące w rzędzie na jednej z półek. Maluch powoli wstaje, w końcu siada z powrotem na swoim krześle. Na chwilę chowa głowę w dłoniach. Ciężko sapie.

– Ty też się napij – mówię mu.

Kręci głową.

Stryj powoli bierze butelkę, odkręca, wypija łyk prosto z gwinta. Podaje Bujasowi, ten odmawia. Śniady bierze od niego butelkę, nie przykłada jej do ust, trzyma ją w ręku, za szyjkę, ściska.

– Kurwa, Jacek, ja mam dwójkę dzieci. Stary, to są alimenty. Trochę zajebałem, ale to odkręcam, naprawdę – zaczyna mówić Maluch, cicho, bezładnie, płaczliwie, jakby skamlał, słowa wylatują mu z ust z trudem, jakby pogryzł szklankę, a teraz odpluwał kawałki szkła.

– Daj papier – mówię do Stryja.

Stryj wyjmuje z kieszeni umowę. To przygotowana umowa o spółce cywilnoprawnej, poświadczona przez notariusza, bardzo prosta. Nie zajmuję się takimi sprawami, zajmuje się nimi Piotrek.

– Oddam ci wszystko, co do grosza, tylko potrzebuję czasu – mówi. – Kurwa, tu naprawdę się kręci. Żaden interes nie startuje od zera. Wszyscy muszą się odkuć. Rozruch, rozumiesz. Za pół roku wszyscy się najemy. Obiecuję ci to.

Otwieram szufladę w stole. O dziwo, znajduję tam długopis. Podsuwam mu papier.

– Masz dwójkę dzieci – mówię mu. – Dzieci mają matki.

– Kurwa, stary, w co ty się zaczynasz bawić? Myślałem, że wszystko jest git. Że ty jesteś git – mówi, ocierając oczy.

– Nie jestem git – odpowiadam.

– Co to jest? – pyta.

– Tak jak ci tłumaczyłem – odpowiadam. – Twoje długi są anulowane. Możesz tu pozostać jako menedżer. Możesz nawet oficjalnie figurować jako współwłaściciel. Ale wszystko idzie przez nas. Wiesz, tu nie idzie nawet o ten klub. Ostatecznie to nieruchomość w centrum miasta.

Patrzy na mnie, jakby ktoś właśnie ścisnął i zgniótł mu jakiś ważny narząd wewnętrzny.

– Tu nie chodzi tylko o moją forsę, jest jeszcze dużo innej forsy, którą musisz zapłacić, i wiemy o tym – tłumaczę mu. – Mamy pieniądze do zarobienia. Ty masz wymazaną kartę. Jesteś zmartwychwstały.

– Nie – odpowiada po chwili, bujając się na krześle.

Stryj lekko stuka batonem o dłoń.

– Ja ci chyba mówiłem, że to nie jest kwestia wyboru – mówię.

– Nie – mówi i z każdym słowem jakby powoli zaczyna się podnosić i prostować, wypełnia go dziwny rodzaj niezdrowej odwagi. – Kurwa, nie! Nie zrobiłem tego po to, nie robię tego po to od lat, aby takie kurwy jak wy przychodziły tutaj jak po swoje, to nie jest Moskwa, do chuja, żeby...

Bujas podnosi go z krzesła i rzuca nim o podłogę, jakby Maluch był nadmuchany. Coś pstryka w jego ciele. Coś się przemieszcza.

– Czy ja mam się sam na tym podpisać? – pytam. – Powiedz mi.

Kolejny świst batona, jakby ktoś gwizdnął, i krzyk Malucha; Stryj stoi nieruchomo, z lekkim półuśmiechem kogoś, kto właśnie robi to, co naprawdę lubi.

– Nienawidzę takich kurew jak ten – mówi w końcu. Spluwa w bok.

– Posadź go z powrotem – mówię do Stryja.

Stryj robi to, co mu mówię.

– Możemy tak się bawić następne sześć godzin. Naprawdę. Ale to nie ma sensu – mówię. – Chodzi o to, że generalnie ludzie nie doceniają wiedzy innych. Wydaje im się, że żyją w jakiejś anonimowości, w ukryciu, że wszystkie informacje na ich temat rozpuszczają się w powietrzu.

Nachylam się nad nim. On patrzy mi w twarz. Lekko dygocze. Jest w nim nienawiść, ta nowotworowa wściekłość na sytuację, w której nie można nic zrobić.

– Tymczasem wszyscy wiedzą o wszystkich wszystko. Po prostu w większości przypadków nie zdradzają tych informacji. Ale wiedzą, wiedzą, i to wykorzystują. Nadążasz, czy jesteś za bardzo naćpany? Skup się, Maluch. Postaraj się skupić.

Kręci głową.

– Wiem o tobie dużo rzeczy. Na przykład ta dziewczyna, jak ona się nazywa? Anastazja? – pytam.

– O co ci chodzi? – pyta.

Ktoś puka do drzwi. Nikt nie reaguje.

– Naprawdę uderzyłeś ją przy wszystkich? – pytam z ciekawości. Co musi zrobić tak ładna i pogodna dziewczyna, żeby ją uderzyć?

Nie reaguje.

– Twoje dzieci, synowie, tak? Kajtek i Adaś? Dwie różne matki? Jedna barmanka z „Okien"? Druga malarka? Ta pierwsza to Ewa Lutecka, tak? Mieszka z Kajtkiem na Różanej 5 mieszkania 20, Mokotów? Druga to Barbara Mankiewicz, Żoliborz, plac Henkla 1 mieszkania 13, zgadza się? Kajtek chodzi do podstawówki na Malewicza? Kajtek pod domem? Kończy zajęcia o trzynastej? – pytam.

Nie reaguje.

– Ty mieszkasz ze swoją obecną dziewczyną na Tamce 20 mieszkania 6, tak? To jest mieszkanie jej rodziców?

– Kurwa, przestań. – Odchyla się.

– Twoi rodzice, Irena Pieczewska i Krzysztof Pieczewski, mieszkają na Ursynowie, skąd pochodzisz, tak? Dereniowa 5? Mama jest architektem, zajmują dwupiętrowe mieszkanie na ostatnim piętrze, które dostali z przydziału? Takim samym jak z serialu *Siedem życzeń?*

– To nie może tak być. To się tak nie dzieje – mamrocze.

– Twój ojciec pracuje w Szpitalu Praskim? Jest chirurgiem? Kończy poniedziałkową zmianę o dwudziestej drugiej? – pytam. – Wiemy, kim jesteś – dodaję.

– To jest państwo prawa, kurwa, przecież ja mogę iść na policję. Przecież u mnie pracuje policja – mówi.

– Wiemy, gdzie mieszkasz – mówię.

Przez chwilę milczy. Potem zaczyna łkać. Jest przerażony, noga mu podskakuje, jakby miał pod nią przycisk, który mógłby wyłączyć nas i całą tę sytuację, ale właśnie się zaciął. Patrzę na niego bez wyrazu, patrzę przez niego, jakby był niewyraźną mgłą, jakby z sekundy na sekundę gubił kontury. Bębnię palcami o stół, jakbym popędzał ten moment. To czysta formalność.

Ktoś wali w drzwi. Bujas, Śniady i Stryj odwracają się w ich stronę.

Przez chwilę jakby znowu widzę kolory, jakby w powietrzu była zawieszona wielobarwna kula, z której wypływają, wsiąkając w otoczenie jak tęczowa trucizna: ściany, stół, Stryj, Maluch. Wszystko to przez chwilę robi się raz żółte, raz czerwone, raz zielone.

Ktoś znowu wali w drzwi.

To, czego nigdy nie było, jest jeszcze raz. To już się wydarzyło i wydarzy się jeszcze wielokrotnie.

– To jest decyzja, czy chcesz tu zostać i zarządzać tym dla nas, i mieć pensję, czy nie – mówię.

– Spierdalaj – odpowiada.

– Otwórz – mówię do Bujasa.

– Na pewno? – pyta.

– Co powiedziałeś? Powtórz – mówię do Malucha.

– Spierdalaj – powtarza.

Bujas otwiera drzwi. Do środka wchodzi pies, ten co wczoraj, z drugim bramkarzem.

Zielony, żółty i czerwony. Kolory.

Kiwam głową do Stryja.

Bujas zamyka drzwi. Tamci stoją przez chwilę, próbując odczytać sytuację, ich mózgi przetwarzają ją powoli, wyglądają jak małe dzieci wpatrzone w trójwymiarowy obrazek.

Stryj bierze głowę Malucha za włosy, szybko i z całej siły uderza nią o blat. Dźwięk roztrzaskiwanego orzecha. Nos.

– Już nie masz wyboru – mówię. – Cesja umowy najmu. Cesja koncesji. Papiery są przygotowane. Nasi zwierzchnicy niedługo zaczną rozmowę z właścicielem.

Śniady wyciąga broń i celuje nią w głowę psa, stojąc z boku. Drugi próbuje szybko coś wyciągnąć, nie wiem co, i już się nie dowiem, bo Bujas podskakuje do niego od tyłu i zakłada mu dźwignię, przyciska go do siebie i kilka razy z całej siły uderza jego głową o ścianę. Tępy i głośny dźwięk. Łup. Łup. Łup. Łup. Facet osuwa się na podłogę. Bujas uderza go jeszcze potężnie łokciem w czubek głowy. Facet momentalnie zasypia.

Pies podnosi ręce do góry. Szybko oddycha. Stara się zachować spokój. Na pewno nie miał zbyt wiele razy broni przy głowie. Mógł nie mieć nigdy.

Oczy zaczynają piec mnie od środka, jakby ktoś nacinał mi tkankę pod powiekami. Już tylko jeden kolor: czerwony, czerwony, czerwony. To brak snu. Coś kapie, coś zaczyna lecieć ciurkiem, coś wpada do świata.

Miasto za oknem szeroko otwiera usta. Chce jeszcze więcej, jego żołądek jest nieskończony, połknie i pomieści wszystko.

Na dole setki gardeł wrzeszczą, tupią setki nóg, kolejna piosenka wchodzi w swoje *crescendo*.

– Jeszcze raz? – pyta Stryj.

– Nie. – Kręcę głową.

– Panowie w jakiej sprawie? – pyta psa Stryj.

– Za chwilę będzie tu więcej chłopaków – mówi pies.

– Masz rację. Za chwilę może być ich tu nawet czterdziestu – mówi Stryj.

– Ty nie wiesz, kim jesteśmy. Tobie to się tylko wydaje – mówię do Malucha.

Podsuwam mu kartkę. Daję mu długopis.

– Ten twój starszy ma siedem, a młodszy pięć, tak? – pytam.

Kiwa głową. Przez chwilę trzyma w ręku długopis, jakby był przedmiotem, którego nikt nigdy nie powinien trzymać w dłoni. Jak detonator bomby albo odcięty palec. Patrzy na mnie i dyszy. Całą dolną część twarzy ma zalaną krwią, ma złamany nos, ułamaną jedynkę. Krew wciąż z niego wycieka, przesiąka na zewnątrz.

– Nie róbcie głupstw – mówi pies, a jego kolega podnosi się z podłogi.

– Zamknij, kurwa, japę – mówi Śniady.

Wstaję. Trwa to chwilę, zanim podpisze. Drży mu ręka. W końcu to robi. Zabieram papier. Oddaję Stryjowi.

– Będziemy potrzebowali wglądu we wszystkie dokumenty – mówię. – Wiesz, standard.

Śniady opuszcza broń. Pies cofa się pod ścianę. Bujas i Stryj patrzą na mnie, czekając, co dalej zrobić. Przez chwilę chowam twarz w dłoniach. Przez chwilę nie oddycham i stoję z szeroko otwartymi ustami, za zasłoną dłoni, aby nikt nie widział.

– Wszystko będzie działać jak należy. Wszystko będzie legalne. Monopole tworzą się w naturze. To naturalne – mówię do Malucha.

Daję im znak, że wychodzimy. To już koniec tych biznesowych rozmów. Partnerzy osiągnęli porozumienie, razem wchodzą w nowy etap rozwijania marki, rozszerzenia jej zasięgu, z uśmiechem patrzą wspólnie w pełną wyzwań, ale również ekscytującą przyszłość. Konsolidacja powiększy wpływy i pozwoli nowej grupie kapitałowej zbudować silniejszą pozycję.

Muszę iść spać. Muszę wyłączyć telefon. Muszę zająć się jutro czymś miłym. Patrzeniem w ścianę. Słuchaniem miarowo wpadającej do wanny ciepłej wody. Włączyć jakąś muzykę. Na przykład Strawińskiego. Strawiński jest w porządku. Jego muzyka jednostajnie pulsuje, ma w sobie coś z przerośniętego, rozdygotanego organu.

Kolory, w kółko kolory.

Maluch krztusi się, jakby miał zacząć rzygać, i w końcu to robi, zwraca wszystko, co dzisiaj wypił, obok biurka, na podłogę.

Bujas otwiera drzwi. Śniady odwraca się i jeszcze raz celuje do tego przebranego gliniarza z pistoletu.

– Nic nie odpierdalać – mówi mu. – Siedzieć cicho.

Już mam wyjść, ale przyłapuję się, że o czymś zapomniałem. Tuż przed wyjściem przypomina mi się, uwiera mnie jak coś drobnego, co nagle dostało mi się do buta. Maluch patrzy na mnie z twarzą pozbawioną jakiegokolwiek wyrazu.

– Czemu uderzyłeś tę dziewczynę? – pytam go i mówię przy tym dużo i szybko, i źle, ale chcę wiedzieć. – Powiedz mi. Wytłumacz mi, dlaczego takie gówno jak ty, takie truchło, człowiek, który powinien w zasadzie nie żyć, który nie spełnia estetycznych kwalifikacji do tego, aby żyć, który nadpsuwa rzeczywistość, dlaczego taki człowiek jak ty miał przy sobie tak piękną dziewczynę i dlaczego ją uderzył? To, dlaczego kobiety rozchylają przed tobą nogi, pozwalają ci się dymać, wpychać w siebie tego brudnego chuja do szczania, to inna sprawa, dlaczego ta piękna dziewczyna też pozwalała ci na to, abyś w nią wpychał fiuta, zarażał ją tym swoim małym, miękkim kutasem, to też inna sprawa. Ale bić ją? Czego trzeba nie mieć? Co trzeba zgubić? Nie miałeś matki? Twoja matka piła? Była kurwą? Przecież wiem, że nie. Jesteś z dobrego domu. Dobrego warszawskiego domu.

Nie rusza się. Dopiero po chwili ociera dłonią krew z twarzy. Wyciera ją o spodnie. Na jego gębie kwitnie coś bezczelnego. Biorę butelkę i rozbijam ją o ścianę. Szkło rozpada się wokół jak rozrzucone monety. On patrzy, z powrotem bez wyrazu. Może nie zmieści w sobie więcej z tej sytuacji. Może wpadł w katatonię, jak kobieta, której przed chwilą zmarło dziecko.

Podchodzę do niego i łapię go za włosy. Są w dotyku jak przetłuszczony papier, jak folia od kebabu.

Przystawiam mu butelkę do gardła. Myślę o tym, aby je poderżnąć. Mógłbym go zabić bez najmniejszego problemu; to jak posprzątać chodnik przed domem z gówien cudzych psów. Jak pomalować brudną ścianę na biało.

– Jacuś, kurwa, żeby cię nie poniosło – mówi Stryj.

– Nie można bić kobiet – odpowiadam.

On podchodzi, łapie mnie za ramię.

– On już dostał wpierdol, ty – mówi. – Zabić go chcesz?

– Powiedz mi. Znam ją – mówię do Malucha.

– O czym ty pierdolisz? – wydusza po chwili.

Trwa to jeszcze przez chwilę, ja trzymam butelkę, oni na mnie patrzą, Maluch patrzy na mnie, muzyka na chwilę cichnie, a na niebie za miastem coś błyska, jakby ogromny aparat zrobił właśnie nam zdjęcie.

– Dymała się z moim kumplem, jeszcze z liceum. Menedżerem w mojej knajpie. Mieszkając w moim mieszkaniu. Dymała się z nim w moim łóżku. Żyjąc za moje pieniądze – mówi. – Nie tylko z nim. Ją bardzo łatwo na to namówić. W sumie namawia do tego sama. Tobie nigdy tego nie proponowała?

Odsuwam butelkę od jego szyi. Patrzę na niego. Kurczy się. Schnie.

Ale wciąż spogląda na mnie tak samo: wzrokiem kogoś, kto próbuje pokazać, że przyjmie już każdą przemoc, że nic już nie zrobi na nim żadnego wrażenia.

– Myślałem, że jesteś mądrzejszy – mówi – ale ty też jesteś tym typem człowieka, któremu wydaje się, że gdy ktoś ma duże, okrągłe oczy, to jest szlachetny, a gdy małe i skośne, to zły. Może myślisz też, że koty są mądrymi zwierzętami? Kurwa, a dzwonisz do telewizyjnych wróżek, żeby dowiedzieć się, co wydarzy się w przyszłym miesiącu?

Rzucam butelkę w róg pokoju.

– Skoro tu przylazłeś zabrać mi mój biznes, to nie mędrkuj mi przy okazji o jakichś kurwach, które znasz dlatego, że uśmiechają się do ciebie w twoim samochodzie – dodaje i spluwa na podłogę.

– Kiedyś cię zabiję – odpowiadam. – Teraz już to wiem.

Zabiję go. Przeszkadza mi. Krztuszę się nim. Mam od niego refluks, jak od zapachu tłuszczu w budzie z chińskim żarciem.

Wychodzę pierwszy, oni idą za mną. Zamykają za sobą drzwi. Schodzimy po schodach. Hałas się nie kończy, jest wieczny, jest w trzech kolorach. Owiewa nas jak powiew z ogromnego, startującego silnika. To uczucie trwa jeszcze, gdy wychodzimy na zewnątrz.

– Po chuj mu to mówiłeś? – pyta Stryj. – Nakręciłeś się. Niedobrze. Co ci odbiło z tą dupą? Sam ją ruchasz czy jak?

– Nie. – Kręcę głową.

– Dobra, luz, po robocie jest – rzuca Śniady.

– Po robocie, jo. Rzucisz mnie? – pyta Bujas.

– Zajebałeś kiedyś kogoś, że tak gadasz? – pyta Stryj.

Otwieram drzwi samochodu. Ma rację. Niedobrze.

Wszyscy wsiadają do środka. Zamykam drzwi. Jadę w stronę Ursynowa. Powoli, może zbyt powoli, ale jestem tak zmęczony, że chcę, aby świat za oknem się po prostu przelewał, wlókł; chcę, aby nic się już nie zmieniało.

Miasto śpi, ale wierci się w łóżku, poci się, ma koszmary, śpi źle.

Śnią mu się nasze twarze.

– Zajebałeś kiedyś kogoś? – powtarza Stryj.

Zapala w moim samochodzie papierosa, otwieram mu okno, nic do niego nie mówię. Nie mam siły zwracać mu uwagi.

Odwracam się na chwilę w stronę „Betlejem", gdy zatrzymujemy się na światłach. Front kamienicy jest jednolicie czarny. Żadnych kolorów.

– Jeszcze nie – odpowiadam najprawdziwiej, jak potrafię.

Niedziela

SEN

Jestem w domu z moimi rodzicami, siostrą, wujkiem, kimś z dalszej rodziny. Nie wiem, jaka jest pora dnia. Może być wczesny świt, może zmierzch, tak naprawdę pogoda ani pora dnia nie istnieją. Wiem, że gdy wyjrzę przez okno, na zewnątrz nie będzie Olsztyna, na zewnątrz będzie przestrzeń bez nazwy, nieumiejscowiona, nieskończona; pokryta żużlem, spękanym asfaltem, pyłem. Przestrzeń jak ogromny, wyludniony parking, ciągnący się aż po horyzont.

Jest ciemno. Jedynym źródłem światła jest mała żarówka nad okapnikiem. Co krótką chwilę żarówka gaśnie i zapala się z powrotem. Nikt nie zwraca na to uwagi.

Mój ojciec jako jedyny siedzi przy stole, reszta stoi oparta o meble. Na stole są talerze z niedojedzonymi posiłkami jak wielkie pionki po niedokończonej grze. Nikt nic nie mówi. Wszyscy czekają na coś, co ma się wydarzyć; coś ewidentnie złego, co przyjdzie za chwilę z bardzo bliska.

Powietrze w pomieszczeniu można ciąć nożem, jest tłuste i kwaśne jak stare masło. Nie wiem, co ma się wydarzyć, kto ma nas odwiedzić, chcę zapytać, ale wiem, że nikt nie chce o tym mówić, tak jakby samo opisanie tego zagrożenia przybliżało je o kolejnych kilka kroków.

Zajmujemy się czekaniem i milczeniem. Żarówka zapala się i gaśnie. W pomieszczeniu panuje dotkliwy chłód, tak jakby na zewnątrz było minus dwadzieścia stopni, a w środku nie działało ogrzewanie.

Może na zewnątrz jest rzeczywiście minus dwadzieścia stopni. Może jesteśmy na innej, złej planecie.

W rzeczywistości teraz kuchnia moich rodziców tak nie wygląda. To kuchnia sprzed kilkunastu lat, przed dwoma remontami, jeszcze z szafkami ze sklejki, kafelkami w kolorach lodów pistacjowych, starą, gazową kuchenką. Naklejkami z filmów studia Hanna-Barbera na lodówce. Jednak mojej matce, ojcu, wujkowi, ciotce – wszystkim przybyło lat. W sumie wyglądają na jeszcze starszych. Ich twarze są ściągnięte do dołu, ziemiste. Usta zaciśnięte. Oczy wpatrzone w jeden nieokreślony punkt. Co chwila chrząkają, drapią się po głowach, patrzą po sobie nawzajem, aby tylko wykonać jakiś gest, aby udowodnić sobie nawzajem, że jeszcze nie umarli i płynie w nich krew.

Wszyscy palą, mój ojciec również – zastygły, wpatrzony w blat, chociaż rzucił papierosy jakieś piętnaście lat temu. Moja matka stoi wciśnięta w szafkę kuchni, przyciśnięta do niej całymi plecami, tak jakby chciała, aby mebel wchłonął ją do środka, do jakiegoś ukrytego, bezpiecznego pomieszczenia.

– Jak się czujesz? – pytam moją matkę.

Nie odpowiada, kręci tylko delikatnie głową i patrzy na mnie, jakbym był pięciolatkiem, nierozumiejącym powagi sytuacji, biegnącym dookoła. Wtedy słychać pukanie do drzwi. Wszyscy podskakują, jakby ktoś nagle podłączył do podłogi napięcie 230 V. Mój ojciec gasi papierosa i wstaje; na stojąco sprawia wrażenie starszego o kilka lat, porusza się, jakby miał chory kręgosłup. Podchodzi do drzwi. Reszta rodziny odruchowo przysuwa się do siebie o parę centymetrów.

Wyglądam na korytarz, kogo chce wpuścić do środka

mój ojciec, ale niewiele widzę; jedynie szuranie, jakieś zdawkowe przywitania. Strach, który powinienem czuć od samego początku, dopiero teraz we mnie wybucha, wypełnia mi żołądek jak parę litrów nagle wpompowanej do niego wody. Chce mi się wymiotować. Kręci mi się w głowie. Usta mojej matki zaciskają się w jedną, cieniutką kreskę. Opieram się o ścianę.

Patrzę jeszcze raz na leżące na biurku talerze i nagle rozumiem – to był już ostatni posiłek, nie ma już więcej jedzenia, nie ma nawet skąd go zdobyć. W promieniu wielu, wielu kilometrów od tego miejsca nie ma nic i nikogo. Wszystko zostało przeszukane i zjedzone.

Rozumiem też, że nie możemy stąd wyjść, z tej kuchni.

Do pomieszczenia wchodzi dwóch mężczyzn. Jeden z nich, ubrany tylko w biały podkoszulek na ramiączkach, przypomina wielką, czarną plamę. Jednolity tatuaż pokrywa prawie całe jego ciało oprócz twarzy. Ma krótko ostrzyżone włosy, dziwne spodnie, które leżą na nim jak luźny bawełniany dres, ale sprawiają wrażenie, jakby były ze skóry. Drugi, niewiele mniejszy od niego, ma długą brodę i nosi długi, wytarty płaszcz. Nie wiem, który z nich wzbudza większy lęk; są jak dwa czarne, ujemnie naładowane obiekty. Przestrzeń, do której wchodzą, wydaje się tak ogromnie przez nich wypełniona, że zaczyna się zakrzywiać.

Nie wiem, co nam zrobią, ale gdzieś w mojej głowie pojawia się myśl, prośba, aby zabili nas szybko. Aby nie przyszło im do głowy jakieś zbyteczne ubarwianie tego procederu.

Mój ojciec robi im miejsce przy stole. Wstaje i podchodzi do matki, staje obok niej. Mężczyźni siadają. Wytatuowany nie mówi nic. Brodaty podnosi drobny kawałek zimnego mięsa z talerza i powoli wkłada je sobie do ust. Żuje długo, powoli, pozwala rozpuścić mu się w ustach, jakby mięso było czekoladą.

Dopiero po niezmiernie długiej chwili mój ojciec pyta:

– Co możemy zrobić?

– Możemy tylko czekać – odpowiada brodaty.

Jego głos jest tak samo wypłowiały i matowy jak jego płaszcz.

– Jak długo? – pyta moja matka.

– Nie wiem – odpowiada.

– Jak długo? – powtarza moja matka.

– Nie wiem. Macie jeszcze jedzenie? – pyta brodaty.

– Już nie – mówi matka.

Brodaty kręci głową. Rozgląda się po kuchni. Powoli wypuszcza powietrze.

Zaczynam rozumieć i strasznie, strasznie zaczyna chcieć mi się śmiać.

– Możecie nam pomóc? – pyta mój wujek.

– Nie mam pojęcia – odpowiada wytatuowany. – Przecież słyszeliście. Można tylko czekać.

Próbuję powstrzymać śmiech, czuję się jak małe dziecko w kościele, któremu kolega opowiedział na ucho dowcip. To wgniatanie rechotu z powrotem w siebie bardzo boli, ból sprawia, że napływają mi do oczu łzy. Ale mimo to zaczynam się śmiać, a oni wszyscy patrzą na mnie z coraz większym obrzydzeniem, kręcąc głowami, zażenowani, przestraszeni, i jedynie tych dwóch drabów siedzi dalej przy stole, kompletnie nieruchomych, zastygłych, wpatrzonych w blat, jakby rozgrywali partię niewidzialnych szachów.

Dopiero teraz rozumiem, że to nie ich się baliśmy; oni byli naszą ostatnią nadzieją na pomoc. Wciąż nie mogę przestać się śmiać.

Coś się zbliża. Coś, co połknie nawet tę pustkę. Coś, co sprawi, że wszystko będzie ujemne. Zbliża się przemagnesowanie. Antymateria położy się na materii. Nic nie ma żadnego znaczenia, ale „nic nie ma żadnego znaczenia" to jeszcze zdanie, to jeszcze wyrazy, to jeszcze litery, a gdy przyjdzie to coś, wtedy nie będzie żadnych wyrazów, żadnych liter.

Wiem o tym wyraźniej we śnie niż o czymkolwiek na jawie.

Przypominam sobie o rozwiązaniu. Jest proste.

– Mam pigułki w moim samochodzie – mówię nagle, rozglądając się po wszystkich. – Naprawdę je mam. Wystarczy dla wszystkich. Wystarczy, że zejdę pod blok i zaraz wrócę. Mam ich mnóstwo.

– O czym ty mówisz, Jacusiu? – pyta moja mama.

– O pigułkach, mamo – odpowiadam. – Wszystko będzie dobrze. Już nic się nie wydarzy. Nie można powstrzymywać nieuchronnego. Trzeba je przyśpieszać, wyłącznie przyśpieszać.

– Marek, weź go uspokój – matka mówi do mojego ojca.

– Jacuś, nie mów tak, syneczku. Uspokój się – mówi mój ojciec.

Mój ojciec nigdy nie powiedział słowa „syneczku".

– Mamo, po prostu wszyscy zaśniemy, i wszystko będzie dobrze. Nie martwcie się. Nie lękajcie się – mówię i ponownie krztuszę się ze śmiechu.

– Przestań gadać takie bzdury, Jacuś, proszę cię, przestań – mówi moja mama.

– Jesteśmy razem, to najważniejsze – odpowiadam.

Ten wytatuowany wpatruje się we mnie długo, powoli, z uwagą, wyciera usta, a potem patrzy na to, co za oknem. Mruga oczyma.

– Nic nie poczujemy. Spuchną nam przełyki, zatrzymają nam się serca, ale nic nie poczujemy. Na samym początku stracimy przytomność. To tyle. To wspaniałe pigułki – mówię to swoim dorosłym głosem, który brzmi śmiesznie, który brzmi jak nie mój.

Widzę, że okropnie się boją. Bardziej niż ja. Ale wiem

też, że nie chcą zobaczyć tego, co przyjdzie. Zobaczyć tych, którzy przyjdą.

Nie ma żadnego ratunku. Jesteśmy jak osoby w ostatnim stadium raka, poddające się eksperymentalnej terapii polegającej na jedzeniu orzechów albo surowych, nieobranych cytryn.

Każdy nasz oddech, każdy nasz ruch, każde dotknięcie to przedśmiertny skurcz, gwałtowna ucieczka, całe nasze życie ciężko sapiemy, nierówno oddychamy, przerażeni rozglądamy się dookoła. To bardzo zabawne. Wszystko jest bardzo zabawne.

Śmierć. Życie to uniwersytet śmierci. Pomyłka. Klaps. Podłoga jest zimna, wstaję, znowu siadam. Kto pochowa ostatniego? Kto usłyszy dzwonek na przerwę?

Rozumiem już, że brodaty i wytatuowany są ze swego rodzaju policji, służby porządkowej. Że ich praca właśnie straciła sens i że po prostu przyszli tutaj się schronić.

Nic więcej. Nic mniej. Nareszcie sami do końca.

– Mam dla ciebie jeszcze kawałek czekolady – mówi mój ojciec. – Czy chcesz zjeść go teraz?

– Zaczyna się – mówi wytatuowany.

– Czy chcesz zjeść go teraz? – powtarza mój ojciec.

Delikatne drżenie idzie przez wszystko, przez podłogę, przez parapet, przez sufit, przez żyrandol.

Wstaję z podłogi, podchodzę do parapetu i patrzę przez okno.

Tak jak myślałem – parking, budynki, szaro, nieskończenie, bezkres, jakieś miasto, puste, opuszczone, daleko, już znika.

Ale niebo, niebo robi się brązowe jak gówno, jak lizol.

Mój ojciec wkłada sobie czekoladę do ust.

– Zaczyna się – mówi.

Jakby niebo było taśmą filmową, kliszą zżeraną przez kwas. Jakby ktoś zbliżał je do ogromnej zapalniczki, wypalał w nim dziury. Wielkie, białe bąble, jeden po drugim, jak chore chmury. Z dziur w brązowoszarym suficie, wiszącym nad wszystkim, przeziera czysta biel, biel, która parzy i po chwili odbiera wzrok.

Dociera do mnie z całą wyrazistością, że to nie jest ślepa siła; że to zapowiedź przyjścia kogoś, że to coś, co zaraz nastanie, jest świadome, jest podmiotem.

Znowu się śmieję. Śmieję się tak, że wszystko się we mnie turla.

– Masz jakieś pięć minut – mówi do mnie brodaty – by iść po te pigułki do swojego samochodu. Niech Bóg ma cię w swojej opiece.

– Wszyscy zaśniemy. – Uśmiecham się, podekscytowany. – Po prostu wszyscy zaśniemy.

Moja matka zaczyna płakać.

– Idź – mówi brodaty. – Biegnij.

08:50

Leżę w wannie od trzydziestu minut. Już nie zasnę. Nie ma takiej możliwości.

Czuję się, jakbym był chory. Bezsenność odbiera oddech jak założony na głowę foliowy worek.

Wariacje Goldbergowskie. W kółko jedna, zaczyna się w środku i po chwili urywa. Coś się otwiera, zamyka z powrotem. Szum wody. Gdy słyszę *Wariacje Goldbergowskie* bez szumu w tle – szumu wody, szumu miasta – wydają mi się niepełne, wyrwane z kontekstu.

Niedziela wcale nie jest moim dniem wolnym. W moim telefonie do głosu dochodzą ci, którzy muszą wciągać bez przerwy, aby normalnie funkcjonować. Niedziela to ich dzień. Żyją z nosem przystawionym do lustra. Z reguły zarabiają naprawdę grube pieniądze; są szefami grup inwestycyjnych, lobbystami, synami i zięciami ludzi z setki „Wprost", restauratorami, deweloperami. W sobotę zanadto się zamroczyli. Ich zapasy wyparowały. A przecież jest niedziela, wieczorem muszą zabrać dziewczynę do kina, odwiedzić jej rodziców, odwiedzić swoich rodziców, iść na zakupy, iść na basen, odpisać na zaległe e-maile, wykonać kilka telefonów. Nie wytrzymają tego dnia, nie udźwigną go bez nawciągania się. Dzwonią z reguły koło jedenastej. Wtedy budzi ich panika, ostrzegawczy trzask sufitu, który za chwilę spadnie im prosto na twarz.

Są też tacy, dla których bal po prostu trwa nieprzerwanie, jest stanem trwałym i niezmiennym, i oni są w nim zakonserwowani, to nieustanne tango jest dla nich jak oddychanie; nie wywołuje żadnych efektów ubocznych, poza twarzami starzejącymi się dwa razy szybciej niż w przypadku reszty ludzi. To właśnie oni uwielbiają dzwonić w niedzielę o dziewiątej rano: znani malarze, popularni gazetowi rysownicy, sześćdziesięcioletni żydkowie, którzy zdobyli fortunę na odzyskiwaniu kamienic i spekulowaniu złotem, a na emeryturze postanowili pędzić życie naelektryzowanych bon vivantów. Czasami odbieram od nich telefony, gdy sam nie skończyłem jeszcze pracy.

Chowam głowę pod wodę. Słyszę resztki muzyki, przypomina sygnał z daleka, sonar. Wynurzam się z powrotem. Łapię oddech. Biorę telefon do ręki, włączam w nim tryb samolotowy. Wiadomość od Paziny, wysłała ją dwie minuty wcześniej. Jakiś link. Nie wiem, o co jej chodzi. To jej poranna panika. Z wiekiem panikuje coraz częściej. Coraz bardziej zaczyna drapać ją jej własne nieszczęście. Coraz silniej zdaje sobie sprawę z tego, że ono nie odejdzie, może się najwyżej odrobinę wypolerować jak kamień, jak stary mebel; zacznie przyjaźnie śmierdzieć grzybem, zepsutym zębem, umierającym człowiekiem. Kobiety znoszą to o wiele gorzej, może dlatego, że w dzieciństwie składa im się znacznie większe obietnice szczęścia niż mężczyznom.

Niech wysyła swoje linki temu facetowi, z którym się

spotyka. O ile nie rozstała się z nim przez SMS-a chwilę po wejściu do mieszkania.

O ile cokolwiek. To wszystko nieważne. Za pięć dni wyjeżdżam. Będę nieczynny. Nieobecny. To będzie jak sen, jadę tam po to, aby spać. Cokolwiek zdarzy się pod moją nieobecność, gdy tylko pojawię się z powrotem, wszystko wróci do punktu wyjścia.

Dzwonek domofonu.

Wychodzę z wanny. Jest dziewiąta rano, niedziela. Ten domofon to jakaś pomyłka, gość sąsiada, szaleniec próbujący sprzedawać ludziom zepsute ziemniaki. Zamykam oczy na kilkanaście sekund. Po chwili domofon dzwoni znowu.

SMS od Paziny: *Otworz, kurwa.*

Owijam się ręcznikiem, otwieram jej, w międzyczasie zakładam spodnie. Zaczynam myć zęby, jeszcze raz, regularnie. Puka do drzwi tak szybko, jakby tu wbiegła. Otwieram jej. Jest zasapana, czerwona, wygląda, jakby przed kimś uciekała. Bez słowa wpuszczam ją do środka. Rozgląda się dookoła; robi tak, ilekroć tu wchodzi, jakby za każdym razem była tu pierwszy raz.

– Coś wybuchło? – pytam ze szczoteczką do zębów w ustach.

Nie słucha mnie. Pokazuje palcem na telewizor.

– Oglądałeś dziś telewizję? – pyta.

Wypluwam pastę.

– Nie – odpowiadam.

– No to patrz – mówi i podtyka mi telefon pod nos.

Odsuwam go.

– Uspokój się. Poczekaj chwilę. Chcesz się czegoś napić? Coś zjeść? – pytam i wychodzę do kuchni.

W misce do zupy mam hinduskie jedzenie dla alkoholików z wczoraj, zastygłe w jednobarwną breję, kamieniste. Poza tym nie mam nic innego. Jedynie herbatę i kawę.

– Herbatę czy kawę? – pytam.

– Nie mogłam zasnąć – mówi.

– Zrobię ci kawę – odpowiadam.

– To u niego byłeś wczoraj, tak? – pyta i wymienia nazwisko mojego najlepszego klienta. – Gdy kazałeś mi obserwować samochód.

– A co? – pytam.

– Kurwa – mówi i zaczyna czegoś szukać.

W końcu znajduje pilota. Włącza telewizor.

– Na pewno będą o tym mówić. To za gruba sprawa. Chyba że to wyciszą, ale to niemożliwe. Już przeciekło – gada do siebie, skacze po kanałach, stoi przed moim telewizorem jakby gotowa do biegu.

– Z mlekiem, cukrem? Nie mam mleka – poprawiam się od razu.

Wlewam wodę do czajnika, wciskam przycisk. Woda zaczyna cicho szumieć.

– Jest – mówi.

Program informacyjny. Prowadzący o twarzy, którą można byłoby pomylić z jakąkolwiek inną twarzą mężczyzny w jego wieku. W rogu zdjęcie mojego najlepszego klienta z zamazanymi oczami. Jego znane w całej Polsce nazwisko zostało skrócone do jednej litery. Mrużę oczy, podchodzę do telewizora, staję obok niej.

– O co chodzi? – pytam.

– Oglądaj – mówi.

– Dzisiaj w nocy znany dziennikarz i gwiazda telewizji Mariusz F. został zatrzymany przez policję pod zarzutem śmiertelnego potrącenia młodej kobiety z dzieckiem na przejściu dla pieszych. Jak podaje policja, wstępny raport toksykologiczny ujawnił w jego organizmie obecność alkoholu i narkotyków.

– Byłeś u niego wczoraj czy nie? – pyta Pazina.

– Z dziennikarzem nie ma żadnego kontaktu. Jego agent, a także telewizja NTV odmawiają komentarza w tej sprawie – mówi prowadzący.

Woda się gotuje. Czajnik pstryka. Podchodzę z powrotem do kuchni.

– Do tego, jak podają nieoficjalne źródła, przy dzienniKarzu znaleziono spore ilości kokainy oraz leków psychotropowych – mówi prowadzący.

– Niedobrze – stwierdzam.

– Co możesz zrobić? – pyta Pazina.

– Co masz na myśli? – odpowiadam pytaniem na pytanie.

Zalewam kawę wrzątkiem. Nie mam ekspresu, nie mam dobrej kawy, bo zawsze zapominam, żeby pojechać i je kupić.

– Żeby się chronić. Przecież pierwsze, co zrobi, to cię poda – mówi Pazina.

– Tu nie chodzi o to, czy on mnie poda, jak to mówisz, czy nie poda – odpowiadam.

– Ty jeszcze śpisz?! – podnosi głos.

Ona w ogóle nie spała. Mogła coś ćpać; ma podkrążone oczy i twarz w kolorze papieru ze starej książki.

– Usiądź. – Pokazuję jej palcem kanapę.

Po chwili robi to, niechętnie, kładzie dłonie na udach, wychyla się do przodu.

– Matka dziecka, lat dwadzieścia pięć, zginęła na miejscu – mówi prowadzący. – Dziecko, pięcioletnia dziewczynka, jest w stanie krytycznym.

– Nikt mu tego nie wybaczy – mówi Pazina. – Pięcioletnie dziecko, kurwa mać. On musiał być nieprzytomny. Będą mu zadawać pytania i on będzie na nie odpowiadał.

– On nie wie, skąd ma towar – mówię. – Skąd może to wiedzieć?

– Jak to, kurwa, nie wie?! – znowu podnosi głos.

– Z ostatniej chwili: macierzysta stacja zapowiedziała rozwiązanie kontraktu z Mariuszem F. w trybie natychmiastowym – mówi prowadzący.

– Wie tylko, jak mam na imię. – Wyłączam telewizor.

– Nie macie żadnych wspólnych znajomych? – pyta Pazina.

– To nie ma znaczenia. Może przyprowadzić na komendę tysiąc osób, i one będą wiedziały o mnie tyle samo co on. Zupełnie nic – odpowiadam.

Kręci głową. Upijam łyk kawy. Jest wstrętna, smakuje jak stara krew, jak ołowiana woda.

– Jedziemy coś zjeść? – pytam ją.

– Nie mogłam spać, trąbią o tym od samego rana – mówi Pazina. – Od razu musiałam ci o tym powiedzieć. Wiedziałam, że ty możesz nawet o tym nie usłyszeć.

– To nie ma znaczenia, mówię ci już drugi raz – przypominam. – Uspokój się.

– Możemy jechać, nie jadłam nic od wczoraj – mówi.

– Muszę zmienić numer – mówię po chwili, bardziej do siebie niż do niej.

– Jeszcze tego nie zrobiłeś? – pyta.

Zakładam koszulę i sweter, lekko spryskuję się perfumami, wyłączam muzykę, która grała przez cały czas, zagłuszana przez Pazinę. Dzisiaj też nie zasnę. Bezsenność staje się dodatkowym ciałkiem krwi, nieusuwalnym, wsiąka w człowieka na stałe jak smród w śmieciarza.

– Niedobrze, bo to był doskonały klient, który w dodatku zna paru innych świetnych klientów. Teraz oni wszyscy przez jakiś czas przestaną brać. Będą się bali. Paranoja się udziela ludziom błyskawicznie – mówię trochę do Paziny, a trochę do siebie. – Szybko też odchodzi. Ale parę miesięcy będzie do dupy.

– Paroletnie dziecko – mówi Pazina. – Kim się, kurwa, trzeba urodzić? On był w takim stanie, jak wychodziłeś?

– Stał prosto, mówił zdaniami – odpowiadam. – Oni muszą być w takim stanie, żebym w ogóle im coś sprzedał. Jak zaczynają drzeć mordę, jęczeć, wypuszczać hajs z rąk, wtedy nic się nie dzieje, nie ma żadnego handlu, nic nie dostają.

– Widziałam grupę niedaleko – mówi.
– Skąd wiesz, jak ich rozpoznać? – pytam.
– Uczyłeś mnie kilkanaście razy – odpowiada.

Ostatni łyk kawy, wylewam ją do zlewu. Nie mogę jej pić.

– Co zrobisz? – pyta jeszcze raz.

Nie wiem, co zrobię. To bardzo niedobra, napięta sprawa. On będzie robił wszystko, aby się z niej wydostać. Pójdzie na jakikolwiek układ. Nic nie ma dla niego większego znaczenia niż to, kim jest. Gdyby mógł, zabiłby, żeby to ocalić.

Muszę porozmawiać z Piotrkiem.

Muszę porozmawiać nie tylko z Piotrkiem.

– Chodźmy coś zjeść – mówię do Paziny.

10:20

„Pomelo" na Sienkiewicza to przystań, schronienie dla rozbitków. To swego rodzaju wystawa, na której można zobaczyć, do jakiego stanu można doprowadzić marynarkę za dziesięć tysięcy złotych i jak bardzo można mieć wymiętą twarz. To całodobowy bufet z żarciem, do którego kroki kierują wszyscy, którzy chodzą do klubów z selekcją; idą do „Pomelo" na sam koniec, tuż po tym, jak sami już wyselekcjonują w sobie wszystkie pozostałości po dobrym samopoczuciu i wyrzucą je za siebie do kratki ściekowej. To tutaj przychodzą im do głowy pierwsze przebłyski świadomości: gdzie poszły pieniądze, ile poszło w nos, kto był dymany w którym kiblu, kto kogo zdradził. To tutaj zaskakuje ich brak serotoniny. To tutaj omdlewają przy świeżo wyciskanych sokach.

Kelnerki z „Pomelo" mają nieruchome, zimne twarze terapeutów z Monaru. Widziały wszystko. Z reguły nic nie mówią, nie muszą mówić. Nie muszą być miłe. Nie uśmiechają się na widok napiwków w formie zmiętych stuzłotówek. Nie reagują na widok twarzy nagle lądującej w talerzu z jajecznicą. Nie są zdziwione, że ktoś nie może wypowiedzieć nazwy tego, co chce zamówić, nawet jeśli sprowadza się to tylko do wyrazu „kawa": że potrafi jedynie pokazać to palcem w menu.

Pazina pije trzecią kawę, patrzy w smartfon ze skupieniem kogoś studiującego podręcznik do filozofii. Ja szukam pewnego numeru w starym telefonie. Dawno go nie potrzebowałem, zwłaszcza że jest to numer, którego wolę nie mieć, pod który wolę nie dzwonić.

Gdzieś jest.

– Dziecko będzie żyć – mówi, odrywając nagle wzrok.

– Za dużo o tym myślisz – odpowiadam.

– To ty za mało o tym myślisz – mówi. – Czy ty naprawdę uważasz, że nikt nie będzie próbował cię znaleźć? Że ktoś będzie szukał ludzi, którzy są nad tobą? Ty im wystarczysz. Ludzie, którzy są nad tobą, są bezpieczni, Jacek.

– Skoro tyle wiesz, dlaczego nigdy nie dzieliłaś się tą wiedzą, Pazina? – pytam.

Irytuje mnie jej histeria. Nic nie irytuje mnie tak jak histeria; nic tak nie oddala od obiektu obserwacji.

– Pomyśl o tych nagłówkach – zniża głos do szeptu. – Diler, który sprzedał... Noż kurwa. To będzie tak, jakbyś ty zabił to dziecko.

– Dziecko będzie żyć – przypominam jej.

– Czy ty dzisiaj rano postanowiłeś zostać debilem? – pyta Pazina. – Naprawdę?

– Siemasz – słyszę głos.

Przez chwilę go nie kojarzę. Wygląda jak jeden z bohaterów programów w stylu *Co za tydzień*, które migają mi między ósmą a dziewiątą rano – przylizany goguś okutany w totalne bezguście, w sportowych butach z pumpami, spatynowanych dżinsach, złej marynarce z zakasanymi rękawami. Wygląd krążącego po bankietach dupka niewiadomego pochodzenia. Ale po chwili go poznaję. Pamiętam go, gdy jeszcze parę lat temu wolał flanelowe dresy, srebrne łańcuchy i bluzy firm, które brały swoje nazwy ze słownika synonimów – Metoda, Koneksja, Triumwirat. Teraz ma zarost sprawiający wrażenie naniesionego na twarz rozpylaczem i marchewkowo-nowotworowy kolor skóry.

– Cześć – odpowiadam.

– Można? – pyta.

– Siadaj – mówię.

– Jestem Ksawery – przedstawia się Pazinie.

– Pazina – odpowiada Pazina.

– Ciężka noc, co? – pyta, siadając.

Podchodzi kelnerka. Ksawery uśmiecha się, ma idealnie równe i wybielone zęby. W czasach, gdy widywałem go częściej, jego zęby też były równe, z wyjątkiem dwóch przednich, których nie posiadał.

– Poproszę jajka po benedyktyńsku i herbatę – mówi.

Przed oczami miga mi jego zegarek. Certina, elementy z białego złota. Jakieś sześćdziesiąt tysięcy. Nawet dobry gust. W porównaniu z resztą jego osoby ten zegarek wygląda jak mucha na plakacie.

Zarobił na ten zegarek, handlując heroiną. Pewnie robi to do teraz. Handlowanie braunem uzależnia tak samo jak jego branie, to najlepsze i najszybsze pieniądze, nieporównywalne w stosunku do kokainy z bardzo prostych powodów. Każdy twój klient jest twoim dożywotnim klientem i zrobi wszystko, aby dostać to, co mu sprzedajesz. Już przy pierwszym zakupie podpisujesz z nim dożywotni program lojalnościowy. Potem kupi twój towar po każdej cenie. Gówniany, zanieczyszczony, brudny; oczywiście nie może być zbyt zanieczyszczony, bo wtedy szybciej nastąpi wyegzekwowanie owej dożywotności.

Niektórzy twierdzą, że handlarze heroiną to najgorsze kurwy. Że rzeczywiście handlują śmiercią, że namacalnie przykładają się do niszczenia cudzego życia. Jest w tym odrobina prawdy. Kokaina nie rujnuje ci pracy. Nie niszczy twojej rodziny. Nie wyprowadza cię ze świata tylnym wyjściem, nie pisze za ciebie pożegnań. Pozwala żyć, a nawet chwilowo ulepsza twoje funkcjonowanie, czyni je znośniejszym. Owszem, podpala twoje inhibitory serotoniny, ale nie podpala twojej duszy. Nie zamienia cię w trupa, nie usuwa ci zębów, nie zamienia ci żył w próchno. Niektórzy uważają, że handlarze heroiną są źli, zarażeni złem strażników z obozów koncentracyjnych. Ja nie jestem od tego, aby pisać komuś na czole wyraz ZŁY. Nie jestem od oznaczania kogokolwiek.

Sprzedawcy brauna przypominają mi małe gady. Tłuste, najedzone owadami, opite ich krwią. Leżące w gniazdach z brudnych pieniędzy. Bardzo spokojne; handlarze heroiną są prawie tak spokojni jak ich klienci.

Widzę, jak bierze do rąk filiżankę z kawą, i już wiem, że dalej robi to, co robił.

– Słyszałem, że się grubo szykujecie na Śródmieście – mówi.

– Co znaczy: grubo? – pytam.

– Te hipsterownie w centrum. Słyszałem, że się kręcicie. Wiesz, ja nie siedzę w imprezach – dodaje i mruga okiem.

Wszystko jasne. Patrzy na swoją certinę, powoli, abym o niej nie zapomniał.

– Zawsze ktoś kręci się wokół czegoś – odpowiadam.

– Słuszna uwaga – dodaje. – Dla ciebie to musi być żyła złota, kurwa. Ale ja też ostatnio nie narzekam.

– Nigdy nie narzekałeś – odpowiadam.

To prawda. Zawsze był z siebie zadowolony.

Kelnerka przynosi mu jego jajka po benedyktyńsku. Przez chwilę dokładnie je ogląda, jakby szukał mikroskopijnych zabrudzeń.

– Słyszałem, że plują tu do jedzenia – mówi.

– To czemu tu przychodzisz? – pyta Pazina.

– Bo jest niezłe, nawet jeśli do niego plują – mówi, odkrawa widelcem połowę posiłku i ładuje go sobie do ust.

Je brzydko, mlaszcze. Jest z Gocławia, z rodziny, w której nie nauczono go normalnie jeść.

– Wszędzie plują do jedzenia – zwracam mu uwagę.

– Słuchaj, braun ma wielki powrót – mówi z pełnymi ustami. – To kwestia stresu. Ludzie nie wytrzymują tempa. Muszą się schładzać, bo inaczej pierdolną. W korpo, w telewizjach jest totalna śruba. Ludzie pracują ze spluwami przy łbie. Nie znają dnia ani godziny. Muszą wyrabiać trzysta procent normy. Wieczorami walą twój towar, nad ranem walą mój. Albo odwrotnie. Psychotropy przestają na nich działać, uodparniają się już na wszystko.

– Można jeszcze biegać – zauważa Pazina.

Odpowiada, nie spoglądając na niego, znów wpatruje się w swój telefon.

– To nic nie daje – odpowiada. – Tak jak dymanie. To stresuje ich jeszcze bardziej. To tylko kolejne zawody. Więcej dymać, dłużej biegać. Lepiej dymać, więcej biegać. A jak zajarasz? Nie muszę zresztą nic tłumaczyć. To dla nas cudowne czasy – mówi, odwracając się do mnie i patrząc mi w oczy.

– Czy kiedyś były złe? – pytam.

– Kryzys w roku dwa tysiące ósmym cię nie pierdolnął? – pyta.

– Nie. – Kręcę głową. – Moich klientów kryzysy nie dotyczą.

– No tak, na to zawsze mają. – Uśmiecha się. – Jak na chleb.

Z uśmiechem ładuje sobie do ust drugą połowę śniadania. Jedzenie ledwo mieści mu się w gębie. Powoli mlaszcze, zamyka oczy, całym sobą skupia się na procesie pochłaniania. Pazina odwraca się z obrzydzeniem. Wracam do telefonu. Numer. Jest.

Musze sie spotkac – piszę.

Wyciera usta chusteczką. Wstaje. Patrzy na certinę. Pazina nie zwraca na niego jakiejkolwiek uwagi.

– Otworzyłem ostatnio siłownię. Na Emilii Plater – rzuca nagle i znikąd. – Świetny sprzęt, fajne chłopaki trenują. Kilkadziesiąt stanowisk. Zadzwoń do mnie, dam ci karnet.

– Nie mam czasu na sport – odpowiadam – ale dzięki.

– Jesteś za chudy. Mógłbyś dojebać. – Taksuje mnie wzrokiem. – Wiesz, to jak marynarki. Ludzie zwracają uwagę na takie rzeczy.

– Tak, to jak marynarki. Jak zegarki. Na razie – odpowiadam.

15 – odpowiedź.

Wiem, gdzie mam jechać.

On wychodzi. Na pożegnanie jeszcze raz macha swoją certiną. Odbija się od niej światło, przez chwilę wygląda, jakby do nadgarstka miał przyczepioną latarkę.

– Co to za chuj? – pyta Pazina.

– Nie ma żadnego znaczenia – odpowiadam.

– Wpłacił kaucję. Wypuścili go do domu – mówi, pokazując mi ekran smartfona.

– To nie jest kwestia kaucji. To kwestia tego, że na coś się zgodził – odpowiadam.

– Mówiłam ci – odpowiada.

– On jeszcze wyjdzie na tym wszystkim na swoje – stwierdzam. – To człowiek, który zawsze na wszystkim wyjdzie na swoje.

Podchodzi do nas kelnerka, kładzie rachunek na stole. Nawet na nas nie patrzy. Jakiś facet w rogu sali zaczyna śpiewać sam do siebie bezładną piosenkę, jego mózg uruchomił widocznie jakiś przypadkowy fragment ostatniego wieczoru. Nikt nie zwraca na niego najmniejszej uwagi.

– Nie myślisz o tej dziewczynie? – pyta nagle Pazina.

– A sprzedawca z monopolu, który sprzedał mu wódę,

również ma o niej myśleć? Znajdź go, Pazina. Znajdź tego faceta i go o to poproś. – Kładę pieniądze na stole.

Przez chwilę patrzy na mnie wzrokiem niemowlaka, któremu ktoś recytuje wiersz.

– Podrzucić cię gdzieś? – pytam.

– Do domu. Może pójdę spać – stwierdza.

Chowa telefon do kieszeni i wstaje. Wstaję razem z nią. Wychodzimy na zewnątrz.

– Zrób coś dla mnie – mówi jeszcze, idąc powoli do mojego samochodu, jakby wypadło z niej już całe to podniecenie, ta niezdrowa energia – odzywaj się do mnie i rozglądaj się dookoła. Wiem, że powiesz mi teraz, że zawsze to robisz, ale rób to.

– Zawsze to robię, Pazina – odpowiadam.

Nie spoznij sie – jeszcze jeden SMS.

Zatrzymuję się, aby go przeczytać, a wtedy Pazina na chwilę chwyta się mojego ramienia i zaraz puszcza, jakby straciła na moment równowagę i miała się przewrócić.

15:00

Te bary z chińskim żarciem to prawda. Oni siedzą tam bez przerwy, od rana do wieczora, na zmiany. Jedzą tylko to, jakby ich żołądki nie potrafiły już trawić niczego innego niż rozgotowany ryż, śmierdzące i stare mięso utopione w słodkim sosie. Akurat ten bar jest nieopodal metra Marymont, na tyłach hali, wciśnięty między bloki. Ma wielkość niewielkiego pokoju. Na ścianie biała lamperia. Napis XIANG BAO wykonany z samoprzylepnych liter. Kalendarz z azjatyckim tygrysem, wazoniki z chińskiego supermarketu. Wystarczy, aby przeprać forsę z heroiny, mefedronu, burdeli, handlu bronią, czegokolwiek. W środku cuchnie, wchodząc, muszę zakryć nos; śmierdzi tłuszczem i cukrem, starym i zakrzepłym, oblepiającym ściany grubymi warstwami. On siedzi w środku. Je sajgonki. Mlaszcze. Na pozór nie wygląda jak pies. Ma brodę, bluzę, czapkę z daszkiem, kolorowe dresowe spodnie, przypomina alimenciarza przebranego za lekko spleśniałego nastolatka. Równie dobrze mógłby być operatorem w telewizji. Je powoli. Pije colę. Smród mu nie przeszkadza, ale typom z policji, zwłaszcza z kryminalnej, w ogóle nie przeszkadzają brzydkie zapachy.

– Siadaj – mówi.

Oni zawsze wydają polecenia, nawet gdy nie jest to potrzebne. Mają to we krwi. Nie potrafią mówić w innym trybie niż rozkazujący.

Ma czterdzieści lat. Na imię Marek. Mieszka niedaleko, na Starym Żoliborzu. Dobrze się ożenił, z dziewczyną z lekarskiej rodziny. Pracuje w kryminalnej, jest podkomisarzem, i chyba na tym już zakończy, trafił na szklany sufit. Ma dwójkę dzieci. Jeździ dziesięcioletnim volvo. Pali dużo papierosów i dużo pije, więcej, niż mówi żonie, mniej niż przeciętny pies. Wiem o nim praktycznie wszystko. Inaczej nie zamieniłbym z nim nigdy ani słowa.

Nasz układ jest prosty. On wie swoje i potrzebuje kasy. Ma swoje małe, ukryte hobby, i to hobby potrzebuje alternatywnych źródeł dofinansowania. Lubi ruletkę i maszyny. Do tego stopnia, że paru chłopaków już go za to naliczyło, więc nie boją się wykonywać z tej okazji nocnych, grzecznościowych telefonów. Robi wszystko, żeby odgrodzić od tego dzieci i żonę. Gdyby się dowiedziała, prawdopodobnie wystawiłaby mu wtedy rzeczy za drzwi już po pięciu minutach.

Poza tym nie jest głupi. Chla dużo, ale jednak nie tyle co jego koledzy z pracy. Trzyma się w cieniu, jest rozważny. Pewnie stąd pogodzenie się ze szklanym sufitem; wie, że próba przebicia go mogłaby odciąć mu łeb.

– Jesz coś? – pyta.

Czyści talerz z sosu resztką sajgonki. Kręcę głową.

– Co się dzieje? – pyta ponownie.

– Mój klient ma problem. Muszę wiedzieć, w jakim stopniu to jest mój problem – odpowiadam.

Parska śmiechem. Wyciera dokładnie usta chusteczką. Patrzy na mnie, rozbawiony w ten wkurwiający sposób jak piłkarz, który właśnie się zorientował, że przejął piłkę i że między nim a siatką jest już tylko bramkarz.

– Jak dzieci? – pytam.

– Dobrze – odpowiada – bardzo dobrze. Parę tygodni temu z młodym był problem. Szpital, gorączka, podejrzenie sepsy. Ale wszystko się unormowało. Dzięki, że pytasz.

– To dobrze – odpowiadam.

– Źle wyglądasz – zauważa.

– Nie śpię – mówię i dodaję: – Potwornie tu śmierdzi.

– Nie śmierdzi, tylko jebie gównem – odpowiada.

Bierze łyk coli, wciągając płyn do ust, cmoka. Młoda, chuda Wietnamka podchodzi i momentalnie zabiera mu talerz sprzed nosa. Jeszcze cicho pomlaskuje, jakby celowo, aby zagrać mi na nerwach. Wyciera nos. Patrzy na mnie bardzo uważnie.

– Niewiele mogę ci powiedzieć – mówi.

Sięgam do kieszeni, a on dodaje:

– To jest ten moment, w którym dasz mi prezent. Ja ci za niego podziękuję. Ale to nie sprawi, że powiem coś szczególnie więcej, rozumiesz.

– Sepsa, mówiłeś? To chyba bardzo poważna choroba – mówię.

Kładę na stole dziesięć tysięcy. Przesuwam w jego stronę, on chrząka, chowa je do kieszeni bluzy, stara się nie patrzeć na pieniądze.

– Mówiłem ci, że już wszystko jest w porządku – odpowiada.

Jest nawet zabawny. To znaczy uważa siebie za jeszcze inteligentniejszego i zabawniejszego, ale to zrozumiałe, funkcjonuje w przestrzeni, w której większość ludzi cierpi na zgąbczenie mózgu. Musi nimi zarządzać, musi słuchać ich poleceń. Pić z nimi wódę. Wklepywać nieskładne raporty w komputery znacznie starsze od własnych dzieci.

Nikt nie wie, że z nim rozmawiam.

– Chodźmy do mojego samochodu – mówi.

Kiwam głową. Wstajemy, wychodzimy, idziemy na parking; on wciąż trzyma dłoń w kieszeni bluzy, na pieniądzach. Zapala papierosa. Wsiadamy do auta. Pali też w środku, i to czuć; w środku jego samochodu śmierdzi jeszcze gorzej niż w tej budzie. Do tego chlew. Skajowa tapicerka. Radio z magnetofonem kasetowym. Wszędzie puszki po energetykach, opakowania po żarciu z McDonalda, skoroszyty. Z tyłu fotelik dziecięcy w kolorze brudnego różu, przepięty pasem.

– Całe życie spędzamy w samochodach, co? – pyta.

– Nie mów o nas w liczbie mnogiej – odpowiadam.

– Daj spokój. Jesteśmy w tym razem. Turlamy się tym samym pojazdem. Ludzie nade mną i ludzie nad tobą znają się od lat, są jak kumple z podwórka – mówi. – Nawzajem wpadają na wesela swoich dzieci.

Nie wiem, po co w ogóle to mówi. Zaczynam się niecierpliwić. Zaczynam podejrzewać, że po godzinie paplania takich banałów powie mi coś, co już doskonale wiem.

– Problem zaczyna się wtedy, gdy jest na przykład susza. Nie było deszczu od miesiąca, dwóch – mówi dalej, odpalając jednego papierosa od drugiego. – Wtedy trzeba kogoś złożyć w ofierze. Jakąś dziewicę.

– Za coś ci zapłaciłem – przypominam mu.

– Nie myśl, że traktuję nas jak spółkę – odpowiada – ale pomagamy sobie nawzajem, to nie ulega wątpliwości.

– To mi pomóż – mówię.

Włącza muzykę, jakiś czerstwy, stary rock w rodzaju Red Hot Chili Peppers, wyłącza telefon. Patrzę na niego w skupieniu.

– Jestem przy tej sprawie – mówi. – Bardzo dużo chłopaków jest teraz przy tej sprawie z oczywistych powodów. Kamera lubi tłum. Nie wiem, na jaką poszedł ugodę, nie wiem, co zaproponował jego adwokat. To już nie są pytania do mnie. Wiem, że towar poszedł do nas do magazynu i wiem, że przynajmniej będą udawać, że próbowali dojść, skąd go wziął.

– Chcę wiedzieć, czy mnie podał – mówię.

– Chcesz wiedzieć, czy wie, gdzie cię szukać? – pyta.

Kiwam głową.

– Z tego, co widzę, jesteś mądry – mówi. – A jeśli jesteś mądry, to nic, co masz, nie jest na twoje nazwisko.

– Nie ma mnie – odpowiadam zgodnie z prawdą.

Jestem zameldowany w Olsztynie, w mieszkaniu babci, w którym mieszka teraz mój kuzyn ze strony matki. Jestem tam zarejestrowany jako bezrobotny. Mieszkanie, w którym mieszkam, kupiłem za gotówkę; jest własnością osoby, która nie istnieje. Klitka, w której trzymam towar, jest przepisana na siostrę Paziny. Samochód, którym jeżdżę, jest w leasingu na firmę mojego hurtownika, która handluje przez internet akcesoriami do telefonów komórkowych. Wszystkie moje telefony są na karty *prepaid*. Mam kilka różnych dowodów osobistych, kilka różnych numerów PESEL. Nikt nie wie, jak naprawdę się nazywam, bo moje prawdziwe nazwisko straciło już znaczenie. Zgubiło się, rozwodniło. Pieniądze potrafią postawić cię obok. Jeśli chcesz, pieniądze potrafią cię wymazać. Zainwestowałem w to bardzo dużo, ale to była najlepsza z możliwych inwestycji.

– Będą potrzebowali trochę czasu, żeby cię znaleźć – mówi.

– Więc już zaczęli mnie szukać? – pytam.

– Nigdzie nie wyjeżdżasz? – odpowiada pytaniem.

Kiwam głową.

– Więc zostań tam dwa razy dłużej, niż planowałeś –

mówi. – Ofiara będzie niezbędna. Bóg chce krwi. I powiem ci, że ten twój gwiazdor jest bardzo poukładany. Teraz niby wszyscy się od niego odwracają, ale robią to przed kamerami. On ma kolegów, którym wiele pomógł. Oni mu się odwdzięczą.

– Więc próbował się na mnie rozjebać – mówię.

– Nikt nie będzie szukał dalej niż ty. Nikt nie będzie patrzył wyżej niż twój łeb – mówi. – Nikogo nie będzie to interesować. Wiesz, jak jest. Dla zwykłego Andrzeja, który ogląda telewizję, to ty wyprodukowałeś towar, rozprowadziłeś, a następnie zmusiłeś wszystkich, aby go od ciebie kupowali. To nie jest w ogóle sprawa kryminalna, pamiętaj. To jest sprawa telewizyjna.

– I to tyle? – pytam.

– Przecież masz od chuja pieniędzy – mówi. – Zostań dłużej tam, gdzie jedziesz, mówię ci.

Do baru, z którego właśnie wyszliśmy, wchodzi para umundurowanych krawężników. Ciężko sapią, poruszają się powoli, jakby mieli na plecach niewidoczne plecaki pełne cegieł. Nawet nie patrzą w naszym kierunku. Zza chmur wychodzi słońce. Oświetla to, co przedtem było schowane – główny składnik rzeczywistości: szarawą breję, która jest w środku i na zewnątrz wszystkiego, pokrywającą bruk, zbutwiałą trawę, sterty śmieci.

– Masz trochę czasu, zanim cię rozpracują – mówi. – Zobacz. Ja siedzę z tobą w jednym samochodzie. I nic o tobie nie wiem.

– I tak niczego byś się nie dowiedział – mówię i dodaję: – Następna konsultacja za darmo.

– Posłuchaj, chłopie. – Patrzy na mnie z przekąsem. – Musisz naprawdę bardziej wczuć się w specyfikę naszej sytuacji.

– Nie dzwoń i nie pisz. Tego numeru już nie ma. Wiem, gdzie cię znaleźć – mówię.

– Pozdrowię żonę i dzieci – odpowiada.

Wysiadam z jego samochodu. Odchodzę od niego szybko, wycierając płaszcz z czegoś niewidzialnego, ale śmierdzącego, lepkiego, co przykleiło się do mnie w środku. On zostaje w aucie jeszcze przez chwilę. Kątem oka widzę, jak przelicza pieniądze, zwilżając palce językiem.

20:40

– Naprawdę schudłem, kurwa, moja żona mówi mi, że teraz wyglądam niezdrowo – mówi, po czym wbija widelec w sałatkę i wkłada do ust połowę zawartości talerza.

Szybko żuje i gryzie, jeszcze szybciej połyka. Ma wyraz twarzy kogoś, kto przegrał zakład i musi zjeść coś niejadalnego: piach, kamienie, zgliwiały papier. Kelnerka, na oko dwudziestoletnia blada brunetka o sarniej twarzy, już ma odejść, ale on zatrzymuje ją ręką.

– Kochanie, mówiłem, bez dressingu, koteczku. Nie mogę sosów. Lekarz zabronił – mówi.

Ona kiwa głową, zabiera talerz.

– Przecież właśnie to powiedziałem. Że schudłeś – przypominam mu.

Kręci głową, bo nie ufa niczemu. Piotrek nie ufa nawet temu, co zaufani ludzie mówią mu w cztery oczy. Nie ufa niebu, że jest niebieskie, samochodowi, że jedzie; nie ufa faktom.

W tym półmroku niewiele widać, ale zdaje się, że rzeczywiście wygląda lepiej; ma mniej przekrwioną twarz, zaczyna wyglądać na swój wiek, czyli czterdzieści cztery lata, a nie na dziesięć więcej. Już nie wylewa się ze swoich ubrań, które są co prawda tak samo wstrętne, jak były – koszule w kratę, flanelowe, sportowe marynarki, buty zakończone w szpic. Lekko nażelowane włosy, srebrny, ale dyskretny łańcuch. Naprawdę wygląda lepiej. Jedna z jego utrzymanek musiała skomentować jego wygląd; jedna z utrzymanek, bo przecież żona w ogóle się do niego nie odzywa.

Jest typem jowialnego szwagra, który zawsze opowie dowcip o trzech blondynkach i plamie spermy na chodniku i który tańcząc z panną młodą, uszczypnie ją w tyłek. Ma w sobie coś z właściciela sieci myjni samochodowych, z króla dachówek z Ostrołęki, chociaż utrzymuje, że jest najprawdziwszym z warszawiaków, i to od trzech pokoleń. Twierdzi, że jego babcia była łączniczką w Zgrupowaniu „Radosław".

Oni wszyscy są tacy jak Piotrek. Mili. Spokojni. Serdecznie uśmiechnięci. Zrobieni z tłuszczu i pluszu. Uśmiech Piotrka siedzi na stałe w twarzy Piotrka, przypominającej schłodzony w lodówce klops. Piotrek jest naprawdę sympatycznym gościem. Lubi zdrobnienia. Do kobiet mówi, używając zwrotów typu „kochanie", „skarbie", „misiaczku", „na kolanka". Do mężczyzn – „misiu", „ziomeczku", „koleżko", „kochaniutki". To jest miłe, ale jest też jak ropa zbierająca się pod korzeniem zęba, jak jeszcze niewidoczny wrzód. Piotrek do tego jest zabawny. Po pijanemu zaczyna wcielać się w różne postaci. Urządzać różne zabawy. Raz jest księdzem, który spowiada dziewczyny na kolanach. Innym razem alfonsem. Jeszcze innym – rosyjskim oligarchą.

Wtedy wszyscy jego przyjaciele śmieją się tak, jakby ktoś powkładał im w gardła taśmy ze śmiechem innych osób. Wiedzą, że muszą się śmiać, więc śmieją się dwa razy głośniej niż rzeczywiście rozbawieni ludzie.

Piotrek jest bardzo miłym facetem. Nigdy się nie pokłóciliśmy. Nigdy nie próbowaliśmy się oszukać. Piotrek dobrze wie, że udane interesy robi się tylko na gruncie dobrych relacji interpersonalnych. Zresztą oni wszyscy to wiedzą, wszyscy już odrobili lekcję lat dziewięćdziesiątych, tu już nic nie wygląda jak w komedii Machulskiego, jak w serialu *Tygrysy Europy*.

Gdybym próbował go oszukać, byłbym już – w najlepszym wypadku – inwalidą. Niezależnie od tego, jak bardzo mnie lubi.

– Jadłeś coś? – pyta. – Musisz jeść. Poczekaj, zamówię ci coś.

– Nie jestem głodny – informuję go.

– Kochanie! – woła kelnerkę. – Kochanie! Chodź tu.

Kelnerka o sarniej twarzy podchodzi z powrotem. On muska jej dłoń.

– Kochanie, przynieś Jacusiowi pyszności. Same pyszności – mówi.

– Co konkretnie? – pyta dziewczyna.

– No wszystko, co dobre. Hummusik jakiś. Może jakieś curry, coś ostrzejszego. Zupkę. Ten serek grillowany, taki dobry, z tym sosem orzechowym. To przecież najlepsze, co może być.

Nie ma sensu tłumaczyć mu, że nie jestem głodny.

– Musisz jeść. Jesteś chudy – stwierdza Piotrek.

Na twarzy kelnerki widać jakiś dyskomfort. Ale musi być dla niego miła i czarująca, musi nachylać się do niego bliżej niż do innych klientów, bo to miejsce, dziwne połączenie nocnego klubu, drink baru i *sheeshy*, jest jego biurem, jego pałacem, jego własnością. Domem. Gdyby ktokolwiek chciał mu cokolwiek zrobić, zawsze wiedziałby, gdzie go znaleźć. Ale on nie da sobie nic zrobić. W tej jego ziemniaczanej postaci, pod aparycją małomiasteczkowego kasztana, który nawet w garniturze Brioni i z zegarkiem Patek będzie wyglądał na wodzireja, jest schowana nieśmiertelność, odporność na kule. Pod tym pluszem i pod tym tłuszczem, i pod tymi koszulami jest wszczepiony tytan. Piotrek wie, jak pozostać żywym i bogatym. Nawet o tym nie myśli, to jego instynkt, czuje to węchem.

Kelnerka w końcu odchodzi, ale po niej zjawia się menedżer. Dalej nie zadałem Piotrkowi pytania, z którym przyszedłem. Cały czas mówi o chudnięciu, sporcie, basenach i squashu, w którego raz próbował zagrać, i przez to prawie umarł.

Zresztą mnie nie interesuje squash. Interesuje mnie kupienie od niego za gotówkę dwóch kilogramów kokainy o trzydziestoprocentowej czystości po hurtowej cenie trzystu tysięcy złotych.

– Znowu przyszedł – mówi do niego menedżer.

Jest zaniepokojony. Patrzy w stronę drzwi. Siedzę do nich tyłem i nie wiem, na co dokładnie patrzy, ale się nie odwracam.

– Niech siada ze mną. Dopilnuję go – mówi Piotrek.

– A jeśli powtórzy się akcja z wczoraj? – pyta menedżer.

– Nie powtórzy. Wczoraj mnie tu nie było – mówi Piotrek.

– Na pewno? – pyta menedżer.

– Niech siada ze mną – powtarza Piotrek. – Wszystko jest pod kontrolą.

Menedżer odchodzi i jeszcze raz zerka w stronę drzwi. Dobiega zza nich czyjś podniesiony głos. Przykładam do nosa chusteczkę. Zapach tutaj jest nie do wytrzymania, powietrze jest nasycone tytoniem, przyprawami, wódką, skórą spieczoną po solarium, lateksem, potem, jedzeniem. Zmieszany w jedną zupę, kwaśny obłok, intensywny, duszny.

– Kurwa – mówi Piotrek.

– Co? – pytam.

– Poważny gość. Przyjechał z Tarnowa – mówi Piotrek. – Nie do końca wiem, czego teraz szuka. Ale jest mocny. Cholernie. Zawsze był. Znam go od lat.

– Pewnie szuka interesu – mówię.

– Jakby szukał interesu ze mną, to mówiłby o tym od razu – odpowiada. – Słuchaj, dobrze, żeście załatwili sprawę z tą oborą w centrum. Tam jest potworny pieniądz do zrobienia, apartamenty. Wszyscy się najedzą tak, że będą rzygać forsą. Ale wiesz, na to potrzeba czasu. Na razie można tym baranom posprzedawać narkotyki. Kieszonkowe jakieś będzie z tego.

– Powiedz mi, jak jest? Muszę mieć co tam sprzedawać. Jestem pusty. Mam kasę w samochodzie – mówię.

– Problem jest – odpowiada – ale to zaraz ci powiem. Dobrze też, żeś wtedy z chłopakami pojechał do tamtego lamusa. Czasami trzeba się pokazać. Rozumiesz, o co chodzi? Dobrze zrobiłeś.

Chcę jeszcze coś powiedzieć, ale on już nie będzie mnie słuchał; podnosi głowę, a następnie wstaje. Od czasu, gdy tu przyszedłem, przywitał się z jakimiś dziesięcioma osobami, ale nie wstawał ani razu. Teraz wstaje. Do stolika podchodzi ewidentnie napierdolony, łysy facet z wypukłym brzuchem, w koszuli w kratę i okularach. Na szyi ma indiański naszyjnik, na klatce piersiowej widać fragment wyblakłego, nieokreślonego tatuażu. Wygląda zupełnie niespójnie, jakby ktoś złożył go z paru przypadkowo złapanych na ulicy osób. W okularach jego oczy są wielkie jak medale, musi mieć potworną wadę wzroku; w tych oczach są czarne jeziora, jest chęć i możliwość zrobienia czegokolwiek, jest wielkie podniecenie, nieznikające, trwałe, podsycane wyłącznie przez czyjś strach.

– To jest Dario – mówi Piotrek – a to jest Jacek, mój serdeczny kolega.

– Dosiądę się – mówi i podaje mi rękę.

Ściskam ją, nie wstając. Jest bardzo ciepła. Patrzę mu w oczy, spokojnie; patrzenie mu w oczy to jak stanie na parapecie w oknie na dziesiątym piętrze.

– A dosiadaj się, dosiadaj. My tu mamy taką małą rozmowę o pieniążkach – mówi Piotrek. – Ale wszystko w rodzinie, nic tajnego.

– Wszyscy bez przerwy mamy rozmowę o pieniążkach – mówi łysy człowiek o imieniu Dario.

Uśmiecha się w sposób, który każe przestać się uśmiechać wszystkim ludziom w promieniu kilkuset metrów.

Znam takich gości. Nie chcę robić z nimi interesów ani mieć z nimi nic wspólnego. Gdy oni zarabiają, wszyscy inni zaczynają lunatykować. Ten człowiek rozsiewa dookoła obłęd i lęk jak puszczalska dupa opryszczkę.

Dopiero teraz zauważam, że w ręku trzyma płaszcz. Kładzie go obok, powoli, z troską, jakby kładł do łóżka dziecko, które zasnęło mu na rękach.

– Więc jest problem, Jacuś – mówi Piotrek.

Kelnerka przynosi mi hummus. Przesuwam go na środek stołu.

– Butelkę wódki dla nas. – Łysy omiata palcem stół. Gest jest dziwny, miękki, na luźnym nadgarstku, ale nie jest to gest pedała, to raczej gest szejka, ta ręka jest przyzwyczajona do złotej biżuterii, ona wciąż na niej wisi, niewidzialna.

– Jest problem, bo przechwycili transport – mówi Piotrek, zerkając na hummus. – Ja nie piję dzisiaj, Dareczku. Nie mogę. Muszę na cukier uważać – dodaje Piotrek.

– Butelkę. Wódki. Litrową. Pełną – mówi Dario i szczerzy się, odsłania zęby, równe i białe implanty. – Rucham twój cukier – mówi jakby do Piotrka, ale patrząc na mnie.

Kelnerka patrzy na Piotrka. Ten kiwa głową.

– Coś jeszcze? – pyta.

– Wiesz, co bym ci zrobił? – Dario nachyla się do kelnerki. Uśmiech zamienia się w sztywną, wąską linię ust. – Wiesz, co bym ci zrobił?

Kelnerka próbuje się uśmiechnąć. Piotrek klepie Daria w ramię. Dario odchyla się, opiera na kanapie, ale jego ciało nie znosi bezruchu. Dłonie zataczają okręgi w powietrzu. Rozgląda się dookoła, jakby kogoś wypatrywał. Gdy skupia wzrok na czymś dłużej niż przez kilka sekund, jego oczy jeszcze bardziej się rozszerzają, zmieniają się w złe tunele.

– Jak to przechwycili transport? – pytam.

– Już nic nie znajdziesz na ten temat. Papugi, które obsługują firmę przewozową, pokasowały wszystko, co było w internecie. Ale przechwycili, no. Cztery tony bananów – mówi Piotrek – na granicy z Niemcami.

– I co teraz? – pytam.

– Kurwa, Piotruś, skończyłeś? Bo teraz ja muszę z tobą porozmawiać – mówi Dario.

Patrzy na mnie niezwykle uważnie. Nie odwracam się od tego spojrzenia. Przyjmuję je. Wypijam łyk coli, odstawiam szklankę, wciąż nie spuszczając z niego wzroku.

– W czwartek będzie – mówi Piotrek.

– W piątek wyjeżdżam – odpowiadam.

– To bardzo dobrze, że wyjeżdżasz. Człowiek musi podróżować – mówi Dario.

Jest pijany. Czuję wódę aż przez stół. Jest najebany najebaniem kogoś, kto nie trzeźwieje od pięciu dni. Jest w tańcu. Nawet gdy siedzi, tańczy. Gdy mówi, tańczy w rytm własnych słów.

Nie mogę oderwać od niego wzroku.

– Nie masz żadnych zapasów? – pyta Piotrek.

Mam zapasy. Mam torbę, którą w nocy sprezentowali mi Stryj i Śniady. Ale nie chcę tego dotykać. Mógłbym teraz uzgodnić to z Piotrkiem, jestem prawie pewien, że to przeszło przez niego. Stryj jest zbyt bojaźliwy, by wypuszczać się na samowolkę. Zbyt bojaźliwy, ale z wiekiem wyhodował w sobie wyobraźnię. Wie, że ona jest niezbędna, aby będąc kimś takim jak on, mieszkając w Śródmieściu południowym, żyć dłużej niż czterdzieści lat.

Mógłbym uzgodnić to z Piotrkiem, ale nie chcę mówić nic więcej przy tym drugim.

– Słuchaj, to się nie może już więcej powtórzyć. To było bardzo, bardzo niekulturalne – mówi Piotrek.

– Jakie niekulturalne? Dzwonienie po trzydziestu jest

kulturalne? O czym ty, kurwa, Piotrek, mówisz do mnie? – pyta Dario.

Kelnerka przynosi wódkę w coolerze i kieliszki. Stawia na stole, robi krok w tył, czeka na dalsze polecenia.

– Polej – mówi do mnie Dario.

Patrzę na Piotrka. On kiwa głową. Rozstawiam kieliszki, polewam im.

– Nie, ty, słuchaj, piękniś, piękny jesteś, wiesz? – stwierdza Dario i dodaje: – Ty też pijesz. Nie wydurniaj się.

– Prowadzę – odpowiadam.

– Chuj mnie to obchodzi – odpowiada.

Cmoka w moim kierunku, jakbym był cwelem. Nie reaguję.

– Czy ty ostatnio jakieś masz zmiany, Dareczku, czy o co chodzi? – pyta Piotrek.

Wyczuwam w jego głosie coś dziwnego, coś, czego przedtem nie było. Mores. Dario szybko zmienia wyraz twarzy. Z uśmiechu momentalnie przechodzi w stan odrazy, wykrzywiają mu się usta, podnosi jedną wargę do góry, jakby ktoś kazał mu powąchać gówno.

– Napij się, Jacek – mówi Piotrek.

– To nie może się więcej powtórzyć, że przychodzi trzydziestu chamów i mnie stąd wyprowadza – zaczyna mówić Dario. – To nie może tak być. Wiesz, kim jestem. Wiesz, kim jestem? Wiesz. Co oni mogą? Wiesz. Chuja mogą.

– No ja wiem, kim jesteś, Dareczku – odpowiada Piotrek.

Podnosi kieliszek. Ja też podnoszę. Patrząc mu w oczy, wlewam wódkę do gardła. Nie piłem alkoholu od roku. Jest zimny, mdły, szczypiący. Atakuje mi gardło jak nagle wepchnięty do niego cudzy, zimny palec.

Nie mogę pić więcej. Przede mną cała noc jeżdżenia samochodem.

– Słowik? Wiesz, kim był Słowik, gdy ja byłem? – pyta, wskazując na siebie palcem.

– Wiem – odpowiada Piotrek.

Dario uśmiecha się, całuje go w czoło.

– Lej – mówi do mnie.

– Dareczku, wiesz, to jest kulturalny klub. A ty krzyczałeś na panie, zdjąłeś spodenki – mówi Piotrek. – Wymachiwałeś bronią. Skakałeś na lożę, na ludzi skakałeś. Oczywiście rozumiem, bawić się trzeba. Sam się bawię.

Dario znów się uśmiecha, znów mlaszcze. Całuje Piotrka jeszcze raz we włosy. Polewam wódkę.

– Jak on się nazywa, ten menedżer? – pyta Dario.

– Hamim – odpowiada Piotrek. – Ale to dobry chłopak.

– Rucham go – odpowiada Dario i wyszczerza się.

– To dobry chłopak – powtarza Piotrek.

– Już go nie ma. Jest w dole, jest w ziemi – powtarza Dario. – Rucham go.

– Słuchaj, Dareczku, to jest niepotrzebne – mówi Piotrek. – Napijmy się.

– Kocham cię. Kocham cię, Piotruś – odpowiada Dario i całuje go jeszcze raz.

– Napijmy się – dodaje. – Trzydziestu. Wiesz, ile tu może zaraz być moich chłopaków? Wiesz, Piotruś? Pięćdziesięciu. Może być ich zaraz pięćdziesięciu! Jak znajdę telefon. To zaraz tu będą.

– Bawimy się. Jest przyjemnie. Siedzimy. Rozmawiamy. – Piotrek uśmiecha się i klepie go w ramię. – Jakieś pieniążki musimy zarobić, wiesz.

– Ten menedżer – mówi Dario. – Rucham go. Rucham go, Piotruś. Już go nie ma. Nie żyje. Rucham go.

Wypijam z nimi jeszcze jedną wódkę. To już ostatnia. Wchodzi lepiej niż poprzednia, ale wciąż wchodzi źle. Nienawidzę pić.

Dario rozpina i ściąga koszulę, siedzi teraz przy nas z gołą klatką piersiową. Przez chwilę jest nieruchomy. Ale nagle zaczyna wodzić dłonią po swoim tatuażu. Widzę go teraz w całej rozciągłości, pokrywający jego obwisłą klatkę piersiową; zrobiony w więzieniu, wyblakły bazgroł – trupia czaszka z kapturem na głowie, ze swastyką zamiast nosa. Wygląda jak zrobiony przez upośledzone dziecko. Dario pokazuje palcem na swastykę. Przyciska ją palcem, jakby był pod nią guzik, który włącza inny program: albo w jego ciele, albo w rzeczywistości.

– Oni zaraz tu mogą być. Pięćdziesięciu. A ja ich wszystkich rucham. Ten, co zadzwonił, to on już nie żyje. Już. Teraz. Nie żyje. Rucham ich kutasem. Wszystkich. Piotruś, ty wiesz przecież. Ja wiem, że ty mnie nie zdradzisz. Wiesz, że przyjmujesz to, co się pojawia przed tobą, jak trzeba, zachowujesz się, kurwa, jak trzeba – mówi, po czym sięga dłonią pod płaszcz.

Widzę jego pistolet parę sekund wcześniej, zanim pokaże go wszystkim ludziom w całym pomieszczeniu.

Kelnerki starają się nie patrzeć w jego stronę. Piotrek nie reaguje.

– Dareczku. – Piotrek po chwili kładzie dłoń na jego gołym ramieniu. – Dareczku, wiesz, że my tu siedzimy w przyjaznym gronie, że jest miło i że lubimy się troszeczkę.

Znowu kolory. Jeden po drugim, przez chwilę. Gdy się pojawiają, zaczynają chrzęścić. Coś zaczyna pstrykać mi w uszach, nagle i głośno jak wysadzony bębenek. Zamykam oczy, otwieram ponownie, mija.

Tańczy ze sobą, ze sobą i swoją bronią, diabeł, pijany szatan, odkłada ją, kładzie sobie pistolet na kroczu, klaszcze, ale potem podnosi go z powrotem. Całuje Piotrka, całuje broń, całuje powietrze.

– Zawołaj go. Zawołaj go, to go wyrucham – mówi Dario.

Wstaje i rozgląda się po sali, broń trzyma w dłoni opuszczonej przy ciele, siedzący przy stolikach ludzie robią wszystko, aby na niego nie patrzeć, a on czuje zapach tych starań jak pies gończy. Obwąchuje powietrze, szczerzy zęby. Jest szczęśliwy. Brakuje mu tylko ogona, którym mógłby machać.

– Muszę iść – mówię akurat w momencie, gdy kelnerka stawia przede mną talerz czegoś gryzącego, parującego, pachnącego przyprawami.

– Dareczku – mówi Piotrek – Dareczku, to naprawdę jest niepotrzebne. Wszystko przecież można załatwić zupełnie inaczej.

– Nigdzie nie idziesz – mówi Dario i dodaje: – Albo nie, albo inaczej. My pójdziemy sobie teraz z tobą.

– Jacuś, przyjdź w czwartek – mówi Piotrek. – W czwartek wszystko powinno być w porządku.

Pokazuję Piotrkowi dwa palce, wiktorię, klasycznie, z wnętrzem dłoni skierowanym do niego. On kiwa głową.

– Nic nie zjadłeś, szkoda – mówi Piotrek.

– Idziemy teraz z tobą. Idziemy tam, gdzie idziesz, kolego – mówi Dario.

Znowu się uśmiecha. Patrzy to na Piotrka, to na mnie. W końcu siada. Kładzie broń tuż przy swojej nodze. Nakłada na siebie koszulę.

– Idę do pracy – mówię do Daria.

– Jacek robi w detalu – mówi Piotrek i odwraca się do niego, ale Dario nie słyszy i nie rozumie tego, co się do niego mówi.

– Do pracy? W niedzielę wieczorem? Jedziesz do jakiejś dupy – mówi Dario. – Zabierz nas ze sobą. Zabierz nas ze sobą do twojej dupy. Pokażę ci, jak się rucha.

– Wydaje mi się, że już powiedziałeś swoje – mówię do niego.

– Oj. To nie tak. Tak to nie do mnie – mówi.

– Do mnie też nie – odpowiadam.

– Jacuś – mówi Piotrek – Jacuś. Wszystko jest dobrze.

Na twarzy ma grymas, jakby coś go zabolało. Wstaję. Rzucam na stół sto złotych.

– Odezwij się do mnie. Chcę to załatwić przed wyjazdem – mówię do Piotrka.

– Dokąd wyjeżdżasz? – pyta.

– Daleko – mówię – ale niedługo wracam. Wszystko jest pod kontrolą.

– Nie podobasz mi się – mówi Dario. – Nie podobasz mi się.

– Daj mu spokój już, Darek, kurwa, to jest mój człowiek. Daj spokój. To jest elegancki chłopak – mówi Piotrek.

– Elegancki, pewnie, że elegancki. – Dario znowu się wyszczerza. – Niech idzie. Ale nie podoba mi się. Niedługo będzie miał kłopoty. Już ma kłopoty. Widzę to.

Podnosi okulary do góry. Jego oczy zmniejszają się o połowę, ale wciąż są jak czarne bagna. Nie chcę go widzieć już nigdy więcej. Jednak wiem, że to się stanie. Wiem, że przyjdzie moment, że będę musiał z nim porozmawiać. Chociaż w ogóle nie będę tego chciał i chociaż mogę być na to zupełnie nieprzygotowany.

– Widzę wszystko – mówi. – Ale idź, jak musisz. Idź.

– Lepiej wyglądasz – mówię do Piotrka. – Naprawdę.

Zakładam płaszcz. Piotrek podaje mi rękę. Dario również. Jego ręka nadal jest bardzo ciepła, jakby miał gorączkę. Do stolika ostrożnie podchodzi kelnerka, staje nad nimi z przerażoną miną kogoś zesłanego tu za karę.

Odwracam się i idę do wyjścia.

– Przyprowadź mi tu tego menedżera, Piotruś. Przyprowadź mi go – słyszę, jak mówi do Piotrka.

Wiem, że nic się nie stanie, że Piotrek do tego nie dopuści, ale wiem też, że będzie miał dzisiaj tego kolesia na głowie przez najbliższe kilka godzin.

Gdy wychodzę, dzwoni mój telefon. Numer kolejnego dobrego, bogatego, znanego klienta. Ale gdy odbieram, zamiast niego słyszę damski głos. Piskliwy i krzykliwy.

Zatrzymuję się w pół kroku, jeszcze na linii spojrzenia Piotrka i tego drugiego.

– Intercontinental, pokój czterysta dwadzieścia trzy. Przyjeżdżaj tu szybko, kurwa – kobieta, która wypowiada te słowa, jest na granicy płaczu.

– To pomyłka. Nie wiem, o czym mówisz – odpowiadam.

– Ty mu to sprzedałeś, to teraz tu, kurwa, przyjeżdżaj, kurwa, na dole jest BOR i ja schodzę, i podaję im ten numer – mówi i rozłącza się.

Odwracam się w ich kierunku. Dario wciąż na mnie patrzy. Ma z powrotem okulary na nosie. Jego oczy są centrum tego miejsca, cała materia tego pomieszczenia jest zatrzymana na ułamek sekundy przed wpadnięciem w nie jak w czarną dziurę.

– Już masz kłopoty – mówi Dario, wskazując mnie palcem. – Ty już masz kłopoty. Widzę to. Widzę to, bo widzę wszystko.

22:50

Lobby Intercontinentalu. Przestrzeń wzniesiona ze szkła, drogiego drewna, sterylna jak nierozpakowany kondom. Wymijam wychodzącą z wind grupę Rosjan w towarzystwie nabotoksowanych, opuchniętych kobiet mających pomiędzy dwadzieścia a pięćdziesiąt lat. Nie patrzymy na siebie. Funkcjonujemy tu w pewnej symbiozie. Recepcjonista wie, kim jestem. Podaję mu numer pokoju.

– Coś się dzieje? – pyta.

– Pewnie dokładka – odpowiadam.

Kiwa głową.

Obaj mówimy cicho. Na kanapach w lobby, tuż za nami, siedzi dwóch łysych gości o twarzach przypominających kartonowe opakowania na sprzęt AGD. Mają czarne kurtki. Podjadają orzeszki ze szklanej salaterki z minami ludzi, którzy próbują zrozumieć, kim są, co tak naprawdę właściwie robią i która jest godzina. Biuro Ochrony Rządu.

– Jest z kurwą – mówi recepcjonista.

To miły chłopak. Około trzydziestki, podłysiały, w okularach.

– To na pewno kurwa? – pytam. – Widziałeś ją tu wcześniej?

– Tej nie. Ale ma czarne louboutiny z czerwoną podeszwą. Wiadomo – informuje mnie ze wzrokiem fachowca.

Kiwam głową. Numer, z którego dzwoniła, znowu się wyświetla. Tym razem nie odbieram.

– A Obsraniec? – pytam.

– Dawno go nie było. – Recepcjonista się uśmiecha. – W sumie to szkoda.

Kiwam głową. Obsraniec to jeszcze inny klient, właściciel dużej kancelarii adwokackiej, facet koło czterdziestki. Aby odreagowywać, wynajmował raz w miesiącu pokój na trzy dni, przez które bez przerwy pił wódkę i wąchał do momentu, aż wylądował w stanie kompletnej zapaści. Jego popisowym numerem było sranie na prześcieradło, a następnie rozsmarowywanie gówna po całym pokoju w nieregularne, ale skomplikowane, fraktalopodobne wzory. Zawsze zostawiał potem obsłudze jakieś kilkanaście tysięcy napiwku za fatygę.

– Pamiętasz, jak raz się uparł, że zejdzie do ciebie na dół? – pyta z uśmiechem recepcjonista. – Ale to była chryja!

– Wtedy chyba zostawił wam więcej, co? – pytam.

Kiwa głową, wciąż się uśmiecha. Daję mu dwie stówy. Idę w kierunku wind.

Nie lubię dojeżdżać do hoteli, ale czasami to robię. Chłopak z dołu zawsze kasuje mnie z kamer, więc ta usługa kosztuje od czasu do czasu dwieście złotych. Hotele są zbyt komfortowymi przestrzeniami, są jak azyle. Ludzie, którzy mają pieniądze, czują się w nich zbyt dobrze, od tego komfortu coś przestawia im się w głowach, robią się w nich nieobliczalni. Ruchają, ćpają i srają pod siebie w poczuciu bycia pilnowanymi i nieprzyłapanymi. Dostają załamań nerwowych, biją prostytutki, sami doprowadzają się do stanu kwilących niemowlaków. Zadaniem takich chłopaków jak ten na dole jest odgradzać ich od żon, które znalazły korespondencję z kochankami, wspólników, którzy zauważyli, że na firmowej karcie bez limitów pojawiły się transakcje na setki tysięcy. Nie cierpię hoteli, ale płacą za dobrze, żeby tam nie przyjeżdżać.

Hotele pachną złymi przygodami, tego zapachu nie przykryje żaden rozpylony po korytarzu odświeżacz powietrza.

Pokój numer czterysta dwadzieścia trzy. Pukam. Otwiera.

– Zrób coś, zrób coś, kurwa, albo dzwonię po psy, albo idę do tych z dołu! – wrzeszczy i wciąga mnie do środka, a następnie zatrzaskuje drzwi.

Patrzy na mnie. Ma rozmazany makijaż. Jest w samej bieliźnie, na którą ma narzucony męski płaszcz. Gdyby zmazać z niej tapetę, byłaby nawet ładna; ma ciało nastolatki, spieczone na solarium, małe piersi, płaski brzuch. Drży. Jest przerażona i wściekła, nie wie, która z tych emocji za chwilę w niej wygra.

– Kto to jest?! Kto to, kurwa, jest?! – słyszę krzyk z wnętrza pokoju.

– Co tu się, kurwa, dzieje?! – pytam ją.

– Ty mu to sprzedałeś, to ty to załatw – mówi do mnie.

Odpycham ją i wchodzę do środka. Dwuosobowy apartament z podwójnym, królewskim łóżkiem, telewizorem plazmowym, barkiem. On siedzi w kącie pokoju. Jest nagi. Drży. W ręku ma nożyk do cięcia papieru. Przedramiona ma pokryte drobnymi nacięciami, jak słuchający za dużo black metalu, bity przez starszych kolegów nastolatek. Całą podłogę pokrywają rozsypane wydruki i papiery, oblane whisky z leżącej w kącie butelki.

Na stole ścieżki, lustro, karta, fajka do cracku. Ta tępa sraka w coś mnie wkręciła; od miesiąca nie sprzedałem mu nawet okruszka.

– Kim on, kurwa, jest?! Dobra, wiem. On jest od Lityńskiego. To człowiek Lityńskiego, wpuściłaś go, szmato jebana, wpuściłaś. A teraz dawaj te zdjęcia. Dawaj te zdjęcia, kurwo jebana! Dawaj, to zastrzelą cię przed zakopaniem, to cię żywcem nie zakopią! – krzyczy.

Drży, jakby w pomieszczeniu był mróz. Pod nim jest mokra, świeża plama.

Musi palić już drugi, trzeci dzień. Jest po nim. Wpadł w dziurę, z której będzie wygrzebywał się tygodniami. Na powierzchni zostało tylko jego ciało.

Odwracam się. Idę do wyjścia. Ona mnie powstrzymuje.

– Teraz już musisz mi pomóc. Teraz już masz przejebane – mówi do mnie. – Teraz musisz coś z tym zrobić.

– Spierdalaj – mówię i odpycham ją na łóżko.

– Widzą, że tu byłeś, ci na dole. Zaraz tu przyjdą – mówi.

– To twój problem – odpowiadam.

– Jak wyjdziesz, to on mnie, kurwa, zabije – mówi.

Głos jej się trzęsie. Jakby ktoś trzymał w zamkniętej dłoni wszystkie wyrazy, które wypowiada, i potrząsał nimi jak kośćmi.

– To nie mój problem – mówię jej zgodnie z prawdą.

– Podam cię, przysięgam, powiem, że to ty mu to sprzedałeś – mówi.

Mężczyzna siedzący na podłodze zaczyna krzyczeć. Wydaje dźwięk podobny do syreny alarmowej; gdy się odwracam, widzę, jak zwraca nożyk ostrzem w kierunku swojego ciała i zagłębia go poniżej splotu słonecznego, wciąż drżąc.

Nożyk wchodzi na jakiś centymetr w ciało, skóra delikatnie się rozchyla, od razu rzadkim i szybkim strumieniem zaczyna wyciekać z niego krew. Wywraca przy tym oczami, jakby właśnie się spuszczał. Wstaje. Krew ścieka mu po brzuchu, patrzę na to o sekundę za długo, kurwa za mną wydaje okrzyk o sekundę za późno. Szybko podchodzę, uderzam go w twarz. Mierzy we mnie nożykiem. Z trudem wykręcam mu rękę, jest silny, crack zamienił mu mięśnie w kamień; w końcu kopię go pomiędzy nogi. Wydaje głuche czknięcie, jakby mu się odbiło. Z powrotem opada na podłogę, prosto w swoje szczyny.

Rzucam nóż w kąt pokoju. Na moim swetrze jest krew. Czerwona, świeża plama, kurwa, jak barszcz. Jakby opluł mnie czymś, co właśnie jadł albo pił.

Jest posłem, bodaj z ramienia Platformy Obywatelskiej. Wiceministrem transportu. Ma niecałe czterdzieści lat, żonę, dwójkę dzieci, jest człowiekiem premiera. Skończył prawo i stosunki międzynarodowe na Oxfordzie. Niedługo są jakieś wybory, chyba do Europarlamentu, i on chyba chce w nich kandydować.

Lubi konferencje prasowe. Często widzę go nad ranem w telewizji, gdy patrzy przed siebie i gładko mówi do mikrofonu wielokrotnie złożonymi zdaniami. Parę razy pomógł mi zasnąć, na chwilę, ale mimo wszystko zasnąć, na pół godziny.

Ale teraz, zamiast gdziekolwiek kandydować i mówić na jakiejś konferencji, zwija się w kucki i zaczyna kiwać się w przód i w tył, a krew z jego ciała wsiąka w miękki, kremowy dywan, którym obita jest podłoga apartamentu.

– Od kiedy tu jesteś? – pytam ją.

Ona przykleja się do ściany, aby być w jak największej odległości od niego.

– Od paru godzin – odpowiada.

– Dałaś mu? – pytam.

– Był już wygrzany jak skurwysyn. Chciał, żeby robić mu lachę. Nie mógł się spuścić – mówi. – A potem zaczął palić crack, a potem, gdy skończył, zaczął szukać czegoś na dywanie, na czworakach. A potem...

Zaczyna płakać. Pewnie się boi. Niespecjalnie interesuje mnie jej kondycja emocjonalna. Kurwy to najgorsze kurwy; najgłupsze, co można zrobić, to rozmawiać z nimi o czymkolwiek. Ona i tak opowie o tej sytuacji. Innym kurwom, kolesiowi, który ją nalicza.

Kurwy mówią bez przerwy, jakby od tego zależało ich życie, jakby w momencie, gdy zamykają im się gęby, na planecie Ziemia miało zabraknąć tlenu.

– Przynieś mi ręcznik z łazienki, a potem się ubierz – mówię do niej.

Kasuję połączenia z telefonu. Wybieram numer Paziny.

Nagle on zrywa się, odpycha mnie, wytrąca mi telefon z ręki. Chce biec w kierunku noża, ale wpada wprost na mnie. Jest jak nakręcone dziecko. Popycham go z powrotem pod ścianę. On wstaje i robi to znowu; próbuję go utrzymać, ale jest silniejszy ode mnie, mimo że wylewa się z niego krew.

– Powiedz im – mówi, klekocząc zębami – powiedz im, że mnie nie dostaną. Że nie ma takiej możliwości. Zobacz, to wszystko, co na mnie mieli, i zaraz to spalimy. I już nic nie będzie.

Trzymam go. Przez chwilę. A gdy czuję, że jego mięśnie na chwilę puszczają zacisk, że na moment łapie luz, wtedy delikatnie go odpycham i uderzam w twarz, mocno, aby go spauzować, przynajmniej na pewien czas.

Siada. Jest w szoku. Próbuje złapać powietrze.

– Wszczepili mi to – pokazuje palcem na swoją ranę – wszczepili mi to do środka, ale jest jeszcze głębiej. Oni byli z Gazpromu. Najprawdopodobniej. Nie najprawdopodobniej, tylko na pewno. Wiedzieli wszystko. Adresy, daty urodzenia. Wiedzieli, że moja córka lubi książki o Pippi Pończoszance. Że to jej ulubione powieści, że codziennie trzeba jej je czytać. Wiedzieli to. Teraz to wiem.

Że niby gaz łupkowy jest nieekologiczny. Nieekologiczny, kurwa. Nikt się tym nigdy nie przejmował. Ja działałem w komisji. Amerykanie rozmawiali ze mną. Mówili o kwotach. Też to wiedzieli. Ale teraz to mam. Teraz to mam. Nagrywa wszystko. Teraz to mam. Nagrywa mnie i ciebie. Za chwilę to wyjmę, zobacz, popatrz się, za chwilę to wyjmę.

Próbuje włożyć palec w ranę.

Słychać walenie do drzwi.

W ostatniej chwili, zanim zacznie drzeć mordę, doskakuję do niego, naciskam kolanem jego klatkę piersiową, zatykam mu usta.

– Panie pośle – słychać zza drzwi – panie pośle, wszystko w porządku?

Kurwa patrzy na drzwi, na mnie, na niego, z powrotem na drzwi, jakby kopnął ją prąd. Drżą jej ręce. Otwiera i zamyka usta, nie wie, co powiedzieć. Kiwam głową, aby podeszła.

– Panie pośle, za godzinę musimy być na kolacji w ministerstwie – mówi przez drzwi jeden z BOR-owców.

Przyciskam dłoń do jego twarzy coraz mocniej, zaczyna się wyrywać, więc uderzam go pięścią w brzuch, ale on tego nie czuje, jego układ nerwowy jest zablokowany przez crack, jak dobrze pójdzie, uruchomi się z powrotem za kilka godzin.

– Udawaj, jakbyś się ruchała – mówię jej na ucho.

– Co? – pyta głośno.

Kretynka.

– Panie pośle! – Kolejne uderzenie w drzwi.

– Jęcz, nie wiem, sap, kurwa, wydawaj te dźwięki, które wydajesz, jak się dymasz – mówię jej jak najciszej, równocześnie napieram na niego całym ciałem, wbijam go w ścianę, on pode mną prawie dostaje palpitacji, przez chwilę wydaje mi się, że ma atak padaczki, ale po prostu się wyrywa, chce po prostu biec – przed siebie, do nożyka, chce go sobie z powrotem wbić, jest celem, jest pragnieniem, niczym więcej.

– Co ty pierdolisz? – pyta.

– Idź po kartę – mówi jeden BOR-owiec do drugiego.

Słyszę to przez drzwi tak wyraźnie, jakby stali obok nas.

– Zaraz ja cię zabiję, przysięgam – mówię do niej.

Ona w końcu zmierza w kierunku łóżka; idzie powoli, jakby lunatykowała.

Znowu walenie do drzwi, trzy razy.

– Och, tak, kotku, ruchaj mnie – mówi najpierw nieśmiało, cicho, zupełnie nieautentycznie, jakby była na castingu do pornosa. Przez krótką chwilę myślę o tym, że podniecanie się czymś takim to jak estetyczne doznawanie orgazmu przy elewacji pomalowanej na pastelowy kolor, jak wpatrywanie się w tablicę WITAMY W OSTROŁĘCE.

– Panie pośle – znowu odzywa się głos zza drzwi.

Słychać, jak ten, który miał pójść po kartę, nadal idzie korytarzem.

Z gęby posła, spod mojej dłoni, dobiega długi, przeciągły ryk duszonego zwierzęcia. Z kącików jego wytrzeszczonych oczu ściekają łzy. Przypomina bohatera *Mechanicznej pomarańczy*, któremu zafundowano jeszcze raz jego smutny los.

– Kotku, ruchaj mnie mocniej tym swoim wielkim kutasem! – zaczyna udawać, bardzo źle, tragicznie, ale przynajmniej głośno, zaczyna sapać.

Cisza. Ten przed drzwiami nasłuchuje.

– Mmmnnnghhh – wydaje z siebie udawany jęk.

Mam dłoń całą w ślinie, ubranie we krwi, do tego z dziesięć nieodebranych połączeń. Jest wpół do dwunastej.

– Twój kutas jest taki wielki – wzdycha, wyobrażając sobie zapewne jakiegoś kutasa, który był rzeczywiście wielki, albo takiego, który zostawiał jej dobre napiwki, zresztą kompletnie nie interesuje mnie świat jej wyobraźni; staramy się na siebie nie patrzeć, ale widzę kątem oka, jak delikatnie podnosi się do góry i do dołu, jakby udawała, że na kimś jeździ.

Jest pocieszna. Ma tyle talentu aktorskiego co parówki w opiekaczu na stacji benzynowej.

Ten za drzwiami wciąż milczy.

– O kurwa, o kurwa, o kurwa! – zaczyna jęczeć coraz głośniej. – Jesteś wielki, misiu, dymaj mnie, dymaj mnie tym chujem!

– Ej, no dobra – mówi w końcu ten za drzwiami. – Dajmy mu jeszcze z pół godziny, ty.

Odchodzi. Wtedy on z całej siły gryzie mnie w dłoń. Ja odskakuję, on podrywa się, zalany krwią. Moja krew wycieka mu z ust.

– O Jezus Maria! – krzyczy kurwa z całych sił.

– Aaarrrghh – wydaje z siebie ryk, gulgoczący, przytrzymany zbyt długo, zaciska pięści, rozgląda się dookoła za niewidzialnymi oprawcami, jego wzrok biega jak ścigane zwierzę – po mnie, po niej, po nożu do cięcia papieru, po fajce do cracku.

– Ty, on jest niezły, kurwa – słyszę z korytarza.

Poseł rzuca się na mnie z powrotem, ugryzł mnie do krwi, zauważam, ale zanim dobiega, z całej siły daję mu pięścią w pysk.

W końcu pada bezwładnie na podłogę.

– Jezus! – krzyczy ponownie dziwka.

– Ubieraj się w końcu, do kurwy nędzy – mówię do niej.

Facet leży nieruchomo, tylko co chwila delikatnie podryguje, jak dopiero co wyjęta z akwarium ryba. Ona w końcu wstaje i zaczyna nakładać ciśnięte gdzieś w bok rajstopy.

Wybieram numer Paziny. Odbiera za piątym razem.

– Halo – mówi.

– Potrzebuję, abyś za dwadzieścia minut przyjechała do Intercontinentalu i przywiozła mi opakowanie lorazepamu.

– Kurwa, jestem w pracy, Jacek, ja pierdolę – odpowiada.

– Do tego bandaż elastyczny i wodę utlenioną – dodaję.

– Skąd ci wezmę? – pyta.

– Nie zdołasz załatwić recepty na lorazepam w pięć minut? To jak ty, kurwa, jeszcze funkcjonujesz? – pytam.

– Spierdalaj – odpowiada.

– Zostaw go dyskretnie w recepcji. Powiedz, że dla mnie. Takiemu łysemu w okularach. W pobliżu będzie siedzieć dwóch łysych chamów, nie patrz na nich – tłumaczę jej i rozłączam się.

Ona jest już ubrana, siedzi na łóżku, zgięta jak zużyta lalka, płacze.

– Mam już iść? – pyta.

– Siedź tam – odpowiadam i włączam telewizor.

Kucam nad nim, odwracam go. Krew wciąż sączy mu się z rany, chociaż już zaczyna krzepnąć. W telewizji słyszę zniekształcony, ale znajomy głos.

– Idź po ręcznik – mówię do niej. – Nie patrz na mnie jak koza. Po ręcznik do kibla!

– Cały czas badamy tę sprawę – mówi głos z telewizora. – Redaktor Mariusz F. zostaje cały czas pod nadzorem policji.

Podnoszę głowę. Konferencja prasowa. To Marek, zdążył już wbić się w tani garnitur z Zary w kolorze kanapy z Ikei. W pewnym momencie przykłada pięść do ust. Pewnie odbija mu się chińskim gównem, które kończył jeść, gdy dawałem mu do ręki moje dziesięć tysięcy.

– A sprawa śmierci syna pana Góreckiego? Z nieoficjalnych źródeł wiemy, że jej przyczyną był atak serca po przedawkowaniu kokainy – rzuca z sali dziennikarka.

– Co z tą sprawą? – odpowiada pytaniem na pytanie.

Nie zmienia mu się wyraz twarzy. Ona przynosi ręcznik, przyciskam go do rany.

– Na przykład to, czy kokaina, którą miał we krwi

Mariusz F., i ta, którą miał we krwi Antoni Górecki, mogła pochodzić z tego samego źródła? – pyta dziennikarka.

– Bez komentarza – odpowiada.

Zaciskam ręcznik. Wsiąka w niego krew. Facet oddycha płytko i szybko, wywraca oczami.

– Wszystko utopisz w kiblu – mówię i pokazuję jej to, co leży na stoliku: koks, fajkę do cracku, worki.

Nie odpowiada. Wstaję. Patrzę na nią. Kiwa głową.

30 min – SMS od Paziny.

– Jak pan twierdzi, jak głęboko narkotyki wsiąkły w polski establishment? – pyta dziennikarka.

– Ja nic nie sądzę, proszę pani – odpowiada. – Działania operacyjne wydziału do walki z przestępczością narkotykową są skoncentrowane teraz na źródle pochodzenia kokainy, którą znaleziono przy panu Mariuszu F.

Wyłączam telewizor.

To zabawne, jak bardzo ludzie nie wiedzą. Ile nie wiedzą. Jak oczywiste fakty wydają im się ciekawymi zagadnieniami. Dziennikarze są zabawni; to dorośli ludzie, których dziwi fakt, że powietrze jest przezroczyste.

Kokaina jest wszystkim. Jest krwią, która płynie przez życie, przez interesy, przez pieniądze. To nie kokaina zabiła tę dziewczynę, którą potrącił mój były najlepszy klient, to nie kokaina zabiła kiślowatego. Zabiło ich rozkojarzenie. Zdezorientowanie. Nieumiejętność wyhamowania.

Ale ja za to nie odpowiadam i nie odpowiada za to towar. Ludzie przeważnie są głupi, przy tym zupełnie nieostrożni; to prosty fakt, którego ta idiotka z telewizji nie potrafi zrozumieć. Ludzie chcą dobrze, chcą się tylko odrobinę załatwić, zasypać to, co codziennie wpycha ich w narożnik ringu i kładzie na deski, więc szybko kończą na hotelowych podłogach, w psychozie, trzęsący się jak dzieci przed operacją, zaszczani. Kończą w stojących na poboczu, zablokowanych przez radiowozy samochodach, ze skutymi dłońmi, wpatrzeni we własne buty.

– On powiedział na początku, jak tu przyjechałam – mówi, wciągając spodnie. – Powiedział, że jego córka ma raka.

Patrzę na nią bez słowa.

– Gdy przyniosę ci leki, wmusisz w niego pięć tabletek i poczekasz pół godziny. Gdy ci z dołu będą się dobijać, powiesz, że potrzebujesz jeszcze chwili. Gdy zacznie działać, wstawisz go pod zimny prysznic, potem pomożesz mu się ubrać – mówię.

Ona kiwa głową.

– Jeśli jeszcze raz zadzwonisz na mój telefon, znajdę cię i potnę ci mordę – mówię. – Jeśli pójdziesz na psy, również znajdę cię i potnę ci mordę.

– Jego córka ma pięć lat – mówi i na chwilę jej oczy stają się oczami prawdziwej osoby.

– Ma pięcioletnią córkę chorą na raka i pali crack w pokoju hotelowym z kurwą? – pytam.

– Twój crack – odpowiada. – To twój crack.

– To jego crack, kretynko, bo on go kupił – odpowiadam.

Ona bez słowa wchodzi do łazienki. Siadam na kanapie. Krew na swetrze – to tanizna, Ralph Lauren, ale będę musiał pojechać do domu, przebrać się i go wyrzucić.

Plama ma kształt i wielkość owocu: jabłka albo pomarańczy.

Jest dokładnie tam, gdzie on wbił sobie nóż. Poniżej splotu słonecznego.

Wygląda, jakby to mnie ktoś wbił nóż. Jakbym to ja był ranny.

SMS. Z nieznanego numeru.

Co robisz?

00:15

– Dwa razy zestaw Big Mac – mówi Pazina do szczekaczki w McDrive.

– To wszystko? – pyta głos ze szczekaczki.

– To wszystko – potwierdza Pazina.

Podjeżdżam do okienka z kasą. Noc jest bardzo zimna. Mróz, śliski nalot, pokrywa wszystko. Znowu słychać echo, melodię, psią piosenkę, jakby graną na zabawkowym instrumencie przez szalone dziecko: pod wszystkim, we wszystkim, wbrew wszystkiemu.

Otwieram bezgłośnie usta. Pazina to zauważa.

– Nie rób tego – mówi. – Zawsze, gdy to robisz, ja zaczynam się bać.

– Nigdy tego przy tobie nie robiłem – mówię.

– Zawsze to robisz – odpowiada i dodaje: – Boję się jeszcze bardziej. W tobie jest coś w pełni szalonego. To coś nie jest niczym przykryte, z niczym się nie miesza. Jest w tobie osobne, ty tylko je na moment włączasz.

– Nie czytaj tylu książek, Pazina. Szkoda czasu – mówię.

– Nie powinieneś jechać z tą ręką do szpitala? – pyta. – Skąd wiesz, czy on nie ma HIV?

– Jest posłem – odpowiadam. – Przynajmniej jeszcze w tej chwili.

– Posłem, który pali crack i rucha kurwy – odpowiada.

Mija chwila, podczas której brzydka, nieforemna dziewczyna o szpotawej twarzy podaje nam jedzenie przez okienko. Biorę je, podaję Pazinie. Zjeżdżam na parking. Dzwonię do Stryja. Nie odbiera. Nie mam towaru. Nie mam nawet grama. Nie mam nic poza tym, co leży w sportowej torbie, w kawalerce na Gocławiu, razem z bronią i pieniędzmi. Płacę i odjeżdżam kilkadziesiąt metrów dalej, na parking. Wyłączam silnik, podaję Pazinie jej jedzenie.

– W ogóle co z nim się teraz stanie?

– Jeśli ona będzie chociaż odrobinę inteligentna, to nic – odpowiadam. – Dojdzie do siebie, zabiorą go na odtruwanie, prywatnie przeprosi premiera. Nic mu nie będzie. Ale jeśli zacznie mielić ozorem, no cóż. Nie wiem.

– Mogła zrobić mu parę zdjęć, gdzieś je sprzedać. Wydoić z niego trochę sosu – mówi Pazina.

– Jest na to za głupia – odpowiadam. – Pewnie mieszka w Warszawie gdzieś od roku, rucha się za stówę za godzinę. Coś tam studiuje, ale niespecjalnie jej idzie. Nawet nie wie za specjalnie, co robić z tą kasą. Może pojedzie na jakieś wakacje z koleżanką i będą się tam razem nudzić. Ona się głównie w życiu nudzi.

– Boję się o ciebie. Przedtem nie miałeś takich sytuacji. A gdy wydarzy się jedna, od razu uruchamiają się następne, to jest jak domino, jak program komputerowy. Wiesz, o co chodzi, wszystkie procedury muszą uruchomić się już do samego końca – mówi z pełnymi ustami. – W każdym razie dobrze, że wyjeżdżasz. Bardzo dobrze.

– Nie wiem, czy dobrze – odpowiadam. – Takie sprawy się załatwia, a nie ucieka. Gdy zaczynasz uciekać, ktoś zawsze chce cię złapać. Wiesz, jak jest.

– Jak ty chcesz to załatwić? – pyta. – Chcesz jechać do Fajkowskiego i go postraszyć? Wywieźć do lasu?

– Daj mi kanapkę – odpowiadam.

Oddzwania Stryj. Odbieram.

– Co jest, no kurwa, niedziela, daj poruchać – odpowiada głośno, niewyraźnie, ma głos, jakby żuł papier ścierny. – Jak mam znowu jechać zajebać komuś na łeb, to wiesz. Szykuj dwa koła, kurwa. Popatrzże się w kalendarz. I na godzinę. Masz w telefonie.

– Muszę pożyczyć trochę z tego, co mi dałeś – odpowiadam. – Niewiele.

Słyszę, jak cmoka.

– No dobrze, ale wiesz – mówi – ja ci to mogę jakby odsprzedać.

– No to ja to od ciebie odkupię – zgadzam się. – Nie mów do mnie jak do debila.

Telefon drży podczas rozmowy. Kolejny SMS.

– Ja mogę ci to wszystko odsprzedać. W hurcie – mówi Stryj.

– Nie chcę wszystkiego – odpowiadam. – Chcę trochę.

– Dobra, kurwa, typie, ja mam dupę w domu, wstaję za pięć godzin, nara – mówi i się rozłącza.

– Nie możesz po prostu dzisiaj odpuścić? – pyta Pazina.

SMS. Znowu. Jednak znam ten numer. Oczywiście, że go znam. Znam go na pamięć. Ten SMS przyszedł z tego pokoju z widokiem na szkołę podstawową, tego, który o świcie wygląda jak brudne, różowe akwarium.

Jakby nagle zabolał mnie dawno wyrwany ząb. Tylko jej dzisiaj brakowało.

Odpisz mi. Cokolwiek.

Wtedy w tej restauracji wiedziałem, że nie zniknie. Nie po to się pojawiła. Wyczuła mnie nosem w powietrzu. Zwąchała mnie.

Ta uszkodzona melodia jest głośniejsza, przypomina sygnał ostrzegawczy, alarm. Przez okno wyrzucam połowę hamburgera do śmietnika.

– To dobra klientka – mówię. – Zawsze robi zapasy. Bierze stówę, płaci dużo. Muszę o nią dbać.

– Klientka? – pyta Pazina.

– Jest sama w domu. Nudzi jej się – odpowiadam.

– Jest samotna? – pyta.

– Mąż zajmuje się radą nadzorczą – odpowiadam i dodaję: – Musimy pojechać na Gocław. Muszę się przebrać. Potem odwiozę cię tam, gdzie będziesz chciała.

– Zawieź mnie na Saską Kępę – mówi.

SMS: *Prosze.*

– Ktoś marszczy ci twarz tymi SMS-ami – mówi Pazina.

– To ząb. Muszę iść do dentysty – odpowiadam i dodaję: – Co tam będziesz robić?

– Rozstawać się z nim – odpowiada. – Tak jak ci mówiłam. Jest za dobry. Nie może się męczyć, nie zasługuje na to.

– Jesteś pewna? – pytam. – Zawsze potem miałaś pokutę, płakałaś nad sobą, jaka to ty nie jesteś zła, że z tym akurat byłabyś szczęśliwa. Przeważnie zbiegało się to dziwnie z faktem, że widziałaś go na mieście z kimś nowym.

– Ja już nigdy się nie nauczę tego, aby ktoś był obecny – odpowiada. – To już trwałe, mechaniczne uszkodzenie, Jacek. Gwarancja go nie obejmuje.

– A może po prostu ty najbardziej lubisz wypowiadać ładne zdania i smutno przy tym wyglądać, Pazina, więc podporządkowujesz temu wszystko w swoim życiu? – pytam.

– Spierdalaj. Wiesz, że tak nie jest. Wiesz, że dostałam swoje. Spierdalaj – odpowiada.

– Myślisz, że już jesteś stracona? – pytam.

– A ty? – odpowiada pytaniem na pytanie.

– Oczywiście, że tak – mówię. – Ale nie szkoda mi ciebie. Szkoda mi jeszcze tych paru facetów, z którymi będziesz próbować udowodnić sobie, że jest inaczej.

– Nie będę – mówi. – Spierdalaj, nie będę. Za kogo ty nagle mnie masz?

– Pół roku. Też będzie dobry i też będzie miał dziecko – stwierdzam i wyciągam do niej rękę. – Zakład – mówię – o pięć tysięcy.

– Spierdalaj – odpowiada. – Naprawdę, spierdalaj.

Gdzieś daleko przed nami przejeżdża karetka na sygnale. Przez chwilę wszystko staje się głośniejsze, delikatnie niebieskie. Ta melodia dobiega z wielkiego, burczącego brzucha Warszawy.

Wypijam łyk coli, jest wygazowana i lodowata. Gdzieś w żołądku dalej zalega wódka, którą kazał mi wypić tamten facet od Piotrka. Myślę o nim. Jest niebezpieczny. Jest duży. Jest szalony. Jego twarz będzie znakiem wodnym na niebie Warszawy, i to już niedługo. Czułem to w jego obecności i czuję to teraz. Zapach kogoś, kto przyjechał po swoje.

– Nie ma kogoś takiego jak dobrzy ludzie, Pazina – mówię. – Nie przejmuj się tym. To nie ma znaczenia.

Jeszcze jeden SMS.

Jak zwykle milczysz, gdy cie potrzebowalam.

„Spierdalaj – odpisuję jej w myślach. – Wynoś się, zniknij, wyparuj. Przestań mnie rozstrajać i rozpraszać".

– Widziałeś się z nią? – pyta nagle.

– Wpadłem na nią – odpowiadam.

– Wpadłeś na nią kutasem? – pyta.

– Nie, Pazina, wpadłem na nią w knajpie w centrum handlowym – odpowiadam po chwili, jakbym przyznawał się do tego, że coś ukradłem.

– Już na nią więcej nie wpadaj. To ostatnie, czego potrzebujesz. I nic jej nie odpisuj, kurwa – mówi Pazina. – I czemu wyrzuciłeś tę kanapkę? Ja bym ją zjadła.

– Kupię ci drugą – odpowiadam i przekręcam kluczyk w stacyjce.

1:40

– Myślałam, że już nie przyjedziesz – mówi.

– Sto – mówię, zatrzymując się w progu jej domu. Pokazuję palcem na swoją kieszeń. – Tak, jak prosiłaś.

– Nie wejdziesz? – pyta.

Wyłapuje ten moment, ten ułamek sekundy, kiedy zastanawiałem się, co jej odpowiedzieć; gdy już miałem odmówić, ona rozchyla szeroko drzwi i zaprasza mnie, żebym wszedł do środka.

To dom na Wilanowie. Wysokie, dwumetrowe ogrodzenie, laserowe czujniki. Na podjeździe do garażu stoi lamborghini gallardo. Kupił jej mąż. Ona praktycznie nim nie jeździ. Męża nie ma, zajmuje się kapitałem, którego zaczyn stworzył dawno temu na półlegalnym wyburzaniu zabytków albo odzyskiwaniu kamienic dla ich rodowitych właścicieli, a właściwie ich mieszkających w Tel Awiwie wnuków.

Kasę z deweloperki zainwestował w ropę. I wciąż buduje. Dużo. Ostatnio wielki kompleks sportowy z polem golfowym. Znam jego twarz, mignęła mi parę razy: jakby maska wymodelowana z papieru ściernego – wąskie usta, rozbiegane oczy kogoś, kto traktuje rzeczywistość i ludzi jak miękkie i ciepłe tworzywo, w którym można grzebać i które można zgniatać, aż się znajdzie, aż się uzyska to, co potrzebne.

– Nie piję – mówię, wchodząc do środka.

– Przecież wiem – odpowiada z uśmiechem. – Zrobię ci herbatę.

Ona kupuje dużo, trzyma towar w dużych ilościach, jak leki, jak wino, na zapas. Trzeba jej się za to odwdzięczać. Na przykład wchodząc i rozmawiając z nią przez kilka minut. Ona nie ma z kim rozmawiać, zwłaszcza w środku nocy z niedzieli na poniedziałek. Jej przyjaciółki, o ile ma jakieś, już dawno wpłynęły na rzeki leków nasennych w swoich położonych zapewne nieopodal fortecach. Jej dzieci, które studiują w Anglii, pewnie teraz wyczołgują się z jakichś klubów, a poza tym nie będzie przecież dzwonić do swoich dzieci w środku nocy.

Męża nie ma w domu – no ale nikt nie pomyślałby, że mąż w jakikolwiek sposób załatwia jej kwestię samotności.

Ciężkie wnętrze, obrazy na ścianach, ściągane skądś antyki, piec huculski. Skórzane sofy. Zawiesista, otłuszczona jak serce sześćdziesięciolatka aura dorobku. Brakuje tylko perskich dywanów, afrykańskich figurek z podróży po świecie. Pewnie tu były, ale wypieprzył je stąd jakiś wynajęty dekorator wnętrz. Zapłaciła mu pewnie kilkadziesiąt tysięcy, aby zmienił wyłącznie to, co ona mu pozwoliła.

– Siadaj – mówi.

– Poproszę zieloną – odpowiadam.

Ma około czterdziestu pięciu lat. Jest szczupła, nawet za szczupła, koścista. Ma ufarbowane na czarno włosy, upięte w wysoki kok. Włożyła lekką, czarną sukienkę i nałożyła makijaż. Wiem, że zrobiła to tuż przed moim przyjściem.

Bez wątpienia jest zadbana i atrakcyjna, ale trudno, aby nie była, mąż cały czas pompuje w nią forsę, funduje jej naciągania, wygładzania i fitness – nie może pozwolić sobie na to, aby nie była reprezentacyjna. Z drugiej strony, nie może sobie chyba również pozwolić, aby oficjalnie wymienić ją na lepszy model. Podejrzewam, że za dużo musiałby jej oddać. Mogła sama tak to załatwić – jest niegłupia, naprawdę niegłupia jak na kobietę, która od wielu lat zajmuje się wyłącznie tym, żeby ładnie pachnieć.

Oczywiście, mąż na pewno dyma młodsze. Dyma ich więcej, niż jest to konieczne i niż ma to sens. Ona o tym doskonale wie. Udaje sama przed sobą, że nie ma to dla niej żadnego znaczenia. Że pogodziła się z tym. To typ kobiety, która codziennie sobie wmawia, że małżeństwo jest jak przedsiębiorstwo, które musi każdego dnia funkcjonować.

Fotel, w którym każe mi usiąść, jest zbyt wygodny, w takich fotelach siadają ci, którzy mają być za chwilę oszukani, wyrzuceni z interesów. Trudno się z nich podnieść.

Przynosi mi herbatę. Dopiero teraz widzę, że jest już solidnie pijana. Bardziej niż zwykle, gdy do niej przyjeżdżam; pewnie dlatego, że po prostu przyjechałem później niż zwykle. Podaję jej worek, odważone sto. Grube, twarde kostki, odłupane z towaru, który był w torbie Stryja. Bierze go do rąk, uśmiecha się. Daje mi pieniądze spięte srebrną spinką.

– Dziękuję – mówię, zdejmuję spinkę i wręczam jej z powrotem.

– To ja dziękuję – odpowiada. – Otworzyłbyś mi wino?

– Jasne – odpowiadam.

Wstaję, idę do kuchni, ona z lodówki do wina wyjmuje butelkę i podaje mi ją razem z otwieraczem.

– Zostało ci dużo pracy? – pyta, jakbym był jej kochankiem albo mężem.

Odwracam się do niej.

– Tyle co zwykle – odpowiadam.

– Mój syn – mówi, opiera się dłońmi o blat, wypina do mnie piersi – w jego, jak to się mówi... tym miejscu, gdzie mieszka...

– Akademiku – podpowiadam.

– Dormie. Znaleźli przy nim narkotyki – mówi i płytko wzdycha, przewraca oczami, jakby próbowała się nagle przejąć tym, co mówi, ale jej organizm kompletnie na to nie pozwala.

– I co teraz? – pytam, otwierając wino. – Wyrzucą go?

– Prawdopodobnie tak – odpowiada. – Mój mąż jeszcze nic nie wie.

– To jakaś dobra uczelnia? – pytam.

– Oxford – odpowiada.

Kiwam głową.

– Włączę jakąś muzykę – mówi.

Podchodzi chwiejnym krokiem do audiofilskiego zestawu stereo, bierze pierwszą lepszą płytę z brzegu, wrzuca ją do odtwarzacza. Jej ciało delikatnie kiwa się na boki, jakby już przygotowywało się do tańca. Stoi przez chwilę, czeka, aż zacznie grać muzyka – mętny, gładki jazz z restauracji w droższym hotelu. Stoi jeszcze przez chwilę, odwrócona tyłem. Jest w dziwnej gotowości na wszystko, jej ciało, chociaż rozkołysane alkoholem, jest też dziwnie sprężone, jakby zaraz, na sygnał, miała zacząć biec.

Muszę zaraz jechać. Nigdy nie zostawałem u niej dłużej niż pół godziny. Przez ten czas potrafiła powiedzieć mi naprawdę wiele; to pół godziny wystarczyło i jej, i mnie.

– Bardzo mi przykro – odpowiadam.

– Co z tego? – pyta. – Przecież to na złość. Zrobił to specjalnie. Wszyscy tam ćpają, a złapali tylko jego jednego? Przecież nie jest idiotą. Za dużo wysiłku włożyłam w to, aby nim nie był.

Podchodzi do mnie powoli, kręcąc biodrami, bierze ode mnie kieliszek wina.

– To nie jest nawet na złość mnie ani Adamowi – mówi, przybliżając się do mnie na niebezpieczną odległość. – To na złość temu przekonaniu, że wie, że wszystko mu się uda. Ja go nawet rozumiem.

Przez chwilę kładzie dłoń na mojej klatce piersiowej. Biorę jej dłoń w swoją i odsuwam ją.

– Syn przyjaciół mojego męża nie żyje – mówi. – Przedawkował, zmarł na serce. Dziewczyna go znalazła. Straszne.

Wysypuje towar na stół, następnie podchodzi do jednej z szafek, staje na palcach, aby sięgnąć po coś, co jest schowane z tyłu.

– Na pewno musiał brać jakieś gówno – mówi, grzebiąc we wnętrzu. – To właśnie jest straszne, przecież było go stać... na coś lepszego...

Na chwilę przestaje, opiera się o blat i patrzy na mnie uważnie.

– A zresztą przepraszam cię za to, co teraz powiem – mówi – ale on po prostu był idiotą.

– Ten syn? – pytam.

– Tak. Potworny kretyn. Naprawdę nawet jakby był żywy, i tak w niczym nie przydałby się Grześkowi. Wiesz, najgorsze, co może spotkać mężczyznę takiego jak Grzesiek, dorosłego faceta, który zarobił pieniądze, coś zbudował, to mieć jedynego syna, który jest zwyczajnym półmózgiem – stwierdza, przez chwilę nic nie mówi, uśmiecha się sama do siebie, a po chwili pyta: – Nie uważasz, że czyjaś śmierć wcale nie zwalnia nas z obowiązku mówienia o nim prawdy?

– Absolutnie – zgadzam się, a ona z powrotem staje na palcach i zaczyna grzebać w szafce kuchennej.

W końcu wyciąga to, co chciała. Na ułamek sekundy traci równowagę, opiera się o blat, wypuszcza powietrze. Ściska to, co ma w ręku, jak małe trofeum.

– Było go, a właściwie jego ojca, stać na wszystko – kończy zdanie.

Po chwili pokazuje mi szukany przedmiot – srebrny młynek do towaru.

– Zrobiony na zamówienie – mówi i znów odwraca się do mnie tyłem.

Wciąga kreskę szybko i gwałtownie. Aby wyglądało to jak najładniej, aby dźwięk przy tym był jak najmniej obrzydliwy.

– Mam gdzieś taką małą, śliczną łyżeczkę – mówi – ale jej używam, jak wychodzę gdzieś z Adamem. Jest taka piękna. Muszę ci ją pokazać.

– Wiem, jak to wygląda – odpowiadam.

Wiem, czego ode mnie chce. Nie jestem pięciolatkiem. Wiem, ale nie chcę. Nie chodzi o jej wygląd: jest zadbana, jest pociągająca, jeszcze dziesięć lat temu była pięknością. Nie brzydzi mnie nawet to, że jest pijana. Brzydzi mnie fakt, że ona chce tego za bardzo. Że jest głodna. Że jest zdesperowana, że jej pragnienie, aby ktoś ją wziął, przycisnął, położył pod sobą, zanadto przeżarło się z rozpaczą, z bełkotem, z faktem, że w filmie o sobie samej gra rolę sklepowego manekina. To jest nierozłączne. Jest stracona. Minęło zbyt wiele lat.

Poza tym jest alkoholiczką, której nikt nie pilnuje, na której problem nikt już nawet nie zwraca uwagi. Jej życie jest jak ta stara, skisła piosenka z serialu *Jan Serce*, ale bez ucieczek o świcie: został wyłącznie wstyd.

Podchodzi do mnie blisko. W okrągłych, czarnych oczach, otoczonych siatką zmarszczek, ma dwa mętne bajora. Nawet ładnie pachnie. Nie znam tych perfum.

SMS. Kolejny. *Przyjedz do mnie.*

– Masz już dzisiaj wolne? – pyta. – Czy czekają jeszcze na ciebie dwie takie jak ja? Same w domach? W trakcie drugiej butelki?

Jeszcze nie odpisałem, ale telefon nieprzyjemnie parzy, jak wrzucony nagle do kieszeni gorący brud.

– Nie mam jeszcze wolnego – odpowiadam. – I nie mogę ci powiedzieć, gdzie jeszcze jadę.

Jeszcze jeden. *Przyjedz. Prosze.*

Nie uprawiałem seksu z żadną kobietą od paru miesięcy i nie myślę o tym na co dzień. Myśli tego rodzaju dekoncentrują, ale też ten brak cudzego ciała czasami daje o sobie znać. To lekki, tępy ból, którego źródła nie da się do końca określić. Taki trochę nie w ciele, zawieszony nad tobą. Swędzenie. Nieobecność. Cichy brak. Ale nie chcę jej teraz. To paskudnie tanie. Nieestetyczne. Słabe. Już to, że czasami jednak zostaję z nią dłużej niż pięć minut, że słucham tego, co ma do powiedzenia, jest niedobre, co więcej, jest bezzasadne.

Każdy, kto sprzedaje narkotyki, dyma swoje klientki, robią to nawet ci, którzy gonią heroinę, ale teraz i tutaj to zła decyzja, a nie ma nic gorszego niż podejmowanie głupich decyzji w imię swędzenia, małych łaknień, dyskomfortów.

Zresztą ona jest czyjąś żoną. Kiedyś zdarzyło mi się

uprawiać seks z czyjąś żoną, ale to nie znaczy, że uważam dymanie cudzych żon za cenne i rozwijające zajęcie.

– Nie odpowiadaj mi jak mój mąż – prosi. – Mój mąż nie może mi nic powiedzieć. Nigdy nie mógł nic mi powiedzieć. Od dwudziestu lat nie porusza ustami. Spotkał się ze wspólnikiem, ale nie może mi nic powiedzieć. Jedzie w delegację, ale nie może mi nic powiedzieć. Rozmawiał przez telefon, ale nie może mi nic powiedzieć. Wiesz, co mu ostatnio powiedziałam?

– Co? – pytam.

– Powiedziałam mu, że jeśli to jedna z tych młodych kurew, to niech w końcu przestanie się już wydurniać. Naprawdę może mi to powiedzieć. Niech po prostu powie: „Przepraszam cię, kochanie, ale rozmawiam z jedną z kurew". Dla odróżnienia może dodać cyfrę, na przykład KURWA 5. Bo przecież nie ma znaczenia, jak wyglądają, jaki mają kolor włosów albo z czego pisały maturę.

– To całkiem zabawne – mówię. – Jesteś dowcipną osobą.

– Mało kto to docenia. – Podchodzi jeszcze bliżej i kładzie mi dłoń na twarzy.

– Poczekaj chwilę – proszę ją.

Teraz czuję, że pod perfumami skrywa się jeszcze inny zapach, kwaśny jak mleko w pierwszy dzień zepsucia.

Nie pisz juz wiecej – odpisuję jej jak ostatni kretyn i gdzieś w środku, podczas pisania tego durnego *nie pisz juz wiecej*, uderzam się sam dziesięć razy w głowę. Ona tylko na to czeka. Ona tam czeka. W pokoju. Jak sztylet.

Musi zgwałcić mnie w głowie jeszcze raz, ponownie musi mnie postrzelić, bo w jej mniemaniu wszystko jest u mnie w porządku, bo już zapomniałem, jak to jest. Bo znowu zaczyna mi się wydawać, że każde skrytobójstwo, każdy kanibalizm, jaki może wydarzyć się między kobietą a mężczyzną, jest po prostu śmieszny, bo znowu zaczynam wierzyć w to, że rzeczywiste relacje międzyludzkie różnią się od filmowych jedynie tym, że te filmowe są lepiej napisane.

Kobieta, z którą teraz jestem w jednym pomieszczeniu, całuje mnie w usta, słodkie i kwaśne smaki, wino, płyn do płukania ust, perfumy i mięso jednocześnie.

– Nie mogę – mówię.

– Możesz – odpowiada.

– Muszę iść – informuję.

– Do kogo? – pyta. – Zobacz, ile dałam ci pieniędzy. Naprawdę musisz zarobić dzisiaj jeszcze więcej? Jesteś tego pewien?

– Muszę załatwić pewną sprawę.

– O której nie możesz mi powiedzieć – mówi.

– Dokładnie tak – odpowiadam.

– Zostań ze mną – prosi. – Wiedziałeś, że kiedyś cię o to poproszę.

Co mi zrobisz? – odpisuje.

Jej dłonie zsuwają się w dół mojej klatki piersiowej, a potem jeszcze w dół, a potem zatrzymują się na pasku.

Nic nie mówi. Nie musi. Uśmiecha się.

Zabijesz mnie? – odpisuje.

Trzymając wciąż telefon w dłoni, odpycham ją od siebie najdelikatniej, jak potrafię.

– Jesteś czyjąś żoną – mówię do niej.

– Technicznie rzecz biorąc – odpowiada.

– No właśnie – mówię.

Opiera się z powrotem o blat. Z powrotem patrzy na mnie w ten sam sposób, taksujący, zaczepny, pijany. Jest przekonana, że kiedyś, może już za chwilę, jej się to uda, poza tym ma zbyt dobrze rozwinięte poczucie godności osobistej, aby dać do zrozumienia, że to ją boli. Aby dać do zrozumienia, że wie, że jest po prostu starą, niedojebaną, bogatą babą, która bierze zdecydowanie zbyt dużo leków psychotropowych, a przede wszystkim ma zdecydowanie za dużo pieniędzy.

Tak – odpisuję. Nie wiem po co.

– Nie wiedziałam, że przestępcy rzeczywiście są szlachetni – mówi. – Myślałam, że tacy są jedynie w filmach.

– To zwykła ostrożność – odpowiadam.

– Masz kogoś? – pyta. – Masz dziewczynę?

– To nie ma żadnego znaczenia – mówię.

– Możemy to zrobić po ciemku – mówi nagle, głos na chwilę jej pęka, obniża się o jedną tonację; jakby ktoś włączył w jej szyi zapasowe gardło, przeszczepione od innej osoby; odwraca się w stronę kokainy, a następnie z powrotem do mnie. – Możemy to zrobić po ciemku, i to nie musi trwać długo – powtarza.

– Przepraszam. Muszę już iść. Naprawdę. Jesteś bardzo miła – odpowiadam, próbując nie przypominać lektora w złym filmie sensacyjnym z przegranej kasety wideo.

Znowu podchodzi w moim kierunku. Znowu staje blisko. Chowam telefon do kieszeni. Ona podchodzi, chwyta mnie za dłonie, przyciska je do siebie, próbuje wepchnąć mi język do ust.

– Zawsze uważałam, że jesteś piękny. Na swój sposób, nie czerwień się tak. Jest w tobie coś zimnego. Delikatnego i zimnego.

– Wychodzę stąd – mówię – i życzę ci dobrego wieczoru.

Tym razem odsuwa się sama.

– No to jedź już – mówi i nagle tężeje, jakby wkładała się sama do zamrażarki, dolewa sobie więcej wina, patrzy na rozsypany na blacie towar, uśmiecha się, jakby uśmiechała się do wspomnienia po zmarłym.

Ma za dużo honoru, aby jeszcze raz mi to zaproponować.

Czasami musi myśleć o samobójstwie. Jestem tego pewien. Te ściany czasami jej o tym mówią. Jest osobą, która nie ma żadnego związku z czymkolwiek. Jest jak wypleniona roślina. Może dlatego ją lubię. Jest poza wszystkim. Trochę jak ja.

Ze wszystkimi swoimi pieniędzmi, zabiegami i drobnymi interesami, rozkręconymi dla zabicia czasu i doglądanymi przez menedżerów, jest jak noworodek zostawiony w oknie życia.

– Myślisz, że masz jeszcze czas – stwierdza – że masz jeszcze dużo czasu. Więcej ode mnie. Ale to nieprawda.

Jest totalnie, totalnie pijana i naćpana, ale wypowiada zborne, okrągłe zdania, może dlatego, że gdy mówi, z reguły jest pijana; trzeźwość jest dla niej milczeniem.

– Nie bierz tego osobiście – nie wiem czemu, zaczynam jej to nagle tłumaczyć i przy okazji kłamać. – To tak, jakbyś chciała nagle zaprosić na herbatę kogoś, kto przywiózł ci żarcie na telefon. To miły prezent, ale nie zawsze można go przyjąć.

– Przestań pieprzyć bzdury. – Macha pogardliwie ręką. – To potworne, jaki ty jesteś młody i przemądrzały. Bulwersujące.

Wyjmuje spinkę z włosów, rozpuszcza je, roztrzepuje przez chwilę, jest w tym geście coś naturalnego, ładnego, coś, co mogłaby zrobić młoda dziewczyna.

SMS: *A jesli chcialabym cos od ciebie kupic, to wtedy przyjedziesz?*

– Odrzucasz wszystko, co cię spotyka, niczego teraz nie chcesz, bo myślisz, że masz przed sobą jeszcze kilkadziesiąt lat – mówi.

– Nie – odpowiadam. – To zupełnie nie tak.

– Jest tak, jak mówię. Wiesz, że tak jest, nie okłamuj się – stwierdza i dodaje: – Wciąż patrzysz w telefon. Jednak masz dziewczynę. Albo dziewczyny. Myślę, że kiedyś będzie inaczej.

– Po prostu będę miał tyle pieniędzy, że nie będę musiał ich zarabiać – odpowiadam.

– I co będziesz wtedy robił? – pyta.

– Jeszcze nie wiem – odpowiadam zgodnie z prawdą.

Bo nie wiem. Bo nie mam czasu się nad tym zastanawiać.

– Oczywiście, że nie wiesz – odpowiada. – Nie ma takiej ilości forsy, która sprawia, że nie musisz już jej zarabiać.

SMS: *A jesli chcialabym kupic za 500 zl? Za 1000? Za ile przyjedziesz? Ile musialabym kupic, abys przyjechal?*

– Jesteś jak mój mąż i jego koledzy. – Zapala papierosa. – Jesteś taki sam jak oni, gdy mieli po trzydzieści lat. Mówili: jeszcze będzie czas, by pożyć. Na razie trzeba zarabiać. Trzeba ulepić ten pierwszy milion przed czterdziestką. Pierwsze dziesięć, dwadzieścia milionów. Ile razy ja to słyszałam? Darli mordę, jakby chodziło o klub piłkarski, który wygrał puchar, nie wiem, puchar narodów. „JESZCZE BĘDZIE CZAS!”. A wiesz, gdzie oni są? Wiesz, gdzie są teraz? Może żyją, w pewnym sensie wydaje im się, że żyją, może wydaje im się nawet, że właśnie odpoczywają. W apartamentach. Z kurwami. Na jachtach. Ale po prostu dalej się trzęsą, dalej srają, dalej ćpają pieniądze, ćpają ich zapach. Nie mają czasu, bo go nie ma, i ty też go nie masz, mój drogi.

Odpisuję: *Wez cos na uspokojenie i idz spac.*

– Nie patrz się tyle w ten telefon – mówi. – Nic nie wygląda głupiej i gorzej od niespokojnego faceta.

– Przepraszam cię bardzo, ale to są pilne sprawy – odpowiadam, pokazując na telefon.

– Oczywiście, że to nie moja sprawa, oczywiście, że nie możesz mi powiedzieć – odpowiada. – Ale widzisz? To uzależnia, mój chłopcze ze śniegu. Jesteś taki sam. To nie ma znaczenia, że ktoś robił w nieruchomościach, ktoś robił w walucie, a ktoś robił – bierze trochę towaru na palec – w tym. Ja wszystko widziałam. Naprawdę, wszystko.

– Ja zamierzam się najeść. Będę miał tyle, ile mi potrzeba. Wtedy przestanę – odpowiadam jej, nie wiem dlaczego.

SMS: *Moze nie blagam, ale prosze.*

SMS: *Po prostu chce porozmawiac.*

SMS: *Bardzo chce z toba porozmawiac.*

– Mój mąż też tak mówił dziesięć... Dziesięć? Dziesięć lat temu – mówi. – Nie ma nic poza drugą osobą. Nie ma nic, zapamiętaj. Nie ma nic poza kimś, kto jest dla ciebie bezinteresownie serdeczny. Za dziesięć lat będziesz błagał. Będziesz skamlał, słońce. Będziesz prosił obcych ludzi na ulicy, aby poszli z tobą na herbatę. Wpadli do ciebie pograć w kanastę. Pojechali z tobą na wakacje. Może zaczynasz robić to już teraz.

Odpisuję: *Nie przyjade. Idz spac.*

– To ciekawe, co mówisz. Ale naprawdę muszę już iść – mówię.

– Nie musisz już iść. Chcesz wiedzieć, co jeszcze powiem. Bo wiesz, że mam rację – mówi i traci równowagę, w ostatniej chwili przytrzymuje się blatu. Odwraca się. – I pamiętaj, że dałam ci przed chwilą czterdzieści tysięcy, więc mam prawo prosić o trochę twojego czasu. Swoją drogą, jest nic niewart. Naprawdę nie jest – dodaje. – Zaczyna już źle grać, aktorzyć. Przeciąga zdania, połyka głoski, krztusi się rolą.

– Przytrzymaj mi włosy – rozkazuje mi nagle.

MMS od Beaty: zdjęcie, na którym jest naga, stoi przed lustrem. Chuda, wręcz koścista. Jakby wycięta ze świata paroma nagłymi ruchami żyletki. Ma duże piersi; naturalne, lekko lejące się, ale nie spływające w dół, z małymi sutkami. Przy jej figurze, ostrym wcięciu w talii, wyglądają trochę na skradzione zupełnie innej osobie, na photoshopowy żart.

Nie chcę tego MMS-a. Nie chcę go widzieć. Chowam telefon do kieszeni. Podchodzę, łapię ją za włosy. Wciąga kreskę. Kładę dwa palce na jej ramieniu, jest śliska w dotyku. Śliska i kwaśna. Drży, gdy przysuwam się do niej jeszcze bliżej. Nie puszczam jej włosów. Trzymam ją mocno.

To wstrętne i tanie. W dodatku ona jest czyjąś żoną. Ale łapię się na tym, że jestem zmęczony, że jestem głodny kogoś, że nie mam nic lepszego do roboty. Że muszę zrobić wszystko, aby nie pojechać tam, skąd przychodzą te SMS-y, które chlastają mnie po oczach, jak flary przelatujące tuż obok policzka.

SMS: *A teraz?*

Odwraca się. Dopiero wtedy zabieram rękę. Zostało jej białe obramowanie na prawej dziurce od nosa, po chwili zbiera je palcem.

– Sam sobie zabrałeś swój czas – mówi – i już nigdy nie będziesz go miał. Jeździsz tym swoim samochodem, by zdobyć coś, czego nie będziesz umiał obsłużyć.

– Nic nie wiesz – odpowiadam. – Nic nie wiesz, a próbujesz być mądra.

– Tak jak niektórzy nie umieją obsłużyć kobiet – mówi, a właściwie szepcze.

Im ciszej mówi, tym intensywniej pachnie.

Całuję ją, smakuje tak, jak myślałem: miętą, cukrem, winem, czymś gorzkim, lekarstwem.

Zrobić wszystko, żeby tam nie pojechać. Wrócić do domu. Położyć się do wanny. Iść spać. PRZESTAĆ WARIOWAĆ.

– Poczekaj chwilę – mówię.

– Wbrew pozorom jest mi głupio – odpowiada.

– Poczekaj – powtarzam.

Nie przyjade. Na pewno – odpisuję.

– Już? – pyta. – Czy możemy iść do innego pokoju?

SMS: *Na pewno?*

2:54

Otwiera drzwi. Stoi w nich nieruchomo w rozciągniętym, czarnym podkoszulku. Zgina nogi lekko do środka, kolanami do siebie. Udaje nieporadną. Kurwa, jak ona doskonale udaje nieporadną!

– Cześć – mówi, spuszczając wzrok.

Jej włosy są koloru niedojrzałych cytryn. Nigdy ich nie farbowała. Odgarnia je za ucho. Widzę jej twarz, lekko pochyloną. Jakby szukała pod nogami jakiegoś rozwiązania tej sytuacji, ale to mylne wrażenie. Ona doskonale je zna. Wie, co będzie dalej. Nie wie tylko, do czego ją to doprowadzi. Ale to już nie ma znaczenia, nie dla niej, nie dla takich jak ona.

Jest jak sztylet. Tak jak wtedy, parę dni temu, w centrum handlowym. Ale wtedy wyglądała inaczej. Jak nie do końca ona. Coś ją zamazywało, zmieniało, może ubrania, których nie znałem, może światło, może pora dnia. Może moje zdziwienie, że ją widzę. Była mniej wyraźna. Teraz widzę ją w całej okazałości.

– Miałeś nie przyjeżdżać – mówi cicho.

Miałem nie przyjeżdżać. Może nie przyjechałbym, gdybym ugryzł się w dłoń do krwi, gdybym się schlał, gdybym uderzył w coś głową albo wjechał samochodem z prędkością stu czterdziestu na godzinę, albo gdybym skoczył z mostu Poniatowskiego. Wszystko, wszystko byłoby mądrzejsze od tego.

Ale za dużo o tym myślałem, żeby tego nie zrobić. Ten film nigdy nie zszedł z afisza. Nie dało się wypełnić tej dziury. Nie dało się z nią żyć.

– Straciłem klienta – mówię jej. – Przed chwilą. A właściwie klientkę.

– To przykre – mówi i dodaje: – Co mam ci teraz powiedzieć? Że nie musiałeś?

Znam ten wzrok. Ten wzrok mówi: chciałabym cię przeprosić, choć jeszcze nie wiem, za co, ale pomóż mi w tym, złap mnie za rękę. Chciałabym, abyś coś mi wytłumaczył. Chciałabym, abyś przede wszystkim był spokojny; spokojny dla mnie.

Jest wytrawną blagierką. Potrafi rozbrajać mężczyzn na piętnaście różnych sposobów. Wywoływać dziesiątki odcieni bólu. Zamieniać mężczyzn w ojców, którzy stracili dzieci.

Jest zaburzona, jest zła. Jest zwykłą kurwą. Po prostu ktoś ją za ładnie wyrzeźbił.

– Wejdziesz? – pyta i cofa się o krok, otwierając drzwi trochę szerzej.

Jest moim jedynym błędem. Błędem, który stoi przede mną i lśni. Ktoś podniósł ją do góry, gdy spała, zanurzył ją w żywym srebrze.

– Wejdziesz? – pyta jeszcze raz.

Jeszcze przez chwilę stoję na wycieraczce. Oparty o framugę, taksując ją wzrokiem z góry do dołu, z dołu do góry. Delektuję się powstrzymywaniem nieuchronnego. Smakuje jak przeterminowany lek.

Przez chwilę myślę o bogatej żonie.

Może już nigdy do mnie nie zadzwonić. Nie dlatego, że ostatecznie uciekłem z jej domu, zanim zaciągnęła mnie do którejś z ciemnych sypialni. Dlatego, że w przeciwieństwie do niej jest dorosła i w przeciwieństwie do niej ma honor. W przeciwieństwie do niej jest z ostatniego pokolenia dorosłych kobiet. Będzie jej wstyd, ogromnie wstyd zadzwonić, a potem otworzyć mi drzwi. Nawet jeśli miałaby nie znaleźć innego dostawcy.

– Będziemy stać do rana w drzwiach? – pyta.

Nigdy w życiu nie byłem, jak to nazywają niektórzy, zakochany.

Nigdy. Może kiedyś chciałem, ale nigdy nie byłem.

Wchodzę. Zamykam za sobą drzwi.

Przez chwilę jest ciemno, po chwili zapala światło w kuchni. Opiera się o ścianę. Wciąż jest w podkoszulku, wciąż patrzy na mnie, sama nie wiedząc, co robi.

– O czym chciałaś porozmawiać? – pytam.

– Coś jest nie tak – odpowiada. – Coś jest bardzo nie tak.

– Jest – odpowiadam.

– Jesteś u mnie w mieszkaniu o trzeciej nad ranem – odpowiada.

– Na twoją prośbę – mówię.

– Boję się – odzywa się po chwili.

Wzruszam ramionami.

– Wtedy w restauracji wyglądałeś, jakbyś chciał mnie zabić – odpowiada. – A teraz przecież masz okazję. Nikt nie zauważy, jak wchodzisz i wychodzisz. Tu nie ma kamer.

– To tandetne – odpowiadam. – To jest naprawdę tandetne, co teraz mówisz.

– Bo ja jestem tandetna. Bo miałeś tandetną dupę, która lubi tandetne rzeczy – mówi nagle głośno, szybko – która lubi torebki, buty, buty na wysokim obcasie. Buty jak dla kurwy. Złote łańcuchy. Pierścionki. Wszystko jak dla kurwy. Miałeś dupę, która lubi to fotografować i wrzucać na Instagram. Która robi dzióbki do lustra. Chciałeś mieć taką dupę, więc ją miałeś. Pasowała do ciebie.

Nie odpowiadam. Mówi szybko, jakby recytowała tekst zadany na pamięć, chcąc się go jak najszybciej pozbyć; unika przy tym mojego wzroku. Nie chce na mnie patrzeć.

– Chciałeś się ze mną pokazywać. To o to ci chodziło.

To chciałeś robić. Miałam więcej klasy, wyglądałam lepiej niż te kurwy, z którymi bujali się tacy jak ty. Bo nie mam takiego wiejskiego, polskiego ryja jak tamte. Powiedz to. Chciałeś to robić, bo wyglądałam na trochę inną i trochę luksusową.

– W ogóle mnie to nie interesowało – odpowiadam.

– To o co ci chodziło? – pyta nagle i obejmuje się ramionami. – To o co ci chodziło, powiedz mi?

Nigdy w życiu nic do nikogo nie czułem. Może oprócz mojej pierwszej dziewczyny. Jeszcze w liceum plastycznym. Przypominam sobie ją teraz, nie wiedzieć czemu: miała ciemne włosy z grzywką; gdy się śmiała, mrużyła oczy tak bardzo, że zwężały się w dwie kreski. Była jak z japońskiej kreskówki, słodka jak zwierzątko. Coś do niej czułem, to było być może to coś, co inni ludzie czują do psów.

Jej to nie dotyczy. Ona ma żyletki pod skórą, cyjanowodór pod językiem. Jest jak AIDS. Jest jak duże miasto w całej swojej okazałości skompresowane do jednej osoby.

– Boję się. Znowu masz to spojrzenie – stwierdza i odwraca wzrok.

– Nie odpowiadam za to, jakie mam spojrzenie – mówię.

Ściągam kurtkę i wieszam ją na wieszaku. Wiem, co się zaraz wydarzy.

– Czułam się sama – mówi po chwili.

– Musiałaś czuć się naprawdę sama – mówię. – Każdy z nich jest u swojej żony? Dziewczyny? Każdy jest w delegacji? Powiedz mi.

Nic nie odpowiada, widzę, jak to przełyka, widzę, jak sama tłumaczy sobie, że zasłużyła na wszystko, co zaraz może usłyszeć.

– Wiesz, że cię przepraszam – mówi – że to nie miało tak być.

– A jak miało być? – pytam.

– Nie wiem, jak miało być, Jacek, może ja chciałam być szczęśliwa – mówi. – A może ty mi imponowałeś, może to ja chciałam przez chwilę być twoją ruską żoną.

Nic nie odpowiadam.

Gdzieś, zza okna, dobiega szum przejeżdżających samochodów, ktoś idzie po podwórku, cicho śpiewając, ktoś na kogoś wrzeszczy, ktoś żyje. Ktoś nie jest mną i ktoś nie jest nią, i ktoś zupełnie nie wie o naszym istnieniu. Gdyby ten ktoś dowiedział się, że nie wie, miałby prawo poczuć się dobrze.

– A może chciałam być nieszczęśliwa – mówi po chwili. – Nie wiem.

– Czy ty uczyłaś się, kurwa, obrazków z internetu na pamięć, zanim tu przyjechałem? – pytam ją w końcu.

– Możesz obrazić mnie dzisiaj w każdy sposób, jaki ci się żywnie podoba – odpowiada. – Naprawdę. Nie musisz się krępować.

Robię krok w jej stronę. Zawsze pachniała najlepiej, najwłaściwiej. Może to właśnie był powód. Że nie mogę znieść większości zapachów, a ją mogłem wdychać. Zwłaszcza na karku, w punkcie, gdzie zamykały się jej naszyjniki.

Tamta dziewczyna z liceum miała na imię Marysia. Pewnego razu zaszła w ciążę. Wzbraniała się przed jej usunięciem. Przypominam sobie teraz, kiedy zaszła; nie mam pojęcia, dlaczego akurat teraz, ale mam to przed oczami, niewyraźne zdjęcie – pokój w rodzinnym mieszkaniu jej rodziców.

Usunęła, gdy powiedziałem, że ją zostawię. To był szantaż. Zostawiłem ją i tak, tyle że miesiąc później. Próbowała popełnić samobójstwo. Teraz mieszka w Szkocji. Teraz ma męża i dwójkę dzieci. W każdego sylwestra wysyła mi SMS-a z życzeniami.

Ale teraz to i tak nie ma żadnego znaczenia.

– Zrozumiałam coś – mówi. – Może chciałam ci po prostu powiedzieć, że coś zrozumiałam.

Coś sprawia, że robię jeszcze jeden krok do przodu.

– Kurwa, ale to jest takie trudne, ja pierdolę – mówi. – To jest takie trudne.

Również robi krok do przodu, człapie, jej stopa klaszcze o podłogę, stopa z pomalowanymi tydzień temu paznokciami.

– Męczysz mnie – mówię.

– Ja po prostu zrozumiałam, i właśnie to chciałam ci powiedzieć, że zrozumiałam, że jeśli robi się takie rzeczy, jakie ja robię innym ludziom – mówi po chwili głośniej, wyraźniej – to robi się je również samemu sobie.

– Kto ci to powiedział? Chodzisz na jakieś szkolenia? – pytam.

– Przestań już – prosi.

– Przecież nie wpadłabyś na to sama – mówię.

– Przestań, chuju! – krzyczy.

Jeszcze przez chwilę patrzę na nią, zmuszam ją, aby nie odwracała ode mnie wzroku, mija kilkanaście sekund, podchodzę do niej, chwytam ją w pasie, przyciągam do siebie, łapię ją za twarz, ściskam jej policzki, przyciągam jej głowę do swojej. Drugą rękę wkładam jej między nogi. Nie ma majtek. Ma tam miękkie i krótkie włoski, ostatni raz depilowała się dobry tydzień temu; może oni rzeczywiście wszyscy poszli z powrotem do swoich żon?

Teraz widzę, gdzie jest. W jakim momencie. Z jakiego miejsca mnie zawołała.

Jest w niej trochę prawdziwej bezradności. Próbuje złapać powietrze, przypomina rybę na brzegu, kogoś, kto już stracił równowagę, ale jeszcze nie upadł.

– Wyruchaj mnie – mówi.

– Powtórz to – mówię.

– Wyruchaj mnie – powtarza.

Kiedyś obudziłem się w jej mieszkaniu i patrzyłem, jak przebiera się przed lustrem, jak przez krótką, niezwykle krótką chwilę stoi przed nim naga, a potem zakłada stanik i majtki. Pamiętam, że wtedy powiedziałem jej: „Ile można cię pieprzyć, ile można to robić, to za mało, aby się nasycić, aby to zalać, zamknąć chociaż na chwilę; musiałbym cię zjeść; zabić i zjeść. Od razu. Całą".

Wsmarować ją w siebie.

Nawet ją to wtedy rozbawiło. Uśmiechnęła się kącikiem ust, delikatnie podnosząc go do góry. Jak po dowcipie, który mógłby być lepszy.

– No i? – pyta. – Wyruchasz mnie, czy po co tu przyjechałeś?

Ściągam z niej koszulkę. Ściągam sweter i podkoszulek. Przyciskam ją do siebie. Bardzo mocno. Trzęsie się delikatnie, rezonuje, w środku ma jakiś zepsuty mechanizm, który nie chce przestać pracować, jest mokra, odpycham ją, prowadzę w stronę łóżka, ale po chwili zmieniam zdanie. Nie położę się w tym łóżku. To jak położyć się w nim z nimi wszystkimi.

Nawet jeśli to ona jeździ do nich, a nie oni do niej. To przecież małe mieszkanie, kawalerka przy Broniewskiego; może czuli się tak, jakby korzystali ze strony ze studentkami na telefon.

Ona w sumie jest studentką na telefon. Tylko nie studiuje i preferuje transakcje bezgotówkowe.

Ściągam resztę ubrań.

Od tygodnia tracę kontrolę. Ale teraz namacalnie czuję, jak ją tracę. Wpadam w poślizg. Jakbym pierwszy raz w życiu jeździł na nartach.

Prowadzę ją przed drzwi szafy, przed lustro, tak aby siebie widziała. Klękam, wkładam twarz między jej uda, głęboko. Sapie. Cicho, potem głośniej. Poza tym nie ma dźwięków. Oddycham prosto w nią. Chwytam ją za biodra, przyciskam ją sobie do twarzy. Zaczyna wzdychać głośniej i jęczeć. Piję z niej. Długo. Za długo. Za długo o tym myślałem. Przestaję. Na chwilę. Myślałem o tym miesiącami. Nie umiałem przestać. Wstaję. Kładę jej otwartą dłoń na brzuchu, tak jakbym chciał ją chwycić. Przez chwilę tak ją trzymam. Staje na palcach. Rozsuwa nogi, wkładam jej od tyłu, trochę zsuwa je z powrotem. Jest najbardziej miękką i gładką spośród wszystkich powierzchni. Zanurzam nos w jej karku, wkładam nos w jej kark. Jest zimny. Jest zimny jak coś wyjętego z zamrażarki. Prawie kapie jej z cipy. Krzyczy głośno, krzyczy, jakby ją bolało, krzyczy jak ktoś, kto chce uciec. Wkładam jej palce do ust. Gryzie je, jakby chciała przegryźć kość. Jej dłoń przez chwilę fruwa w powietrzu, potem znajduje moje biodro. Drapie je mocno, do krwi, przyśpieszam i zwalniam, wiele razy przyśpieszam i wiele razy zwalniam, w końcu uderzam ją biodrami z całych sił, wtedy krzyczy najgłośniej i najkrócej, jakby czknęła. Wysuwam się z niej. Odwracam ją do siebie. Przyciskam do szkła. Jej plecy przyklejają się do lustra. Oddycha bardzo szybko. Pachnie strachem i mlekiem. Szczypie mnie w klatkę piersiową, raz, drugi, chce, żeby bolało. Nie wie, co zrobić z rękami, ze sobą. Pluje mi w twarz. Pluje mi w twarz drugi raz, otwieram usta, łapię jej ślinę, jakby to był prezent, aport, połykam. Uderzam ją w twarz, jakby w nagrodę. Mówię jej, aby tego nie robiła, ale zrobi to kolejny raz. Robi to, czego ma nie robić, na co jej nikt nie pozwolił. Zawsze robi to, na co jej nikt nie pozwolił. Łapie mnie za fiuta, zaczyna ruszać ręką w górę, w dół, tak aby zabolało, tak, abym nie miał z tego żadnej przyjemności. Szarpie. Znowu uderzam ją w twarz, tym razem mocniej. Aż piecze mnie ręka. Nie przestaje. Jest chłodna, wilgotna. Jak jezioro. Przewracam ją na podłogę. Opuszczam jej nogi, złączam je tak, aby były tuż obok siebie, równo, aby leżała jak w trumnie, kładę się na niej, aby ją przygnieść, wkładam jej fiuta, wciskając go najpierw między uda, potem do środka, jesteśmy twarzą w twarz, to łatwe, bo mamy podobny wzrost: moja twarz przy jej twarzy. Oddzielam je dłonią. Krzyczy. Krzyczy w moją dłoń, jej krzyk rozpryskuje się o wnętrze mojej dłoni. Ma otwarte oczy. Zawsze ma otwarte oczy. Zasłaniam je palcami. Na chwilę. Jest śliska jak ryba, cała. Wgniatam ją mocniej w podłogę. Wciskam. Jakbym chciał ją sobą zmiażdżyć. Puszczam. Schodzę z niej. Kładę się na plecach. Wskakuje na mnie, wkłada go sobie, zaczyna sama się nim ruchać, poruszać się w górę i w dół, zamyka oczy i podnosi głowę, zaciska mi dłonie na szyi z całych sił, potem puszcza, wyprostowuje się, wygląda jak złe drzewo, które wypuszcza gałęzie. Śpiewa. Przez chwilę wyje. Śpiewa. Bezgłośnie śpiewa. Łapię ją za tyłek. To jest jej piosenka psa. Zaciskam dłonie. Zatrzymuję ją, podnoszę jej biodra do góry, przyciągam jej głowę do siebie. Tym razem ona to robi. Tym razem to ona wkłada dłoń pomiędzy nasze twarze. Jej piersi rozlewają się na mnie jak surowe białko. Jest ściganym zwierzęciem, tak wygląda. Tak pachnie. Taka jest. Wbijam się w nią raz, drugi, piętnasty, pięćdziesiąty, dwusetny. Zatykam jej usta. Próbuje wydobyć dźwięk. Boi się, że ją zabiję. Lekko się podnosi, chwytam ją za piersi, zgniatam je, kładzie swoje dłonie na moich, ale po chwili zdejmuje, jakby okazanie zgody na to, co robię, było czymś nieprzyzwoitym, jakby tej zgody nie było w kontrakcie. Zrzucam ją z siebie. Wstaję. Łapię ją za włosy. Ona klęka. Staję przodem do okna. Mam na sobie pot nas obojga. Staję przodem do okna wychodzącego na budynek szkoły podstawowej, staję naprzeciwko i patrzę na ten pokój, próbuję zmieścić go w zasięgu swojego wzroku. Bierze mojego fiuta do ust i trzyma go tak, bez ruchu, jakby wiedziała, co tak naprawdę robię, zgniatam, prasuję ten pokój i wkładam go sobie do głowy, aby był tam na stałe, to najgorsze, co można zrobić, najmniej sensowne, naprawdę.

Nie ma nic gorszego. Głupszego.

Powinienem zakazać sobie dożywotnio wstępu do samego siebie.

Powinienem sam się wykląć.

Wyjmuje go sobie z ust, całuje mnie w brzuch. Trzyma swoją twarz przy moim brzuchu. Oddycham głęboko. Powoli. Krótki wdech, głęboki wydech. Tak jak wtedy, gdy próbuję zasnąć.

Znowu zaczyna mi obciągać, zasysa go, produkuje ślinę, jak najwięcej, czasami wypuszcza go z ust, patrzy na to, co zrobiła, i wkłada go sobie z powrotem, kładzie mi otwartą dłoń na brzuchu, gdzieś daleko widać światło, i może, aby to trwało trochę dłużej, trzeba mieć otwarte oczy, ale to wszystko będzie trwało tyle, ile ma trwać. To uzależnienie na poziomie metabolicznym, bezzasadne, kosztowne, kradnące czas.

Mówi, że go uwielbia. Albo coś w tym rodzaju. Już jej nie słucham.

Błąd. Najpospolitszy z błędów.

Chcieć kogoś to najgorsza z motywacji. Chcieć kogoś tak, że nawet ta osoba tego nie zaspokoi. Nie chce się już wtedy tego, co rzeczywiście może się wydarzyć. Chce się potencji. Chce się snu.

Tak myślę, ale myślenie do niczego nie prowadzi.

Gdy w końcu się spuszczam, staram się krzyknąć jak najciszej, zminimalizować przegraną. Przez chwilę staram się myśleć, że to nie ona.

Zmusza mnie, abym na nią popatrzył. Połyka. Zakłada sobie włosy za ucho. Wstaje. Przyciągam ją do siebie. Oddycha szybko i nierówno. Obejmuje mnie, opornie i pokracznie, jak obejmuje się wujka przy składaniu życzeń wigilijnych.

Zasłaniam nią widok z jej okna.

Zasłoniłem nią sobie wszystko.

„Ale to przecież nie ma żadnego znaczenia" – myślę.

Ale to po prostu zbyt przerośnięta dyscyplina. Po prostu przyjechałem wydymać dziewczynę, z którą kiedyś się spotykałem i która okazała się szmatą. Nic się nie wydarzyło. Zupełnie nic się nie stało. Wyjdę stąd za jakieś dziesięć minut. Wychodząc, bez słowa odwrócę się w jej kierunku i rzucę jej ciche cześć.

Chociaż powinienem rzucić jej sto złotych.

– Połóż się ze mną do łóżka – mówi po chwili cicho, chuchając mi w bark.

Mam ochotę ją uderzyć. Przez chwilę, ale mam.

– Nie będę kładł się do łóżka, w którym spało przede mną dwudziestu kolesi – odpowiadam.

– Nikt tu nie spał. Nikt tu nie przychodzi – odpowiada.

– Kłamiesz – mówię.

Nic nie mówi. Oddycha trochę wolniej. Wciska się we mnie.

Do pokoju, w którym znam kolejność ustawionych na półce książek, powoli zaczyna się wlewać brudny róż.

8:50

Rolety są zasłonięte. Aby zabić jak najwięcej światła.

– Nigdy nie byłam u ciebie w mieszkaniu.

– Nie wiem, czemu miałabyś w nim być.

– Wiesz, faceci zapraszają kobiety do swoich mieszkań, a ty tylko przyjeżdżałeś do mnie jak do dziwki.

– Mężczyźni. Kobiety. Wiem, co jest w tych kolorowych gazetach dla kobiet. Czytam je w poczekalni do dentysty. Nie potrzebuję, aby ktoś mi to recytował.

– Mieszkasz na Mokotowie? Tam, gdzie wtedy?

– Skąd wiesz, że mieszkam na Mokotowie?

– Pamiętam. Raz byliśmy pod twoim mieszkaniem. Pytałam wtedy, czy mogę wejść. Wtedy, gdy zabrałeś mnie na kolację. Pamiętam, bo zabrałeś mnie na kolację jakieś trzy razy. Przepraszam, cztery.

– Nie mogłaś wejść. Nie będziesz mogła wejść.

– Pamiętam adres. Nie pamiętam numeru mieszkania.

– I co z tego, że pamiętasz adres? Co to jest, kurwa, za tekst?

– Przestań. Już przestań się irytować. To ja powinnam się irytować. Nic o tobie nie wiem. Nic o tobie nie wiedziałam. Myślisz, że to było łatwe? Spotykać się z człowiekiem, o którym wie się tyle, co o taksówkarzu albo kobiecie, która sprzedaje w sklepie?

– Wiesz za dużo.

– Nie, nie wiem nic. Prawdopodobnie nikt nic o tobie nie wie. Jesteś straszną osobą. Ale wiesz, co jest dziwne?

– Nie powinienem już tu być.

– Wiesz, co jest dziwne? – powtarza.

– Co jest dziwne?

– Że czuję się przy tobie jak kobieta.

– Powinnaś inaczej.

– Czuję się przy tobie jak prawdziwa kobieta. Nie wiem dlaczego. Bo sprawiasz, że czuję się uszkodzona. Wykorzystana. Każda kobieta jest trochę uszkodzona i trochę wykorzystana.

– Kurwa mać, czy tobie płacą za to pierdolenie? Na razie. Idę. Kończę to.

– To skończ. Wstań i skończ. No wstań.

Nie odpowiadam.

– No właśnie. Nie wstaniesz, bo chcesz się jeszcze raz pieprzyć.

Nie odpowiadam.

– Nie myślałeś kiedyś o tym, aby wyjechać zupełnie, ale to zupełnie gdzie indziej? Zacząć zupełnie od nowa? Mieć proste życie gdzieś, gdzie jest ciepło? Podawać ludziom kawę? Wypożyczać im łódki?

– Marzy o tym każdy. Marzy o tym bezdomny i marzy o tym prezes rady nadzorczej Orlenu.

– Naprawdę nigdy o tym nie myślałeś?

– Jesteś durna.

– Tak jakbyś myślał, że nie ma innego świata poza tym, teraz i tutaj. Poza tym chujowym, przejebanym miastem.

– Bo nie ma.

– Jak to nie ma?

– To, co nas nie dotyczy, nie istnieje.

– Ty jesteś, kurwa, tandetny.

– Wszystko jest tandetne. Absolutnie wszystko jest tandetne. Wszystko w ostateczności przestaje działać i istnieć. Wszystko jest szmelcem.

– Ty jesteś, kurwa, tandetny. Jesteś jak student pierwszego roku filozofii.

– Czy ty kiedykolwiek chociaż stałaś obok studenta pierwszego roku filozofii? Nie licząc metra, gdzie nie miałaś pojęcia, kto stoi obok ciebie?

– Nic o tobie nie wiem.

– Po co ci cokolwiek wiedzieć?

– Bo leżę z tobą w łóżku?

– Naprawdę ci to potrzebne, aby leżeć z kimś w łóżku? Żeby coś wiedzieć o tej osobie?

– Mówiłam ci już, że możesz mnie dzisiaj obrażać.

– Nie obrażam cię.

– Ale możesz. Rób to. Dalej.

– Jesteś idiotką, która recytuje z pamięci treść kolorowych magazynów dla kobiet mieszkających w dużych miastach i uważa, że to są jej własne zdania, że te bzdety to efekt jej własnych, osobistych myśli.

– Chciałabym, nie wiem, zobaczyć przynajmniej twoje zdjęcie z dokumentu.

– Po co?

– Nie wiem, kurwa, bo na zdjęciach z dokumentów

wygląda się zawsze głupio. Chciałabym zobaczyć, jak głupio wyglądasz. Żeby zobaczyć, że mam do czynienia z człowiekiem.

– Masz do czynienia z człowiekiem.

– Nie wiem.

– Idę. Na razie.

– Pokaż mi to zdjęcie.

– Idę.

– Proszę, chociaż tyle. Zrób coś, abym wiedziała, że uprawiałam seks z człowiekiem. Pokaż mi je. Ja wysyłałam ci zdjęcia dupy, cycków, cipy. Nawet dzisiaj. Zawsze, gdy chciałeś.

– Na razie – mówię.

– Zrób chociaż tyle.

Wtorek

18:20

Pamiętam tych dwóch.

Gdy nie śpi się od siedemdziesięciu dwóch godzin, wszystko zaczyna się zmieniać. Dźwięk chowa się pod skórą otoczenia, pod podłogami, farbą na ścianach. Kolory są inaczej nasycone, wyblakłe, słabsze. Wszystko porusza się trochę wolniej. Niezbędne jest przystosowanie, dostosowanie ciała do nowych warunków. Zmiana tempa.

Miejsce na Powiślu, miejsce z jedzeniem. Przez chwilę wydaje mi się, że gdy zamknę na dłuższą chwilę oczy i otworzę je z powrotem, będę gdzie indziej. Miejsce jest wypełnione po brzegi ludźmi. Ludzie wydają dźwięki. Najwięcej dźwięków wydają dzieci, to coś w rodzaju *kinder party*. Próbuję coś zjeść. Z tłumu wyławiam niektóre twarze swoich klientów, oni odpowiadają mi spojrzeniami. Starają się, aby ta wymiana trwała jak najkrócej; są teraz odprasowani, poważni, wystudiowani w swoich anegdotach, po całym dniu pracy, rozdzielający spojrzenia między żony, dzieci, ekrany tabletów a czymś niewidzialnym, zawieszonym w powietrzu jakieś dwa metry przed nimi. To niewidoczne coś zabiera im najwięcej uwagi.

Dzieci to dla mnie obce istoty. To niby-ludzie, ale w osobliwej wersji, pomniejszonej i oszalałej. Nie mógłbym mieć dziecka. To jak mieć w domu gadającego psa. To specyficzna forma bycia zakładnikiem.

Poza tym nie widzę najmniejszego sensu w tworzeniu nowych ludzi, skoro już od dawna wiadomo, że są wysoce niedoskonałym produktem.

Cały czas, wiem, dzwoni mi w głowie, pamiętam tych dwóch.

Moja matka dzwoniła, znowu, pół godziny temu. Pytała, jaka jest pogoda w Hongkongu. Singapurze, mamo, poprawiłem ją. Jestem w Singapurze. Przeprosiła, powiedziała, że skoro tyle jeżdżę, to nie musi wszystkiego pamiętać. Powiedziałem jej, że jest słonecznie, ale z lekkimi zachmurzeniami. Aha, powiedziała. Aha. Powiedziała, że ojciec się czymś zatruł i musiał pojechać do szpitala. Teraz mówi jej, że bez przerwy zatruwa się jej gotowaniem. Aha. Mąż mojej siostry wciąż nie może jej zapłodnić. Aha. Aha. Dobrze, mamo. Okej. Muszę kończyć. Aha.

Pamiętam tych dwóch.

Coś dzisiaj jest, coś się dzieje, patrzę w telefon, już rozumiem. Jest dwudziesty trzeci grudnia. Jutro Wigilia. Moja matka mówiła coś o Wigilii. Ulice są jak zatkane żyły, ludzie jak złe krwinki, miasto jest w stanie terminalnym, oddycha z trudem, chrapliwie. Czeka na wieczór. Czeka, aż ci, którzy zaśmiecają je w dzień, pójdą spać. Dzień nie jest dla Warszawy stanem naturalnym. Warszawa w dzień jest jak naga, zawstydzona, stara i brzydka kobieta.

Ta melodia, która od paru dni była pod spodem, wierciła się cicho pod pozostałymi dźwiękami, teraz wybiła się na wierzch. Łomocze mi w głowie jak atak migreny. Próbuję jeść, ale to, co zamówiłem, jest już zimne. Próbuję sobie przypomnieć, kiedy ostatnio spędzałem z kimś Wigilię, przypomnieć sobie, co dostałem pod choinkę, aby zająć czymkolwiek mózg.

Pamiętam tych dwóch. Siedzą parę stolików po przekątnej w towarzystwie dwóch chudych, mocno młodocianych dziewcząt z prostymi włosami, krzywymi nogami i ewidentnym zainteresowaniem modą w wydaniu internetowym. Słuchają tego, co one mówią. Jedzą powoli, ale wielkimi kęsami. Nie spuszczają ze mnie wzroku. Już wiem, skąd ich znam.

Byli w mieszkaniu kiślowatego. Puszczali polski hip-hop, nieprzytomni, czekali na kanapie, aż ich zapocony kumpel znajdzie pieniądze, aby mi zapłacić, czekali, już sami nie wiedząc na co.

Odwracam wzrok. Niech patrzą. Jedzenie jest zimne. Jakieś dziecko wydaje dźwięk podobny do sonaru. Trzy doby bez snu są czymś w rodzaju grubego, nałożonego na mózg i ciało pokrowca. Jest w nim zbyt ciasno, by się ruszyć, zbyt gorąco, by stracić przytomność.

Pazina. Wchodzi. Z miejsca wpada na jakieś dziecko, które odbija się od jej nóg, siada na podłodze i zaczyna płakać. Pazina przeprasza. Podchodzi do mojego stolika. Siada. Zabiera mi talerz i bez słowa odgryza kawałek jedzenia.

– To zimne – mówię.

Nie zwraca uwagi.

– Nie patrz w kierunku tamtych dwóch po przekątnej, siedzą z dupami – dodaję.

– Po co to zrobiłeś? Po jakiego chuja? – pyta z ustami pełnymi sałaty i zimnego mięsa.

Wzruszam ramionami.

– Czy spotkaliśmy się po to, abyś tłumaczyła mi, na czym polega życie? – pytam. – Jesteśmy oboje dorośli, Pazina.

– Kurwa – mówi nadal z pełnymi ustami – robisz, co chcesz po to, aby potem zawracać mi dupę konsekwencjami robienia tego, co chcesz, ponieważ nie ma innej osoby, z którą rozmawiasz.

– Każdy musi rozmawiać – stwierdzam.

– Co takiego jest w tej szmacie? – pyta. – Jest mnóstwo lasek takich jak ona. Nawet ładnych, głupich, które lubią forsę, lubią kutasa i lubią pisać wokół siebie kiepski melodramat. Czym ona się od nich różni? Ma trzecie oko na plecach? Sra bursztynem? Potrafi mówić od tyłu po hebrajsku?

– Nic. Dobrze się dyma – odpowiadam.

– Każda teraz dobrze się dyma – odpowiada Pazina. – To inne pokolenie. One uczyły się robić laskę już w gimnazjum, z pornosów w internecie.

– Czy widzimy się właśnie po to? – pytam. – Aby rozmawiać o czymś tak nieistotnym?

– Normalni ludzie spotykają się właśnie po to, aby rozmawiać ze sobą o różnych sprawach, które ich dotyczą, Jacek – mówi.

– Normalni ludzie – stwierdzam. – To niezmiernie ciekawy punkt odniesienia.

– Będziesz miał przez nią bałagan. Wiem to. Czuję to – mówi i wypija łyk mojej coli.

Podchodzi kelner. Kelner ma tatuaże, tunele w uszach, wątłe ręce, otępiałe spojrzenie, kelner w wolnym czasie jest fotografem.

– Kieliszek czerwonego wina – mówi Pazina. – Ale szybciej niż za pół godziny. Matko jedyna, przecież ty wyglądasz jak po pierwszej chemii!

– O co chodzi? – pytam.

– Mówiłam ci kiedyś, że będziesz miał z nią problem – odpowiada. – Powinieneś być z osobą, której mógłbyś ufać. A takich osób jest mało. Co prawda nie wiem, gdzie jest ten sklep, w którym je sprzedają. Nie wiem, czy w ogóle istnieje.

Nie patrzę w ich stronę, ale czuję te spojrzenia. Patrzą, bo nie mają nic lepszego do roboty. Ich dziewczyny przypominają im, co się działo tam, gdzie byli w sobotę. Na pewno mówią dużo o butach. Uświadamiają im, kto teraz wsadza kutasa w ich najlepsze koleżanki, i podpytują, czy przypadkiem nie znają tych wsadzających i co mogliby o nich powiedzieć, bo być może koleżanki muszą zostać ostrzeżone przed konsekwencjami.

Postująca i zapostowana młodzież. Kontury. Ludzie malowanki. Chodząca prognoza ostatecznego upadku zachodniego systemu. Ci ludzie nie potrafią pomnażać ani inwestować pieniędzy swoich rodziców. Tak jak kiślowaty. Są upośledzeni. Umieją tylko śnić, śnić w złym guście. Jedna z dziewczyn, w czapce założonej daszkiem do tyłu, czarnej bluzie z białymi nadrukami na rękawach, odwraca się w moją stronę. Przez chwilę zastyga, porusza jej się jedynie żuchwa, która coś żuje. Ma ładne, duże i puste oczy.

– Maluch zniknął – mówi Pazina. – Nikt nie widział go od trzech dni. Nie odbiera telefonów. Podobno klub jakoś funkcjonuje, ale...

– Funkcjonuje doskonale – poprawiam ją. – Czemu mi o tym mówisz?

Patrzy na mnie niezwykle uważnie. To ten wzrok, który ma wydobyć informację. Znam ją tak dobrze, że zaczyna mnie to nudzić i martwić.

– Nic mu nie zrobiliście? – pyta.

Kelner przynosi jej kieliszek wina. Odchodzi, również potykając się o jakieś dziecko. Dziecko zaczyna płakać. Kelner przeprasza.

– Co mieliśmy mu zrobić? – pytam.

– Kurwa, nie wiem, co mieliście mu zrobić. Wiesz, że nigdy nie pytam – mówi.

– Ostatnio pytasz za dużo – odpowiadam.

– Znam Ewę, dziewczynę, z którą ma dziecko, to moja przyjaciółka – stwierdza. – Powiedz mi, że nie jest teraz popakowany w siatki z Biedronki i porozrzucany po lasku Młocińskim. Powiedz mi to.

– Co mieliśmy mu zrobić? – powtarzam pytanie.

Przez chwilę siedzimy w milczeniu, spauzowani jak pokłócona para, ona wybiera palcami kawałki sałaty z talerza, myśli.

– Może właśnie o to chodziło, że on ma dziecko.

Rozgląda się dookoła po biegających po sali bachorach; szanuję ją za kilka rzeczy, głęboko, z całego serca, chociażby za to, że wie, kiedy zmienić temat.

– To tylko pretekst – mówię.

Wychodzą. Przechodzą obok mojego stolika. Fatalnie udają, że nie patrzą w moim kierunku.

– Może masz rację – mówi Pazina. – Ale, wiesz, każdy normalny człowiek potrzebuje kogoś. Potrzebujemy być blisko. Skóra potrzebuje skóry. Każde zwierzę koi dotyk.

– Po co te terminy? – pytam. – Normalny człowiek? Normalni ludzie? Chcesz się nagle asymilować? Mieć dzieci? Tworzyć komórkę społeczną? Gotować kaszę? No to zrób to, Pazina. Zagryź zęby i to zrób. Zawsze znajdziesz chętnego. Na przykład rolnika.

– Tak, chciałabym być normalnym człowiekiem. Myślę o tym. Przed zaśnięciem. To źle? To niefajnie? A zakochać się w kurwie to dobrze czy źle? – pyta.

– Kto zakochał się w kurwie? – pytam.

– Nic mu nie zrobiłeś? Obiecujesz? – odpowiada pytaniem na pytanie.

– Chodźmy stąd – mówię.

Nie, nic mu nie zrobiłem. Jeśli ktoś mu coś zrobił, oczywiście wypadałoby dowiedzieć się kto. Ale jeszcze nie teraz. Za chwilę. Są ważniejsze sprawy. Mam jeszcze paru klientów przed wylotem. Muszę ich zadowolić, dać im się najeść, aby podczas mojej nieobecności nie zwiali na stałe do kogoś innego. Moi klienci nawet nie zdają sobie sprawy, ilu czeka na nich z otwartymi ramionami i z niezłym i tańszym towarem. Na pewno kogoś stracę. Ale muszę wyjechać.

Wydaje mi się, że towar, który pożyczyłem od Stryja, może zejść cały. To nie jest problem. Spłacę go. Poczekam do czwartku.

Nie miałbym problemów tego rodzaju, gdybym żenił towar, tak jak robią to wszyscy. W dziewięćdziesięciu procentach przypadków nie macie zielonego pojęcia, co ładujecie sobie do nosa, co miesza wam się z wydzieliną śluzówek, co połykacie. Zawartość kokainy, czyli tego czegoś, co powstaje z liści gdzieś w lesie w Kolumbii, produkowane przez głodujących i terroryzowanych przez wojsko wieśniaków, którzy rozsmarowują liście na pastę i potem opiekają ją w mikrofalówkach, to w najlepszym przypadku dziesięć procent. Reszta to śmieci. Lidokaina, żebyś miał sparaliżowane dziąsła. Nitrogliceryna, żeby łomotało ci serce. Hiszpanka albo amfetamina, albo mefedron, abyś czuł się jednak w jakimś stopniu naćpany, abyś nie mógł spać, aby twoje serce zamieniało się nad ranem w cudzą, włożoną do twojej klatki piersiowej ciepłą pięść. Skruszone świetlówki, żeby raniło ci zatoki, żeby towar lepiej się wchłaniał. Glukoza albo kreatyna dla koloru, konsystencji, wagi.

Nigdy nie wiesz, co masz w środku. Jeśli zacząłeś wąchać nie wcześniej niż pięć lat temu, nigdy nie miałeś do czynienia z czymś takim jak prawdziwa, czysta kokaina. Polska to kraina billboardów reklamujących dachówki, śmieci na poboczach, kraj cebuli i rzepaku, to królestwo skarpet, wąsów, amfetaminy. W Europie Środkowo-Wschodniej narkotyki są złe i biedne. I tanie. Nawet te drogie są tanie, tandetne i złe.

To, że sprzedaję najczystszą kokainę w Warszawie, to kwestia smaku. Dobrego wychowania. Czegoś nieokreślonego, tego czegoś, co każe ci pomagać kobietom w zdejmowaniu płaszczy, jeść makaron łyżką i widelcem, nie odzywać się niepytanym.

Nie jest jakaś niesamowicie czysta. Inaczej bym nie zarabiał. Ale nie ma w niej *speeda,* nitrogliceryny, tynku, pokruszonych tabletek.

– Ej! – Pazina pstryka mi palcami przed nosem.

Przez chwilę była smugą, zlewała się z otoczeniem, teraz znowu robi się ostra.

– Jedź do domu – mówi i po chwili dodaje: – I tak nie pojedziesz.

Nie pojadę, ale zaraz zemdleję.

Muszę wytrzymać, za chwilę wyjeżdżam, wyjeżdżam na drugi koniec kuli ziemskiej po to, aby pójść spać. To będzie nieopisywalna ulga. Od paru dni wpatruję się we wnętrze pokoju, który zarezerwowałem. Wyobrażam sobie, że pościel w nim w ogóle nie ma zapachu. Że klimatyzacja nie wydaje żadnego dźwięku, chociaż jest podkręcona odrobinę za mocno, w środku jest o dwa stopnie niżej, niż powinno być. Że przez szczelnie zasunięte zasłony nie wpada do środka żadne światło.

Wychodzimy na zewnątrz. Podchodzę do samochodu. Zza wycieraczki wyciągam ulotki burdeli z nadrukowanymi tlenionymi dziwkami z pornosów, przez chwilę obracam je w dłoni jak karty do gry.

Jest ciemno, ale miasto wie, że jeszcze jest dzień. Jest złe i zmęczone.

– Nie jesteśmy dobrymi przyjaciółmi – mówi Pazina, gdy otwieram drzwi do samochodu. – My jesteśmy złymi przyjaciółmi.

– Może i tak – odpowiadam.

– Jesteśmy najgorszymi przyjaciółmi – mówi.

– Może i tak – odpowiadam.

– Ty po prostu nie rozumiesz pewnych podstawowych spraw – mówi do mnie i rzuca szybko: – Nie musisz mnie nigdzie podwozić, pójdę sama.

– Rozumiem te sprawy – odpowiadam. – Rozumiem sprawy normalnych ludzi, Pazina. One są po prostu gdzieś obok. Ja ich nie chcę. Nie wiedziałbym, co z nimi zrobić.

– No właśnie – odpowiada. – To jest wielkie niedogadanie. Nigdy tak naprawdę się nie dogadamy, Jacek.

– Może i tak – powtarzam, męczy mnie już ta rozmowa.

Patrzy na mnie jeszcze przez chwilę z irytującą troską. Trochę tak, jak moja starsza siostra. Teraz już pamiętam, gdzie spędzałem ostatnią Wigilię. Cztery lata temu u niej w mieszkaniu z jej mężem, tym lekko otyłym menedżerem wyższego szczebla w łososiowej koszuli, który był przekonany, że dobrze zarabia. Oglądaliśmy bez słowa telewizję. Ich dziecko oparzyło się w rękę. Nie trzeba było jechać do lekarza. Na noc położyłem się na kanapie. Miałem na coś alergię. Chyba na ich psa. Nie mogłem spać. Wyjechałem w środku nocy, nie żegnając się z nimi. Od tamtej pory do mnie nie dzwoniła.

– Wiesz, że jest już wolny – mówi na odchodne. – Podawali w telewizji. Uważaj, proszę cię.

– Przecież wyjeżdżam – odpowiadam i wsiadam do samochodu.

Wsiadam, widzę we wstecznym lusterku, jak wciąż stoją i patrzą na moje auto. Jeden udaje, że sprawdza coś w telefonie. Mają wyrazy twarzy ludzi dotkniętych lekkim, nieusuwalnym upośledzeniem. Któraś z dziewczyn mówi coś głośno do jednego z nich, gestykuluje, ale on nie zwraca na nią żadnej uwagi.

21:15

– Mordo, jest dobrze – mówi. – Jest naprawdę dobrze.

Jest spocony jak świnia. Leje się z niego. Musi walić od paru dni bez przerwy. W oczach ma dwie rozbite szyby, nic więcej. Ale ten tępy, polski ryj, ryj, który wygląda jak komputerowa synteza klasycznej twarzy polskiego trzydziestolatka, jest najnaturalniejszy właśnie w tym stanie, w rozedrganiu i zapoceniu. Oddycha szybko i ciężko, chrapliwie, jakby całą drogę tutaj gonili go hitlerowcy i po drodze miał już dwa stany przedzawałowe. Raz po raz wyrzuca w górę swoje ciężkie łapy, grube i niezgrabne jak belki, aby je po chwili opuścić tak, jakby nie mógł sobie przypomnieć, jak się gestykuluje.

Jest kokainistą w ostatnim stopniu uzależnienia. Musi wąchać codziennie. Gdyby wpadł do płonącego domu i miał do wyboru uratować dziecko albo samarę z towarem, wybrałby to drugie. Wbrew pozorom najbardziej wjebani wcale nie są najlepszymi klientami. Są upierdliwi. Są rozchwiani. Są niepoważni. Najczęściej mają długi. Najczęściej biorą na kreskę. Najczęściej nie mają przy sobie pieniędzy.

– Jest elegancko, kurwa, tylko rozumiesz, morda, czekam teraz, aż dostanę sos od hurtowników, to na dniach, ja wszystko w gotowiźnie, więc wiesz, jak jest, u nas jest sztywniutko, wiesz przecież – mówi. – To sos z ciuchów. Będzie na pewno.

Dobrze wiem, że u nich jest sztywniutko. Ktoś pokazywał mi na YouTube ich teledyski. Nie wiem które, nie wiem ile. Nakręcili już dobre kilkadziesiąt. Są cholernie płodni. Zgraja ogrów, stojąca pod pomazanymi murami w identycznych bluzach z napisami „Śmierć Konfidentom" i „Uważaj, co się mówi". Wygrażający palcami oglądającemu i sypiący wciąż tymi samymi przestrogami, aby za dużo nie mówić, nie myśleć i zawsze wysyłać kolegom pod celę kawę rozpuszczalną i bieżące numery „Men's Fitness". Pochowani w tłumie drobni biegacze, paserzy, doliniarze, zwykłe osiedlowe łby, gęby, do których jakoś dziwnie nie pasuje pełne uzębienie. Kilku poważniejszych chłopaków, ale żaden naprawdę poważny, ci poważni nie będą przecież wystawiać się na oczy milionów gimnazjalistów z całej Polski. Nawet bawiły mnie tytuły ich piosenek: *Pamiętaj o zasadach, Od braci dla braci, Testament ulicy, Cicho bądź, gdy trzeba.*

Spocony nazywa się Sebastian, chociaż wołają na niego Procent. Kiedyś biegał, ale postawił na tekstylia i towarzyszący im, mający je lepiej sprzedać rap. Połowa polskich nastolatków z małych miejscowości chodzi w jego bluzach i dresach. Zarabia na tym potworną forsę, ale większość jego pieniędzy znika w jego nosie i w takich miejscach jak to.

Jego twórczość ma charakter pedagogiczny. Promuje sztywność moralną, zdrowy tryb życia, pomaganie starszym, samorealizację oraz edukację. Dla przyklejonych do internetu małolatów jest swoistym wzorem do naśladowania. Na teledyskach chodzi na siłownię i bierze na ręce małe dzieci swoich urlopowanych akurat kolegów. Jest jednym z głównych sprawców tego, że dwunastolatki w całej Polsce posługują się grypserą, stojąc w szkolnych sklepikach w kolejce po gumy do żucia.

– Dwie dychy wezmę w kredo i wszystko dopniemy, zawsze przecież wszystko dopinamy – mówi.

Podchodzi do niego jakiś koleżka. Jest mały, pokraczny, ma twarz ulepioną z mokrej ziemi, wygląda jak brzydkie dziecko z *Hydrozagadki;* ta twarz całodobowo pyta świat, o co w ogóle w nim chodzi i dlaczego powietrze jest przezroczyste. Mały, zgolony łeb mieści trochę gówna i z dziesięć wyrazów po polsku. To mu wystarczy, by się poruszać i żreć. Są ludzie z ulicy tacy jak Stryj, mający w sobie pewną elementarną konstytucję, pewną treść, pewien wektor, ludzie, którzy wzbudzają szacunek, bo przynajmniej nie są na bakier ze znaczeniem tego słowa. Są też ludzie z ulicy tacy jak ta małpa, ludzie, na których nie można polegać, bo najzwyczajniej w świecie nie rozumieją, co się do nich mówi.

– Siemasz, mordo – mówi Procent.

Jego koleżka w odpowiedzi duka coś bezkształtnego, jakby mu się odbiło.

– Więc jak? – pyta mnie.

– Dwa ostatnie razy też było w kredo – mówię.

– No ale, kurwa, morda, no co ty, myślisz, że tu będzie kulawo? – pyta.

Może i nie będzie kulawo. Może on nawet chce, żeby nie było kulawo. Ale jesteśmy teraz na go-go i wiem, że jest tu od trzech dni praktycznie non stop, i wiem, że zostawił tutaj już kilkadziesiąt tysięcy złotych na drinki dla tancerek, na wódkę dla swoich chłopaków, na przywożone mu żarcie, na jointy. Coś źle pachnie, kwaśno, wymiotnie. Wiem, co to jest – to on, od czterech dni melanżu po prostu zapomniał się umyć.

Nie rozumiem zamiłowania do takich miejsc. Gdzieś na sali wyłapuję co najmniej dwóch kolegów po fachu. Idiotów, całych w złocie, z wyeksponowanymi zegarkami, z kurwą po każdej stronie, wyszczerzonych, palących swoje własne pieniądze. To miejsce jest pełne idiotów. Wyłącznie te kurwy, które kręcą ich na hajs, kurwy, które oni traktują jak wielkie połcie wędlin, jak worki z dziurami, cokolwiek tu rozumieją, wiedzą, wprawdzie intuicyjnie, ale rozumieją, że trzeba zabierać swoje z uśmiechem, patrząc prosto w oczy.

Te miejsca są w pewnym sensie jak muzea. To ekspozycja pułapek. Mógłbym po nich oprowadzać ludzi. Pokazywać, czego nie należy robić, gdy robi się to, co ja robię.

Ludzie robią to, co ja robię, by łatwo dostać duże pieniądze. Dla większości te pieniądze są po to, by błyszczeć. By się obwieszać. By celebrować. Przykryć złotem, materiałami czasy, gdy czuli się jak śmieci wystawione na klatkę, jak zepsute jedzenie. Są po to, by je spalić. By okazać im pogardę. Oni zarabiają te pieniądze po to, by zemścić się na nich za ich nieobecność. Nie ma nic bardziej kolorowego i żałosnego jednocześnie niż barbarzyńca po awansie.

A ten klub, te kanapy obite czerwonym skajem, te dziewczyny ze sztucznymi cyckami i początkami rozstępów na wygimnastykowanych nogach, te rozrzedzone drinki za sto złotych, ten smród, smród biednego ciała, który zawsze wygra z najlepszymi perfumami, zapach zepsutego zęba – ten klub to jaskinia barbarzyńców. Grota ogrów.

Pierwsze, czego się nauczyłem, gdy zacząłem handlować, to nie zostawiać tu nigdy nawet złotówki.

Do Procenta podchodzi kolejny koleżka. Obły, ogromny cham. Wygląda, jakby wpompowano w niego dziesięć litrów wody.

– Siemasz, siemasz, siemasz, siadaj, siemasz – mówi Procent.

– Za tamto potrzebuję – mówi ogromny.

– To jest Jacuś, mój koleżka. – Pokazuje mnie Procent.

– Tego, bo mnie cisną – mówi ogromny.

– Siadaj, kurwa, napij się, ryju, rozbiegany jesteś, czekaj, coś ci zamówię zara, siadaj no – mówi Procent.

Ogromny siada. Patrzy na mnie, jakby zastanawiał się, czy nadaję się do jedzenia.

– No więc tego ten. Jak będzie? No jutro, ryju. Jutro. Zobacz, Japa to dobry chłopak. Zbieramy na rakietę dla chłopaka. Potrzebujemy mu jutro puścić, dwójka dzieciaków, on nie wiadomo kiedy wyjdzie, dojebali go przy wadze. Odwieszone, no i wiesz. No wiesz, kurwa, jak jest, morda. Czy ja ci będę tłumaczył? – pyta.

– Jak dojebali go przy wadze – mówię mu – to znaczy, że jest idiotą, Procent.

Podchodzi kelnerka. Biorę wodę. On zapłaci. Nie zostawiam w takich miejscach nawet złotówki. On mieli w ustach odpowiedź, niezauważalnie porusza ustami, dopiero później cicho ją wypowiada.

– Ja wiem, że ty masz mocnych chłopaków za sobą – mówi. – Ja wszystko rozumiem, ale, kurwa, pogadajmy. Jutro? A potrzebuję dzisiaj. Dzisiaj się jeszcze bawię. Platynową płytę dostaliśmy, kurwa. Platynową, rozumisz? Jutro za to będę pracował. I wtedy do ciebie zadzwonię.

– Na razie – mówię i wstaję.

Odwracam się w kierunku wyjścia. Ktoś włącza jakąś rzewną amerykańską piosenkę z radia dla taksówkarzy. Dziewczyna w koronkowej bieliźnie ściąga stanik. Ma małe, obwisłe piersi, jak skarpetki wypełnione piaskiem. Jej twarz jest zastygła w obojętnym obrzydzeniu, to twarz kogoś, kto właśnie minął na ulicy po raz setny tego samego, pijanego i zasranego bezdomnego. Nie ma jej tu, myśli o tym, gdzie sobie zrobi paznokcie albo co założy na chrzciny dziecka siostry.

– Poczekaj, poczekaj – mówi błagalnie Procent. – Siadaj.

– Masz osiem koła przy dupie? – pytam go.

Irytuje mnie. Nie chodzi już o to, że jedyne, co ten idiota ma w sobie poza niewysranym gównem, to źle zapamiętana księga przysłów polskich. Chodzi o to, że wydaje mu się, że potrafi załatwić wszystko samą swoją obecnością. Że dostanie, co chce, jeśli tylko o tym powie. Jest potwornie buńczuczny, tymczasem nawet nie jest królem swojego podwórka. Jest pajacem. Jestem pewien, że jest już naliczony i że jeśli dalej będzie obrzucał kurwy banknotami dwustuzłotowymi, to ktoś prędzej czy później połamie mu nogi. Jestem pewien, że ten fakt leży daleko poza granicami jego wyobraźni.

– Robimy w tej samej branży – mówi.

– Pierwsze słyszę – odpowiadam.

– Dobra, kurwa, wiem – mówi. – Wiem. Siadaj. Posłuchaj.

Za bardzo mnie prosi. Wydaje mi się, że wszyscy inni musieli mu już podziękować. Rozglądam się po sali, parę osób nas obserwuje. Obserwuje jego. Wiedzą, że jest pusty. Że przechodzi krytyczny moment.

Gdy zaczynałem handlować, widziałem dziesiątki takich kolesi.

Chwilę myśli. Patrzy w telefon. Drapie się po głowie. Patrzy na mnie, patrzy na swojego otępiałego kolegę, ponownie wpatruje się w telefon.

– Dobra, coś wymyślimy – mówi. – Poczekaj chwilę.

– Na co? – pytam.

– Poczekaj chwilę – odpowiada.

Po trzech nieprzespanych dobach zamknięcie oczu jest jak wpadnięcie do studni. Coś słychać, ale z bardzo daleka. Momentalnie robi się zimno. Momentalnie pojawiają się kształty.

Pisała do mnie jeszcze. Po niedzieli. *Nie wiem, czy to dobrze, ze to sie stalo.* Potem: *Powinnismy chyba o tym porozmawiac.* Potem: *Najgorsze, ze chcialabym jeszcze.* Potem: *Jestesmy tacy sami, wiem o tym, ze jestesmy tacy sami.*

Cipa. Nie jesteśmy tacy sami. Żadna komórka mojego ciała nie przypomina żadnej komórki jej ciała. To zupełny przypadek, że oboje mamy uszy, usta, ludzki genotyp. To wypadek przy pracy.

Nic jej nie odpisałem. Nie chcę popełniać więcej tak ordynarnych błędów. Być może jest tak, że każda istota musi podlegać jakiemuś uzależnieniu. Że człowiek zupełnie wyzbyty uzależnień jest niekompletny. Że to naturalne jak oddychanie.

Drażni mnie to, że nie potrafię się od niej odbić, nie mogę jej odepchnąć. To wstydliwe i nieprzyzwoite, jak dłubanie w nosie w dorosłym wieku.

To naprawdę nieprzyzwoite. Wyłączam telefon. Argentyna. Tam już nie będę o niej myślał. Tam już nie będę myślał. Pościel, klimatyzacja, zasłony.

Tam będę spał.

– Chodź – mówi nagle i wstaje. – Chodź ze mną.

– Niby gdzie? – pytam go.

– Po hajs – odpowiada i rzuca do ogromnego: – Zostań tu.

– A co z rakietą? – pyta ogromny.

– Jutro na magazyn podjadę, jutro – odpowiada i mówi: – Chodź.

Wyciera twarz serwetką. Jest blady. Ma przyśpieszony oddech.

– Chodź – powtarza.

– Gdzie? – pytam.

– Jak to gdzie, kurwa, po sos! – mówi.

Wstaje, nie patrzy na kumpli, idę za nim. Mijamy scenę, na której tańczą dziewczyny, idziemy wzdłuż baru, przy którym siedzi paru znudzonych i leniwych kolesi w skórzanych kurtkach i białych butach do biegania. Leci jakaś stara, mdła, rockowa piosenka z lat dziewięćdziesiątych. Wychodzimy na zewnątrz. Procent przez chwilę rozgląda się wokół, jakby próbował zebrać świat z powrotem do kupy. W końcu bierze głęboki oddech i przez krótką chwilę jego twarz przybiera bardziej świadomy wyraz, jakby przez chwilę odnosiło się wrażenie, że jednak nie jest sztywniutko i nigdy nie będzie, że to, co opisuje, to, co mówi, to, kim jest – to jego własny sen.

Miasto jest chore. Czuję to, chce mu się wymiotować, pod chodnikami pulsuje zła, żołądkowa treść, która tylko czeka, aby wyciec, wydostać się z otworów kanalizacyjnych, wypełznąć ze szczelin w kostce brukowej, wylać się, pokryć wszystko tłustą na dwa palce warstwą.

Idę za nim. Obok jest kolejny klub, teraz pusty, ale w każdy weekend pełno tam rozkrzyczanych wieśniar na szpilkach i opuchniętych kretynów z nażelowanymi włosami. Wchodzi do środka, wita się z ochroniarzem, nachyla się do niego, idzie dalej. Jest zdenerwowany. Czuję to. Rozgląda się dookoła, obwąchuje przestrzeń jak przestraszony pies.

Widzę ich od razu. Skupieni przy jednym stoliku, palą sziszę, piją wódkę. Jest ich czterech. To grupa z Ochoty. Kiedyś robili w wymuszeniach, przemytach. Teraz przeszli w burdele, maszyny, turnieje pokerowe. Tacy jak Procent to dla nich chłystki, zabawki, głupie małpy. Ubrani w koszule, marynarki wyglądaliby jak zwykli faceci w średnim wieku, gdyby nie ich spojrzenia, spojrzenia rzeźników i hycli. Podchodzi do nich niepewnymi krokami, z których każdy następny jest stawiany coraz wolniej.

– Siema – mówi.

Głos obija mu się o zęby. Jest przestraszony. Jest jak uczeń na dywaniku u dyrektorki, jak facet wezwany do dyrektora firmy, czekający na zgodę, aby usiąść.

– Ale cię wyrwało, kurwa – mówi jeden z nich.

– Luz luz, jest w porządku – mówi Procent, pokazując na mnie: – To jest Jacek.

Czekają, co powie dalej. Jeden rozlewa wódkę. Nie podsuwa mu kieliszka.

– Słuchajcie, jest historia z tą rakietą dla Japy – mówi szybko, bezładnie. – Chłopaki chcą posłać więcej, wiecie, on tam w ekipie siedzi.

– No i? – pyta jeden z nich.

– No i Japa jest elegancki chłopak, co no i – mówi, odwraca się do mnie i mruga okiem.

Procent jest zwykłą mendą, byłby nią nawet wtedy, gdyby tyle nie walił.

– Chuj mnie Japa – odpowiada tamten.

Przeciąga się, stawy pstrykają mu jak zepsuta układanka. Procent przygryza usta. Nie przewidywał takiego scenariusza. Nie przewidywał żadnego scenariusza.

– Skąd jesteś? – pyta mnie drugi, łysy, wbity w za ciasny sweter, z za dużym zegarkiem Omega na ręku. Wypija łyk piwa. Ciamka nim, rozsmarowuje sobie smak po podniebieniu.

– Z Mokotowa – odpowiadam.

– I też zbierasz na wypiskę dla... Jak go wołacie? – pyta.

Procent patrzy na mnie, odwraca się, oblizuje dolną wargę. Znowu tracę czas. Dzwoni Pazina. Mówiłem, żeby nie zawracała mi dupy. Nie odbieram.

– Jacek jest moim koleżką, dobrym chłopakiem, sztywnym, znamy się od lat – mówi szybko Procent.

Na potwierdzenie swoich słów kładzie mi dłoń na plecach, po chwili ją cofa, tam, gdzie mnie dotknął, czuję mokry ślad. Chrząka. Rozglądam się po otoczeniu – czarne ściany są pomalowane w płomienie. Za szklanym, szerokim barem dwójka znudzonych, dwudziestoparoletnich barmanów myje szklanki. Siedzenia są obite czarną skórą, szklane blaty stolików opierają się na gipsowych rzeźbach przedstawiających wygięte w gimnastycznych pozycjach, nagie kobiety. Podłoga jest śliska, czarna, wygląda jak pokryta ogromną, rozciągniętą prezerwatywą.

– Też zbierasz na wypiskę dla Japy? – pyta tamten.

– Dobra, ja go kojarzę, tego chłopaka, rzeczywiście, on z Bielan jest – mówi drugi.

To typowy polski warchlak z podgolonym karkiem i bokami głowy, o wyglądzie drugoligowego, discopolowego szansonisty. Ma patynowane dżinsy, srebrny łańcuch, sweter Lacoste w serek. Wyciąga portfel.

– Ile ci tam zajechać, małolat? – pyta i patrzy na banknoty w swoim portfelu z zastanowieniem jak na trzymane w ręku karty.

– Podobno ci tam dobrze idą te ubranka – mówi do Procenta.

– Poczekaj – mówi łysy. – Nie odpowiedziałeś mi na pytanie.

– Nie. – Kręcę głową. – Nie zbieram na wypiskę dla Japy.

– Przyszedłeś tak dla towarzystwa? – pyta. – Nudzi ci się?

Procent przełyka ślinę. Patrzy na mnie z niejasnym

oczekiwaniem. Siedzi lekko pochylony do przodu, ze splecionymi dłońmi. Jego noga tupie o podłogę, niesamowicie szybko, jakby próbował jak najszybciej do końca wygrać tę sytuację na niewidzialnej perkusji.

– Lecę – odpowiadam. – Na razie.

Procent patrzy na mnie. Nie rozumie, co powiedziałem. Odwraca się do podgolonego.

– No minimum ze dwa koła jest potrzebne – mówi szybko. – Tam jest ciężka sytuacja. On ma dzieciaczka małego.

– Nikt cię nie zatrzymuje – mówi do mnie łysy.

Wstaję i już chcę podać każdemu z nich rękę. Wyciągam dłoń, ten łysy chyba właśnie nie chce wyciągnąć swojej, i wtedy za plecami słyszę głos; głos, który znam, który już słyszałem.

– Panowie, dobry wieczór! – mówi Dario.

Odwracam się. Jest uśmiechnięty, jakby od niedzieli nie zmienił wyrazu twarzy. Tym razem nosi białą koszulę bez krawata, puszczoną luzem na dżinsy. Ma inne okulary. Bardzo podobne, ale inne. W całej swojej istocie jest podobny do siebie z niedzieli, ale trochę inny. Jest trzeźwy i gdy teraz widzę go w takim stanie, idącego prosto, spokojnym, równym marszem kogoś, kto wie, jak maszeruje się na rozkaz, i nie ma zamiaru robić tego już nigdy w życiu, dopiero teraz zaczynam się go bać.

Podchodzi do nas. Nawet nie patrzy na Procenta. Patrzy na łysego. Chyba przypominam sobie jego ksywę. Palec, łysy ma ksywę Palec. Słyszałem o nim. Geneza jego ksywy jest prosta jak każdej innej. Obcinał ludziom palce z powodów, które sprawiają, że obcina się ludziom palce. Uśmiech Daria znika, pozostaje wąska, zaciśnięta kreska. Ale oczy są te same. To oczy, za którymi pali się wielki, biały pożar. Dario pachnie, pachnie tak, jak mógłby pachnieć mróz, gdyby miał jeden, przynależny sobie zapach.

– Jacuś – mówi do mnie.

Wstaję i podaję mu rękę.

– Siadaj – mówi.

– Śpieszy mi się – odpowiadam.

– Nie śpieszy ci się – mówi. – O co tu chodzi?

– Wypiska dla Japy – mówi Palec i na jego twarzy pojawia się coś dziwnego: pół uśmiechu, swoisty przekąs.

– Wypiska, wypiska. – Dario kiwa głową.

– No trzeba pomóc ziomkowi w potrzebie – mówi Procent.

– Nic nie trzeba – odpowiada Dario. – Nigdy nic nie trzeba, młody człowieku.

Siada. Podgolony polewa mu kieliszek wódki. Dario odmawia gestem, pokazując mu wnętrze dłoni jak robotnik na socrealistycznym plakacie.

– Dobrze, że cię widzę, Jacuś – mówi. – Bardzo dobrze. Coś mi się przypomniało. Człowiek wraca i musi sprzątać. Nikt nigdy za ciebie nie posprząta. Mam do ciebie małe pytanko.

Patrzy na Procenta. Mruży oczy.

– Przyszedłeś z nim tutaj, tak? – pyta i wskazuje go palcem.

Zastanawia mnie fakt, co tu robi. Dlaczego z nimi siedzi. Dlaczego w niedzielę widziałem go z Piotrkiem, który przecież nie ma z nimi żadnych połączeń, nie robi z nimi żadnych interesów. Zaczynam myśleć o tym, co on robi. Jaki ma plan. Na pewno za każdym razem, gdy zamyka oczy, widzi rysunek tego planu bardzo wyraźnie.

– Tak. – Kiwam głową.

– Właśnie tak trochę nie rozumiemy, o co chodzi z kolegą. – Łysy pokazuje na mnie palcem.

– To przecież widać od razu, ale może tak: napiłbym się herbatki – mówi Dario. – Herbatki z cukrem.

Procent wciąż ubija podłogę. Bije się z myślami. W jego głowie coś puchnie, pulsuje. Na skroni wyrasta mu żyła gruba jak kabel.

– Herbatki z cukrem – powtarza Dario i siada naprzeciw niego.

Jego twarz jest jak kamień. W końcu jeden z tej piątki wstaje i powolnym krokiem idzie do baru, oglądając się w stronę Daria. Dario patrzy na telefon, kładzie go na stole. Patrzy na Procenta. Patrzy na niego wzrokiem zwierzęcia obserwującego jeszcze żywy obiad. Procent kuli się w środku. Coś dzieje się we wnętrzu jego gąbczastego, spoconego ciała; wielka dłoń zgniata mu żołądek, zbija go w kulkę, jakby był z papieru.

– Zgubiłeś coś kiedyś, Jacuś? – pyta mnie. – Klucze, telefon? Portfel?

– Nie – odpowiadam – ale ludziom giną przedmioty.

– No właśnie – mówi Dario. – O tym za chwilę. Chwila. Dajcie odsapnąć i wszystko wam wytłumaczę.

Ten, który wstał, pozbawiony właściwości blondyn, stawia przed nim herbatę. Zapala papierosa. Kładzie go z boku.

– Ja jestem Procent z Mokotowa – przedstawia się Procent.

– Zbiera na rakietę dla kolegi – mówi Palec – ale ja nie wiem, czy my znamy tego kolegę. To znaczy Adaś go zna.

– Tak. – Dario kiwa głową.

Wypija łyk herbaty. Siorbie.

Gdyby Procent był odrobinę mądrzejszy, gdyby towar nie rozgotował mu mózgu na breję, wyszedłby. Najpierw może by przeprosił, powiedział, że to pomyłka. Ale wyszedłby; jeszcze nie byłoby za późno, by wyjść. Niestety, wszystkie obwody, które mogły w jaźni Procenta generować abstrakcyjne myślenie, zostały już dawno przepalone. Procent umie już tylko powtarzać kalekie zdania, szorować dłońmi o uda, umie oblizywać usta i rozglądać się dookoła w poszukiwaniu poparcia; cofnął się do poziomu niemowlaka. Zaledwie resztki niejasnych przeczuć sprawiają, że jeszcze się nie ślini, nie sra pod siebie.

– Japa... – powtarza jeszcze raz ksywę swojego kolegi jak zaklęcie.

Dario wyciąga broń ze spodni, odbezpiecza spust, przystawia lufę Procentowi do głowy. Ten reaguje na to jedynie rozszerzeniem oczu. Wszyscy reagują na to jedynie rozszerzeniem oczu.

– Coś miałeś, ale już tego nie masz – mówi Dario.

– Kurwa... ej... przecież tu wszystko... – Procent szuka odpowiedniego kawałka zdania, ale nie może, jego mózg jest jak bęben zepsutej pralki, w którym tańczą już same urywki zdań, najprostsze odruchy, zamazane instynkty.

– Coś miałeś, ale już tego nie masz, kurwo – mówi Dario. – Coś miałeś, ale to coś jest już moje. Będziesz musiał mi dziękować. Będziesz musiał mi dziękować, kurwo, za to, że nie rozjebię ci teraz łba. Powiesz: bardzo dziękuję panu, panie Darku, kurwo, powiesz.

– Poczekaj, Darek – mówi Palec.

Chce wyciągnąć dłoń i położyć ją na ręce trzymającej broń, ale Dario drugą ręką łapie go za twarz i zaraz puszcza. Palec się odsuwa.

– Przychodzisz tutaj wydusić pieniądze od poważnych ludzi, ty ćpunie pierdolony, przychodzisz tu z chłopakiem, który biega, przychodzisz do poważnych ludzi – powtarza Dario. – Teraz powinienem cię odjebać. Nikt nic nie powie. Nikt, bądź pewien, nic nie powie. Wiesz, dlaczego? Dlatego, że o mnie się nie mówi. O mnie się wie.

– Dogadamy się, przecież nikt nic nie chce, dogadamy się – sepleni cicho Procent.

Widać, że ma broń przy głowie pierwszy raz w życiu. Że jest nieprzyzwyczajony.

– Już się dogadaliśmy. Jutro będziesz miał wizytę w biurze, a teraz spierdalaj stąd – mówi Dario.

Procent jakby na chwilę przestaje oddychać. Ja wstaję.

– Siadaj, Jacuś – mówi Dario. – Ty nigdzie nie idziesz.

A ty wstajesz, kurwo. Wstajesz, idziesz i czekasz na moich kolegów. A potem wiesz, co do nich mówisz?

Procent nie wie. Kręci głową.

– Mówisz tak: proszę pana. Oczywiście, proszę pana. Dwadzieścia procent, proszę pana. Trzydzieści też może być, proszę pana. Oczywiście, proszę pana. Napiją się panowie wódeczki? Tak zapytasz, chamie. Zapytasz, czy napiją się wódeczki – mówi Dario.

Procent dalej nie wie, ale tym razem kiwa głową. Chyba jedynie po to, aby wszystko się skończyło jak najszybciej.

Zauważam, że ten podgolony cały czas trzymał swoje pieniądze w ręku tak mocno, aż zdążyły zwilgotnieć; teraz wsuwa je znowu do portfela, ciężko wzdycha, wkłada portfel do spodni, wstaje na chwilę i z powrotem siada. Dario wstaje, po chwili Procent też, jakby małpował jego ruchy. Jest spocony, wszędzie, słone plamy rozlewają mu się po koszulce i dresach. Oddycha szybko i ciężko. Dario nie opuszcza broni, stoi prosto, napięty jak struna, nie oddycha, wyraźny, jakby wycięty w powietrzu żyletką. Nie mówi nic. Procent zaczyna iść tyłem, twarzą do niego, wpada na stolik, próbuje złapać równowagę. Barmani udają, że tego nie widzą. Patrzą w innym kierunku.

Dario robi to wszystko, bo może, bo wszystko, co go otacza, zostaje jego własnością w momencie, gdy na to spojrzy. Dario jest urodzonym posiadaczem, posiada świat, posiada Warszawę, jest tego absolutnie pewien, Warszawa nawet nie ma jak z nim polemizować, klęka przed nim jak zahipnotyzowana nastolatka.

On zagarnia teren, robi to szybciej niż wirus, przyszedł po swoje, zamierza rozciąć miasto jak sztylet.

– Elegancko przecież, elegancko, dogadamy się – bełkocze Procent.

– Jeśli powiesz jeszcze jedno słowo, zajebię cię – mówi Dario.

Procent odwraca się i wybiega. Uśmiecham się, świat na chwilę się rozjeżdża, razem z Dariem, wszystko przez chwilę staje się mgliste, jakby namazane na szybie brudnym kciukiem, po chwili znowu się wyostrza, jakby tężeje. Siadam. Dario kładzie broń na stole, obok telefonu. Upija łyk herbaty. Patrzy na mnie. W oczach ma dwa skalpele.

– Jak to wszystko miało się nie zepsuć, powiedz mi, Jacuś, jak to wszystko ma działać, skoro dopuszczane są takie kurwiska jak ten pajac, z tego wszystkiego zrobił się cyrk, Jacuś – mówi i krzywi się.

– Nie odpowiadam za to – mówię.

– Czy ja mówię, że ty za cokolwiek odpowiadasz? – pyta.

Przez chwilę zapada cisza. Coś miga mi przed oczyma, wyświetla się na moment na ścianach, czarne rysunki. Dario odsuwa od siebie herbatę.

– Pogadajmy sobie – mówi Dario, mlaszcząc.

– Pogadajmy. – Kiwam głową.

Chcę posłuchać, co ma do powiedzenia. Chcę dowiedzieć się, czego on chce. Wiem, że ta wiedza jest mi niezbędna.

– Słyszałem o tobie dużo dobrego – mówi. – Słyszałem, że robisz pieniążki.

– Każdy robi pieniążki – odpowiadam.

Zderzam się wzrokiem z Palcem. Już wszystko jest jasne. To są już jego ludzie. Mógłby wysłać ich teraz do McDonalda po kanapki. Za pięć minut byliby z nimi z powrotem.

– Tak, każdy robi. Ty też wiesz różne rzeczy, słyszysz – mówi.

Patrzy na mnie. Rzeczywistość zawęża się do jego twarzy. Staram się spoglądać obok jego oczu, na jego skórę. Jest gładka jak guma.

– Skąd wiesz? – pytam.

– Piotrek mówił, że można ci zaufać – odpowiada. –

A gdy ktoś ma taką opinię, słyszy rzeczy. Słyszy, bo ludzie opowiadają mu je w zaufaniu.

– Słyszy, ale też o nich zapomina – mówię i dodaję: – W sumie też czegoś bym się napił.

– Przynieś herbatkę jeszcze Jacusiowi, Seba – mówi do tego, który wstał.

Ten patrzy pytająco na Palca. Palec kiwa głową. Palec jest jego. Jest kupiony.

– Rzeczy giną. Ludzie giną. Ale czasami rzeczy się znajdują – mówi Dario. – Byłem kiedyś, powiem ci, w Czorsztynie. Jest tam bardzo pięknie. Byłeś kiedyś w Czorsztynie?

– Nie. – Kręcę głową.

– Lubię góry – mówi. – Lubię góry, a najlepiej to jak są góry i jak jest woda. Wtedy jest najprzyjemniej. Fajnie jest, jak jest przyjemnie. No i jestem w Czorsztynie, widzisz. Jestem z kolegą. Kolega ma walizkę. W walizce są dokumenty. I pieniążki są w tej walizce. Rozumiesz? Ładna walizka. I płyniemy sobie gondolą. Piękna pogoda. Koleżanki są z nami. Pijemy piwko. W tym roku też pojadę do Czorsztyna, powiem ci.

Seba przynosi mi herbatę. Wypijam łyk. Jest gorąca, mdła, niesmaczna. Dario miękkim gestem kładzie dłoń na broni, tak jak kładzie się dłoń na udzie kobiety.

– No i, wiesz, piwko, jedno, drugie. Trzecie. Upał. Śmiechy, żarty. Jak to z koleżankami. No i schodzimy z tej gondoli, Jacuś, idziemy na parking, trzeba wrócić do hotelu. Coś z koleżankami dalej porobić. I dopiero pod hotelem ten mój kolega orientuje się, bo przecież ciepło, bo przecież piwko, że ta walizka została na tej gondoli. Było trochę pieniążków w tej walizce, wiesz. Sto tysięcy euro. Straszny pech, co? Duży problem. Zmartwiłbyś się pewnie, gdybyś zgubił sto tysięcy euro, co, Jacuś? – pyta.

Na chwilę się uśmiecha. A właściwie wyszczerza. Pokazuje kły jak zwierzę.

– Zmartwiłbym się – odpowiadam.

– No my się zmartwiliśmy i wróciliśmy na tę przystań, gdzie były te gondole, a to już, wiesz, ciemno się zaczęło robić – mówi Dario.

– Zostawiliście pół bańki na gondoli? – pyta zdziwiony Palec, ale Dario nie zwraca na niego żadnej uwagi.

– Pojechaliśmy tam i chłopaczek, który tam pracował, który prowadził tę gondolę, sterował nią, młody chłopaczek, dwadzieścia lat, ale widać, że bysior, duży, silny chłopak, normalny, uśmiechnięty chłopak – nie ma już takich w Warszawie, dobrych chłopaków, lojalnych, niepedałów – od razu dał nam tę walizkę. Przeprosił nawet, że nie zwrócił uwagi wcześniej. Przysięgał, że nie otwierał. No i daliśmy mu tysiąc euro, niech chłopak ma, niech pójdzie na zabawę, kupi dziewczynie drinka, porucha sobie. Młody chłopak. Musi ruchać. Rozumiesz, jaki jest morał z tej historii, Jacuś? Rozumiesz, nie? Nie jesteś głupi.

– Oświeć mnie – mówię.

Dario zdejmuje dłoń z broni, aby wykonać gest. Rozłożyć ręce.

– Rzeczy się nie gubią – mówi. – Nie znikają. Po prostu trafiają do nieuczciwych znalazców. Rozumiesz?

– Coś zgubiłeś – mówię.

Znów się szczerzy. Wolałem go pijanego. Był wtedy klarowniejszy. Przejrzystszy. Bardziej rozumiałem to, co robi.

– Dużo rzeczy, bo trochę mnie nie było, Jacuś. Na przykład miałem trochę towarku, wiesz. Bank wszedł mi na konta, zajęli mi dom, Jacuś, resztę zgoliła mi była żona, chuj jej, kurwie, w dupę, a raczej na grób, bo w dupę to przyjemność dla kurwy, no ale coś tam miałem, żeby coś mieć, jak wyjść. Tu mieszkanko, tam złoto. I gotóweczkę. I trochę towarku, ale ten towarek zniknął, bo ktoś, bardzo głupi ktoś, postanowił sobie, że weźmie ten towarek. Towarek, pieniążki, trochę dobra. Bardzo szybko dowiedziałem się, kto sobie go wziął. Desperaci dziwnie pachną, Jacuś, ty wiesz o tym, że można ich wywąchać. Wywąchałem takiego jednego. Kojarzysz go? Wołają go Sikor.

– Ja go kojarzę – mówi nagle Palec. – To jakiś pedał.

Ja też go kojarzę. Ostatnio go widziałem w ruskiej knajpie, na zapleczu. Widziałem jego część. Jego fragment. Na rękach Stryja. Mył je pod zlewem.

Ta sensacja, zimne ukłucie w ten punkt na szczycie karku, w punkcie, gdzie zamyka się biżuteria. Patrzę mu w oczy i wiem, i jestem pewien, że nie zmieniłem wyrazu twarzy. Ale on wie. Wie, że ja wiem. Wie, że pomyślałem o tym, czy nie zmieniłem wyrazu twarzy. Kurwa mać. Mam w domu zły towar. Wiedziałem. Nie czułem, ale wiedziałem. Od samego początku. To było w oczach Stryja. W sposobie, w jaki mył ręce.

– Wiesz, i znaleźliśmy mieszkanie tego Sikora, ale on już trochę nie nadawał się do rozmowy, ten kolega. Był mocno nierozmowny, ten Sikor – mówi Dario. – Ktoś musiał przyjść i zabrać mu mój towarek wcześniej. A ja wiem, że ty możesz wiedzieć. Ja wiem, że ty możesz wiedzieć, Jacuś, że gdzieś jest dwa kilo towarku, pieniążki, tableteczki tam też były.

Wypijam jeszcze jeden łyk herbaty.

– Zastanów się dobrze, czy nic nie słyszałeś – mówi Palec – bo przychodzisz tutaj z frajerską akcją. Siadasz z nami i chcesz nas wyjebać. Razem z twoim kolegą.

– To nie jest mój kolega – odpowiadam mu. – Leci mi. Przyszedł coś wykombinować.

– Teraz leci nam – mówi Palec. – A ty sobie poczekasz.

Muszę stąd wyjść jak najszybciej. Zadzwonić do Stryja. To, co widzę przed sobą, nie jest zatrzymane w miejscu, przyczepione na sztywno do tła; to zaczyna się kręcić. Zamykam oczy. Wszystko mówi mi, że zaraz zemdleję, ale nie, to się nie stanie. Nieważne, jak będzie nieznośna, jak bardzo będę błagał o to, aby chociaż na chwilę się skończyła, moja przytomność mnie nie posłucha. Nie zniknie. Nie zasnę. Coś tyka. To, co przede mną, zaczyna kręcić się szybciej. Coś z mojego żołądka próbuje wdrapać się do ust, w górę, po przełyku.

Złe decyzje. Cała kolekcja złych decyzji. Argentyna. Tam się naprawię. Dobry hotel. Czysta pościel. Brak ludzi. Brak telefonów. Basen. Powierzchnia basenu jak gładka, zamrożona skóra. Może ocean. Nigdy nie widziałem oceanu. Mógłbym zobaczyć już wszystkie oceany, ze wszystkich kątów, po sto razy, w każdej chwili. Jeszcze parę dni. Zapach, słodki, cuchnący, zła treść, zła zawartość żołądka – pod podłogą, w brzuchu miasta.

Z zawieszonych pod sufitem głośników jakby coś wybija. Cichy szczęk, szum, ułomna melodia. Znowu ta sama. Cały czas ta sama.

– Nic nie słyszałem, Darek – odpowiadam.

– Zaraz usłyszysz, na pewno usłyszysz – mówi Dario i znowu się szczerzy.

– Być może. Wtedy dam ci znać – odpowiadam.

– Wyjeżdżasz – mówi.

– Tak, wyjeżdżam – odpowiadam.

– To dobrze, Jacuś. Człowiek potrzebuje wakacji. Bez wakacji nie ma życia. Słoneczko. Piwko. Wódeczka. Koleżanki. Z dala od zgiełku. Jak wrócisz, porozmawiamy. Mamy jeszcze inne tematy. Dużo innych tematów.

Wstaję. Mam miękkie nogi i muszę wbić je w podłogę, oprzeć na nich ciężar ciała tak, aby tego nie zauważyli. Zaczynam podawać rękę każdemu z nich po kolei. Obserwują mnie bez najmniejszej zmiany na twarzach.

– Odezwę się – mówię do niego.

Rzucam na stół dwadzieścia złotych. Za herbatę.

– Nie, ja cię znajdę, Jacuś, ja się odezwę, spokojnie – mówi Dario.

Wstaje, podaje mi rękę, przyciąga mnie do siebie.

Obejmuje mnie, klepie po plecach. Jest chodzącą złą wiadomością, mlaszczącą z zadowolenia.

– Masz mój numer? – pyta.

– Nie mam – odpowiadam.

Wyciąga z kieszeni telefon, dotyka ekranu. Mój telefon bzyczy w kieszeni. Patrzę na wyświetlacz. Nieznany numer.

– Masz mój numer – powtarza.

Kiwam głową. Chowam telefon. Odwracam się. Idę do wyjścia. Wiem, że za mną patrzy, i wiem, że się uśmiecha, i wiem, gdzie teraz ma dłoń, trzyma ją na swojej broni, spokojny, trzeźwy, wyprostowany, wszystkowiedzący. Teraz mnie ma. Teraz mnie widzi. Będzie widział mnie jeszcze wyraźniej, gdy zamknie oczy.

To niedobrze, to bardzo źle.

Wychodzę z klubu. Ulica cuchnie.

Jestem na jego rysunku.

23:20

Mogłem zorientować się wcześniej, że za mną jadą. Ale rozmawiałem z Paziną. To nie jest wina Paziny, ona po prostu musi rozmawiać, to moja wina. Stoimy na poboczu, jeden z nich stawia na jezdni odblaskowy trójkąt. Zamierzają chwilę tu postać. Chce mi się pić. Zapomniałem się napić. Nieliczne samochody jadą w kierunku wylotówki na Gdańsk. Nie mam zielonego pojęcia, po co jechać do Trójmiasta z Warszawy o dwudziestej trzeciej, z wtorku na środę.

Chyba że ucieka się przed taką sytuacją jak ta. Chyba że się ją przewiduje.

W odgłosach przejeżdżających samochodów jest coś usypiającego, więc zastanawiam się, jak by zareagowali, gdybym teraz położył się na jezdni i po prostu zasnął.

Z boku wygląda, jakby spierdolił mi się samochód, a oni braliby mnie na hol. Oczywiście są w cywilu, we trzech. Jechali beżowym renault clio bez kołpaków. Grupy zawsze jeżdżą biednymi samochodami. Ci trzej wyglądają identycznie, jak trójka rodzonych braci z kazirodczego związku. Mają twarze cofniętych w rozwoju, przerośniętych dzieci. Są zirytowani, niewyspani, wymięci, stale skacowani.

– Wiecie, że nie macie podstaw – mówię jednemu z nich, opartemu o samochód, w skórzanej kurtce, temu z najbardziej tępym ryjem, obstrzyżonemu na krótko w dziwny sposób, jakby kiedyś przechodził wszawicę.

– Jakbym nie był od doby na nogach – odpowiada – tobym się nawet roześmiał.

– Ja też – mówi drugi. – Ja też bym się roześmiał. Jakby to było śmieszne.

– Nie mamy powodu – powtarza ten ostrzyżony. – Kurwa, czy my musimy mieć powód?

– Podstaw, powiedziałem – mówię mu. – Nie macie podstaw.

Rozmawiałem z Paziną, ale to nie jest wina Paziny. Co prawda uparła się, aby rozmawiać teraz, w tym momencie. Ale chciała dobrze. Pazina zawsze chce dobrze. To moja wina.

– Słucham – powiedziałem.

– Na oficjalnym profilu „Betlejem" ktoś napisał, że dzisiaj klub jest nieczynny i żeby nie przychodzić – powiedziała.

– Jest czynny codziennie – odpowiedziałem.

– No tak, ale to Maluch. Maluch to napisał – powiedziała.

– No dobrze, Pazina – powiedziałem. – Dzisiaj przyjdzie może dwadzieścia osób mniej, ale co mnie to obchodzi? Niech ktoś zmieni mu to hasło do profilu na Facebooku, i tyle.

Zaćpany panikarz, który opowiada wszystkim, jak to został oszukany i jak bezprawnie przejęto mu klub. Nikt go nie słucha. Nikt mu nie ufa. Wszyscy traktują go jak lunatyka, jak gadającego do siebie bezdomnego.

– Nie wiem. Mam przeczucia. On chce wykręcić jakiś numer. Po prostu to wiem. Ja wiem takie rzeczy, więc nie rób mi teraz wykładu o przeczuciach – mówi. – Gadałeś z Dawidem?

Z Dawidem, czyli chłopakiem, którego tam posadziliśmy, rozmawiałem raz przez telefon. Poleciła mi go Pazina, podobno zajmował się już paroma klubami i miał doświadczenie. Powiedziałem, a właściwie powtórzyłem po kimś, że ma po prostu dobrze zarządzać, liczyć pieniądze, wpuszczać chłopaków z towarem, którzy przyjdą od Piotrka, nic nikomu nie mówić. Ma pilnować gotówki. Po paru zdaniach zrozumiałem, że sam najlepiej wie, co ma robić. Nie było sensu odbywać z nim kolejnej rozmowy.

– Pazina, dzięki za troskę, ale prześpij się w końcu, naprawdę – powiedziałem. – Masz już swoje lata. Nie możesz się tak wszystkim przejmować. To źle robi na serce.

– Spierdalaj – odparła.

– I to niby ja reaguję agresją na troskę? Weź siebie posłuchaj – powiedziałem.

Właśnie wtedy zobaczyłem, jak wyjeżdżają przede mnie i migają mi, abym się zatrzymał – dokładnie w chwili, gdy wypowiadałem zdanie „nie mam na to czasu".

Jeden z nich wysiada i puka w szybę.

– O co chodzi? – pytam.

– Wysiadaj – odpowiada.

Wysiadłem.

– Ręce na maskę – mówi.

Kładę ręce na masce, przeszukuje mnie, a potem zaczyna przeszukiwać samochód. Szuka dalej, ale nie może nic znaleźć. Nie wie, jak szukać. Owszem, jest oficerem policji kryminalnej, więc zna skrytki, patenty, miał do czynienia z podwójnymi dnami w bagażnikach i schowkach, przerabianymi wlotami powietrza i odtwarzaczami płyt kompaktowych. Zna różne sposoby, ale nie zna tego; ten samochód musiałby przeszukiwać ktoś znacznie sprytniejszy i znacznie mniej zmęczony niż on. Więc rozgląda się po wnętrzu, jak idiota udaje, że coś robi: obwąchuje, wsadza palce, podnosi wycieraczki, obmacuje miejsce, gdzie dach styka się z krawędzią przedniej szyby. Nic nie znajduje. Prycha i fuka jak stara baba. Zasmradza mi wnętrze auta, brudzi mi tapicerkę.

Spokojnie czekam, aż skończy. Jestem spokojny, chociaż dotyka mojej tapicerki, a wiem, że nie ma nawyku mycia rąk. Brudna kurwa.

– Mamy jakiś prezent? Mikołaj przyjechał? – pyta drugi, stojący obok.

Rozcieram ręce, chucham w nie, lekko podskakuję. To dobrze, że jest mróz. Jestem przytomny. Wiem, co się dzieje.

– Na razie nie – odpowiada i mówi do mnie: – Bagażnik.

Otwieram mu bagażnik.

– Baw się – mówię.

Maca dno bagażnika niezdarnie, jak nastolatek pierwszą dziewczynę.

To nie jest tak, że oni nie wiedzą. Wiedzą swoje, więc takie sytuacje się zdarzają. Rzadko, bo raz na parę tygodni, ale zawsze. Zatrzymują mnie, aby przeszukać mi samochód. Sprawdzić dokumenty. Chcą pokazać, że tańczą dookoła mnie, że mnie widzą, chcą sprawić, abym nie czuł się zbyt bezpiecznie. Zadać kilka pytań, na które i tak im nie odpowiem. Raz czy dwa zabrali mnie na komisariat po to, abym przez dwanaście godzin w kółko powtarzał im mniej więcej to, co mojej matce. Aha. Nic nie wiem. To dobrze. Cieszę się. A wy jak? Nie kojarzę. Nie znam. Nie mam pojęcia.

Mam nadzieję, że teraz tego nie zrobią.

Ale mogą to zrobić, bo jest im zimno i nie chce im się stać na zewnątrz.

– Zimno – mówi inny, wyłysiały, z rozpłaszczonym nosem i bez rynienki nad górną wargą.

Jest zimno, jakieś minus piętnaście stopni. Jeden wyciąga termos z samochodu. Nalewa sobie czegoś gorącego do nakrętki. Obok nas przejeżdża kolejny samochód. To przykre i w pewnym sensie nieskończone, to jak zostać uwięzionym w windzie z kompletem zupełnie obcych osób.

– Mamy, kurwa, do pogadania – mówi ten, który wspominał, że jest zbyt wyjebany, aby się zaśmiać.

– Nudzi wam się we trzech? Pograjcie w coś. Jest tyle ciekawych gier. Na przykład w skojarzenia – odpowiadam.

– Wzięło mu się na poczucie humoru – mówi ten ze spłaszczonym nosem.

– Zaraz sobie poopowiadamy kawały – mówi ten trzeci. – Ja znam dobry. Co mówi taki elegancik jak ty, gdy już jest pod celą i zaraz ma dostać chuja w dupę? Powiem ci, bo nie wiesz. Nic nie mówi, bo już mu wyjebali zęby, aby lepiej obciągał.

– Sam to wymyśliłeś? Czy było w jakimś filmie? – pytam.

– Zadzwoń na bazę, powiedz, że go wieziemy – mówi ten wyjebany do tego, który opowiedział dowcip.

– Sprawdzę jeszcze raz, czy coś tam ma – mówi spłaszczony.

Zagląda jeszcze raz do środka mojego auta, jakby na potwierdzenie własnych słów. Pali papierosa. Trwa to parę minut, aż w końcu kończy swój proces macania.

– Pusto – mówi.

– Może go zabierzemy na rozkręcanie? – rzuca, wychylając się ze środka.

– Na to już musicie mieć papier – mówię spokojnie, nawet na niego nie patrząc.

– Na ciebie to papier się znajdzie od kopa – odpowiada.

– Nie chuchaj mi do środka tym petem – mówię mu. – Potem tapicerka mi śmierdzi.

– Zaczynasz mnie wkurwiać. Święta idą, a ty niemiły jesteś. Matka cię nie wychowała – odpowiada.

– Jedźcie do Caritasu. Tam mają prezenty dla biednych dzieci, może coś zajadą i wam – mówię.

Możemy sobie tu stać, siedzieć, leżeć w nieskończoność. Jestem niekarany. Jestem anonimowym, przykładnym obywatelem. Nie mam nawet niezapłaconego mandatu. Nie mam żadnego kredytu. Nawet nie wiem, skąd wiedzą, że handluję, ale wiedzą o każdym, kto handluje tak długo jak ja. Skądś wiedzą. Kiedyś powiedzieli mi, że zastanawiają się, czemu tak długo nie dałem się zawinąć. Odpowiedź jest prosta. Myślę. W moim zawodzie mało kto myśli. U nich również mało kto myśli.

Niektórzy sądzą, że jeśli ktoś nie poszedł siedzieć przez tyle lat, to znaczy, że jest poukładany z psami. Że się im blatuje albo podaje innych. Owszem, bywają tacy, którzy to robią. Podają jakichś ledwo co pełnoletnich głąbów, którzy biegają z trawą po osiedlach za grosze, albo tych nieco ambitniejszych, którzy srają im w interes, aby mieć święty spokój; psy z kolei mają odbębnione statystyki. To symbiotyczny układ. Dla mnie to po prostu niesmaczne. Niesmacznie jest w ogóle z nimi rozmawiać, a co dopiero się dogadywać. To nieestetyczne. To jak randkować z kurwą.

– Będziemy jechać – mówi ten trzeci.

Nie ma w sobie żadnej charakterystycznej cechy, jest wyprany z właściwości. Ma klasyczną, polską, okrągłą mordę chłopa, który równie dobrze mógłby handlować klapkami.

– O czym tak bardzo chcecie rozmawiać? – pytam.

– O różnych rzeczach. Na przykład o martwych ludziach – mówi.

– Skąd mogę wiedzieć cokolwiek o martwych ludziach? – pytam.

– Ktoś twierdzi, że możesz wiedzieć – odpowiada.

– Zawsze jest ktoś, kto coś twierdzi. Ale ja go nie znam – odpowiadam.

– My go znamy – odpowiada.

– Cieszę się waszym szczęściem – odpowiadam.

– Co tak przestępujesz z nogi na nogę? Chce ci się szczać? – pyta.

– Chce mi się jechać do domu – odpowiadam – tylko czekam, aż przestaniecie zawracać mi dupę.

Nie odpowiada. Patrzę na nich: w innej sytuacji, w innym wcieleniu może byłoby mi ich szkoda. Są tacy sami. Niedopłaceni i niedomyci alkoholicy, sfrustrowani i dysfunkcyjni, pomiędzy trzydziestym a pięćdziesiątym rokiem życia. Nienawidzący wszystkich i wszystkiego, bo wszyscy nienawidzą ich, prawie wszyscy, nie licząc tych, którzy im w dziwny sposób współczują. Piotrek na przykład im współczuje. Mówi o nich z pewną specyficzną czułością, jakby mówił o kalekach. Ja nie.

Są tu, gdzie są, z własnej woli. Na własne życzenie ruchani w dupę na każdym kroku, na każdym kolejnym szczeblu drabiny, wspinający się po niej wyłącznie po to, aby spaść – w samotność, w wódę, w kulkę w łeb, a nawet jeśli któremuś z nich uda się zawędrować najwyżej, to wtedy zostaje wyjebany najmocniej, z największym impetem, ze szczerym uśmiechem, po polsku, wręcz po sarmacku, przez służby, przez zawiązany w danym momencie układ, przez naturalną selekcję, bo przecież wszyscy wiedzą, że ich zwierzchnicy i moi zwierzchnicy tworzą delikatną, gęstą i lepką sieć powiązań, przysług, podziękowań. Problem w tym, że moi zwierzchnicy w znacznie większym stopniu szanują swoich podwładnych. Pozwalają im znacznie więcej zarabiać. A oni, psy, ze wszystkiego nienawidzą zwłaszcza pieniędzy, nienawidzą mojego samochodu, ubrań, gotówki, chcą mnie za to rozszarpać. Gdyby tylko mogli, najchętniej torturowaliby mnie godzinami, obdzierali ze skóry i polewali rany kwasem solnym właśnie za to, że mam więcej, że sram na nich, że mogą, jeśli ostro się postarają, jeśli ktoś im w tym pomoże, bo akurat ma w tym jakiś interes, zamknąć mnie na trzy lata, na pięć, a ja po wyjściu wciąż będę miał to, czego oni najbardziej nienawidzą – pieniądze. Nawet ze swoimi wszystkimi premiami i podwyżkami zarabiają tyle, że luksusem jest dla nich brzydka kurwa, whisky ze średniej półki, opłacone na czas alimenty na dziecko.

Nigdy nie rozumiem ich pobudek. Czy poszli do kryminalnej z tego samego powodu, który sprawił, że ich kolega z klasy poszedł do seminarium? Bo w domu było biednie? Nie było innego pomysłu na lepsze życie? Czy może naprawdę wydawało im się, że ktoś zrobi o nich serial, w którym zagrają ich ci sami polscy aktorzy, którym sprzedaję towar?

Zaczynam się męczyć. Muszę jechać dalej. Nie mam dla nich czasu.

– Mówię od razu, że nic nie wiem – mówię.

– Może na miejscu czegoś się dowiesz – mówi ten wyjebany.

Ogląda mój samochód, jakby rozmyślał, w którym miejscu na niego napluć.

– Poczekaj chwilę – mówi ten bez rynienki nad górną wargą.

Ktoś dzwoni. Ten bez właściwości zobaczył, że patrzę na jego termos, zrozumiał, że chce mi się pić, więc wypija długi i przeciągły łyk, mlaszcze.

– Halo – mówi do szczekaczki. – Tak. Jesteśmy. Ale... No nie, mamy tutaj... rozumiem... no kurwa, ale mamy tutaj kolegę i rozmowa się szykuje. No jak to, kurwa, nie może? Najebał się czy jak? Aha. Aha. No dobrze.

Tamci dwaj patrzą na niego w oczekiwaniu.

– Kurwa. Musimy na Ochotę jechać za dziesięć minut. Czekają na burdelu – mówi.

Patrzą na mnie we trzech. Przez chwilę robią się rzeczywiście zabawni, jak trójka durniów z bajki dla dzieci, która w każdym odcinku na inny sposób zawraca dupę głównemu bohaterowi.

– Masz chyba Dzień Dziecka – mówi ten od dowcipu.

– Bardzo mi przykro – odpowiadam.

Ktoś dzwoni. Wyciągam telefon. To Stryj. W samą porę. Zaraz oddzwonię.

– Niedługo porozmawiamy – mówi ten, który przeszukiwał mi samochód.

SMS. Wyciągam telefon. Stryj. *Przyjezdzaj pod Betlejem szybko.*

– Jeśli czujecie się samotni – odpowiadam – polecam internet. Tam podobno można poznać ciekawych ludzi.

– Zabawny to jest, kurwa, kabaret Mumio, a ty się musisz bardziej postarać – odpowiada.

Pozostali dwaj już siedzą w swoim clio bez kołpaków; trzęsąc się z zimna, wypijają resztkę ciepłej lury z termosu.

? – odpisuję.

– Giną ludzie, chujku. Zginął młody chłopak. Młoda matka. Jest ciśnienie społeczne i ja to rozumiem – mówi i spluwa. Dodaje: – Zawsze uważałem, że diler to morderca, wiesz? Pierdolę to gadanie, że każdy ma wybór. Jest coś takiego jak bezpośrednia odpowiedzialność.

– Uważałbym z wielosylabowymi wyrazami na twoim miejscu – mówię. – Łatwo je ze sobą pomylić, jak się nie ma wprawy.

– Będziemy teraz was wszystkich cisnąć – mówi. – Wakacje się skończyły. Zaczęła się polityka zero tolerancji.

– Więc czemu nie mam kajdanek? – Pokazuję mu ręce.

Bez słowa idzie w stronę swojego samochodu.

– Czemu nie mam kajdanek? – pytam.

– Za chwilę możesz mieć. Chcesz? Mówisz i masz. – Odwraca się po chwili. – I naprawdę bym się zastanowił, co ci zrobią pod celą. Ładny jesteś.

SMS. Stryj. *Pali sie, kurwa, pozar.*

Chuj mu w dupę. Chcę jeszcze mu coś odpowiedzieć, ale odjeżdżają.

Wsiadam do samochodu. Muszę zebrać się w sobie. Zszyć się z powrotem. Skleić, nawet prowizorycznie, bo się rozlatuję, coraz gorzej widzę i coraz gorzej się poruszam, a to niedobrze, to widać, to czuć, oni to widzieli, Dario to czuł i ona to widziała, wtedy, w nocy w jej mieszkaniu. Pożar. Jaki pożar? W ciele robią mi się małe otwory, słabe punkty. Widać przez nie to, co mnie wypełnia. Gówno i krew. Brudną watę. Można zrobić mi krzywdę w każdej chwili.

Po raz pierwszy pojawia się we mnie myśl, myśl, która brzmi jak zwrot z języka potocznego, ale tak naprawdę nie jest żadną przenośnią, żadnym powiedzonkiem, myśl, że jeśli nie wyjadę, to umrę. To miasto jest jak tropik, procesy gnilne zachodzą tu o wiele szybciej niż poza jego granicami. Wstrzykuje toksyny do krwi, do brzucha, pod skórę. Czuję się jak na początku śmiertelnej choroby. Muszę zmienić planszę. Oczyścić organizm. Inaczej się rozpuszczę, zamienię się w pianę.

Warszawa mnie zabija, ale ten proces boli nas oboje. Zabójca cierpi bólem wszystkich swoich ofiar, ale w przeciwieństwie do nich nie może umrzeć. Warszawa. Ogromna, rozkładająca się za życia masa. Słyszę, jak skomle, cicho, z daleka, jak zamknięty w bagażniku pies.

W samochodzie śmierdzi papierosami, niemytą sierścią, przepoconą bawełną. Muszę oddać go do myjni. Może muszę kupić nowy samochód.

Stryj. Dzwoni. Nie odbieram. Jeszcze przez chwilę siedzę na fotelu kierowcy, trzymam głowę w dłoniach.

SMS. Stryj. *Gdzie ty, kurwa, jestes?*

00:20

– Technicznie to on jest wciąż właścicielem i on ma umowę z miastem. Nie zapłacił nam odstępnego. – Stryj chrapie i chrząka, próbuje odkrztusić dym, który jest wszędzie dookoła, bucha z tego ogromnego, rozpalonego w sercu miasta ogniska. Trzymam chusteczkę przy ustach. Połykam coś, co jeszcze przed chwilą było całym budynkiem, pełnym ludzi i przedmiotów.

Coraz gorzej przychodzi mi zachowywanie spokoju. Opuszczam się w tym. Zapominam, jak to się robi. Czuję, że zaraz kogoś uderzę. To jest uczucie, które mają kolesie na sterydowym cyklu; musisz kogoś uderzyć z całej siły, strzaskać mu mordę jednym ciosem, bo inaczej oszalejesz, tak dotkliwie swędzi cię całe ciało.

– Niby coś tam podpisał, ale notarialnie nie było poświadczone – mówi Śniady.

Stoi obok. Żuje gumę. Jest spokojny; to spokój spasionego, starego psa. Pali dychę zioła dziennie. Już nie umie inaczej. Zazdroszczę mu, śpi, nie ma snów.

– Gdzie jest ten cały Dawid, kurwa? – pytam.

– Jego chyba dziś w robocie w ogóle nie było – mówi Stryj.

Sylwetki i twarze co chwila robią się niebieskie, sygnalizacja straży pożarnej rzuca na nie ślady swoich świateł, na krótkie momenty zamieniając je w trupie maski. Stoimy w środku tłumu składającego się z kilkudziesięciu osób. Wszyscy patrzą na wyższe piętra kamienicy, na okna, z których wylewa się wielkie, czarne ciało dymu, ucieka do nieba, wsiąka w powietrze.

Znowu kolory: kilka, mnóstwo, częściej. Jakby pokazywały się tylko w tym miejscu, pod tym adresem. Na chwilę muszę oprzeć się o samochód. Jakbym oglądał zły film w telewizji, kątem oka, skupiony na czymś innym, ale jednocześnie grał w nim, był w samym środku jego akcji.

– Miała rację – mówię do siebie.

– Kto miał rację? – pyta Stryj.

– Nieważne. Gdzie tu jest ktokolwiek, kto tu pracuje? Barman, kurwa, ktokolwiek? – pytam.

Mundurowi są wkurwieni. Stoją z boku. Woleliby być w domach, filetować karpie, kłócić się z żonami o to, że rozgotowały ziemniaki. Tymczasem piją zimną kawę z Orlenu, co chwila przytykając sobie chusteczki do twarzy. Za moment, gdy już wszyscy upewnią się, że to było podpalenie, przyjadą grupy, może wśród nich nawet ci sami, którzy mielili mnie godzinę temu, i będą jeszcze bardziej wkurwieni. Kilkadziesiąt osób, które zapewne przebywały w środku jeszcze od piątku, stoi w rozdygotaniu, zbitych w małe grupki, odpalających kolejne papierosy od poprzednich, jakby dookoła było jeszcze za mało dymu. Strażacy powoli wychodzą ze środka w kombinezonach i maskach.

– Czy ty myślisz, że ja tych pedałów w rurkach to odróżniam? – pyta Stryj.

– A Maluch? Ktoś go widział? Przecież musiał tu jakoś wejść – mówię.

– Tu ludzie od tygodnia nie widzieli lustra, popatrzże się – mówi Stryj.

– Ćpuny pierdolone – dodaje Śniady i spluwa.

Dziewczyna, brzydka i młoda, w butach na wysokim koturnie, w sukience z krótkimi rękawami, z wyłączonym odczuwaniem temperatury, z twarzą pokrytą sadzą, jakby ktoś się nad nią znęcał, mażąc ją ziemią, po tym, jak stojący obok łysy chłopak w dresowej bluzie mówi jej coś na ucho, wybucha spazmatycznym płaczem, który każe jej kucnąć i złapać się za brzuch.

– Podobno w jednym z kibli była martwa dupa. Nieletnia – mówi Stryj.

Zapala papierosa. Spluwa. Kaszle.

– Zaczadzona? – pytam.

– Nie, nie żyła już od paru godzin – mówi Stryj. – No zdarza się, no. Serce albo coś. Piguły pewnie.

– Kurwa. Będą wszystkich przesłuchiwać – odpowiadam.

Widzę jedną dziewczynę, którą kojarzę z pracy tutaj, wytatuowaną, wysoką, niezgrabną, stoi obok karetki opatulona w koc termiczny.

– Dawid – pytam ją. – Gdzie jest Dawid?

Patrzy na mnie z zupełną obojętnością, otępieniem, które wskazuje na to, że mógłbym być kimkolwiek, jej zmarłą babcią, a patrzyłaby na mnie tak samo.

Dym, wypływa go ze środka coraz więcej, tak jakby miał przykryć całe niebo. Kolory, wciąż. Głównie niebieski, ale nie tylko ten z sygnalizacji straży. Inny niebieski. Zamykam oczy. Otwieram. Potem otwieram usta, zamykam. Ona i tak nie zwraca uwagi. Muszę się skupić, ale teraz ona musi się skupić jeszcze mocniej. Pstrykam jej palcami przed twarzą.

– Dawid już tu jedzie – mówi po chwili. – Ktoś po niego dzwonił.

– Widziałaś Malucha? – pytam.

– Przecież Maluch już tu nie pracuje. Dostał zakaz wstępu. Bramka ma go nie wpuszczać – mówi, pociągając nosem.

Podaję jej chusteczkę.

– Musiał tu być – mówię. – Maluch musiał tu być.

– Jezus Maria! – podnosi głos. – Człowieku, mówię ci, że go nie widziałam. Pogadaj z bramkarzami.

Pokazuje ruchem głowy dwóch dopakowanych, wytatuowanych młodych chłopaków z załzawionymi oczyma, pijącymi wodę obok karetki pogotowia.

– Ale oni od razu by powiedzieli, bo my mamy dzwonić do Dawida od razu, gdy go zobaczymy – mówi.

Zostawiam ją. Stryj ze Śniadym patrzą dalej w górę, w dym, jakby próbowali w nim coś odczytać.

– Zajarało się na pierwszym piętrze, gdzie są biura. Jeszcze nie wiedzą co, mówią, że instalacja – mówi Stryj.

– Gówno, nie instalacja – odpowiadam. – Maluch napisał dziś na Facebooku, że „Betlejem" będzie zamknięte i żeby ludzie nie przychodzili.

Dario ma rację. Desperaci pachną. To konkretny, kwaśny zapach. Zapach octu. Szczyn. Czuć go tutaj, wydobywa się spod spalenizny, spod tysiąca nałożonych na siebie smrodów, zapachów rzeczy nieprzeznaczonych do spalenia: kabli, plastikowych pojemników, mebli, głośników, baterii łazienkowych.

Można to było załatwić inaczej. Można było go trwale unieszkodliwić. Mogłem go lepiej rozpoznać, zobaczyć, że jest już do reszty szalony, przestać mierzyć go swoją miarą.

– Co robimy? – pyta Stryj.

– Musimy go znaleźć – odpowiadam.

– Czemu w ogóle on to, kurwa, zrobił? – pyta Śniady.

– Ubezpieczenie – odpowiadam. – On chce dostać swoje pieniądze.

– O, jest już. – Pokazuje Stryj. – Ten ciepły, o którego pytałeś. To ten.

Chłopak od Paziny, zarządca. Idzie w naszym kierunku, szybko, w końcu podbiega; jest autentycznie przerażony, próbuje zmieścić to wszystko – ludzi, karetki, strażaków, smród, dym – w jednym kadrze, ale szwankuje mu obiektyw, zatrzymuje się na chwilę, rozgląda się, mruga, usilnie próbuje poskładać to wszystko w jeden obrazek.

Znów zamykam oczy. Za dużo. Kolory. Rysunek. Zapach octu i mrozu. Mogłem bardziej się skupić. Mogłem wszystko przewidzieć.

Wielka, retrospektywna wystawa złych decyzji połączona z uroczystym bankietem i premierą okazyjnego katalogu.

Otwieram oczy i patrzę na niego, gdy jest już prawie przy nas, na odległość kroku. Widać, że nie miał z tym nic wspólnego. Jest zbyt przestraszony, zbyt zdekoncentrowany.

– Dawid? – pytam.

Kiwa głową.

– Jak Maluch mógł tu wejść tak, że nie widziała go bramka? – pytam go.

– *Sorry*, byłem... Miałem nieodespane dwie noce, wyłączyłem telefon, przepraszam... – rzuca.

– Zadzwoń do Piotrka – mówię do Stryja.

– Przepraszam, naprawdę. – Bierze głęboki oddech. – Ja pierdolę, co tu się dzieje? Komuś coś się stało?

– Jak Maluch tu wszedł tak, że nie widziała go bramka? – pytam go jeszcze raz.

Teraz chyba pytanie do niego dociera, widać, jak dodaje coś do czegoś w swojej jeszcze spanikowanej głowie. Odruchowo poprawia fryzurę, drapie się po wygolonych bokach głowy.

Kojarzę go. Był menedżerem w co najmniej trzech innych klubach. Jest posłuszny, nie zadaje pytań i jest na tyle bystry, aby wiedzieć, gdzie należy się zatrzymać w kombinowaniu na boku.

Z pozoru wygląda na przygłupiego hipstera, wydziaranego w wisienki modela w spranych dżinsach, który zajmuje się jeżdżeniem na rowerze bez hamulców i wsadzaniem fiuta w przygłupie barmanki, ale widać, że jest bystry, że próbuje obracać w głowie tę sytuację, szukać w niej wejść i wyjść, że wie, jak samemu się uspokoić.

– O kurwa. O kurwa mać! – Coś mu się nagle przypomina, oczy robią mu się okrągłe, mięśnie twarzy zastygają mu między dwoma grymasami.

– Co? – pytam.

– Psy były już w środku? – pyta.

– Co znowu, kurwa? – wzdycha Stryj.

Dzwoni mu telefon.

– To Piotrek – mówi.

– Odbierz – mówię mu.

– Tam są... Dziś przyszedł chłopak i zostawił na miejscu paczkę. I kasę – mówi Dawid.

Widzę, jak jeden z psów zaczyna rozmawiać ze strażakami. Pokazują rękoma na wnętrze budynku. Drugi podchodzi do tej dziewczyny zza baru, z którą rozmawiałem przed chwilą. Ta wskazuje głową na naszego chłopaka.

– Co tam było? – pytam.

– MDMA. Ze sto gramów. I jakiś hajs. Jak to znajdą, wszystko idzie na mnie – mówi cicho i szybko, starając się nie patrzeć na policjantów.

– Pewnie się spaliło, i chuj. – Śniady spluwa na ziemię.

– No właśnie niekoniecznie. Tam jest kilkanaście pomieszczeń. Nie wszystko się spaliło, na bank – mówi chłopak. – A zaraz tam wejdą. Chodźcie – dodaje po chwili. – Chodźcie do środka. Od razu coś sprawdzę.

– Zostańcie – mówię do Stryja i Śniadego i idę za nim.

Zręcznie wchodzi w tłum, kogoś potrąca, ale jakby specjalnie, aby odwrócić uwagę, mijamy kamienicę, skręcamy w boczną ulicę i następnie w prawo, wychodzimy na jej tył. Idzie szybko, nie odwraca się. Pomiędzy sklepami jest wejście na podwórko, od innego adresu. Staje tyłem, wpisuje kod. Otwiera drzwi. Wchodzimy na śródmiejskie zasyfione, wylane betonem podwórko, z odrapaną kapliczką Matki Boskiej w centrum.

– Tu jest wejście z tyłu, od piwnic – mówi – do części mieszkalnej.

– Mieszkalnej? – pytam.

– Tam jest drugie tyle pomieszczeń. Na początku mieszkało tu dużo ludzi, najpierw artyści, DJ-e i tak dalej. Maluch marzył sobie, że zorganizuje jakąś komunę, przestrzeń artystyczną – mówi. – Ale potem ci ludzie zaczęli się wynosić. Zaczęły ginąć im rzeczy, sprzęt, pieniądze. Niektórzy mówili o jakichś dziwnych sytuacjach, ale to chyba bzdury.

– Jakich sytuacjach? – pytam.

– Tu była za komuny onkologia dziecięca – mówi – a przedtem, po wojnie, nieformalna katownia. Zabijali AK-owców. No i ludzie wkręcali sobie, że widzieli duchy, słyszeli krzyki. Ale właściwie chodzi o te rzeczy, które ginęły.

– Nie pracowałeś tu przecież – mówię mu.

– Jak gdzieś mam pracować, to wiem o tym miejscu wszystko – odpowiada.

Macha mi ręką, abym szedł za nim dalej.

– Więc można stąd przejść do części otwartej? – pytam.

Dawid szuka czegoś nerwowo w kieszeniach, po chwili wyjmuje pęk kluczy. Idzie w stronę małych metalowych drzwi do kotłowni, z boku podwórka, umieszczonych za zsypem.

– Oczywiście, wszyscy zarządzający wchodzili tędy – mówi.

Zatrzymujemy się przy drzwiach. Odwraca się do mnie. Przykłada palec do ust.

– On wciąż może tam być – mówi bardzo cicho. – Może siedzieć tam nawet przez tydzień. Wie, że będziecie go szukać.

Kiwam głową. Wchodzimy do środka. Jest ciemno, potwornie śmierdzi cebulą, ziemniakami, rdzą, zgliwiałym papierem. Poruszamy się jak najszybciej i jak najciszej, ale ciągle coś chrzęści nam pod stopami: śmieci, szkło, papier. Korytarz jest niski, wąski, ściany to goła cegła, nad nami wiszą czarne sznury okablowania.

Dawid idzie szybko, świeci telefonem, blada łuna wyławia z mroku ustawione przy ścianach śmieci, papiery, kawałki zbitych szyb. Zaczyna śmierdzieć spalenizną, coraz intensywniej, jej zapach powoli przykrywa wszystkie inne, to smród spalonej gumy.

– Jeśli ten pokój się nie zjarał, musimy zabrać ten towar jak najszybciej. Nie możecie mieć gnoju przez jedną chujową samarę – mówi.

Kiwam głową. Lubię go.

Wącham powietrze, chcę wywąchać Malucha, jego octowy smród. Myślę o nim. Myślę o jego panice. O tym, że zupełnie zanikła w nim jakakolwiek inteligencja, odruchy chwytne. Jeśli tu jest, niech wie, że o nim myślę. Niech się boi. Niech wie, że gdy go spotkam, coś mu się stanie.

Chcę go wywąchać, ale nagle czuję inny zapach. Spalenizna ustaje, jakby nigdy nie było tutaj żadnego pożaru. To zapach ze snu. Dochodzi z dołu, znajomy, zły. Słodki smród, smród jak maź. Zapach opuszczonego bloku. Zatrzymuję się na chwilę, czuję, jak serce zaczyna mi bić o dwadzieścia procent szybciej.

„To tylko wrażenie – powtarzam w myślach – sensacja – powtarzam – awaria pamięci, *déjà vu*".

– Co jest? – pytam.

Rozglądam się. Nasłuchuję. Daję mu znak ręką, aby zrobił to samo, aby przestał się poruszać.

– Tutaj go nie ma – mówi chłopak. – Te pomieszczenia są dalej.

Winda, piętro. Czuję, że robi mi się zimno. Coraz wyraźniej dociera do mnie, że ten zapach gdzieś tutaj jest.

– Chodźmy, kurwa – mówi chłopak. – Naprawdę ani ja, ani ty nie mamy już czasu.

Idę za nim dalej. Po chwili skręcamy w prawo, korytarz

robi się jeszcze niższy, jest jak wyrąbany przodek w kopalni, jak kanał. Mam wrażenie, że powierzchnia, po której się poruszamy, jest stroma, idziemy cały czas w dół.

Cięcie. Chłopak ze snu, który szedł złożyć mnie czemuś w ofierze. Kolor. Cięcie.

Dawid zatrzymuje się przede mną, znowu patrzy na trzymany w ręku pęk kluczy, liczy je. Dopiero po chwili widzę, że stoimy przed ciężkimi metalowymi drzwiami, na których ktoś namalował czarną, oleistą farbą wyraz TUTAJ.

– Co jest? – Odwraca się do mnie.

– Co co jest? – odpowiadam pytaniem na pytanie.

– Wszystko w porządku? – pyta.

– Co miałoby być nie w porządku? – odpowiadam znowu pytaniem na pytanie.

– Nie wyglądasz za dobrze – mówi.

– Słabo sypiam – odpowiadam.

Otwiera drzwi. Ciężko skrzypią. Wciąż ten zapach, jeszcze mocniejszy, jak posłodzone rzygowiny, zapach, który w nosie od razu przyjmuje konsystencję kisielu, osadza się w zatokach. Cięcie. Piętro, pokój, obecność, ciało w rogu, olbrzymie, nieregularne, rozlane ciało w rogu jak zastygający płyn. Cięcie.

– Idziesz? – pyta.

Nie wziąłem broni z samochodu. Dopiero teraz zdaję sobie z tego sprawę. Powinienem mieć przy sobie broń.

– Bramka – mówię.

– Bramka? Przecież mówię ci, że wszedł tędy – odpowiada.

– Wyjebałeś starych ochroniarzy, tak jak ci mówiłem? – pytam.

– Tak. Pierwszego dnia.

Kiwam głową. Wszystko jest trochę wolniejsze, on robi krok do przodu, ten chłopak, wchodzę za nim, drzwi zamykają się same, jest ciemno.

– Kurwa, padł mi telefon – mówi.

Jego głos brzmi w oddali, dochodzi z daleka.

Cięcie. Dźwięk. Dźwięk – silny, głośny jak trąba, jak odrzutowy silnik, najpierw dobiegający z bardzo daleka, jak sygnał alarmowy, potem coraz bliższy. Zaraz pod nami jest brzuch miasta, słyszę jego syk, bulgot, procesy żołądkowe.

Zatrzymuję się na chwilę, on idzie przede mną.

– Wszystko w porządku? – pyta z bardzo daleka.

Wtedy kolor. Jak uderzenie w głowę. Czerwony kolor. Zielony, żółty. Czerwony kolor.

– Może wyjdź na zewnątrz się przewietrzyć, ja pójdę sam – mówi z daleka Dawid, już nie chłopiec.

Cięcie. Chłopiec, nie Dawid. Chłopiec wrócił. Nie zjechał na dół. Wrócił. Wszystko czerwone, ale już po chwili dogasa, zmienia nasycenie, zamienia się w róż, zanika. Stoję tyłem do windy. Oddawaj, kurwo, co zabrałaś. Oddycham ciężko.

– Raczej go tutaj nie ma – mówi Dawid, z drugiego końca miasta, jak echo.

Cięcie. Niezwykle intensywny kolor niesamowicie blisko, czerwony. Cięcie.

Muszę usiąść. Muszę usiąść na podłodze. Siadając, zamieniam się w dziecko. Gdy siadam, korytarz zamienia się w martwe pomieszczenie.

Przebitki, przecięcia, zakłócenia. Stryj, Dario, Pazina. Cięcie. Hałas. Ona, przed lustrem, naga, wypięta, widzi siebie, widzi mnie. Cięcie. Kiślowaty. Hałas. Hotel, kurwa, minister. Cięcie. Mariusz, celebryta, dziewczyna, córka premiera, wychodzi z łazienki. Cięcie. Pies. Cięcie. Gotówka. W torbach. Cięcie. Ból głowy, jak wiertło, przez skroń. Stoi. Cięcie. Ona, przede mną, naga, wbita w świat jak sztylet. Cięcie.

Chce mi się wymiotować, przez chwilę, za to intensywnie; nagle to coś, to wszystko, co było dookoła, pojawia się w moim żołądku i momentalnie chce go opuścić.

Cięcie. Chłopiec. Chłopiec ze snu. Dwunastoletni chłopczyk ze snu, z przetłuszczonymi włosami, który zaprowadził mnie, aby złożyć mnie w ofierze. Stoi obok. Zapala zapalniczkę.

– Popatrz – mówi.

Stoję tuż przed nią. Siadając, zamieniłem się w stojące dziecko. Patrzę na nią. W jej ciele, ciemnoróżowym, miejscami czarnym, gdzieniegdzie opalizująco szarym ciele, które ma fakturę i konsystencję ciepłego wosku, cuchnącego milionem przetrawień, które wciąż trawi, w ciele, które potrafi wchłaniać i pożerać każdym centymetrem kwadratowym swojej powierzchni, są pojawiające się i znikające otwory, małe, bezzębne usta, są ich setki i tysiące, takie usta mogą wyrosnąć w każdym z kawałków tego ciała. Ciało wyciekło z otworu wentylacyjnego i zajmuje całe pomieszczenie, wciąż pączkuje, wciąż rośnie.

– Popatrz – mówi znowu chłopczyk.

– Patrzę – odpowiadam.

– To ona sprawia, że widzisz kolory – mówi chłopczyk.

– Wiem – odpowiadam.

Pierwszy raz, gdy pojechałem po kilogram kokainy, osiem lat temu, w nocy, byłem podenerwowany, pamiętam, podenerwowany w sposób, w jaki ktoś inny mógłby być podenerwowany przed pierwszym dniem w pracy. Ten typ w wielkiej bluzie z kapturem, zarośnięty, z zepsutymi zębami, otwierając bagażnik swojego volkswagena golfa, to było chyba w lasku Młocińskim, powiedział:

– Będziesz to robić do końca życia. Akurat ty będziesz robić to do końca życia.

Zapytałem go, czy mówiąc to, ma na myśli, że szybko mnie zabiją; nie odpowiedział.

To było chyba w lasku Młocińskim, ten typ, po prostu

dałem mu pieniądze i założyłem torbę na ramię tak zwyczajnie, jakby w środku były ubrania na zmianę, jakby w środku była każda inna rzecz. Nieopodal, na parkingu, stała dziewczyna. Patrzyła na nas. Zobaczyliśmy ją dopiero po chwili.

– Będzie cię zjadać bardzo powoli. Na początku w ogóle tego nie poczujesz. Będzie cię karmić i zjadać jednocześnie. Abyś dłużej był żywy. Na początku to wcale nie boli – mówi chłopczyk.

– Wiem – odpowiadam.

– Będzie zjadać każdego z nas. Ona trawi bez końca – mówi chłopczyk.

Podchodzi do niej. Wyciąga dłoń, delikatnie wysuwa w jej kierunku i zatrzymuje ją na kilka centymetrów przed powierzchnią ciała, w którym natychmiast otwierają się wielkie, bezzębne usta. Chłopiec uśmiecha się. Cofa dłoń.

– Po prostu taka jest. Wszyscy żyjemy o krok od jej brzucha – odpowiada. – Hoduje nas. Hoduje, aby mieć co jeść.

To było chyba w lasku Młocińskim, na parkingu za McDonaldem. Ta dziewczyna stała obok naszych samochodów, nieopodal tablicy z regulaminem. Jej oczy były szeroko otwarte, usta zaciśnięte. Płakała, trzęsła się. Obejmowała się ramionami. Ten gość, który sprzedawał mi towar, zatrzymał mnie, gdy chciałem do niej podejść, i splunął na ziemię, jakby była złą wróżbą.

– Wszyscy żyjemy o krok od jej brzucha – powiedział wtedy, to na pewno był on, ten typ z zepsutymi zębami, ze srebrnym łańcuchem wystającym lekko nad podkoszulkiem; powiedział to i poszedł do swojego samochodu.

Gdy odjechał, zostaliśmy we dwoje, i wtedy chciałem do niej podejść.

– Twoja kolej – mówi chłopczyk.

– Co mam robić? – pytam go.

Otwory na ciele pojawiają się coraz szybciej.

– Co mam robić? – pytam jeszcze raz.

– Wstań – odpowiada.

Wtedy chciałem do niej podejść, do tej dziewczyny, w nocy, w lasku Młocińskim, ale ona uciekła w stronę McDonalda, w stronę wylotówki, rozpuściła się w nocy.

– Wstań – mówi chłopczyk.

Czerwony kolor, pisk, niesamowity pisk, otarcie dwóch rozpędzonych metalowych obiektów. Cięcie. Konferencja prasowa w telewizji. *Na przykład to, czy kokaina, którą miał we krwi Mariusz F., i ta, którą miał we krwi Antoni Górecki, mogła pochodzić z tego samego źródła* – głos dziennikarki. Cięcie. Pazina w „Betlejem", oparta o ścianę. Cięcie. Na parkingu, w moim samochodzie. Melodia, z oddali. Miasto jak narysowane flamastrami przez dziecko na czarnej płachcie. *Wszyscy jesteśmy bandytami* – głos Paziny. Cięcie.

Podchodzę do niej. Ciało podnosi się i opada, ciemnoróżowe, błyszczące jak zepsute mięso, jak plamy benzyny na słońcu.

– Nie bój się – mówi chłopczyk. – Teraz twoja kolej.

Przybliżam rękę.

– To może trwać miesiącami. Prawdziwy ból jest dopiero pod koniec – mówi chłopczyk.

– Wstań, kurwa – mówi Dawid.

Cięcie. Kolor. Cięcie. Spalenizna, dusząca, obezwładniająca, zatykająca nos. Cięcie. Światło. Mdła poświata z telefonu.

– Kurwa, stary, myślałem, że wyrzygasz płuca – mówi.

Nabieram głęboko powietrza: pomieszczenie wymalowane na biało z materacem zwiniętym w rulon ciśnięty w kąt, pomieszczenie bez okna, naprzeciwko mnie Dawid z przewieszoną przez ramię torbą. Smak, wstrętny, słodki smak wszystkiego, co połknąłem przez ostatnie dwa dni, sfermentowanego w jeden żrący płyn.

– Długo to trwało? – pytam.

Kręci głową.

– Zaraz się zaczadzimy – mówi.

– To jest to MDMA? – pytam.

– Cały czas dzwonił ci telefon – mówi.

– Cały czas, czyli ile? – pytam.

– No nie wiem, przez cały czas, jak tu szliśmy, a ty zatrzymywałeś się co chwila, aby zwymiotować – odpowiada.

Otwieram bezgłośnie usta, a potem jeszcze raz nabieram powietrza, jak najwięcej, jakbym dopiero co wynurzył się z wody.

Wstaję. Muszę przytrzymać się ściany. Trzy nieodebrane połączenia i SMS. Sprzed dwóch minut. Stryj.

Czekamy na zewnatrz wiem gdzie jest ten pedal Wylaz.

– Naprawdę powinieneś odpocząć – mówi Dawid. – Od jakiego czasu nie spałeś?

Cięcie. Dario. Kolor, jeszcze przez chwilę. Blaknie. Coraz bardziej, do szarości. Cięcie.

To minie, gdy tylko stąd wyjdę. Znowu dzwoni Stryj. Odpluwam to, co mam w ustach. Dawid podaje mi butelkę wody.

Jest bardzo źle. Jestem zepsuty. Wymagam przeglądu. Wymiany podzespołów. W tym stanie nie powinienem nigdzie iść, nie powinienem z nikim rozmawiać.

Powinienem pojechać do szpitala. Dostać leki i kroplówkę. Czuję się jak gówno.

– Od jakiego czasu nie spałeś? – pyta jeszcze raz i idzie w kierunku wyjścia.

Nie pamiętam tego korytarza. Nie pamiętam drogi tutaj.

– Od kilku dni – odpowiadam.

– Jesteś chory, stary. Musisz iść do lekarza – mówi z jakąś niekłamaną troską.

Spluwam jeszcze raz.

Idziemy do przodu. Do wyjścia. Wciągam powietrze. Wciąż czuję spaleniznę i ocet.

02:10

– Zaraz, zaraz, myślałam, że się znamy i że wszystko jest w porządku – mówi.

Jest wyraźnie przestraszona. Mówi szybko wysokim głosem małej dziewczynki.

– Myślałam, że wszystko jest w porządku – powtarza.

Za wszelką cenę próbuje wszystkich uspokoić. Nas, siebie, swoich gości. Nie udaje jej się to. Cała lekko drży, to drżenie zaczyna się w jej splocie słonecznym i promieniuje wyżej, w kierunku twarzy, do górnej wargi. Lubię ją, nie chodzi o nią, teraz nie chodzi o to, aby kogokolwiek lubić.

Jestem tu, stoję, moje stopy są przyczepione do podłogi, widzę wyraźnie. Jest lepiej. Jest lepiej, bo jadąc tu, w samochodzie wciągnąłem ściechę. Nie robiłem tego od jakichś pięciu lat.

– Ucisz tego psa, bo go wypierdolę przez okno – mówię to trzeci raz.

Tym razem głośniej. Przedtem mówiłem to cicho. Śniady i Stryj jeszcze nie mówią nic.

Otwiera oczy jeszcze szerzej. Pozostali też. Jest ich kilkoro zebranych w dwupokojowym mieszkaniu, niedaleko Arkadii, na granicy Żoliborza i Śródmieścia. Przed chwilą jeszcze pili alkohol, palili jointy, wciągali kreski, jedli kolorowe i smaczne jedzenie, którego resztki leżą rozpaćkane po porozstawianych wszędzie talerzach i salaterkach. Z laptopowych głośników leci muzyka, niewyraźna, bycząca jak owad.

Byliśmy już u obydwu matek jego dzieci. Byliśmy u jego rodziców. Nikt go nigdzie nie widział. Byłem grzeczny, przedstawiałem się jako kolega. U jego obecnej dziewczyny, na Tamce 20, pocałowaliśmy klamkę. Trochę to trwało, zanim tu dotarliśmy. Zanim Pazina wysłała mi ten adres.

– Ucisz, kurwa, tego psa! – krzyczy Stryj i wtedy inna

dziewczyna, siedząca na kanapie, drobna, ruda, smutna dziewczyna w dużej bluzie, aż podskakuje.

– Putin – mówi szybko i cicho. – Putin, uspokój się. Putin, chodź.

Cmoka, zabiera psa, zamyka go w pokoju. Zamiast zamknąć się w nim sama, wraca z powrotem.

Pomalowane na biało ściany są przybrudzone na poziomie kolan, to od zwierząt; meble – PRL-owskie i z Ikei. Plakat z jakiegoś festiwalu filmowego, na nim któraś z aktorek z lat pięćdziesiątych. Toaletka. Książki, niewiele. Ubrania na wieszakach na długiej metalowej ramie. Kwiaty. Dużo kwiatów, w tym sztucznych. Mała choinka, na niej kilkanaście jednolitych bombek. To chyba jej mieszkanie. Jest w nim coś ze słodkiej nory, mieszkania studentki pierwszego roku, u której, w jej mniemaniu, oprócz poligamii i kolorowego alkoholizmu, kiełkuje coś, co uznaje za dobry gust. To mieszkanie osoby, która jeździ na holenderskim rowerze i uważa, że Berlin to najpiękniejsze miasto na świecie, a masturbując się, wyobraża sobie romantyczną kolację z Ryanem Goslingiem.

Za oknem szum przejeżdżających samochodów, coraz głośniejszy. Pierwsze, co zrobiłem, gdy wszedłem, to otworzyłem okno.

– Gdzie on jest? – pytam ich, a przede wszystkim pytam Balona, tego z brodą, który wtedy w „Betlejem" razem ze swoim łysym kumplem próbował udawać groźnego, ale wyszedł, gdy powiedziało mu się, że ma wyjść.

– Kojarzę cię – powiedział pierwszy, gdy tu weszliśmy.

Stryj podchodzi do stolika, wyciąga ręką resztkę makaronu z salaterki, wsadza sobie do ust.

– Mamy tutaj coś w rodzaju wigilijnej kolacji. Może chcecie się dołączyć, usiąść i z nami zjeść, a potem spokojnie powiedzieć, o co wam chodzi – mówi Anastazja, próbując wykrzesać w sobie odwagę i stanowczość.

Opieram się o framugę. Swędzą mnie dziąsła i podniebienie, czuję szczypanie w nosie, dookoła oczu, jakbym łzawił wodą utlenioną, przejeżdżam językiem po zębach, ale to tylko efekty uboczne, najważniejsze jest to, że elementy świata na krótki moment poustawiały się w coś, co można nazwać pozornym dopasowaniem.

Nie wciągałem od pięciu lat. Nie walę swojego towaru. Nie walę żadnego towaru. Kokaina bez alkoholu jest dziwna, jest jak atrapa trzeźwości, symulator bycia wyspanym napisany na przedpotopowy komputer. Bez alkoholu czuje się w całej rozciągłości jej gumowatość. To jak ssać plastikowy owoc.

Musiałem to zrobić. Samochód jedzie, rozpada się podczas jazdy, odpadają od niego najpierw felgi, zderzaki, tablice rejestracyjne, następnie lusterka, przednie reflektory, potem opony, potem pękają szyby, wypadają drzwi, samochód staje się swoją podskakującą karykaturą, dachuje, obraca się wokół własnej osi, wypada z jezdni, ale, co najgorsze, porusza się dalej, jakby trzymała go w palcach niewidzialna, ogromna dłoń wielkiego dziecka.

To ja się rozpadam. To ja. Musiałem. Teraz mogę iść. Trzymam się na superkleju z kiosku. Na plastikowym owocu.

– Chcecie się czegoś napić? – pyta.

W sztucznym świetle wygląda jak najładniejsza dziewczyna ze wsi. Jak miss Węgorzewa. Pod nogami Śniadego przebiega kot, Śniady bierze go na ręce. Ona odsuwa się o krok.

W pełnym świetle jest jednak w niej coś nieestetycznego, prostackiego.

– Wesołych Świąt – mówi po chwili Stryj i wybucha śmiechem jako jedyny, sam do siebie.

Podchodzę do Balona, siedzi pomiędzy dwoma dziewczynami na obitej welurem kanapie. Zanim weszliśmy, siedział tutaj rozparty jak szejk, sypał dowcipami, upalony nakłaniał te dziewczyny, aby pojechały z nim do domu i posłuchały więcej jego dowcipów, już we dwie. Teraz jest spięty, skurczony. Nie odzywa się. One też. Ta z prawej jest ruda i smutna, ta obok wysoka i zwalista, obstrzyżona na chłopaka, z twarzą, którą za ładną mogłyby uznać redaktorki działów modowych pism kobiecych. Podchodzę do brodatego i z całej siły walę go w ryj, dziewczyny krzyczą, pies zaczyna szczekać, szum za oknem, przeciągam się, coś strzyka mi w plecach, jakby coś się we mnie luzowało, jakby odpadały ze mnie lusterka i reflektory, dostaje jeszcze raz, coś w nim cicho pęka, chyba ząb, krew leje mu się na twarz jak z odkręconego kurka, jest dobrze ukrwiony. Stryj je dalej. Śniady dalej trzyma kota.

– Przestań! – krzyczy ruda.

Kucam przed nim. Wyjmuję broń. Chowam ją z powrotem.

– Aaaaaaaaaaaaaaaaaaaaa! – to ta zwalista wydaje z siebie przeciągły, dziwny dźwięk.

– Zrobiliście to razem. Razem zjaraliście ten klub, żeby podzielić się forsą z polisy, kurwo, a teraz gadaj, gdzie on jest – mówię do niego.

– Nie wiem, stary, kurwa – odpowiada. – Nie zrobiłem nic razem z nim, nie wiem, on mi wisi sto pięćdziesiąt koła, człowieku, kurwa, sto pięćdziesiąt koła, sam chciałbym je mieć, wiedzieć, gdzie on jest, on mnie okradł, stary. Nie mam pojęcia, gdzie on jest.

– Zrobiliście to razem – powtarzam.

– Chyba cię pojebało – mówi, płacząc. – Chyba cię pojebało.

– Nie pojebało mnie – odpowiadam.

Podnoszę go i popycham w stronę Stryja. Stryj go przechwytuje, chwyta go za głowę, on jeszcze coś krzyczy, coś niezrozumiałego, Stryj uderza głową Balona o ścianę, on się osuwa, na ścianie widać czerwony ślad od nosa, od zębów. Muzyka wciąż gra z laptopa, cicho, i chyba rozpoznaję tę muzykę.

– Kurwa mać, przestańcie! – krzyczy ta ruda.

– Dzwonię na policję – mówi jeden gość z tyłu, przedwcześnie otyły dwudziestoparolatek z grzywką, wstaje, ale Śniady jednym uderzeniem z powrotem sprowadza go do pozycji siedzącej.

To trwa, a ja czuję coś przyjemnego, coś, jakbym zaczął się bawić. To jak pójść do klubu z dziewczyną, która ma ogromną ochotę gdzieś iść w piątek wieczorem; pójść po to, aby przez pięć godzin szukać dla siebie miejsca – pies wciąż szczeka za drzwiami, za którymi go zamknęła – przez pięć godzin szukać dla siebie miejsca, krążyć wśród ludzi, wiercić się wśród nich, pić i palić, aby zająć czymś ręce, i na końcu, ale to na samym końcu, gdy wszyscy ledwo stoją, wymiotują, pierdolą się w kiblach, zatykają bar, nagle podoba ci się jakaś muzyka, nie wiesz czemu, ale zaczynasz się ruszać, zaczynasz tańczyć. Zrzucam wszystko ze stołu, talerze, salaterki, wazy, resztki jedzenia. Kolorowe. Lecą na podłogę. Szkło się rozbija, przebiega po nim kot. Ona zaczyna płakać, ona wie. Popycham ją lekko do przodu.

– Gdzie on jest? – pytam.

Nie odpowiada, kręci głową, łzy ściekają jej bezgłośnie po policzkach. Dotykam delikatnie jej twarzy, miękka powierzchnia, drobne włoski, to jak dotknąć brzoskwini.

– Przecież wiesz – mówię. – Między ludźmi wytwarza się więź.

– O czym ty mówisz? – pyta drżącym głosem.

– Jeśli ludzie długo się ze sobą dymają, wytwarza się między nimi więź – mówię.

Muszę poprawić. To jeszcze potrwa.

W kieszeni mam plastikową butelkę z małą łyżeczką. Kiedyś dostałem ją od kogoś. W dłoni mam plastikową butelkę z małą łyżeczką.

– Telepatyczna więź. Tak mówią – mówię do niej.

Podobno świetnie się dyma. Podobno wielu mężczyzn chciało mieć z nią dzieci. Podobno uderzył ją parę razy przy ludziach.

W życiu nie uderzyłbym kobiety. Trach. Lepiej. Połykam towar, śluz z nosa. Oblizuję usta. Szukam czegoś do picia. Napiłbym się czegoś. Znajduję coś. To woda.

– Nie rozmawiałam z nim od dwóch miesięcy – odpowiada.

– Pierdolisz – mówię i dodaję: – Nie lubię psów.

Stryj wchodzi do pokoju. Zaczyna się przechadzać. Oni leżą. Stryj też chce coś zrobić. Też wciągnął. Swędzą go ręce.

– Wyrzucę twojego psa przez okno – mówię jej. – A potem zabiję któregoś z twoich kolegów.

Zaczyna się trząść. Chciałbym, aby nie zrobiła nic głupiego. Na przykład się nie zsikała. Chciałbym ją dobrze zapamiętać. Pokazuję na kanapę.

– Na przykład jego – mówię. – Ale tobie nic nie zrobię. Uspokój się. Weź głęboki oddech. Najlepiej dziesięć głębokich oddechów. Znasz tę metodę? Tak. Dobrze. Świetnie, Anastazja. Super. Między nami wszystko jest w porządku. Musisz mi tylko powiedzieć, gdzie on jest.

– Nie wiem, byliście u Basi? Albo u Ewki? Musicie iść do Basi albo do Ewki – mówi.

– Byliśmy wszędzie. – Znowu dotykam jej policzka. Jest ciepły i przyjemny.

– Do Basi albo do Ewki – powtarza.

– Domek na Mazurach? Ulubiona przyczepa w Dębkach? Może jest w Lizbonie? Lubił tam jeździć. Mieszkanie w Lizbonie? Podaj mi adres – mówię.

Posklejany samochód powoli porusza się jednokierunkową drogą, pada. Jest słaba widoczność.

W Warszawie jest słaba widoczność.

– Zostaw ją! – krzyczy ta ruda dziewczyna.

Podrywa się, odwracam się, podbiega do mnie. Stryj w ostatniej chwili uderza ją z całej siły w twarz.

Pies przestaje szczekać. Głuchy dźwięk, ruda przewraca się na podłogę, nóż wypada jej z ręki.

– Leżeć, kurwo jebana! – mówi Stryj.

Chce ją kopnąć.

– Przestań – mówię do niego.

Cofa nogę.

Cichy dźwięk zza okna, sygnał. Anastazja osuwa się na podłogę, mdleje, opada na szkło, na jedzenie. Przebiega po niej kot. Wszystko zastyga. Wszystko opada.

Ta muzyka z laptopa, dopiero teraz ją rozpoznaję. To *Wariacje Goldbergowskie*.

– Wychodzimy – mówię.

– Co? – pyta Stryj.

– Wychodzimy – mówię.

Ruda podnosi się z podłogi. Ociera twarz. Stryj popycha ją z powrotem na kanapę. Wydaje cichy jęk, jakby uchodził z niej nadmiar powietrza.

Dach samochodu przestaje ocierać się o asfalt, o ziemię, auto zatrzymuje się na środku wylanego betonem placu.

– Nie dotykaj jej – mówię mu.

– Kurwa mać, ty – odpowiada.

– Wychodzimy – mówię mu.

Śniady patrzy na mnie i na niego. Stryj patrzy na mnie. Kopie delikatnie nóż.

– Musimy go dzisiaj znaleźć – mówi.

Przez okno wpada uszkodzona i cicha melodia. Czuję smak krwi. Przegryzłem sobie dolną wargę. Wycieram krew dłonią. Patrzę na nią przez chwilę. Ruda w końcu wstaje, podbiega do Anastazji, zaczyna ją cucić. Uderza ją w twarz, lekko, ja robię krok przez nią, przez szkło i powoli idę w kierunku drzwi, starając się niczego nie dotknąć, bo wszystko jest naelektryzowane, to przechodzi mi przez głowę, na moment, wszystko jest naelektryzowane.

– Wychodzimy – mówię.

Ruszam w kierunku drzwi. Otwieram je, wychodzę na zewnątrz, Stryj i Śniady idą za mną.

02:38

Stryj i Śniady idą za mną, gdy docieramy do samochodu, jest bardzo zimno, mam na sobie tylko koszulę i marynarkę, niebo jest czyste i pełne gwiazd i jest w nim coś świeżego, jak w odprasowanym ubraniu, powietrze jest świeże, wciągam je do nosa, Stryj i Śniady idą za mną i wtedy Stryj łapie mnie za szyję, mocno, nie czuję tego, rzuca mną o mój własny samochód.

Moje ciało odbija się od mojego własnego samochodu.

– Nie jesteś tu, kurwa, od wydawania poleceń, pedale! – mówi.

Wstaję, Stryj podchodzi i mocno kopie mnie w brzuch. Coś w środku się przewraca. Odwracam się na bok, wymiotuję. Wyciągam broń, za wolno, kopie mnie w dłoń, wytrąca mi pistolet z ręki.

– Nie jesteś tu, kurwa, od wydawania, kurwa, chuju, poleceń! – mówi jeszcze raz. – Kto inny jest od wydawania poleceń, pedale, a polecenie jest takie, żeby znaleźć Malucha.

Podnoszę się. Jestem cały w śniegu. Powietrze jest prawie sterylne, wdycham go dużo, towar i śluz ściekają mi do gardła. Otwieram bezgłośnie usta, jakbym miał zacząć śpiewać.

– Uderzyłeś kobietę, nie bije się kobiet – mówię do niego.

Uderza mnie jeszcze raz w brzuch, wypluwam coś słonego, to może być krew, przez chwilę nie oddycham, jakby zgniótł mi coś w środku. Mój pistolet leży w śniegu kilkadziesiąt centymetrów od mojego prawego buta.

– Zrób to jeszcze raz – mówię. – Zrób to jeszcze raz.

– Nie będziesz mi rozkazywał, pedale. Żebyś, kurwa, zapamiętał. Nie jesteś nietykalny. Nie jesteś wcale nietykalny. To nie jest tak, że nie można ci niczego zrobić, wkurwiasz wielu ludzi, kurewsko wielu, i niedługo może to wszystko inaczej wyglądać – mówi.

– Zrób to jeszcze raz – odpowiadam – a Piotrek dowie się, że bez niczyjej wiedzy zajebałeś towar człowiekowi z pruszkowskich i wcisnąłeś mi go na przechowanie. Piotrek dowie się, że ma przez ciebie problemy.

Cofa się o krok. Potrzebuje chwili, aby złożyć wyrazy, które mówię, w sens. Ma pysk psa, głupiego psa. W oknie mieszkania, z którego wyszliśmy, wciąż pali się światło.

– Stać mnie na to, by oddać ten towar temu człowiekowi. Stać mnie na to, żeby nie mówić mu, że to ty go miałeś. Aby nie mówić nic Piotrkowi, nie mówić, że zrobiłeś to na boku. Ale zrób to jeszcze raz, kretynie, zrób, a stać mnie też na to, aby zrobić to wszystko inaczej – dodaję.

Myśli. Patrzy na mnie i z całych sił próbuje myśleć. Za chwilę przestanie. Ale próbuje.

– Uderzyłeś kobietę, nie trzeba było tego robić – mówię.

Nie odpowiada. Wyciąga papierosa z paczki. Zapala. Widzę, jak lekko drży mu prawa ręka.

– Wszystko może być w porządku, ale uderz mnie kiedykolwiek jeszcze raz i nie będzie – mówię. – Skończysz, kurwa, w bagażniku. Zajebiście szybko.

– Ty jebany pedale – mówi.

– Nie mów tak – odpowiadam.

– Ty jebany pedale – powtarza.

Podchodzi do mnie i jeszcze raz uderza mnie w brzuch.

Uderza mnie z główki w twarz. Przewracam się. Śnieg. Moja zawartość zaczyna się o siebie obijać jak ubrania w pralce.

Zaczyna mnie kopać. Kopie mnie trzy razy, raz, dwa, trzy, raz w plecy, raz w brzuch, raz w głowę, przed tym ostatnim razem wyczuwam go, zasłaniam się. Spluwa. Kopie mnie jeszcze raz. Dyszy.

– Ty kurwo zajebana, cwelozo ty – mówi. – Nie jesteś tu od wydawania poleceń. Masz siedzieć cicho, kurwo, i jeździć na akcje, i zamknąć mordę, a nie rozkazywać. Nikt mi nie rozkazuje. Przeleżałem dziesięć lat, kurwo, pod celą, byłem gitem, i nikt nie będzie mi rozkazywał, a już na pewno nie taki pedał jak ty. Nie będzie.

Spluwa.

– Powiedziałem ci coś – mówię mu.

Kopie mnie jeszcze raz.

– Chodź – mówi do Śniadego.

Odchodzą razem. Śnieg chrupie pod ich stopami, wsiadają do samochodu.

Zostaję w śniegu. Leżę w nim. Jest chłodny. Niebo jest czyste. Wszystko szybko wraca na swoje miejsce, również ból, ból jak nagłe napromieniowanie. Wszystko jest czyste, jakby wykąpane. Wszystko jest jakby ochrzczone. To wyjątkowo czysta, biała noc jak na Warszawę. Ktoś ją umył, ktoś ubrał ją w coś białego i ładnego, na co dzień jest tą cuchnącą, mięsną masą, pożerającą ludzi w kącie pomieszczenia tysiącem bezzębnych ust, ale dzisiaj się zmieniła, jakby była specjalna okazja, jakby poszła na czyjś ślub. Przewracam się na plecy. Rozciągam nogi. Dotykam się. Dotykam twarzy. Jest we krwi.

Cięcie. Chłopiec pokazuje palcem do góry. Napis na suficie. Czarną sadzą. Nie widzę, co jest napisane. Cięcie.

Słyszę szczekającego psa. To moja piosenka psa. Otwieram usta. Zaczynam się śmiać. Otwieram usta. Zaczynam śpiewać.

Środa

13:40

– Otwieraj, do kurwy nędzy! – krzyczy ktoś moim głosem, to mogę być ja.

„Mamy dzisiaj piękny dzień", powiedział ktoś w radiu, gdy tu jechałem; dopiero gdy wybrzmiało słowo „dzień", zdałem sobie sprawę z pogody. Mamy dzisiaj piękny dzień, ciekawe, o której na niebie pojawi się pierwsza gwiazdka, ale kierowcy powinni uważać na gołoledź, śpieszmy się do swoich rodzinnych domów powoli. Nasze zdrowie i życie jest najważniejsze. Karpia zawsze można przecież odgrzać. Rodzina poczeka z opłatkiem. Tymczasem mamy słuchacza na linii. Jacek, jak będziesz spędzał dzisiaj święta?

Ktoś inny otwiera drzwi do mieszkania piętro niżej.

– Pojebało? Bo zadzwonię po pały, kurwa – mówi.

Na chwilę przestaję. Przystawiam ucho do drzwi. Nic nie słychać. Wiem, że jesteś w domu. Wiem, o której do niego przyszłaś. Wstawaj. Jacek, jak będziesz spędzał dzisiaj święta? Czy usiądziesz z rodziną przy wigilijnym stole? Nie, niestety nie mam takiej możliwości. Mam trochę spraw do załatwienia. Jakie sprawy mogą być tak ważne, aby nie przełamać się opłatkiem z najbliższymi, Jacek? Jest ich coraz więcej. I będzie ich coraz więcej; mamy do czynienia z efektem domina, zły obrót spraw jest jak uruchomiony program, jego procedury muszą zostać doprowadzone do końca. Niepowodzenie.exe, głupota.exe. To taka komputerowa metafora, na co dzień te sprawy są mi obce, praktycznie nie używam komputera. Jestem, można powiedzieć, niedzisiejszy. No generalnie, Jacek, jesteś oryginalnym człowiekiem. Dziękuję, nie staram się. No dobrze, Jacek, ale jakie to są sprawy? Bardzo zaciekawiłeś nas i resztę naszych słuchaczy.

– Przestaniesz czy nie, do kurwy nędzy?! – krzyczy ten ktoś piętro niżej, głos ma męski, młody, tubalny.

Wychylam się, aby na niego spojrzeć. Rosły, zgolony na krótko, w spodenkach gimnastycznych, koszulce polo.

– Wracaj do domu – mówię mu.

– Ty, kurwa – mówi i zaczyna wchodzić po schodach.

Po chwili się zatrzymuje. Po trzech sekundach już wie, co ma robić. Zawraca, schodzi powoli po schodach, nie odwracając się, otwiera drzwi. Zamyka je za sobą. Na zamek.

Jacek, jesteś jeszcze tu z nami? Jestem. Więc? Więc na przykład wejść do kogoś do mieszkania; aby to zrobić, czasami trzeba uderzać głośno w drzwi, bo ludzie nie zawsze są od razu chętni, by otworzyć, ale wtedy ktoś może zareagować, wyjść z mieszkania poniżej, więc w jego kierunku trzeba wyciągnąć pistolet. Czasami to konieczne, wyciągnąć pistolet. Czy zawsze tak uważałeś, Jacek? Że to absolutnie niezbędne, wyciągnąć pistolet? Nie wiem, czy zawsze tak uważałem. Nie można uważać niczego na temat pistoletu, dopóki się go nie posiada. Strzeliłeś z niego kiedyś, Jacek?

Czyjaś noga uderza w drzwi, to nie ja.

– Otwieraj, do kurwy nędzy, bo spalę ci te drzwi!

I jeszcze raz. I jeszcze raz.

– Otwieraj, kurwa!

Wiem, że jest w środku, nie ma innej możliwości. Chyba że nie ma jej w środku.

Oczywiście na strzelnicy. A poza strzelnicą? Strzeliłeś kiedyś do kogoś? To niezmiernie ciekawe. Nasi słuchacze na pewno chcieliby się tego dowiedzieć.

W końcu słyszę kroki, człapanie do drzwi. Przypomina mi się, nie wiedzieć czemu, że nie jadłem nic od dwudziestu czterech godzin, przypomina mi o tym dziwny i lekki ból żołądka, jakby powoli zaczynał trawić się sam, i smak rzygowin gdzieś z tyłu języka.

Odgłos lejącej się wody, to czasami naprawdę pomaga, bo musi być jakiś dźwięk, coś musi być zawieszone w powietrzu, a muzyka jest zbyt treściwa sama w sobie, jeszcze mocniej przegrzewa mózg, który musi się uspokoić. No dobrze, Jacek, ale wracajmy do pistoletu. Czy kiedyś strzeliłeś do kogoś? Nie, jeszcze nie. Czyli po prostu straszysz ludzi tym pistoletem? Bardzo rzadko. Wtedy, gdy to jest konieczne? Tak, wtedy, gdy nie ma innej możliwości. Strzelałem na strzelnicy. Dużo. Na Legii.

Pazina w końcu otwiera drzwi. Jest w szlafroku, ma skołtunione włosy, podkrążone oczy, brak makijażu dodaje jej pięć lat, ma popękane naczynka krwionośne, całą mapę drobnych pęknięć, wykres opuchnięć, jej twarz zaczyna powoli opadać, ściekać.

W innej sytuacji pomyślałbym, że to nawet ładne. Że działa to na jej korzyść. No ale. Jak już mówiłem. W innej sytuacji.

– Do reszty cię pojebało? – pyta.

W jakiej sytuacji, Jacek? Nieważne. No dobrze. A czy jest ktoś, komu chciałbyś życzyć Wesołych Świąt?

Popycham Pazinę mocno do przodu, przewraca się na podłogę.

– Kurwa! – krzyczy.

Wchodzę do środka. Zamykam za sobą drzwi na zamek. Chyba pierwszy raz jestem wewnątrz tego mieszkania.

Jacek, jesteś z nami? Czy jest ktoś, komu chciałbyś życzyć Wesołych Świąt?

– Kurwa, pojebało cię! – krzyczy jeszcze raz.

– Gdzie to jest? – pytam.

Nie ma nikogo takiego. Do widzenia. Nawet naszym słuchaczom, Jacek? Na pewno wśród nich jest ktoś, kto dobrze ci życzy.

– Gdzie to jest? – powtarzam i wyciągam ponownie pistolet.

Patrzy na mnie w sposób, w jaki jeszcze nigdy na mnie nie patrzyła, ale to normalne, przecież jeszcze nigdy nie byliśmy razem w takiej sytuacji.

– Popierdoliło cię do reszty. – Kręci głową z przerażeniem, ale i zbulwersowaniem. – Popierdoliło cię do reszty.

– Do kurwy nędzy, Pazina, mów, bo strzelę najpierw w twój brzuch – mówi ktoś cicho i spokojnie, to chyba ja.

11:20

Naprawić. Bardzo lubię to słowo. Naprawić. Naprawa powinna trwać krótko i być precyzyjna. Powinna być przeprowadzona bez zastanowienia, intuicyjnie. Do przeprowadzenia dobrej naprawy potrzebna jest wyobraźnia, umiejętność przewidywania konsekwencji swoich ruchów.

Obracam w głowie ten wyraz. Naprawić. Do dobrej naprawy potrzebna jest doskonała znajomość naprawianego obiektu przez naprawiającego.

Jest nawet ładny dzień. Zwróciłem na to uwagę dopiero wtedy, gdy facet w radiu powiedział, jaka jest piękna pogoda. Słuchałem radia, ponieważ musiałem słyszeć cokolwiek, a nie mogła to być muzyka, muzyka sprawia, że zanadto się na niej skupiam.

Gocław. Telefon. Kieszeń. Klucze od kawalerki. Znowu nie spałem, ale leżałem w wannie, trzy godziny, w stanie półsnu, a raczej ćwierćsnu, byłem świadomy, ale pozwoliłem swojemu mózgowi na chwilę odpłynąć, popaść w majak. Coś sobie przypominałem. Nie pamiętam co. Pomogło. Pomógł mi szum wody. I jeszcze trochę towaru. Odrobinę. Jedna, dwie kreski. Może trzy.

W Argentynie położę się i będę spał szesnaście godzin snem twardym jak śmierć, a potem już nigdy nie wezmę do nosa żadnego towaru. To kretyńskie. W złym guście. Wstydliwe. Równie dobrze mógłbym być dorabiającym taryfiarzem, młodym chamem z takiego osiedla jak to, który jeździ swoim własnym, bitym oplem omegą i wozi towar tylko dlatego, że chce mieć go za darmo, bo sam za bardzo się wpierdolił, próbując nie spać i wyjeździć jak najwięcej godzin w tygodniu.

Niestety – następne słowo, które obracam w głowie. Niestety, ale nie można pobłażać kretynom, którzy są jak małe dzieci, niekojarzące związków przyczynowo-skutkowych pomiędzy ogniem a oparzeniem. A do tego parzących przy okazji innych ludzi. Nie obchodzi mnie, ile lat Stryj pił czaj pod celą i ile razy przeczytał *Trylogię* na pryczy.

Naprawić. Niestety. Oddam Dariowi jego towar. Powiem o wszystkim Piotrkowi. Znajdę Malucha i wyciągnę mu nasze pieniądze z dupy. Załatwię sprawę z psami, wynajmę inne mieszkanie na inny dowód, przewiozę tam wszystko. Zmienię numer, wyślę informacje o nowym kontakcie do siedemdziesięciu procent klientów. Naprawię. Posprzątam. Załatwię wszystko przed wyjazdem.

Zatrzymuję samochód pod blokiem. Jest jasno, zbyt jasno, zakładam okulary przeciwsłoneczne. Osiedle jest prawie puste. Jakiś facet ospale wyciąga z samochodu choinkę. W niektórych oknach widać pozawieszane smutne sznury lampek choinkowych. Billboard ze świętym mikołajem. Parę klatek dalej dwóch koleżków skupionych na przekładaniu kart SIM z telefonu do telefonu.

Nad ranem napisała mi SMS-a, jeszcze jednego, długiego i błagalnego, niewartego cytowania. Nic jej nie odpisałem. Ludzie demolują życie innym ludziom, ale tylko dlatego, że są przez nich zapraszani i wpuszczani. Są nieracjonalni i psychotyczni jedynie dlatego, że dostają na to pozwolenie.

Tylko przez krótką chwilę poczułem ukłucie, swędzenie pod brzuchem, aby pojechać, wydymać ją jeszcze raz, krócej, gorzej, brutalniej, nakręcić to telefonem i rzucić jej na koniec sto złotych. Jednak wtedy zrobiłbym to jeszcze raz i jeszcze raz, i jeszcze raz, wkleiłbym się w nią, znowu. Bez sensu, bo ona nawet nie jest osobą, jest pewnym etapem, testem, który zalicza się na etapie dorastania; jest figurą występującą w złych książkach i starych filmach. Za dwadzieścia lat będzie starą i nieświeżą wariatką, w której zdążyło zaparkować już pół miasta, może powstało z tego jakieś dziecko, córka; córka będzie pewnie dopiero zdawać maturę, ale już będzie wymagała gruntownej renowacji terapeutycznej z powodu toksycznej i trudnej relacji z matką.

Drzwi do klatki są otwarte. Uczucie: kawałek lodu włożony pod koszulę. Drzwi do mieszkania Haliny, mojej osiemdziesięcioletniej sąsiadki, są zamknięte. Drzwi do mojego mieszkania są uchylone.

Kawałek lodu zsuwa się powoli po moich plecach. Wracam do samochodu po pistolet. Po drodze mam problemy z widzeniem.

Delikatnie popycham drzwi. Ktoś wyrwał zamek łomem, w jego miejscu jest dziura, zamek leży na podłodze. Stoję w drzwiach. Celuję przed siebie. Oddechy, dziesięć głębokich oddechów. Kawałek lodu tańczy w mojej nogawce.

W pokoju nie ma torby z towarem Daria. Nie ma drugiej torby z pieniędzmi. Maska gazowa, dokumenty, rękawiczki, waga leżą na podłodze. Waga jest zniszczona. Ślady butów, minimum dwóch osób, dużo, jakby chodzili w kółko, obszukiwali każdy kąt.

Kurwa jego w dupę pierdolona, jebana mać.

Kamerka, kamerka nad drzwiami. W miejscu, gdzie była zaczepiona, jest tylko dziura w tynku. Ktoś zauważył, że ona tu jest. Zauważył albo wiedział o niej wcześniej. Szafa. Otwieram szafę. Nie ma komputera. Ktoś zabrał go ze sobą razem z nagraniem.

Ktoś wiedział. Drobne kawałki lodu w moich butach, pod moimi stopami.

Dziesięć głębokich oddechów, znowu, uspokój się. Bądź spokojny. Rozejrzyj się. Torba z pieniędzmi. Nie ma jej nigdzie. Torba Stryja, która przestała być torbą Stryja, a teraz jest torbą Daria. Jej też nigdzie nie ma.

Uspokój się. To tylko ktoś zajebał ci twoje dwieście tysięcy złotych w gotówce plus nie twoje kilkadziesiąt tysięcy euro i prawie kilo kokainy, i drugie tyle MDMA. Uspokój się. Masz w domu jeszcze jakieś sto tysięcy złotych. Uspokój się. Ten, kto to zrobił, jest do zlokalizowania w dwadzieścia cztery godziny. Uspokój się.

Byli we dwóch. Mógł to być ktokolwiek. Mogły to być psy. Najprawdopodobniej to psy. Ale psy z jednej strony zostawiłyby taśmę, zaplombowałyby drzwi, czekałyby na mnie pod wejściem z szerokimi, serdecznymi uśmiechami o kolorze brudnej wanny. Poza tym nikt nie wiedział o tym mieszkaniu. Nikogo tu przedtem nie było. Musieli cię śledzić. Ale przecież zawsze widzę, gdy ktoś mnie śledzi. Nikt nie wiedział. Nikogo tu przedtem nie było.

Z drugiej strony, jeśli były to psy z antynarkotykowej, mogli tu wejść, zabrać sobie dragi i gotówkę, podzielić je między siebie, porobić zdjęcia, wypytać sąsiadów, a teraz czekać na mnie za winklem albo już przy drzwiach wejściowych.

Opieram się o ścianę. Rozglądam się dookoła. Oglądam wnękę kuchenną, wchodzę do łazienki, otwieram klapę. Wszędzie są ślady. Te kurwy nie wytarły nawet butów. Wirujący w wodzie niedopałek jak wizytówka, jak napisane gównem na ścianie DZIĘKUJEMY I POZDRAWIAMY. Byli tu niedawno.

Nikogo tu przedtem nie było, zaraz, kurwa mać.

– Wesołych Świąt, panie Piotrusiu.

Kładę broń na podłodze, wychodzę z łazienki, zamykam drzwi.

– Wesołych Świąt – słyszę ponownie.

Stara. Zupełnie o niej zapomniałem. W samochodzie mam dla niej świąteczną paczkę. Kawę, słodycze, zioła na serce, pieluchy. Stoi w drzwiach, opierając się o framugę, okutana w cztery swetry, każdy o grubości dywanu, poprawia okulary na nosie.

– Wesołych – odpowiadam.

– Wigilia w Warszawie? Miał pan wyjechać – mówi.

– Dopiero jutro – odpowiadam, mówię z trudem, słowa są jak wyciskane przez gardło kamienie.

– Nie słyszała pani niczego podejrzanego? – pytam.

Podchodzę do niej. Patrzy na mnie z dziwnym spojrzeniem, jakbym z każdym kolejnym krokiem, zbliżając się do niej, zmieniał się w kogoś innego, kogoś, kogo ona w ogóle nie zna.

– Kiedy niby? – pyta.

– Nie wiem, dzisiaj nad ranem, wczoraj w nocy. Włamali mi się do mieszkania – mówię.

– O Jezus Maria! O Jezus, przecież to trzeba po policję zadzwonić – mówi.

– Nie słyszała pani niczego? – pytam.

– Nie, spałam jak kamień, nie, dopiero wyszłam

z mieszkania teraz... Nic nie słyszałam. Coś panu zniknęło? – pyta.

– Coś mi zniknęło – odpowiadam.

– To trzeba zaraz dzwonić na policję – mówi. – W tym momencie.

– Nie, nie trzeba dzwonić na policję – mówię. – Niech pani idzie do domu, zaraz do pani przyjdę.

– To przecież trzeba zgłosić, co pan opowiada – mówi, idąc w kierunku swojego mieszkania.

– Niech pani nigdzie nie dzwoni! – krzyczę do niej.

Zamykam drzwi i wracam do mieszkania. Rozglądam się dookoła. Buty, męskie, adidasy, sportowe, dwie pary, dwa różne rodzaje. Jeszcze raz skrupulatnie sprawdzam wszystko, ale poza tym kiepem w moim kiblu nie ma żadnego śladu, niczego innego.

– Trzeba zadzwonić, przecież trzeba zadzwonić, panie Piotrze, przecież nie można tego tak zostawić – mówi przez drzwi.

Jeszcze raz. Skup się. Detale. Przedmioty. Zabrudzenia. Otarcia. Zadrapania. Skup się, Jacek. Skup się, kurwa.

– Tak w sumie to ja może coś słyszałam, ale, wie pan, ja jestem głucha na jedno ucho – mówi stara przez drzwi.

Stół. Zapalniczka. Znam tę zapalniczkę. Kolorowa zapalniczka z napisem Kreuzberg. Na stole. Jak to, kurwa, nikogo tu nie było? Ty kretynie! Ty pierdolony durniu!

To nie jest tak, że nikogo tu nie było.

Powiedziałeś jej, że tu się nie pali.

– Ktoś tu chodził po klatce, ale zawsze ktoś chodzi po klatce, tak to jest – wciąż mówi przez drzwi.

Nie, to niemożliwe. Jak to niemożliwe? Wszystko jest możliwe, każda jedna rzecz, życie to ogromny wachlarz możliwości o identycznym stopniu prawdopodobieństwa. Trzeba być nastawionym na wszystko, wszystko przewidywać, nie brać nic za pewnik. Nie ufać nikomu i niczemu. Nikomu i niczemu, ty jebany durniu.

Uspokój się. Stanie tutaj i próbowanie unormowania swojego oddechu nic nie da. Uspokój się. W tym momencie. W tym momencie opanuj się, doprowadź się do stanu, w jakim byłeś jeszcze kilkanaście minut temu. Stanu względnego sklejenia.

Otwieram drzwi. Stara wciąż stoi na klatce. Poprawia okulary, jakby próbowała wyostrzyć wzrok.

– Czy nikt się o mnie nie pytał? – pytam.

– Już dzwonię, chwila, panie Piotrusiu – odpowiada.

– Czy nikt do pani nie przyszedł? Nikt o mnie nie pytał? – pytam.

– No ale kto miał pytać? – pyta.

– Nie wiem, ktokolwiek – odpowiadam.

– Nie, nikt nie pytał. To znaczy z gazowni pytali. Do odczytu. Kiedy pan będzie, bo trzeba spisać liczniki – mówi.

– Jak wyglądali? – pytam.

– Kto jak wyglądał? Ci z gazowni? – pyta.

Rozmowa z nią nie ma sensu. Z całych sił staram się na nią nie krzyczeć. Nie mogę na nią krzyczeć. To starsza kobieta, której świat jest jak porysowany kalejdoskop. Daty, wydarzenia i czas są poza nią, ona dryfuje w bezczasie, dogorywa, odbija się jak wielka, nadmuchana piłka od peerelowskich mebli, zasłon, kurzu, moli, książek.

– No nie pamiętam. Oni zawsze normalnie wyglądają, ci z gazowni. Byli we dwóch i powiedzieli, że są z gazowni – mówi.

– Do widzenia, pani Halino – odpowiadam i idę przed siebie, mijam ją i wychodzę na zewnątrz, nie mogę dalej z nią rozmawiać, bo wystarczy, że powie do mnie jeszcze pół zdania, a skręcę jej kark.

Jest naprawdę piękny dzień. Idę szybko w stronę samochodu.

Oni wybiegają zza winkla, nagle, szybko, trzech kryminalnych i czterech z AT, z karabinami, spoceni z rozkoszy, rozkrzyczani jak dzieci biegnące po trawie w piękny dzień. Przecież jest piękny dzień, więc biegną jak zdobywcy złotego medalu na paraolimpiadzie w konkurencji trafiania sobie łyżką do ust, palcem do oka, butelką do dupy, z wycelowanymi we mnie pistoletami; mamy cię, ty groźny, wstrętny przestępco; w ich oczach są nagłówki portali internetowych, Jacek G., handlarz kokainą, złapany na gorącym uczynku, złapany z kilogramem kokainy, złapany, powstrzymany, unieszkodliwiony; z ich oczu strzelają iskry i tęcze; wśród nich jest jeden z tych, którzy zatrzymali mnie wczoraj, ten kolega mam-alkoholowy-zespół-płodowy-wyglądam-jak-wielkie-dziecko-z-zespołem-Downa i ten drugi, a-teraz-opowiem-ci-dowcip-o-tym-jak-wybiją-ci-zęby, który zakuwa mnie i mówi, na początku nie słyszę co. „Aha" – powtarza, jakbym go poprosił. Mówi: „mówiłem ci, chuju, że po ciebie wrócimy, głupi pedale, po chuj było trzymać to wszystko na chacie". Jeden kopie mnie w głowę, tak po prostu, bo chce, drugi na mnie spluwa, nie trafia, ciepły placek jego śliny ląduje zaraz obok mojej twarzy, do tego ktoś wygląda z okna, pokazuje to palcem, patrz, co się dzieje. „Wesołych Świąt – myślę. – Wesołych Świąt Bożego Narodzenia, kurwy, pedały, to dla was, byliście bardzo grzeczni w tym roku. Mikołaj jest z was dumny. Chodźcie na kolanka. Opowiedzcie wierszyk. Może dostaniecie nawet premie, po pięćset złotych, i dyplomy z drukarki".

Stop. Nie, nikt nie wybiega zza żadnego winkla.

Osiedle jest takie, jak było przedtem, skażone, szare i puste.

Dochodzę do samochodu. Otwieram drzwi. Głęboki oddech. Wsiadam do środka.

Ktoś coś ci ukradł. Pierwszy raz. W końcu musiało się to przydarzyć. Spokojnie. Teraz musisz go znaleźć i wiesz, gdzie musisz zacząć szukać. Niestety, ale popełniłeś błąd.

To zwykły, ludzki odruch: mieć kolegę, przyjaciela, znajomego.

Wybacz sobie w ciągu najbliższych pięciu minut, bo nic tak nie dekoncentruje jak wściekłość na samego siebie.

13:55

– O czym ty, kurwa, mówisz? – mówi cicho.

Jest wściekła, ale nie tylko. Jest w niej coś jeszcze. Głębokie urażenie.

– Tylko ty tam byłaś – odpowiadam. – Ty i tylko ty. Nie wpuściłem tam nikogo innego, Pazina. Nikt inny nie znał nawet adresu tego mieszkania.

– Czy mogę wstać? – pyta.

Wskazuję pistoletem do góry. Podnosi się na łokciach, wstaje.

– Możesz opuścić tę jebaną broń? – pyta. – Masz ją w ręku, to wystarczy. Nie musisz we mnie celować, do kurwy nędzy.

– Ty wiedziałaś, że mam kamerę. Że mam kamerę i komputer. Tylko ty – mówię.

– Czy możesz opuścić tę jebaną broń, pytam jeszcze raz?

Opuszczam rękę z pistoletem wzdłuż ciała. Przez chwilę przychodzi mi do głowy, że podoba mi się jej mieszkanie. Zadbana drewniana podłoga. Białe, prawie puste, poza jednym plakatem, ściany. Na wprost za nią wejście do łazienki. Wejścia do pomieszczeń na lewo i na prawo.

– Musisz coś ze sobą zrobić, Jacek. – Jej słowa przypominają kroki człowieka, który stara się chodzić na palcach.

– Tylko ty tam byłaś. Powiedziałaś komuś. Powiedziałaś komuś, gdzie mam pieniądze i towar. Że to moje mieszkanie – mówię.

Przez chwilę patrzy na mnie, jakbym na nią napluł.

– Za kogo ty mnie masz? – pyta. – Za kogo ty mnie, kurwa, masz?

Za nią, w korytarzu, z pomieszczenia po lewej, wyłania się mężczyzna w spodniach, z gołą klatką piersiową. Klasyczny mężczyzna w średnim wieku, nawet przystojny. Przez chwilę patrzy na mnie z zaprzyjaźnionym zdziwieniem, waha się, czy się ze mną przywitać. Dopiero po chwili widzi moją broń. Wtedy na jego twarzy pojawia się głębokie, ontologiczne zwątpienie w rzeczywistość. Nie wie, czy śni. Odruchowo cofa się o krok, dotyka swojego brzucha, sprawdza temperaturę swojego ciała, sprawdza, czy ono istnieje.

– Marek, zaraz przyjdę – mówi do niego Pazina.

– Wszystko w porządku? – pyta Marek.

– Pazina zaraz przyjdzie – mówię do Marka.

– Pazina? – pyta Marek.

Zastanawiam się, czy Marek to ten z dzieckiem. To chyba on. Ma na twarzy tę specyficzną, maślaną dobroć alimenciarza.

– Zaraz wracam – mówi Pazina. – Wszystko w porządku.

Marek spogląda na mnie jeszcze przez chwilę wzrokiem dziecka patrzącego na bramę wjazdową do Disneylandu.

– Jak ty możesz mnie nawet, kurwa, o to podejrzewać? – pyta Pazina. – Powiedz mi! Jak możesz wchodzić do mojego mieszkania z bronią, rzucać mnie na podłogę i podejrzewać mnie o to, że pomogłam komuś cię okraść? Ty głupi chuju!

Podchodzi i z całej siły uderza mnie otwartymi dłońmi o klatkę piersiową. Tracę równowagę, by odzyskać ją w ostatniej chwili.

– Tylko ty tam byłaś – mówię.

– Spierdalaj stąd! – woła.

– Tylko ty tam byłaś – powtarzam. – Wiesz, że znajdę tego kogoś. Znajdę go szybko. Jeśli to ty, to wrócę tu.

– Spierdalaj i nigdy więcej się do mnie nie odzywaj – mówi.

Przez chwilę stoimy naprzeciwko siebie. Bez słowa. Nagle dochodzi do mnie, że wiem, że gdy wyjdę, ona zacznie płakać. Przy mnie tego nie zrobi, nie pozwala jej na to honor, ale zacznie płakać, gdy tylko zamknę drzwi.

– Wrócę tu. – Pokazuję jej broń.

– Spierdalaj stąd, chuju – mówi.

– Czy wszystko w porządku?! – krzyczy Marek, czy jak go zwał, z drugiego pokoju.

Jego opiekuńczość jest rozczulająca. Marek to jednak bez wątpienia ten z dzieckiem.

Nie wiem, czy to zrobiła. Wsuwam broń za pasek. Zapinam marynarkę. Przez krótką chwilę czuję się niezręcznie, jakbym popełnił *faux pas*, ale wiem, że to może być ona, powtarzam sobie wciąż w myślach, że to może być ona. Zawsze myślałem, że nie umie grać. Ale być może okłamywała mnie od samego początku, zadawała się ze mną z wewnętrznego snobizmu, może byłem po prostu bardzo ładnym okazem w jej kolekcji „wszystkich z miasta". Może wykorzystała tę znajomość wtedy, gdy okazało się, że to się opłaca. Pazina, moja przyjaciółka; tak mówiłem, jak głupi, jak dziecko w przedszkolu. Tymczasem jesteśmy w Polsce, w kraju na pięć liter plus P, w kraju, w którym na jeden banknot przypada troje ludzi, którzy chcą go zajebać, w którym ludzie jeszcze niedawno jedli ziemię, wykombinowaną cebulę i parówki z krowich dziąseł. Takie zjawiska jak przyjaźń występują tutaj cholernie rzadko, o ile w ogóle, nie mówiąc już o tym, że przy kwotach większych niż pięćdziesiąt tysięcy złotych nie ma niczego takiego jak zwykłe koleżeństwo.

Patrzymy na siebie dalej jak w zwolnionym kadrze z kiepskiego westernu. Wypuszczam powietrze, dopiero po chwili zdaję sobie sprawę, że zbyt długo przetrzymywałem je w płucach. Pazina migocze, jest na zmianę czerwona i biała. Mocno zaciska usta, jeszcze mocniej pięści.

Wiem dużo, wiem wszystko. Wiem, że ostatnio miała problemy finansowe, że musiała utrzymywać się ze śmiesznych kwot po kilkaset złotych, że ma wyczyszczone do zera karty, i wiem, że nigdy nie prosiła mnie o kasę, a gdy chciałem jej dać pieniądze, zawsze odmawiała, ale przecież ludzie zrobią wszystko, aby uśpić czyjąś czujność.

– Na co, kurwa, jeszcze czekasz? – pyta.

Odwracam się i otwieram drzwi. Wychodzę na korytarz. Słyszę, jak się odwraca i bez słowa wchodzi do pokoju, do swojego dziecioroba. „Czyli jednak z nim nie zerwała – myślę jeszcze przez chwilę. – Czyli jednak chce być normalna, chce zanurzyć się w społeczeństwie, zgodzić się na jego regulamin, podpisać z nim umowę licencyjną".

Może chce trzymać za rękę cudze dziecko i uśmiechać się do siebie, że wypełniła plan specjalnie w połowie.

Pięćdziesiąt tysięcy euro i kilogram kokainy, wart co najmniej drugie tyle, na pewno pomoże jej w realizacji tych planów.

Panie Jacku, jeszcze jedno pytanie. Naprawdę ostatnie. Czy naprawdę twierdzi pan, że nikomu nie można zaufać? Skąd ta myśl? Czy nie wierzy pan w coś takiego jak czyste intencje? Czyste intencje to oksymoron. Słucham? Oksymoron, taka figura retoryczna. My wiemy, co to oksymoron, ale proszę rozwinąć tę myśl dla naszych radiosłuchaczy.

Wszystkie intencje są brudne. Zawsze myślimy wyłącznie o sobie. Zawsze myślimy o tym, aby się wzbogacić, aby coś ugrać, aby zapewnić sobie bezpieczeństwo, w każdej sytuacji myślimy przede wszystkim o naszej wygranej. Nic nie jest czyste. Czystość to pewna idea. Punkt odniesienia, jak śmierć. Nikt nigdy nie doświadczył śmierci. Nikt nigdy nie widział czystości. Nawet dzieci chcą jeść.

Mówi to człowiek z pistoletem w ręku, który nie spędza Wigilii.

Nie, mówi to człowiek z pistoletem w ręku, który właśnie jedzie na wigilię.

To bardzo smutne, panie Jacku. To naprawdę bardzo smutne. Nie, nie sądzę.

Sądzę, że to po prostu problem do rozwiązania.

15:10

To jak przebywać cały czas na zapleczu, w cieniu. Poruszać się po ulicach innym, przezroczystym tunelem z luster weneckich. Widzieć i być niewidzialnym. To dobre uczucie. Krzepiące. Podobne do bezpieczeństwa. Problem jest wtedy, gdy z zaplecza trzeba przejść do głównej części budynku i załatwiać swoje sprawy, pozostając wciąż niezauważonym.

Ludzie z dziećmi, starcy, małolaty, kobiety sprzedające kwiaty pod Mini Europą na placu Wilsona. Taksówkarze, policjanci, handlarze. Mięsna tkanka. Żywa, kłębiąca się zawartość. To poczucie zupełnego braku dostępu do ich spraw, przebywania w zupełnie innym, wydzielonym sektorze. Poczucie odseparowania i niezauważenia. Wciąż nikt nic nie wie. Otwieram usta. Wciąż nikt nie patrzy. Zamykam usta. Prawie nikt, poza tymi, którzy mają moje pieniądze.

Stryj nie odbiera, ma wyłączoną komórkę. Może to on? Ale skąd miałby wiedzieć, gdzie szukać tego mieszkania? Kto miałby mu powiedzieć?

Zaczyna szarzeć. Dzień kończy się szybko, jakby był pomyłką, jakby świat za niego przepraszał. Wiem, gdzie mieszka, i wiem, że jest w domu. To Stary Żoliborz, pozornie małe miasteczko w środku miasta, zaludnione przez emerytowanych artystów scen polskich i młode rodziny z dziećmi. Sprzedaję tu około połowy towaru. Architekci, lekarze, artyści, dzieci prominentów, lekko wyższa klasa średnia.

Marek mieszka przy Wieniawskiego. Wspomniałem już, że dobrze się ożenił.

Przez chwilę stoję przed jego domem, segmentem w bliźniaku, patrzę w jego okna. Przedwojenne, odrestaurowane budownictwo. Gdy byłem dzieckiem, gdy wieczorem spacerowałem z rodzicami albo przejeżdżałem samochodem przez miasto, zawsze wpatrywałem się w cudze okna, mrużyłem oczy, starając się wyłowić z nich jak najwięcej szczegółów, kolorów ścian, mebli, postaci. Zawsze wydawało mi się, że muszą dziać się tam fascynujące, obce mi rzeczy, że w każdym z tych mieszkań znajduje się inna, odrębna planeta, kolejna warstwa świata. Za każdym razem marzyłem o mocy, która sprawi, że mógłbym wejść do każdego z tych mieszkań, niewidzialny i niezauważony obserwować ludzi, słuchać ich, patrzeć, jak się zachowują, studiować ich zwyczaje.

Zawsze chciałem mieć dostęp do jak największej liczby światów, samemu pozostając niezauważalnym. To było całkiem zabawne marzenie. Jedyne, które pamiętam z dzieciństwa.

Naciskam dzwonek do jego furtki. Raz, drugi, trzeci. Nikt nie odpowiada. Wkładam dłoń pomiędzy szczeble furtki i otwieram ją od drugiej strony. Wchodzę na podwórko. Rozglądam się. Z sekundy na sekundę robi się coraz ciemniej.

To naprawdę zabawne, aż się uśmiecham, bo przecież właśnie to robię, właśnie spełniam to marzenie siedmioletniego mnie: wchodzę do cudzych mieszkań przez ich oświetlone okna, otwarte drzwi, jak duch, przyjmując formę mile witanego, ledwo co zauważalnego intruza. Wchodzę i studiuję zwyczaje mieszkających tam dziwnych zwierząt.

Pukam do drzwi. Czekam chwilę, liczę do dwudziestu. Nikt nie otwiera. Pukam jeszcze raz. Szukam dzwonka, ale gdy go znajduję, nie naciskam. Czekam kolejną chwilę. W końcu zapala się światło w przedpokoju i w końcu otwiera mi drzwi. Równocześnie szeroko otwiera oczy. Jest ubrany w inny garnitur niż na konferencji. Trochę droższy, chyba Hugo Boss. Granatowy. Ma koszulę rozpiętą o jeden guzik za daleko, co upodabnia go do włoskiego piosenkarza. Jego zdziwienie mnie bawi. Wygląda, jakby wrócił z nieudanego egzaminu wstępnego do szkoły aktorskiej. Wszystko to trwa zbyt długo, jest wysilone, męczy mu mięśnie twarzy. Głupi, jebany pies.

– Kurwa, Wigilia jest, pojebało cię? – szepcze.

– Tato, kto to? Czy to niezapowiedziany gość? – słyszę głos małego dziecka zza jego pleców.

– Zaraz wracam, kochanie – mówi.

– Niezapowiedziany gościu, mamy dla ciebie dodatkowe nakrycie! – krzyczy dziecko.

– Mamy do pogadania – mówię do Marka.

Zamyka za sobą drzwi. Wychodzi. Odpinam marynarkę, pokazuję mu broń. Kręci głową ze zdziwionym obrzydzeniem.

– Skurwysynu głupi – mówi – przychodzisz do domu podkomisarza policji kryminalnej w Wigilię. W jebaną Wigilię. Spierdalaj stąd, zanim puszczę za tobą charty.

W kwadrans ci bilet załatwię. Żaden problem. Może na następną Wigilię wyskoczysz, kurwo, na przepustkę.

– Coś ci pokażę – mówię. – Poczekaj chwilę. I nie spinaj się tak. Jak na razie mamy wszystko pod kontrolą. Rozmawiamy.

Wyciągam telefon. Znajduję odpowiedni plik, naciskam przycisk *play*.

„Nikt nie będzie szukał dalej niż ty. Nikt nie będzie patrzył wyżej. Nikogo nie będzie to interesować. Wiesz, jak jest. Dla zwykłego Andrzeja, który ogląda telewizję..." – mówi jego głos z telefonu, przytłumiony, jakby zza grubej szyby.

Naciskam stop. Chowam telefon. Przez chwilę największym z jego pragnień jest strzaskać mi żuchwę, przewrócić mnie na ziemię, rozdeptać mi łeb. Ktoś otwiera za nim drzwi, to jego żona. Patrzy pytająco na niego, potem na mnie; byłaby nawet ładna, gdyby nie zbyt ostre rysy i to coś, co ma w oczach – napięcie do granic możliwości, płaczliwą nienawiść. Ma kasztanowo ufarbowane włosy, spięte w kucyk tak ciasno, że zdają się rozciągać jej twarz. Tak naprawdę zafundowała już sobie kilka botoksów, należy do typu kobiet, które po trzydziestych urodzinach zaczyna paraliżować strach. To zrozumiałe, bo po prostu źle się starzeje, za kilkanaście lat stanie się bulwiasta, bez poważnych inwestycji kosmetologiczno-chirurgicznych upodobni się do swojej matki, która zapewne wygląda już jak Borys Jelcyn. Za to jest zgrabna, jeszcze. Delikatnie pachnie od niej winem; musiała się posmarować od środka na tyle, aby przynajmniej dzisiaj na niego nie wrzeszczeć. Już wie, że jej się to nie uda, nawet gdyby wypiła jeszcze całą butelkę.

– To ktoś z pracy? – pyta.

– Zaraz wracam – informuje ją Marek.

– Wesołych Świąt – mówię.

– Nie chce pan wejść? – pyta.

– Nie, pan nie chce wejść, ja zaraz wracam – odpowiada Marek.

– Nie chce pan wejść i czegoś zjeść? Przełamać się opłatkiem? W końcu jest Wigilia? – pyta, równocześnie patrząc na Marka równie przyjaźnie, jakby przed chwilą, totalnie pijany, wysrał się do wazy z barszczem.

– O czym ty mówisz? – pyta. – To zawodowa sprawa. Potrwa pięć minut. Wracaj do środka, do cholery.

– Jest Wigilia – mówi twardo, sucho, jakby zamiast języka miała metalową płytkę.

Zauważam na jej szyi krzyżyk.

– Z chęcią – odpowiadam.

Jego zęby wydają krótki dźwięk, jak puknięcie, jakby właśnie rozgryzał coś bardzo twardego.

– Zapraszam. Agnieszka Cewińska – przedstawia się i wyciąga dłoń.

– Marek Bałczyk – odpowiadam, ściskając jej rękę.

Robi mu to na złość, za karę, na przekór; poza tym ufa mi, ewidentnie bierze mnie za innego policjanta. Być może nawet za jego zwierzchnika.

To staje się coraz zabawniejsze.

Wchodzę do środka. Rozglądam się, przechodząc za nimi przez korytarz do salonu na parterze. Ten dom bez wątpienia należał do jej rodziców. Do jej rodziców należały książki, powieszone na ścianach obrazy autorstwa jakichś trzeciorzędnych malarzy z międzywojnia, piec huculski w rogu, gdyby zapytać, zapewne drugi albo trzeci ocalały w Polsce. W kącie stoi monstrualnych rozmiarów choinka, górująca nad całym salonem, wyglądająca, jakby to dziwne drzewo wyrosło spod ziemi i przebiło podłogę. W salonie oprócz drzewa i zastawionego stołu jest dwójka małych dzieci, chłopczyk i dziewczynka, patrzących na mnie i próbujących zgadnąć, czy jestem bezdomnym, który przyszedł po pomoc, czy Świętym Mikołajem.

Nie wiem, ile mają lat, nie znam się na dzieciach, sięgają mi mniej więcej do połowy uda. Dziewczynka jest mniejsza, ma długie, złote włosy. Uśmiecha się. Chłopczyk jest trochę większy i wyraźnie zdezorientowany.

Stoję przed nimi i próbuję się uśmiechnąć; zupełnie nie umiem się uśmiechnąć do dziecka.

– Zapomniałem zdjąć buty – mówię.

– Nie trzeba – odpowiada Agnieszka.

Ma energiczne, rzeczowe ruchy osoby znajdującej się właśnie w pracy w biurze. Szuka opłatka na stole wzrokiem, jakby szukała zawieruszonych gdzieś dokumentów. Jest typem kobiety, która zawsze wygląda i zachowuje się jak biurwa.

– Już dzieliliśmy się opłatkiem, ale proszę – mówi.

Podaje mi kawałek cienki jak papier. Urywam trochę, wkładam do ust. Gdy to robię, zdaję sobie sprawę, że nie pamiętam, jak smakuje.

– Wszystkiego dobrego – mówi.

– Wzajemnie – odpowiadam.

– Przełamcie się z panem Markiem – mówi do swoich dzieci.

– To pan jest niezapowiedzianym gościem? – pyta w końcu dziewczynka.

– Tak. Jestem niezapowiedzianym gościem – mówię. – Muszę porozmawiać przez chwilę z waszym tatą.

– A ma pan prezenty? – pyta chłopczyk.

– Pan nie ma prezentów – odpowiada pan podkomisarz.

Patrzę na niego. Jego twarz ma przedzawałowy, śliwkowy kolor. Co chwila rozprostowuje dłonie, by z powrotem zacisnąć je w pięści. Gdy to robi, strzelają mu stawy.

– Proszę siadać. – Agnieszka pokazuje mi stół.

Szybkimi, gwałtownymi ruchami zaczyna nakładać mi na talerz różne potrawy, pachnące przyprawami i tłuszczem, domowe polskie jedzenie, oczywiście z mocnym ekoakcentem, karpie z naturalnych hodowli, omantrowana ciecierzyca, pobłogosławiona przez joginów kapusta, makowiec z wolnego wybiegu.

– Proszę jeść, pan musi być bardzo głodny – mówi chłopczyk.

– Mogę cię prosić na chwilę? – pyta męża Agnieszka.

– Tak – odpowiada Marek i obrzuca mnie jeszcze raz wzrokiem, który niby ma mi powiedzieć, że to koniec, że na zewnątrz czeka już brygada antyterrorystyczna, która połamie mi kości i zabierze mnie do izolatki, gdzie zakończę swoje życie, waląc głową o beton, turlając się we własnych wydzielinach i błagając, aby dano mi chociaż krzyżówkę panoramiczną do rozwiązania.

Odpowiadam mu uśmiechem. Niech idzie do kuchni. Niech porozmawia. To ja jestem w jego domu, z bronią, z telefonem, którym nagrałem, jak ten głupi kutas bierze moją forsę, to ja siedzę przy stole z jego dziećmi.

– Nie ma pan swojej rodziny? – pyta dziewczynka.

Jem powoli, bardzo powoli. Nie zjadłem nic od dwóch dni, nie licząc jakiegoś pośpiesznie przyjmowanego cukru, mam zaciśnięty żołądek. Od polskiego jedzenia boli mnie brzuch. Zwłaszcza od takiego pachnącego naturalną gnojówką, zdrowym błotem, polanego olejem lnianym z wegańskiej hodowli, kupionego w Almie.

– Mam – odpowiadam jej.

– To dlaczego z nią pan nie jest? Pokłócił się pan? – pyta dziewczynka.

– Nie ma pan pieniędzy? – pyta chłopczyk.

– Mam dużo pieniędzy – odpowiadam.

– Pokłócił się pan z nimi? – powtarza pytanie dziewczynka.

– Nie – odpowiadam jej – po prostu muszę porozmawiać z waszym tatą.

Na ścianach salonu jeszcze więcej grafik z międzywojnia, rodzinnych fotografii, ozdobnych talerzy. Dobra, dębowa podłoga. Białe ściany. Kominek. Kolekcja użytecznej literatury na półkach. Okna wychodzące na ogród. On wie, że to dla niego awans społeczny. Wie, że jeśli żona w końcu wyrzuci go stąd na zbity pysk, wyląduje w dwudziestometrowej kawalerce z materacem, zdjęciem dzieci i telewizorem, który ona łaskawie mu odda, a który obecnie kurzy się na strychu, bo jest już za stary i ma za mały ekran. Wie, że wszystko, co zarobi, i tak przepierdoli w kasynach, a resztę w burdelach, wie, że i tak będzie miał długi, wie, że tylko znajomość ze mną i sprucie się z różnych mniej lub bardziej dotyczących mojej osoby działań policji kryminalnej sprawiają, że jego bilans wynosi mniej więcej zero. Że nikt nie będzie czekał na jego dzieci pod ich starannie wybranym przedszkolem językowym z jogą dla malucha i nauką angielskiego.

– Mamy spędzać z twoją pracą też Wigilię? Dobrze, to spędźmy, spędźmy ją z twoją pracą! – słyszę jej krzyk z kuchni.

– Nie podnoś, kurwa, głosu! – jego krzyk.

– Uważaj! – krzyczy ona, jednak trochę ciszej. – Uważaj!

Coś rozbija się o podłogę. Chłopczyk marszczy brwi. Dziewczynce zaczyna drżeć dolna warga. Chłopczyk łapie dziewczynkę za rękę. Dziewczynka przysuwa się do chłopczyka. Ewidentnie mają to przećwiczone.

– Telefony w środku nocy, dobra, znoszę to, twoje powroty, kiedy przychodzisz najebany i cuchnący jak świnia, też, twoich koleżków, rozdeptujących kiepy na mojej trawie, przed moim domem, też, to, że dymasz jakieś dziwki, też, ale w Wigilię?! W Wigilię?! – wrzeszczy. Przestaje nad sobą panować.

– Już niedługo skończą – mówi chłopczyk do dziewczynki, ale patrząc na mnie.

– Chodzisz do przedszkola? – pytam go, chociaż wiem, gdzie chodzi do przedszkola.

Dziewczynka zaczyna płakać. Chłopczyk kładzie jej dłoń na głowie.

– Już do pierwszej klasy – odpowiada.

– Ja nie chcę, aby to się działo – mówi dziewczynka.

– Gdzie? – pytam go.

– Do szkoły – odpowiada.

– Jak do niej jedziesz, to przejeżdżasz przez Wisłę? – pytam go.

– Uspokój się, kurwa! – krzyczy z kuchni Marek.

Odkładam sztućce. Jeśli zjem jeszcze trochę buraków, czosnku, ryby, oleju lnianego, to pęknie mi żołądek.

– Tak, tak, przejeżdżam – odpowiada chłopczyk. – To miejsce nazywa się Kępa, Saska Kępa.

– A ulica? – pytam.

Nie, to nie jest tak, że skrzywdziłbym dziecko. Nawet nie przyszłoby mi to do głowy. Po prostu zbieram informacje. Poza tym odciągam jego uwagę; jeśli jeszcze on zacznie płakać, to wtedy we mnie coś się przestawi, zmieni, wtedy mogę zrobić coś głupiego. Nie skrzywdzić chłopca, ale zrobić coś głupiego.

– Ma śmieszną nazwę – mówi chłopczyk. – Jak kraj.

– Francuska? – pytam.

– Uspokój się, kurwa, zaraz to załatwię! – mówi trochę ciszej Marek.

– Nie, Meksykańska – odpowiada po chwili zastanowienia.

– To zrób to szybko – odpowiada Agnieszka.

Chcę wstać i iść do nich, ale ona wraca do salonu pierwsza. Bierze dziewczynkę na ręce, zaczyna mechanicznie nią potrząsać, rozumiem, że w ten sposób chce ją uspokoić.

– Mąż czeka na pana w kuchni – mówi.

– Nie otworzyliśmy prezentów – mówi dziewczynka. – Nie otworzyliśmy jeszcze prezentów, mamusiu.

Przechodzę do kuchni. Po drodze kładę dłoń na głowie chłopca. Jest ciepła i sucha, w dotyku przypomina trawę w upalny dzień.

– Jesteś odważny – mówię mu.

Przez kilka sekund patrzę jej w oczy, trzymając dłoń na głowie jej dziecka, i wtedy ona zaczyna w końcu rozumieć, w jej spojrzeniu coś pęka, jakby nacisnąć za mocno palcem na cienką szybkę, jej źrenice zwężają się i zmieniają lekko kolor, i ona już wie, że cała rozkręcona przez nią chryja była bez powodu, że wcale praca jej męża nie przyszła do niej w Wigilię, a przynajmniej nie w ten sposób, którego się spodziewała. Już wie, właśnie to zrozumiała, że nie jestem policjantem. Widzi, że trzymam wciąż dłoń na głowie jej dziecka. Odcień jej skóry jaśnieje o kilka procent. Wie, że jej mąż jest w znacznie większym gównie, niż jej pragmatyczna, żoliborska, naciągnięta jadem kiełbasianym głowa potrafi sobie wyobrazić.

– Mamusiu, otwórzmy prezenty, bardzo proszę – mówi dziewczynka.

– Zapomniałem, jak mają na imię – mówię jej.

– Mąż czeka w kuchni – odpowiada, jej głos przypomina szeleszczący cicho papier.

Rzeczywiście, czeka w kuchni. Czeka całym sobą. Oddycha ciężko, pali papierosa, wydmuchuje dym przez szybę. Ma wzrok drażnionego kijem, trzymanego w klatce psa. Mają ładny drewniany stół i dużą lodówkę z kruszarką do lodu.

– Wczoraj zawinęli mnie twoi kumple. Wiszą mi na dupie. Bardzo chcą się ze mną kochać, ale ja nie chcę dymać twoich kumpli, muszę dać im kosza – mówię.

– Nie potrafię nic zrobić – odpowiada bardzo cicho.

– Dziś rano ktoś włamał mi się na klawisz. Zapierdolił mi dużo pieniędzy i towar. Kilo towaru. Plus MDMA. Palił tam szlugi. Naniósł błota do środka – mówię mu.

– Nie potrafię nic zrobić – powtarza.

Podchodzę do niego bardzo blisko. On też wie. Widzi

po mnie, że przestałem być ostrożny i że jest to dla niego, przynajmniej w tym momencie, naprawdę groźne.

– Czy ja ci, kurwa, naniosłem błota do środka? – Pokazuję na swoje buty.

Patrzy na nie.

– Nie jesteś jedyny – mówi po chwili.

– Twój dzieciak – mówię mu – to bardzo charakterny chłopak.

– Nie jesteś jedyny, kręcą się wokół wszystkich, ale taki jest przykaz, mówiłem ci – mówi.

– Wytarłem buty przed wejściem – mówię mu.

Dalej zmuszam go, żeby patrzył na moje buty.

Dopiero teraz dziewczynka zaczyna głośno płakać, z salonu dobiega dźwięk, jakby ktoś włączył syrenę alarmową.

– Gdyby nagle pojawiło się w ewidencji kilo towaru, gdyby chłopaki podzielili między siebie dwieście koła, to wiedziałbym o tym. Dostałbym pulę. Nie byłbym w domu. Spędzałbym te święta, kurwa, na Fuerteventurze – mówi.

Czuję, jak coś nadchodzi, ciężka kołdra, znowu, nad mój mózg nadpływają chmury, a to wcale nie jest koniec tego wieczoru; muszę zdusić to w zarodku, powstrzymać, muszę wytrzymać jeszcze czterdzieści osiem godzin. Grzebię po kieszeniach, szukam lekarstwa. Czterdzieści osiem godzin to może być niewiele, chociaż coś mówi mi, że te czterdzieści osiem godzin potrwa rok. Że gdy się skończą, będę o rok starszy.

Nagle. SMS. *Spotkajmy sie, Jacus.* Nie rozpoznaję numeru.

– Mamy przejebane – mówi po chwili.

W końcu mówi cicho, naturalnie, bez starania się. Zaczyna się tłumaczyć, to dobrze, patrzę po jego kuchni, szwajcarskie zestawy ręcznie wykuwanych noży, blat kuchenny z kwarcogranitu z frezowanymi rowkami odpływowymi, biała żywiczna podłoga. Gdy ona go stąd wyeksmituje, będzie podgrzewał sobie flaki z foliowego worka na dwupłytowej elektrycznej kuchence.

– Mamy przejebane, strasznie nas przycisnęli przez tego błazna z telewizji. Robi się cała nagonka. Przecież nawet premier coś mówił w tej sprawie. Od niego się odpierdolą, już zabecalował dużą bańkę na tego dzieciaka, na jakiś sprzęt do szpitala, pokajał się. Ale muszą wiedzieć, kto go opętał, muszą mieć ofiarę. I ja ich nie powstrzymam – mówi.

Odpisuję: *Kto pisze?*

– Wiedzą, że to ja mu gonię towar? – pytam.

Po chwili kiwa głową.

– Co jeszcze wiedzą? – pytam.

– Nic o tobie nigdzie nie ma. Wykasowałeś się – odpowiada.

– Co jeszcze wiedzą? – powtarzam głośniej pytanie.

W końcu znajduję. Wciągam odrobinę z łyżeczki, czuję się od razu momentalnie umyty, świeższy, lepszy, to złudne, plastikowe, genetycznie modyfikowane uczucie, ale czuję się tak, stoję prosto, wyciągam łyżeczkę w jego kierunku, przez chwilę się waha, w końcu trochę bierze. Przed nim jeszcze pasterka. Musi wytłumaczyć swojej żonie, że o północy już go tutaj nie będzie. Że spędzi ją w kasynie w Marriotcie.

– Nie wiem, co jeszcze wiedzą – mówi, gdy już połknął, od razu wydmuchując nos. – Nie wiem, kurwa, co jeszcze. Ale to nie oni zajebali ci ten towar, bo wiedziałbym o tym.

– Czy mają czyjeś zeznania? – pytam.

– Czyje niby? – odpowiada pytaniem na pytanie.

– Nie wkurwiaj mnie. Jestem w twoim domu. Tu są twoje dzieci – mówię mu.

Przez chwilę coś w nim rośnie, mruga szybko oczami, oblizuje usta, jakby chciał przyśpieszyć ten proces. Jego syn na pewno przybiera ten sam wyraz twarzy, gdy w końcu decyduje się przyznać, że wyżarł wszystkie schowane w szafie czekoladki. To, co zaraz powie, wyskakuje mu najpierw na twarzy czerwoną, szeroką plamą. Ludzie są czytelni jak proste, wydrukowane dużą czcionką książki, z szerokim światłem na stronie. Widać po nich wszystko. Wystarczy obserwować, naciskać w odpowiednich punktach, wypowiadać odpowiednie wyrazy.

– Podał cię – wyrzuca w końcu. – Podał cię od razu. Nawet się nie zastanawiał, kurwa. Podał twoje imię, twój samochód, opisał, jak wyglądasz. Podał twój numer telefonu, więc na pewno jesteś na podsłuchu. Zresztą teraz jest system rozpoznawania głosu, kurwa, nikomu nie trzeba nic zakładać. Nie podał nazwiska, bo nie zna. Nie wie, gdzie mieszkasz, i jeszcze trochę potrwa, zanim to ustalą. Zaczęli szperać wśród wszystkich swoich cweli, których tam mają, wiesz, których, tych, co sprzedają towar i przy okazji swoich kolegów, ale oni wiedzą jeszcze mniej niż ty, nawet co do imion były rozbieżności. Jesteś jak duch, ty wiesz dobrze, że jesteś, kurwa, jak duch, sam wiesz, ile włożyłeś w to sosu, dopiero teraz to wychodzi. I to teraz trochę potrwa, oni w pewnym sensie, moje chłopaki, nawet cię szanują. Żartują, że jesteś trudniejszy do rozjebania niż wtyki w służbach.

– Co możesz zrobić? – pytam.

– Ja już wszystko zrobiłem – mówi. – Oni szli po ciebie jeszcze z drugiej strony, od tego chłopaka, co umarł. Syna tego dzianego. Strasznie poukładany skurwysyn, dobrze żyje ze służbami, musieli się w to tak samo zaangażować. A gość lubi się pokazywać, wiesz, okładki pism, kurwa, wywiady. A media, jebane, zaczęły łączyć jedno z drugim. Zaczęli gadać z jego rodziną i dwóch jego koleżków podało kogoś bardzo do ciebie podobnego. Zeznali, że byli u niego w domu dzień wcześniej, zanim się pierdolnął, i że przyjechałeś, podali twoje imię, podali twoją furę, blachy. Zgłosili się od razu w niedzielę.

– Co możesz zrobić? – powtarzam pytanie.

– Kurwa, ja zanegowałem te zeznania, kazałem zrobić im samym testy na obecność we krwi, wyszło, że tam Mendelejew jest, u którego małolata zresztą nie ma, no powiedz mi? Ale wystarczyło, by podważyć – mówi. – Tyle mogłem zrobić, kurwa, nic więcej, tyle, nic więcej nie mogłem zrobić.

Stoi, ale wije się, tańczy w miejscu. Jest pod potworną presją. Sprawia wrażenie, jakby miał tętniaka, który pęknie za kilkanaście sekund. Ja, ona, ci, którzy go naliczają, jego zwierzchnicy, dzieci. Jest w układzie, który jeszcze działa, ale zaraz przestanie, bo nie ma prawa działać cały czas, generuje potworne napięcie, ta maszyna spala więcej energii, niż zdoła jej wytworzyć, pozornie utrzymuje wszystko w delikatnej równowadze, chroni ten budynek przed zawaleniem, ale zaraz przestanie. Bo tak naprawdę sama jest bombą.

– Zniknij, mówiłem ci – mówi – bo to potrwa jeszcze chwilę, to, że nie będą wiedzieć, gdzie mieszkasz, gdzie jesteś, ale zaraz się skończy. W końcu cię znajdą. Bierz forsę, tyle, ile masz, i spierdalaj, aż wszystko ucichnie.

Nic nie mówię. Podchodzę do kuchni. Dotykam jego blatu. Kładę dłoń na jego domu, na jego życiu. Jest zimny, jest zimne.

– Wisi nad tobą gówno – mówi. – Dużo gówna. Spierdalaj, tyle ci mogę powiedzieć. Jak najdalej i jak najszybciej.

Patrzę mu w oczy. Są przekrwione, mokre, zmęczone.

– Od tej pory powinieneś o tym marzyć – mówię mu. – Aby nigdy więcej mnie nie zobaczyć.

Wychodzę z kuchni. Jego żona siedzi w salonie, na kanapie, z dziećmi. Dzieci otwierają prezenty, kolorowy, pakowy papier leży na podłodze, pognieciony w kulki. Chłopczyk otwiera duży zestaw lego. Nie widzę, co otwiera dziewczynka. Oboje są cisi i skupieni.

Patrzę w oczy jego żony. Przypominają wielkie, czarne monety. Strach zabiera jej mowę. Podnoszę dłoń do góry.

– Wesołych Świąt. Wszystko było bardzo smaczne – mówię.

Nie odpowiada. Nawet nie mruga oczami. On nie wychodzi z kuchni. Idę do wyjścia.

Gdy byłem mały, zastanawiałem się, co by było, gdybym mógł wejść niewidzialny do każdego mieszkania, którego zapalone światła mijaliśmy po drodze. Zastanawiałem się, co by było, gdyby moja niewidzialność zaczęła się psuć. Jak zareagowaliby ci ludzie, gdyby nagle zobaczyli mnie siedzącego na ich krzesłach lub kanapach, dotykającego ich ścian, oglądającego ich książki. Zawsze wyobrażałem ich sobie jako znieruchomiałych z przerażenia, zastygłych z szeroko otwartymi oczami i ustami.

Bardzo mnie to bawiło. Śmiałem się sam do siebie, do rozpuku. Moi rodzice pytali mnie wtedy, z czego się tak śmieję; odpowiadałem, że z niczego.

SMS. Odpowiedź. *Jacuś, nie smuć mnie. Nie lubię być smutny. Dario.*

18:41

Z tej wysokości Warszawa wygląda jak barwny negatyw planszy do gry. Białe punkty, żółte linie, rysunek na czarnym tle, szkice brudnym światłem.

Ręka, która go malowała, nie klaszcze, nie pozdrawia, nie podnosi kciuka do góry. Ręka, która go malowała, nie wybacza. Ręka szalonego dziecka.

Światło na początku sprawia wrażenie struktury, planu, mapy, ale po chwili wpatrywania się przechodzi w miraż, plamy zaczynają tańczyć, zmieniać swoje miejsce, wszystko zaczyna się przemieszczać, zamazywać, psuć. Z tej wysokości, z czterdziestego trzeciego piętra, Warszawa wygląda jak otchłań, którą zresztą jest w istocie. Jest bezzębną jamą. Światła to powidoki po tych, których połknęła. Lśnienia.

Pod nami przelatuje helikopter.

– Wszystko jest kwestią perspektywy, Jacuś – mówi Piotrek.

Nic nie jest kwestią perspektywy. To betonowy ekosystem, którego jestem częścią, nawet gdybym obserwował go z atmosfery. Czterdzieści trzy piętra pode mną jest asfalt, zmrożony, posypany piachem, udekorowany śmieciami, rzygowinami, krwią, pod asfaltem jest czarna, pulsująca maź i ja jestem przytwierdzony na stałe do tego piachu, asfaltu, do tej mazi, przytwierdzony niewidzialną liną, wszczepioną w mój kark. Okolice wszczepienia są zakażone. Pieką jak grzybica.

– Nieprawda – odpowiadam.

– Pierdolisz, Jacuś – mówi Piotrek, który stoi obok mnie z kubkiem wody mineralnej w ręku, w śnieżnobiałym szlafroku frotte. Patrzy na ten sam widok. Jesteśmy na basenie w Intercontinentalu. Światło w pomieszczeniu o błękitnawym odcieniu, mającym dawać przebywającym tam poczucie komfortu i świeżości; za nami nieruchoma, gładka tafla wody świeci lazurowym, sztucznym kolorem, podświetlona od środka. Na leżaku leży Dżejson, człowiek Piotrka, mężczyzna o posturze przemysłowej chłodziarki. Nie słucha naszej rozmowy, w uszach ma słuchawki. Nad nami, na wyższym piętrze, przez wychodzące na basen okna widać zupełnie pustą siłownię. Nie licząc pojedynczej, ubranej w obcisły kombinezon kobiety około czterdziestki, biegnącej na bieżni, ze zdradzającym zupełne wyłączenie wyrazem twarzy. Nie widzi nas, jest gdzie indziej, nie zwróciłaby na nas uwagi nawet wtedy, gdybyśmy zaczęli tutaj ciąć się brzytwami.

– Pierdolisz, Jacuś, bo ja jestem tutaj i patrzę na to wszystko z góry, bo stać mnie, kurwa, na stały karnet na ten jebany basen, który kosztuje pięć tysięcy, a jakbyś stał na dole jako gość, kurwa, który rozsypuje sól na te jebane chodniki, Jacuś, aby ludzie nie połamali sobie nóg, i byś patrzył w te okna tego hotelu, i byś się zastanawiał, co tam w ogóle, do chuja, jest, to byłaby zupełnie inna perspektywa – mówi.

– I ty, i ja, i ten gość jesteśmy w Warszawie – odpowiadam mu – i nic tego nie zmienia.

Piotrek jest prostym człowiekiem. Wydaje mu się, że jeśli można popatrzeć na coś z góry, to już się to posiada. Piotrek lubi czuć się właścicielem, lubi mieć. Lubi obracać różne rzeczy między palcami. Wydaje mu się, że Warszawa jest jego, że może zmieścić ją w dłoni jak monetę.

– Naprawdę, musisz zmienić nastawienie do życia – mówi. – Nie spotkałem jeszcze takiego gościa jak ty. Uważam, że masz łeb jak sklep. Ale to powoli obraca się przeciwko tobie, ty musisz spuścić trochę pary. Chłopaki jeżdżą na Martynikę, na Ibizę, ruchają tam te wszystkie dziwki, rozpierdalają hajs, wciągają, piją. Możesz się śmiać, mówić, że to głupie, ale wtedy popuszcza. Wtedy człowiek się czyści.

– Wyjeżdżam – odpowiadam mu.

– Sam, i pewnie będziesz książki w hotelu czytał, jak cię znam – wzdycha. – Albo sam ze sobą rozgrywał turnieje szachowe.

„A może – przechodzi mi przez głowę – może on też wyczuwa ten deszcz, powódź, która nadejdzie, czuje ją intuicyjnie, w kościach, jak reumatyk; może urządził sobie tu schronienie, myśląc, że ten deszcz go ominie, że będzie obserwował go bezpieczny i zrelaksowany, na leżaku, w białym szlafroku, z kubkiem wody mineralnej w dłoni".

Gówno prawda. Brudna woda zatopi wszystko i wszystkich aż po dach tego hotelu. Czarna i zimna. Wszechwładna. Wciąż na nią czekam. Czuję, że przyjdzie.

Przez krótką chwilę jest mi bardzo zimno, zapadam się w lód, zamykam oczy, to zimno, które zaraz staje się ciepłem, przedśmiertne. Chyba to po mnie widać, bo Piotrek pyta, z bardzo daleka:

– Wszystko w porządku?

Kiwam głową.

– Kurwa, ostatnio pojechałem z chłopakami na weekend do Sopotu, było nas dziesięciu i przykleiło się do nas z trzynaście dziewczynek – mówi. – Rozjebaliśmy w weekend z pięćdziesiąt koła, jak nic, żarcie, szampany Moët, wszystkie do hotelu, dwudziestki, ruchały się jak złe. My je we dwóch, we trzech. Ja z trzema się obudziłem, nie pamiętam nic. Mówię ci, Jacuś, teraz każda jest jak kurwa, każda, powącha pieniądz i leci. Ale to jest rozrywka, Jacuś. To trzeba traktować jako rozrywkę. Chłopaków wygrzało strasznie, jeszcze teraz biją po ścianach niewidzialne muchy. Wypacają na siłowni albo po prostu leżą po ciemku. Tak czy siak, trzeba jebać, trzeba się bawić.

Wyrzuca kubek do kosza na śmieci. Przeciąga się.

– Weź sobie jakieś klapki, gacie, resztę tam ci dadzą, i chodź do sauny jak człowiek – mówi.

– Nie lubię sauny – odpowiadam.

– I to jest twój problem – mówi po chwili.

Dżejson bez słowa wstaje, zdejmuje słuchawki, w samych klapkach podchodzi do basenu. Na plecach ma wytatuowany wielki napis SZACUNKIEM SIĘ PŁACI. Wskakuje do wody. Odgłos, gdy się z nią zderza, brzmi, jakby ogromna, dziecięca pięść uderzyła z całej siły w równie ogromną, papierową torbę.

– To, że nie lubię sauny? – pytam.

– Także to, że chcesz mieć nad wszystkim kontrolę, Jacuś, że chcesz być dyrektorem każdej sytuacji, co ja mówię, dyktatorem, kurwa, jak Stalin. Musisz mieć wszystko w garści. Nie umiesz stracić tej kontroli, popierdolić wszystkiego, popuścić. A bez tego się wariuje, Jacuś. Wariuje i umiera na serce.

– Może – odpowiadam.

– Jesteś wariatem, pierwszorzędnym wariatem, ale cię lubię – mówi.

Odwracam się od miasta, jego wielkich ust. Basen jest mały, ma może z dwadzieścia metrów długości; Dżejson przypomina w nim przerośnięte, zwyrodniałe dziecko taplające się w sadzawce.

– Włamali mi się do mieszkania. Ukradli mi pieniądze i towar. Nie mój – mówię.

– Czyj? – pyta.

– Stryj twierdził, że jego – odpowiadam. – Ale on nie jest jego. To towar kogoś od twojego kolegi Daria.

Piotrek wzdycha bardzo ciężko.

– Stryj przywalił w chuja – mówię. – Próbował coś wykręcić na boku i wyszło tak, że sam się wydymał. A ten twój kolega Dario jest zły, zły i głodny.

– Rozmawiałeś z nim? – pyta.

– Przez przypadek. Nadziałem się na niego, gdy załatwiałem swoją sprawę – odpowiadam.

– A co z tym towarem? – pyta.

– Nie wiem, przecież mówię, że ktoś mi go zajebał. Nie wiem, czy to psy, czy ktoś z miasta, czy ktokolwiek – mówię.

Piotrek patrzy mi w oczy. Jest zmęczony. Jest zmęczony zmęczeniem przepracowanego polskiego mężczyzny. Jest padnięty tym polskim padnięciem męża, ojca, wypełniacza garnka, lodówki i garażu. Ma w sobie to piętno. Większość polskich mężczyzn po czterdziestym piątym roku życia je ma. Kimkolwiek by byli, cokolwiek by robili, nagle ich twarze zmieniają się w ten sposób, że pasują do nich tylko wąsy, ich blade, rozlane cielska dobrze wyglądają tylko w krótkich bojówkach i klapkach. Nagle potrafią odpocząć wyłącznie na rybach, oglądając piłkę nożną. Piotrek jest hurtownikiem kokainy, ale równie dobrze mógłby prowadzić firmę budowlaną.

– Wiesz, czemu nie ma mnie na wigilii? – pyta.

– No właśnie, czemu? – odpowiadam.

Wzdycha jeszcze raz. Patrzy z powrotem na miasto. Wypija łyk wody.

– Bo mam, kurwa, dość – mówi. – Wszyscy czegoś ode mnie chcą. Wszyscy.

– Mamy sprawy do wytłumaczenia – odpowiadam.

– Nie mówię o tobie – mówi.

Znowu wypija łyk wody. Patrzy na miasto. Chrząka, spluwa do kubka. Wyrzuca go do śmieci. Zaciera ręce.

– Będę w domu gdzieś o dwudziestej, jak ten kurwiszon sobie już pojedzie. W sensie: moja teściowa. Nie chcę nawet na nią patrzeć. Siedzi i wbija tamtej do łba godzinami. Że za mało na dom. Że dzieci powinny do prywatnej szkoły. Do prywatnej szkoły, kurwa? Co z nich wyrośnie w prywatnej szkole? Pedały z białaczką? A że coś tam. Że, kurwa, coś innego tam. Że dom w górach niewyremontowany. Wpierdala jej do łba, w sensie, gdy ja jestem, wpierdala mi, a tak wpierdala jej, i tak tamta mi to odtworzy, jakby miała we łbie magnetofon.

Dżejson wychodzi z basenu. Otrząsa się jak ogromny pies. Wkłada sobie palec do ucha, przez chwilę ogląda go pod światło.

– Muszę spadać – mówi, wycierając się ręcznikiem.

– Nigdzie nie spadasz. Odwozisz mnie, kurwa, do domu – rzuca mu Piotrek.

Dżejson z powrotem siada na leżaku.

– No i ona potem to mi wszystko odtworzy – kontynuuje – jakby miała we łbie taśmę, ale ona nic nie ma w tym łbie. Przysięgam, nic. Umie tylko ssać kasę, nic więcej, leży w domu i ssie kasę, ma babę do sprzątania, babę do gotowania, to leży i ssie. Nic innego nie robi. Jej brat, półmózg, po prostu półmózg, wypierdolił mu się dziewięćdziesiąty interes z rzędu, więc wydzwania i prosi o kasę, ile ja już pieniędzy wpompowałem w tego kretyna. I nie mogę nie dać, bo tamta znowu zacznie strzelać z pizdy, to mu daję, biznesmenowi za dziesięć groszy. Te jego interesy to jakby zamrażarki sprzedawać na Antarktydzie, chuj mu na grób. I ta jej siostra, wywłoka, że niby w depresji, wciąż na coś chora, mąż ją pogonił w pizdu, i nie dziwię mu się, bo ona cały czas w depresji, depresja, kurwa, każdy ma teraz depresję, bo to zajebiste usprawiedliwienie na to, żeby mieć wszystko w dupie i nie ruszać dupy z wyra, to ona też w depresji, a trójka dzieciaków zapierdala obsrana po chacie, więc trzeba wziąć je na święta, bo się już do reszty obsrają z głodu. I teraz zapierdalają obsrane po mojej chacie, razem z moimi, bo oczywiście moja siedzi i cały czas pierdoli z tamtą o tej jej wielkiej, ogromnej depresji. Mówię do niej: postaw, kurwa, pomnik u nas w ogrodzie tej depresji, jebnij taki napis jak ten w Hollywood, tylko złotymi literami: DEPRESJA. Niech wszyscy widzą. Po co tylko my mamy wiedzieć? Niech cały świat wie! Do telewizji z tym zapierdalaj! A co tam! Kto bogatemu zabroni?

Na chwilę stopuje, bierze głęboki oddech, rozumie, że za bardzo się zapędził. Jestem do tego przyzwyczajony. Musi się oczyścić. Robi to przy mnie gdzieś raz na parę miesięcy; nie wiem, czy dlatego, że jakoś wyjątkowo mi ufa, czy po prostu robi to przy każdym, kogo zna, ten wrzód po prostu w nim pęka w nieoczekiwanym momencie, bez względu na okoliczności.

– Więc rozumiesz – mówi – rozumiesz, że mogę być zmęczony.

Dotykam ręką szyby. Kiwam głową.

– Nie pomogę ci z tym, co ci ukradli – mówi. – Musisz sobie sam poradzić.

– Policja – mówię mu. – Ten z telewizji się na mnie spruł. Na razie nie wiedzą, jak mnie znaleźć. Podobno jeszcze nie wiedzą.

– Radź sobie sam – mówi. – Jak coś, zawsze dla ciebie będzie najlepszy papuga, tyle mogę zrobić. Ale na tym etapie radź sobie sam.

– A Stryj? A Dario? – pytam.

– Dario to moja sprawa, a nie twoja. Nie gadaj z nim. Co do Stryja, niech robi, co chce. Gdy przegnie, będę interweniował – mówi.

Czuję, że powietrze ścina się jak podgrzane białko. Czekam na to, co powie więcej, bo na razie nie powiedział mi nic nowego. Wiem, że muszę radzić sobie sam. To nie o to chodzi, aby mi pomagał, bo jeszcze nie potrzebuję jego pomocy, i on o tym doskonale wie. Chodzi o to, aby wiedział. Aby nie mógł mi potem powiedzieć, że czegoś mu nie powiedziałem.

– Źle wyszło z tym klubem, Jacuś – mówi. – Miałeś tego pilnować.

– Mogłem go od razu uciszyć – mówię. – Poza tym zachował się jak kretyn. Mógł dać nam odstępne, cały sprzęt, tam jest sama kuchnia za dwieście koła, wtedy by się wyrównało. Byłby na zero.

– Nie proponowałeś mu tego? – pyta.

– Jego sprawa, sam powinien to wiedzieć – odpowiadam.

– Powiedziałbyś, to nie byłoby teraz afery. I pożaru. Musisz się tym zająć. Znaleźć go i naliczyć – mówi. – Straciliśmy od zajebania pieniędzy i ja się teraz tłumaczę. Nie lubię się tłumaczyć, Jacuś, wystarczy, że już tłumaczę się przed tą debilką, ona każe mi się tłumaczyć, kurwa, jakbym był na ławie.

Przez chwilę na czarnym rysunku pod nami coś błyska, jakby robiono nam zdjęcie w blasku ogromnego flesza. Mrugam oczami. Wszystko wraca do normy. Zostają tylko echa świateł pod powiekami. Helikopter zbliża się do nas z powrotem.

– Muszę go mieć, chuja, na tacy – mówi Piotrek.

– Zrobię wszystko – odpowiadam i dodaję: – Wiesz, że wyjeżdżam.

– Wiem. Jutro. Tak że zrób to dzisiaj – mówi Piotrek. – Nabrudziłeś, to posprzątaj.

– Potrzebuję towaru. Przyjechał? – pytam.

– Po co ci towar przed wyjazdem? – odpowiada pytaniem na pytanie.

– Porozwozić parę bonusów, aby nie zapomnieli, po pierwsze. Po drugie, wolę mieć towar niż gotówkę, bo po trzecie, gdy wrócę, może go akurat nie być. Być może znowu będzie jakaś afera z tirami – mówię.

– Nie powinno być – odpowiada.

– Ale zawsze jest możliwość – odpowiadam.

– Mówiłeś, że zajebali ci kasę – mówi.

– Mam jeszcze tyle, aby kupić.

– Tam, gdzie zwykle, za dwie godziny, napiszę im – mówi.

Odwracam się tyłem do Warszawy, patrzę z powrotem na powierzchnię wody. Patrzę na siłownię. Kobieta właśnie przestaje biec, zatrzymuje się, jakby sama była na pilota i właśnie ktoś ją wyłączył. Patrzy przed siebie, nie mrugając oczami, opiera się obiema dłońmi o bieżnię, ciężko dyszy, widać, że charczy.

Myślę przez chwilę, dokąd pojedzie później. O czym pomyśli w swoim pustym, świeżo kupionym za korporacyjny kredyt mieszkaniu? Czy jej fagas, właśnie spędzający Wigilię z rodziną, której przecież nigdy nie opuści dla niej, dla jej neuroz, jogińskich wakacji, przebiegniętych dla dowartościowania półmaratonów, odpisze jej dzisiaj chociaż na SMS-a? „Może powinniśmy wszyscy założyć klub – myślę – klub bezdomnych, spotykać się raz do roku na koniecznie milczącym opłatku u tego, kto ma najdroższe mieszkanie? Obejrzeć wigilijne wydanie *Kabaretonu*?".

– Wiem, że wszystko załatwisz – mówi Piotrek – ale zrób to szybko.

– Muszę. Wyjeżdżam – mówię.

– Wiem, że wyjeżdżasz, kurwa, robić sam ze sobą turnieje szachowe. Tylko żeby nie zawinęli cię na lotnisku, jak będziesz wracał – mówi.

Podaję mu rękę. Zanim ją uściśnie, wyciera wnętrze dłoni o biały szlafrok. Sapie.

– Pisz do mnie. Z nikim nie gadaj. Zwłaszcza z Dariem. Wesołych Świąt – mówi.

Kiwam głową. Podaję rękę Dżejsonowi. Idę do wyjścia. Zanim wyjdę, słyszę kolejne uderzenie o wodę, w tej ciszy gwałtowne jak wystrzał. Odwracam się. Dżejson wciąż leży na leżaku, Piotrek jest w wodzie, jego biały szlafrok leży na podłodze. Dryfuje, patrząc do góry, bezwładnie, jakby był martwy. Jego ciało jest lekko lśniącą, ciemniejszą wypukłością na powierzchni wody. Przypomina wyspę.

Wiem, że myśli o widoku z czterdziestego trzeciego piętra. Wiem, że w jego wyobraźni ten widok jest jak pocztówka trzymana w ręku, z którą może zrobić, co chce, przykleić ją do lodówki, podrzeć.

Wiem, że ten widok go uspokaja. Martwi mnie to.

– Ciesz się, że nie masz żony. Ciesz się, naprawdę. Odezwij się, jak wszystko załatwisz – mówi jeszcze.

– Odezwę się – odpowiadam.

– Wiem – odpowiada.

– To dobrze – mówię.

Wychodzę. Obaj pozostają zastygli w bezruchu, Piotrek w wodzie, Dżejson na leżaku. Wychodząc, zderzam się z dziewczyną z bieżni. Nawet nie patrzy mi w oczy, z telefonem przy uchu energicznie idzie w kierunku szatni.

– Odbierz, kurwa – zaklina kogoś po drugiej stronie, kto zapewne zapycha się mulistą rybą w galarecie albo czymś równie niejadalnym i nawet o niej nie myśli, gdy ona, spocona i wściekła, otwiera drzwi i wciąż przyciskając do siebie telefon, znika w środku przebieralni.

21:00

To takie miejsca składają się na większość cywilizacji. Z tego właśnie składa się ziemia. Z tego składa się Polska. Centra miast to małe, wydzielone sektory dla zwycięzców, pozornych zarządców. Reszta rezyduje dookoła; na terenach składających się z hurtowni, hal, zakładów, wysypisk śmieci, blokowisk, domków jednorodzinnych. To prawdziwe zaplecze, rzeczywiste peryferia.

Powietrze jest zimne i skażone. Czuć w nim gumę, rdzę i plastik, opary benzyny.

Jestem jakieś piętnaście kilometrów za miastem, w stronę Gdańska, w Łomiankach, w tej dziwnej krainie, w której Polska zamienia się w Warszawę, na pasie granicznym, upstrzonym reklamami hurtowni dachówek, lichwy, tanich ubezpieczeń. Przestrzeń jest dokładnie wydzielona siatkami i ogrodzeniami, płaska, zabudowana kwadratowymi, pokrytymi papą i czerwoną dachówką obiektami, których głównym zadaniem jest przechowywać.

Pozorne przeznaczenie tego obiektu jest inne, ale tak naprawdę jest on również przechowalnią. Nie ma innego powodu, aby tutaj, pomiędzy halami, paletami dachówki, komisami samochodowymi, myjniami i stacjami napraw, postawić dom weselny o nazwie „Jezioro Łabędzie".

Gdy przyjechałem tu po raz pierwszy, byłem pewien, że to scenografia do taniego i polskiego filmu o Polsce, że jest zbyt wyraźne, zbyt przerysowane, aby zaistniało samo z siebie. Czuję to nawet teraz, gdy jestem tu już piętnasty raz. „Jezioro Łabędzie". Tę nazwę mógł wymyślić tylko bardzo dowcipny analfabeta.

Stoimy na zewnątrz. Otacza nas zapuszczony dwumetrowy żywopłot, oplatający ogrodzenie z imitacji marmuru. Jesteśmy w ogrodzie pokrytym polewą z chrupkiego śniegu, który przy najmniejszym poruszeniu nogą chrzęści jak zgniatany styropian. Nikt nic nie mówi. Przez ramię mam przewieszoną torbę. Znajduje się w niej sto tysięcy gotówką, to, które w moim właściwym mieszkaniu trzymałem na czarną godzinę. Miałem jeszcze jakieś dwadzieścia tysięcy dolarów. Nie wziąłem ich ze sobą. Muszę przecież zabrać jakieś pieniądze do Argentyny. Trzymam na torbie otwartą dłoń. Czuję, jak pieniądze emitują ciepło. Pieniądze zawsze emitują ciepło.

Argentyna. Na dźwięk tego słowa wyświetla mi się w głowie cała seria kadrów. Wyraz „Argentyna" stał się dla mnie zaklęciem, otwiera we mnie całe plansze, sekwencje.

Widzi, że mój wzrok zatrzymał się na potężnej plastikowej, przykrytej brezentową płachtą wannie.

– Wszystkie zeszły – mówi jeden z nich, łysy, gruby facet w kurtce, dresach i roboczych butach.

Zarządza tym miejscem, jest tu zawsze, gdy przyjeżdżam, nigdy nie pamiętam, jak ma na imię. Nie muszę i nie chcę.

– Co zeszło? – pytam.

– Karpie – odpowiada. – Wszystkie już zeszły. Ludzie zajeżdżali po nie jeszcze wczoraj przez cały dzień. Bardzo dobre.

– Po co hodujesz karpie? – pytam.

– A ty po co jeździsz z tym gównem? – odpowiada mi pytaniem na pytanie drugi, chudszy i starszy facet z zarostem, który wygląda, jakby całe życie przepracował na budowie: żylasty, w polarze i w sztruksowych spodniach, sprawiający wrażenie, jakby był tu kimś w rodzaju konserwatora. Jego nie kojarzę; widzę go tutaj pierwszy raz.

„Jezioro Łabędzie" to jeden z dziesiątków interesów, w których Piotrek przepiera swoją kokainowo-burdelową forsę, na papierze należący do tego grubego. Gruby jest w jakiś sposób z nim spokrewniony. Przynajmniej obaj tak twierdzą. Zupełnie nie interesuje mnie, jak jest naprawdę.

Gruby gasi papierosa, przydeptując go w śniegu. Żylasty pstryka swoim przed siebie; przez chwilę śledzi czerwony łuk, który od upadającego żaru pojawia się w powietrzu na ułamek sekundy. Gruby kiwa głową. Rusza pierwszy. Idziemy. Wchodzimy do środka.

Stół na kilkadziesiąt osób, wściekle różowe ściany, szklane rzeźby ustawione pod oknami w prostej linii, pluton egzekucyjny ze zdeformowanej bajki; rzeźby przedstawiające delfiny, grube dzieci ze skrzydełkami – cała polska ikonografia szczęścia z okolicznościowych kartek pocztowych. Oczywiście jest też rzeźba pary łabędzi, splecionych szyjami w mocnym, śmiertelnym uścisku. Na ścianie widnieje namalowane wielkie, czerwone serce, jak krwawy stempel. Pod nim napis: ZDROWIA, SZCZĘŚCIA, POMYŚLNOŚCI. W innym rogu sterta wściekle kolorowych, sztucznych kwiatów, powiązanych nitką w bukiety po kilkanaście sztuk. Nie jesteśmy sami – dwie zniszczone, żylaste kobiety właśnie nabłyszczają podłogę za pomocą małych szmatek.

– Przestańcie na chwilę – rzuca do nich ten w okularach.

One posłusznie wstają, wycofują się, spuszczają głowy. Nie patrzą na mokre, ciemne ślady, które zostawiamy na wyczyszczonej właśnie podłodze. Patrzą we własne stopy w tanich plastikowych klapkach. Nic nie mówią. Prawdopodobnie niewiele rozumieją po polsku, raczej reagują na ton głosu. Są młode, nawet bardzo, ale mają dłonie starych kobiet, popękane, wyżarte przez detergenty. Wątpię, czy ktokolwiek im płaci za nabłyszczanie podłogi. Gruby znowu zauważa, że na coś patrzę, tym razem na nie.

– Białorusinki – mówi. – Lepiej zapierdalają niż te z Ukrainy.

– Tamte to cwane jak skurwysyn – dodaje ten z zarostem. – Niedługo założą związek zawodowy.

– A te? Za brzydkie na burdel? – pytam.

– Są dobre – mówi żylasty. – Są bardzo dobre, dobre jak chleb.

Mówiąc to, cicho mlaszcze, jakby miał słodycze w ustach.

Widzę, że jest podminowany, co chwila ma tiki, dotyka czoła, twarzy, brzucha. Dłonie otwierają mu się i zamykają. Lekko kuleje, ale za wszelką cenę stara się to ukryć. Pachnie wypitym rano, tanim alkoholem.

Przechodzimy przez salę, Gruby otwiera wahadłowe metalowe drzwi, wchodzimy na zaplecze. Zapach uderza mnie jak pięść, zapach smażeniny, panierki, frytury, świńskiego mięsa, kartofli. Dobiega razem ze szczękiem naczyń i przytłumionymi rozmowami zza kolejnych, takich samych drzwi na końcu korytarza. Podłoga jest obita linoleum jak w szpitalu. Ściany, na linii nadgarstka, są kremowo brudne od tłuszczu.

– Coś się u was dzieje? – pytam.

– Jutro wesele – mówi jeden z nich.

– Ludzie robią wesela w święta? – pytam.

– A pewnie, elegancki termin – mówi. – Bardzo dobry. Płacą ekstra.

– Wesołych Świąt! – wykrzykuje nagle żylasty. – Przybieżeli pasterze, grają skocznie Dzieciąteczku, Wesołych Świąt!

Gruby nie reaguje, wyraża obojętność matki upośledzonego dziecka, które właśnie po raz kolejny rzuciło w kogoś własnym gównem. Znają się dobrze, zbyt dobrze.

Skręcamy w lewo tuż przed drzwiami do kuchni. Gruby otwiera drzwi, wchodzimy do środka, Gruby pierwszy, żylasty drugi, ja na końcu. Pomieszczenie jest czymś w rodzaju biura, na biurku leżą porozrzucane pojedyncze papiery, stary komputer, na szafkach jakieś puste segregatory – pośpiesznie sklecona dekoracja do teatru telewizji, mająca imitować, że odchodzi tu jakakolwiek księgowość.

Na ścianie kalendarz z gołą kobietą o brudnobrązowej skórze, prężącą się na długiej metalowej rynnie. To, że kobieta wygina się akurat na rynnie, nie jest niczym dziwnym – kalendarz jest reklamą rynien. Rynny produkuje firma Rynpol. Obok kalendarza Rynpolu znajduje się jeszcze obraz, kupiony najprawdopodobniej na targowisku, wsadzony w pozłacaną ramę, udający klasycystyczne malarstwo wizerunek kolejnej gołej baby z zamazaną twarzą, prężącą się na bordowym szezlongu w otoczeniu owoców i innych, mniej kształtnych maźnięć farby. W rogu kosz pełen puszek po tanich napojach energetycznych. Podłoga obita szarą wykładziną. W rogu plastikowy wiatrak. Na parapecie paprotka.

Polska, zakładając, że Polska to coś namacalnego, Polska jest sterowana właśnie z takich pomieszczeń. To tu pracuje jej silnik. To w takich przemieszczeniach polskie pieniądze przelewają się z jednych naczyń do drugich, z kont na inne konta, z wiadra do innych wiader.

– Wesela to zawsze straszne jaja – mówi Gruby, niepytany.

Zauważam, że żylasty wciąż jest przy nas. Wciąż stoi, wciąż ma tiki. Jego ciało co chwila delikatnie podryguje, rażone niewidzialnym prądem o małym napięciu. Nie umie nad nim zapanować. Jest chory.

– Nie znam go – mówię i pokazuję na niego.

– Spokojnie, spokojnie, to Romek. Romek jest swój – odpowiada Gruby.

– Nie znam Romka – powtarzam.

– Romek to mój szwagier – powtarza Gruby. – Jest swój.

– Nie znam twojego „swojego" szwagra Romka – powtarzam. – Nie byliśmy razem na rybach ani na dyskotece w Piździchowie. Nie dodaliśmy się do znajomych na Naszej Klasie. Do tej pory jego towarzystwo było okej, ale teraz już nie jest okej.

Gruby patrzy na mnie, próbując zrozumieć. Nie będę mu tłumaczył, że nie wezmę do ręki pół kilo towaru przy jakimś zarośniętym żulu w sztruksach z zaawansowaną nerwicą alkoholową.

– No to go poznaj – mówi.

– To na razie – odpowiadam.

Odwracam się, i tak jak myślałem, on w tym momencie mówi:

– Romek, no dobra, wyjdź na chwilę. Wyjdź. Zaraz pogadamy.

Romek, czy jak go zwał, patrzy na mnie przez chwilę, mrugając oczami. Patrzę w nie przez krótki moment, są stalowoszare, zimne jak lód na brudnym jeziorze. Dopiero teraz, w tym świetle, widzę małą, czarną kropkę pod jego okiem. Romek kiedyś się wkurzył, wkurzył się za bardzo. Romek nie jest niczyim szwagrem. Romek nie jest swój.

– Wyjdź, no, za chwilę pogadamy – mówi Gruby.

Romek wychodzi bez słowa. Ostrożnie i cicho zamyka za sobą drzwi. Gruby wzdycha. Nie słyszę jednak żadnych kroków. Dotykam broni. Wciąż mam ją przy sobie.

– Te wesela to czasem straszne jaja – mówi po chwili, po czym zdejmuje obraz ze ściany.

Pod spodem jest sejf. Zaczyna kręcić pokrętłem. Sądząc po kolorze twarzy, sprawia mu to potworny wysiłek.

– Raz mieliśmy taką sytuację, że panna młoda nakryła pana młodego, jak opierdala pałę świadkowi. Podobno dalej są małżeństwem, już z pięć lat będzie – mówi, otwierając sejf. – No ale człowiek się do wszystkiego przyzwyczai. Zwłaszcza jak ma mieć z tego przyzwyczajania kilka talarów.

– Mam przy sobie stówę – mówię.

– Dobrze, dobrze – mówi i wyjmuje z niej coś zawiniętego w wiele warstw czarnej folii. – Jaja były okropne, mówię ci. Zresztą co chwila jest jakiś hit. Najśmieszniej było na weselu Kasztana, tego z Ochoty, kojarzysz Kasztana?

– Nie kojarzę Kasztana – odpowiadam.

Kładzie ostrożnie na biurku to, co ma w rękach, odgrywa przy tym przesadne skupienie, wysuwa koniec języka, który na jego nalanej, napuchniętej twarzy przypomina przycisk. Zaczyna powoli odwijać kolejne warstwy folii.

– Ja byłem wtedy trochę gościem, trochę gospodarzem, wiesz. Kasztan to mój znajomek od lat. Na pewno kojarzysz Kasztana. Bardzo fajny gość, bardzo porządny – mówi.

Odwija folię, towar leży na biurku, sprasowany w cegiełki zapakowane w białą folię. Na folii są znaczki, oznaczające transport, datę, miejsce przeładunku. Biorę jedną do ręki, patrzę na nią pod światło. Kładę torbę na stole obok niego. Otwieram. On patrzy do środka. Bierze do ręki pieniądze, popakowane w pliki po pięć tysięcy. Ja sprawdzam, on sprawdza. Sprawdzamy obaj. To pewien rytuał, niezbędny, obaj mamy go we krwi, doskonale wiemy, co robić, ile czasu ma to zająć; to pewien protokół bezpieczeństwa, który ma w sobie coś z wyłączeniem telefonów przed ważną rozmową w cztery oczy, z pokazaniem, że ma się puste ręce.

Z tym że Gruby odprawia swój rytuał za wolno. Jakby coś przeciągał. Jakby coś odgrywał.

Biorę towar i wkładam go do swojej torby. On zamyka sejf, zawiesza obraz z powrotem. Pod oknem stoi jeszcze jedna szklana rzeźba, tym razem pojedynczego łabędzia; Gruby energicznym ruchem zdejmuje z niej głowę, wkłada pieniądze do środka i nakłada ptakowi głowę z powrotem.

Wzdycha. Uderza dłonią o dłoń, otrzepuje je, jakby przed chwilą dotknął czegoś brudnego.

– Znasz Kasztana – mówi. – To było na jego weselu. Cała ekipa siedziała tam od nich, wiadomo, zlot młodzieży grypsującej. No i taki jeden był, Waldek chyba, ktoś od pana młodego, co strasznie chciał się im przypodobać, w tej ekipie. Strasznie strugał kozaka. Sam jakieś auta sprowadzał czy coś. No i siedział z tą całą ekipą, ja tam ich znam, ale ich gościłem, po prostu. Ja wszystkich dobrze goszczę. Właśnie, napijesz się czegoś?

– Nie, dzięki – odpowiadam.

Odwracam się w stronę drzwi. Słyszę, słyszę odgłosy czegoś wrzucanego na olej, słyszę szczęk sztućców i naczyń, jakieś pokrzykiwania, ale nie słyszę, nie słyszałem żadnych kroków.

– No więc ten Waldek strasznie się do nich cukrował. Strasznie. Udawał, jaki to on nie jest sztywny, opowiadał o jakichś akcjach tam w Niemczech, że, kurwa, jakiegoś Turka gdzieś tam wywieźli, to oczywiście bzdury... Ja nigdy nie byłem w takich sytuacjach, więc wiesz... No i on siedzi, pierdoli, oni nic się nie odzywają, patrzą na niego jak na frajera, ale on coraz bardziej się pręży, wszyscy piją wódę, wąchają towar, wiesz, sztywno, że nożem można ciąć... i wtedy słychać, jak nagle taki głos, wiesz, taki damski głosik woła: „ciupururku!", „ciupururku!". No i wiesz, to jego dziewczyna, czy tam żona go woła, patrzą, a ona ma całą nogę w gipsie i woła go, żeby jej torebkę przytrzymał, jak ona będzie szczać w krzakach, czy coś. Ciupururku, ciupururku, czujesz?

Zaśmiewa się sam do rozpuku. Staję pod ścianą. Nasłuchuję. Dalej odgłosy z kuchni. Nic więcej.

– Wtedy on, wiesz, idzie w końcu jej pomóc, opierdala ją, wraca, no a ci już z niego pompa po całości, ciupururku, on zresztą wyglądał jak taki ciupururek. Kartofel taki mały. No i on próbuje jakkolwiek im się pokazać, wybrnąć, wiesz, i pokazuje na tę dziewczynę swoją, która dalej tam stoi z tą torebką, gada z kimś, i wiesz, co mówi?

Kręcę głową. Czekam. On zaśmiewa się do rozpuku z własnej opowieści, krztusi się ze śmiechu, trzęsie się jak kupa galarety.

– Mówi: „to ja jej tę nogę złamałem" – wydusza z siebie i wybucha śmiechem. Śmieje się do łez, bawi się świetnie, uderza dłonią o brzuch. Nie przeszkadza mu, że w ogóle się nie śmieję. Widać, że sam dla siebie jest bardzo dobrym towarzystwem. – To ja jej tę nogę złamałem – powtarza.

Czekam chwilę, aż się uspokoi. Przysuwam się do ściany. Mam jego po swojej lewej ręce. Drzwi po prawej. Przewieszam torbę przez ramię. Mam broń za pasem. On widzi od jakiegoś czasu, że spoglądam na drzwi. Widzi, że patrzę na drzwi, ale tym razem nic mi nie tłumaczy.

– Niech on tu wejdzie – przerywam mu.

– Nie rozumiem, że niby kto tu wejdzie? – pyta.

– Twój szwagier Romek. Niech wejdzie tu z powrotem – odpowiadam.

Zatrzymuje się na chwilę, jakby zauważył coś, czego

nie powinien. Wypuszcza powietrze. Nagle przestaje się śmiać, nagle wszystko przestaje być śmieszne.

– Nie rozumiem. Ja nie wiem, gdzie on polazł. Kazałeś mu wyjść – mówi.

– Stoi pod drzwiami – odpowiadam.

Znowu się zawiesza, jakby nad czymś myślał. Przestaje mi się to podobać. Przestaje podobać mi się jego ziemniaczana gęba, ułożona w znak zapytania. To wszystko – jego biuro, jego historie, jego dom weselny, jego kolekcja szklanych rzeźb – przestało mi się podobać jakieś piętnaście minut temu.

– O czym ty mówisz? – pyta.

Otwieram drzwi jedną ręką, drugą wyciągam broń. Drzwi walą o ścianę, mocno. Kuchnia zamiera. Żylasty jest pod drzwiami. Coś podrzuca w ręku. Nóż. Motylek.

– Właź do środka – mówię.

Podskakuje, jakby kopnął go prąd. Nie robi kroku. Patrzy. Porusza nozdrzami szybko jak zwierzę, próbuje rozpoznać mnie przez zapach, wyczuć, czy się boję.

– Właź do środka, bo cię zajebię – mówię.

– Zaraz, zaraz, no kurwa, nie róbmy sobie jaj – mówi Gruby zza moich pleców.

Żylasty wchodzi do środka. Zamykam drzwi.

– Podejdź do niego – wskazuję bronią na Grubego. Gruby stoi z szeroko rozłożonymi dłońmi obok swojego szklanego łabędzia, czerwony od ciężkiego sapania, wielkie, zdekonspirowane dziecko, analfabeta bez żadnego poczucia humoru.

Żylasty nie rusza się z miejsca. Otwiera szerzej oczy, nie mruga, wydaje z siebie cichy, chrapliwy dźwięk. Żylasty jest zupełnie szalony. W jego oczach jest śmierć, brudna i cicha, w jego oczach, tępych jak łyżki, widać ciała wyławiane z rzek, znajdowane w piwnicach, zakrzepłą krew na klatce schodowej. Śmierć zadawaną butelką, drutem. Nożem. Nóż.

Podchodzę do niego, przystawiam mu broń do głowy.

– Daj – mówię mu.

Nie reaguje.

– Nie wygłupiajmy się, kurwa – mówi Gruby.

– Daj – powtarzam.

Znowu nie reaguje. Wyszarpuję mu nóż z dłoni, składam, chowam do kieszeni płaszcza. Wydaje cichy syk, wypuszcza z siebie nadmiar powietrza. Popycham go do tyłu. Robi chwiejny krok, staje o ten jeden krok dalej.

– Podejdź do niego – mówię mu.

– Nie wydurniajmy się – powtarza Gruby, jego głowa przypomina bezkształtny, przejrzały owoc.

Nie wiem do końca, jaki był ich genialny, wymyślony wczoraj przy dziesięciu puszkowych browarach i weselnej wódce pomysł, ale nikt nie będzie już próbował mnie przekręcić, a na pewno nie ta dwójka mongoloidów, która mogłaby z powodzeniem występować w programie typu *Rolnik szuka żony*. Na pewno wiązało się to z włożeniem we mnie noża, włożeniem go w kilka miejsc w moim ciele, z zabraniem mi stu tysięcy złotych, z użyciem mnie jako pokarmu dla karpi.

Nikt już nigdy nie będzie próbował mnie przekręcić. Otwieram usta. Bezgłośnie. Nikt nigdy. Zamykam usta. Na pewno nie oni. Nie tych dwóch. Nie dziś.

Przez moment mam ochotę wysłać na nich wiadomość o treści *pomagam*; są osobami specjalnej troski.

– Właśnie, nie wydurniajmy się – mówię.

Żylasty w końcu podchodzi pod okno. Człapie, otrząsa się jak pies, który właśnie wyszedł z wody. Staje obok swojego kumpla.

– Święta. Wesołych Świąt! – krzyczy znowu żylasty. – Zdrowia, szczęścia, pomyślności!

– Zamknij się – mówi do niego Gruby.

– Zdrowia, szczęścia, pomyślności – powtarza żylasty.

– Po co czekał pod drzwiami? Po co ma nóż? Po co w ogóle tu wszedł? – pytam Grubego.

Zadaję te pytania dla porządku obrad. Wiem, że nie odpowie mi na żadne z nich. Wiem, że do niczego się nie przyzna.

– Zadzwońmy do Piotrka i uzgodnijmy to – mówi.

– Nie będziesz nic z nikim uzgadniał. Dawaj pieniądze – odpowiadam.

– Co? – pyta.

– Otwieraj to szklane chujostwo, wyjmuj z niego moje pieniądze i mi je daj – odpowiadam.

– Nie odpierdalaj. Nie odpierdalaj, bo będzie nieprzyjemnie. Nikt nie chce, żeby było nieprzyjemnie – mówi.

– Nie bój się. Zawiozę ten hajs do Piotrka. Powiem mu o twoim szwagrze Romku, że to swój chłop. Bardzo miło było mi go poznać. Nie bój się – odpowiadam.

Mówię do niego cicho i spokojnie. Powoli, tak żeby zrozumiał.

Stoi wciąż bez ruchu, a ja nie mam czasu, nie mam cierpliwości na stojącego bez ruchu Grubego, zaczerwienionego kretyna w polarowej bluzie, który potrzebuje godziny, aby pomnożyć dwa przez dwa, uruchomić najprostsze ze skojarzeń. Nie mam czasu. Podchodzę do Romka, uderzam go kolbą pistoletu w pysk, pysk Romka odskakuje, zamyka na chwilę oczy, łapie się za twarz, z jego nosa i z ust wycieka krew, sporo krwi. Romek wykonuje niezgrabne ruchy dłońmi, jakby próbował włożyć ją sobie z powrotem.

– Kurwa! – krzyczy Gruby.

To jedyne, co może zrobić. Krzyczeć.

– Daj mi moje pieniądze – powtarzam.

– To nieporozumienie. Odpierdoliło ci. Wrócisz na chatę, prześpisz się i zrozumiesz, że ci odpierdoliło – odpowiada.

Kolor. Kolory. Przez chwilę. Żółty, brązowy, kolory wydzielin na jego twarzy. Jakby ktoś nałożył na nią filtr. Gdy mrugam, znikają.

Żylasty kuca, trzymam go na celowniku. Klepię dłonią w torbę. Gruby w końcu rusza swoim utuczonym na ziemniakach, durnym cielskiem. Zdejmuje znowu łabędziowi głowę, odkłada ją z powrotem. Żylasty wciąż trzyma się za twarz. Przez chwilę wiem, że mam ochotę w nią strzelić. Przez chwilę przychodzi mi na myśl, że nie byłoby to nic niestosownego.

Rzuca pliki banknotów w moją stronę, lądują na podłodze, głucho, bez dźwięku. Wkładam je do torby, powoli, jeden po drugim, patrząc na nich.

– Będziesz miał ciężko – mówi Gruby.

Mówi to bez żadnego przekonania.

– Nie, nie będę. Na pewno nie z twojego powodu – odpowiadam z pełnym przekonaniem.

Chowam wszystkie pieniądze do środka. Staję przed nim. Wciąż trzymam wymierzony w niego pistolet.

– Chciałeś włożyć mi kosę, zabrać mi towar, wywieźć mnie do lasu, powiedzieć Piotrkowi, że nie masz pojęcia, co się stało, że nigdy tu nie przyjechałem. Pewnie miałeś już kupca na moje auto, ty kurwo.

– Jesteś pojebany. Pojebało cię – mówi.

– Wiesz, że ja wiem, że ty wiesz, i tak w kółko – odpowiadam.

– Jeszcze zobaczysz. „Przepraszam" tego nie załatwi – mówi.

Żylasty wydaje jeszcze jeden dźwięk, chrapliwy i przeciągły. Cofam się do drzwi. Otwieram je. Wciąż mam go na celowniku.

– To Romek się troszczył. Romek cię nie znał. Chciał wiedzieć, co się stanie. Dlatego stał na korytarzu – mówi to ciszej niż wszystkie poprzednie zdania.

Wiem, że właśnie to zdanie dopiero teraz pojawiło się w jego ziemniaczanym mózgu.

– Będziesz miał niedługo wizytę. Wesołych Świąt – mówię mu.

Zostawiam ich tam w towarzystwie gołych bab i pustego łabędzia, na szarej wykładzinie, w towarzystwie swojego świetnego pomysłu. Zamykam za nimi drzwi. Idę korytarzem, szybko, a moje buty w kontakcie z linoleum wydają głośny, lekko wilgotny stukot, jakby linoleum było nasmarowane śluzem, olejem.

Usłyszałbym go od razu. Debile.

Zaczyna być mi niedobrze, gdy zapach smażeniny, ziemniaków, rosołu wpada mi do nosa, wypełnia mi zatoki i żołądek, przez chwilę jest mi tak niedobrze, że muszę się zatrzymać na końcu korytarza i znowu zwymiotować; po raz drugi w tym tygodniu z mojego gardła wylatuje karp w ekologicznym oleju lnianym, wegańsko-jogińska kapusta, te dwie kobiety z Białorusi patrzą na to bez słowa, patrzą, jak zwracam wszystko, co zdążyłem zjeść w domu tego psa, wszystko, co jego naciągnięta żona gotowała przez ostatnie trzy dni, ugniatając, smażąc, piekąc, podtrzymując pozór posiadania rodziny.

Kończę. Ocieram usta. Kolory: żółty, brązowy. Kolory: ciemnogranatowy, prawie czarny. Dotykam torby. Jest ciepła. Pieniądze emitują ciepło.

– Przepraszam – mówię do nich, wyciągam z torby dwieście złotych, daję każdej z nich po stówie.

Dopiero wtedy jedna z nich patrzy mi w oczy. Są zaczerwienione, puste.

– Przepraszam – mówię jeszcze raz.

Idę do wyjścia, szybko.

23:40

Nie ma nic naturalniejszego niż przemoc.

Przemoc jest wszystkim, jest silnikiem świata. To całkiem zabawne, że ludzie udają, że nie rozumieją, skąd ona pochodzi. Że są nią oburzeni. Że zarzekają się, że sami jej nie używają; że nigdy nikogo by nie zranili, nie uderzyli, nie unieszkodliwili, bo przecież sami są sterylnie czyści jak jeziora utlenionej wody. Są uczynni, ofiarni, pomocni, dobroduszni, wysłuchują swoich przyjaciół, pomagają swoim rodzicom, wrzucają co roku pięćdziesiąt złotych do puszki Wielkiej Orkiestry Świątecznej Pomocy, oddają jeden procent podatku na remonty w hospicjach i rehabilitacje dla kalek.

To komiczne, jak ludzie są święcie przekonani o własnej dobroci. To właśnie jest najkomiczniejsze ze wszystkiego.

Wszystko jest przemocą. Każdy jest w stanie permanentnej, wiecznej wojny ze wszystkimi innymi ludźmi. Naszymi sojusznikami są tylko ci, których mamy pod swoją opieką. Wszystko, co robimy, jest zagarnianiem i przywłaszczaniem albo rozpaczliwą obroną tego, co już zostało zagarnięte i przywłaszczone.

Warszawa jest klatką pełną hodowlanych, przeznaczonych na eksperymenty zwierząt, w której widać to jak na dłoni. Warszawa to diagram przemocy. Każdy egzystuje tutaj po to, aby zdobyć i utrzymać swoje. Stanowisko, pieniądze, mieszkania, kredyty, wygraną, po którą wyciąga się z całych sił, po którą idzie z nożem przez ciemny las, za którą odda wszystko i wszystkich, a gdy już ją ma, gdy ona tkwi w jego śliskiej, zaciśniętej dłoni, ten mały guzik, gówno wart, wtedy opędza się od całej reszty, wymachując tym samym nożem, szczekając i warcząc, drapiąc i gryząc.

Każdy jest oprawcą. Każdego dnia. Różnica tkwi tylko w klasie, poczuciu smaku, mniejszym lub większym. Jak w jedzeniu, jak w wysławianiu się. Każdy je, ale niektórzy umieją to robić bez mlaskania, nożem i widelcem, po wszystkim wytrzeć sobie serwetką usta.

Tak samo każdy jest zabójcą.

Każdy ma swój własny, przypisany mu dzień zabójcy. Jak Michael Douglas w tym filmie o facecie, który nie może już dłużej stać w korku.

Dzisiaj wypadło na mnie, dzisiaj ja jestem zabójcą.

Jest minus dwadzieścia stopni. Niebawem zacznie się pasterka. Otworzą się drzwi kościołów. Może ktoś pomodli się o deszcz, o koniec. Może ja również powinienem się znowu pomodlić.

Jestem pod domem Malucha. Będę na niego czekał. Będę czekał, dopóki nie przyjdzie.

Jestem trzeźwy, spokojny, zimny, oddycham powoli, staram się zepchnąć całe moje rozregulowanie do jednej części ciała, do lewej stopy, która porusza się szybko, bardzo szybko, jak stopa metalowego perkusisty. Staram się wypchnąć wszystko, co mnie dekoncentruje, właśnie tam. Jeszcze trochę towaru. Jeszcze trochę. Tylko odrobinę. Woda. Piję wodę. Mój żołądek jest uszkodzony, nie może trawić. Muszę skupiać się, aby została w nim woda, aby nie wyczołgiwała się na zewnątrz przez przełyk. Wszystko naprawi sen. Wierzę w to. Myślę o tym.

Zostawiłem towar i pieniądze w swoim mieszkaniu. Wziąłem prysznic. Szybki. Zimny. Wziąłem leki na żołądek. Jutro zawiozę pieniądze Piotrkowi, a towar schowam gdzie indziej, jeszcze nie wiem gdzie, mógłbym u Paziny, ale Paziny już nie ma. Pazina jest nieczynna. Wykreśliła się z planszy. Albo została wykreślona. To nie ma znaczenia. Paziny nie ma. „Garaż – myślę. – Garaż, jest jeszcze garaż, który wynająłem niedaleko swojego mieszkania. Ale jeśli ktoś dowiedział się o mieszkaniu, dowiedział się też o garażu. Może Piotrek mi coś powie.

Tak, Piotrek. Piotrek wskaże mi odpowiednie miejsce. Jutro zawiozę towar Piotrkowi, powiem mu o wszystkim, dam mu Malucha. W prezencie".

Piotrek wskaże mi odpowiednie miejsce, zawiozę towar do odpowiedniego miejsca, a potem pojadę na samolot.

Kamienica, Tamka 20. Dopiero teraz pomyślałem o tym, że przecież znowu może nie być ich w domu, tak jak nie było ich wczoraj, że Maluch mógł uciec z miasta, wyjechać z nią gdziekolwiek, może do jej rodziny na święta, bo przecież ona na pewno nie jest z Warszawy, przyjechała tutaj z Łodzi, Wrocławia albo Krakowa po to, aby poznać jakiegoś dobrze osadzonego w mieście chłopaka, poparadować po Warszawie, z nim pod rękę, z wymalowaną na twarzy, charakterystyczną dla młodych, samozwańczych księżniczek tępą irytacją. Może nawet teraz, jeszcze przez chwilę, wydaje jej się, że nią jest. Może jest głupia i może wydaje jej się, że on wyjdzie z tego cało, zgarnie swoją kasę, znowu zacznie być księciem, otworzy nowy klub, do którego będą przychodzić wszyscy w jakikolwiek sposób istotni i zauważalni w jej mniemaniu ludzie, z którymi ona, dziedziczka, będzie się witać z nonszalancją kogoś, komu wydaje się, że zdobył wszystko, co jest do zdobycia. A może jest mniej głupia i może już szuka sobie nowego chłopaka.

Nie, Maluch na pewno nie uciekł z miasta. Jest w zbyt dużym amoku, poza tym wciąż wierzy w to, że jest silny. Wciąż sobie to wmawia.

W ich oknie zapala się światło. Kiwam głową, wpisuję kod. Wchodzę do środka. Na klatce potrzebuję jeszcze chwili, aby nabrać powietrza, aby uspokoić błędnik, kręci mi się w głowie. Naciskam guzik windy. Po paru minutach wciąż nie zjeżdża. Wchodzę na czwarte piętro, powoli, aby nie stracić oddechu.

Jest bardzo cicho. Powietrze jest zimne, a miasto martwe i spokojne; to spokój zamrożonego w lodzie, ogromnego drapieżnika. Jest we śnie zimowym. Dopiero teraz widać jego grozę, gdy znajduje się w chwilowej hibernacji, w połowie wyludnione, gdy przypomina ogromne, bezludne zdjęcie, z którego wymazano wszystko, co mogłoby być nawet najbardziej rozmazanym, niewyraźnym śladem życia. Mróz jest przejmujący, w samej istocie powietrza tkwi coś namacalnego, szklanego. Wciągać je do nosa to podobnie bolesne uczucie jak wąchać rozdrobnione szkło.

Miasto jest wyludnione, bo wyjechali z niego ci ludzie, którzy wierzą, że jeszcze mogą się z niego wydostawać, gdy chcą; którzy wierzą, że mają jeszcze nad sobą, nad nim jakąkolwiek kontrolę. Część pojechała odwiedzić swój rodzinny gnój, przejść się po mniejszych lub większych miastach widmach, spotkać swoich przyjaciół z liceum i studiów, dezerterów z Holandii i Wielkiej Brytanii, którzy rozmawiając z nimi i pijąc z nimi wódkę, będą patrzeć na nich z lekką zawiścią, zastanawiając się, dlaczego akurat oni nie musieli stąd wyjeżdżać, aby coś mieć, aby utrzymywać się na powierzchni; będą patrzeć, ale tylko na ich sylwetki, może w oczy, nie będą patrzeć im na ręce, nie będą widzieć rozdrapanych do krwi paznokci. Właśnie ta część pojechała uspokoić rodziców, powiedzieć im, że wszystko jest w porządku, że niedługo awans, że dziecko jeszcze nie w tym roku, że rata kredytu została dodatkowo oprocentowana, ale przecież damy sobie radę.

Pozostali – pochodzący stąd, lepiej usytuowani, urodzeni w warszawskich szpitalach – dokonali chwilowej dezercji typu *last minute*, wskoczyli w samolot, który wywiózł ich na plaże w Tajlandii, na Kostaryce, na Fuerteventurze, gdziekolwiek, gdzie jest ciepło, gdzie na moment nie ma śniegu i Polski. Siedzą tam teraz, otoczeni wrzeszczącymi dziećmi, pijący rozrzedzone koktajle, czekający na pierwsze lekcje kitesurfingu, dyskretnie spoglądający na ekrany telefonów, które przecież nigdy nie śpią, z których przecież zawsze może nadejść informacja o nagłych wypadkach, o cięciach, o telekonferencjach. Oddychają ciepłym powietrzem, balsamują się nim, próbują się zrelaksować, uspokoić, próbują sobie wmówić, że przecież uciekli, że nie są przyspawani na stałe do tego czarnego serca, które bije pod tymi domami, pod chodnikami, powtarzają sobie w duchu, że przecież mogą zmienić swoje życie: teraz, jutro, w każdej chwili.

Nie mam im tego za złe. Wyjeżdżam przecież dokładnie po to: wmawiać sobie dokładnie te same rzeczy.

Czwarte piętro. Pukam. Otwiera drzwi, aby zobaczyć kto to. To ona. Marta, ta, której kazałem wyjść. Blada blondynka.

– Nie ma go – mówi, ale gdy wymawia głoskę „o", ja jestem już w środku, napieram z całej siły na drzwi i popycham ją wraz z nimi do środka mieszkania. Wchodzę, zamykam je za sobą na kłódkę.

Już to dzisiaj robiłem. Już robiłem coś podobnego.

– Wiemy, że go szukacie. Jego tu nie ma – mówi.

Nie jest ani zblazowana, ani znudzona, ani pewna siebie. Jest inna. Jest przerażona.

– Gdzie jest? – pytam.

– Nie mam pojęcia – odpowiada.

– Gdzie jest? – pytam jeszcze raz.

Rozglądam się po mieszkaniu – krótki korytarz przechodzi od razu w jedno wielkie, na oko pięćdziesięciometrowe pomieszczenie, w kącie pokoju leży materac, na nim sterty ciuchów, na podłodze stoi stary telewizor, praktycznie wszystko jest na podłodze, w kącie gitara i wzmacniacz, na ścianie plakat tego gitarzysty z The Clash.

– Zerwał ze mną wczoraj – mówi cicho, płasko, głosem słyszalnie sprasowanym przez leki uspokajające.

– Zerwał z tobą wczoraj – powtarzam po niej.

Oprócz tego wielkiego pomieszczenia w mieszkaniu

są tylko kuchnia i łazienka. Zaglądam i tu, i tu. Ma rację. Nie ma go tu. Spokojnie. Mam czas. Poczekam. W kuchni jest zlew pełen cuchnącej, zastałej wody, brudnych naczyń. Podchodzę do niego. Opieram się o szafkę.

– Tak, powiedział, że nie chce mnie narażać – mówi. – I że nie powinniśmy się już więcej spotykać. Że może grozić mi niebezpieczeństwo i takie tam.

– Więc czemu nie wyjechałaś do rodziców? – pytam.

– Moja mama nie żyje – odpowiada.

Patrzę na nią. Jej twarz jest tak pozbawiona wyrazu i koloru, tak porcelanowa, że nie mogę po niej odgadnąć, czy mówi prawdę, czy nie. Pokazuje anemicznym ruchem dłoni na gitarę, wzmacniacz i ciuchy.

– Mówię ci, że nie wiem, gdzie jest. Możesz mnie pytać całą noc. Ja nie wiem. Powiedział, że przyjedzie po to za dwa tygodnie – mówi.

– Masz czystą szklankę? – pytam.

Powolnymi krokami wchodzi do kuchni, otwiera szafkę, wyjmuje szklankę. Nalewam sobie wody z kranu; wypijam mały łyk. Momentalnie w moich ustach woda zamienia się w coś wstrętnego, lepkiego. Cały przełyk mam oblepiony żółcią, nadtrawionym cukrem.

– Nie ma go – powtarza to jeszcze raz jak zaklęcie.

– Spokojnie – odpowiadam. – Mnie się nigdzie nie śpieszy.

– On tu dziś nie przyjdzie. Na pewno – mówi.

– Będę czekał, aż przyjdzie – odpowiadam. – Mam czas. Mogę czekać nawet dwa tygodnie.

Dopiero teraz coś dzieje się na jej twarzy, jakaś reakcja, wyświetla się na niej lęk, kłamstwo. Opiera się o ścianę, obejmuje się ramionami.

– Co chcecie mu zrobić? – pyta.

Szklą jej się oczy. Kocha go. Próbuje to ukryć z jakiegoś swojego własnego powodu. Jest bardzo młoda, jest bardzo głupia, jest bardzo złą aktorką.

– Czemu mówisz w liczbie mnogiej? Jestem tu sam – odpowiadam.

– Co chcesz mu zrobić? – pyta.

– Porozmawiać z nim – odpowiadam.

– Z nim się nie da rozmawiać – mówi.

Kocha ją, ale jest między nimi jakaś sprawa, domyślam się jaka, bo jaką sprawę może mieć tak młoda dziewczyna z takim kutafonem? Taką samą jak wszystkie poprzednie. Na pewno też ją zdradzał. Może ją nawet uderzył. A w międzyczasie coś jej powiedział, coś jej obiecał. Wyczarował jej przed oczami jakiś koślawy rysunek, atrapę, karcianą sztuczkę.

– Byliście wczoraj u Anastazji. Wiem o tym. Oni byli potem na policji – mówi. – Wszyscy wiedzą, że go szukacie. On ma dużo znajomych. Ma się gdzie schować. Nie znajdziecie go.

Odstawiam szklankę. Odbija mi się wodą. Przystawiam dłoń do ust. Połykam powietrze z powrotem. Ból, jakby ktoś nagle długą i grubą igłą zrobił mi punkcję żołądka.

Spokojnie. Spokojnie, to minie. Zresztą właśnie mija. Mija odrobinę, mija powoli.

– Bardzo dobrze – informuję ją. – Zaraz powiesz mi o tych wszystkich znajomych. I o tych wszystkich miejscach, w których mógł się schować. A ja pojadę w te wszystkie miejsca. Dziś wieczorem.

Jej oczy rozszerzają się. Drży jej górna warga. Porcelana na jej twarzy zaczyna pękać; zaraz pęknie, zaraz zacznie płakać. Jest tylko młodą i głupią dziewczyną.

– Wiesz, że mogę zrobić ci coś złego, więc po prostu mi o tym powiesz – mówię.

Wykonuje dziwny ruch głową, jakby jednocześnie kręciła nią i kiwała.

– W sumie mam lepszy pomysł – mówię. – Pojedziesz do tych miejsc ze mną. Będziesz mi je pokazywać. Będziesz wchodzić tam pierwsza. Gdy go znajdziemy, zaprowadzisz go do mnie do samochodu.

– Nie – mówi cicho.

– Tak – odpowiadam.

Biorę szklankę. Wypijam jeszcze jeden łyk wody. Rzucam szklanką o ścianę, zaraz obok jej głowy, a ona krzyczy, kuca, łapie się za głowę. Podchodzę do niej.

– Wstawaj. Nie chcę robić ci tego, co mogę zrobić – mówię.

– Nie, nie – powtarza szybko jeszcze raz.

– Pewne rzeczy są nieodwracalne – mówię. – Pomyśl o tym w ten sposób. Pomyśl o tym, jakbyś przyszła na maturę z rodzicami. Po prostu musisz wejść i ją zdać. Nie możesz tak po prostu sobie pójść. Matura była niedawno. Przypomnij sobie.

Wyciągam do niej rękę. Nie chwyta jej. Wstaje sama.

– Nie chcesz, żebym siłą zabrał cię do samochodu. Nie chcesz, abym cię pobił. Abym pociął ci twarz – mówię. – Nie chcesz tych rzeczy.

Zbiera się w sobie, jakby coś chciała powiedzieć, coś napiera od środka na jej zaciśnięte usta, i w końcu, wciskając się w ścianę, patrzy na mnie z całą nienawiścią, na jaką ją stać, nienawiścią małego dziecka, i mówi:

– Pójdziecie wszyscy do pierdla.

Chyba nawet się uśmiechnąłem. Dotykam swojej twarzy, aby to sprawdzić.

– Nie sądzę – odpowiadam.

Zaczyna drżeć. Przybliżam się do niej o krok.

– Pierwszy adres – mówię.

– On równie dobrze może nie być w Warszawie. Może być w Lizbonie – mówi.

– To polecimy do Lizbony. Żaden problem. Pierwszy adres? – powtarzam.

Krztusi się. Patrzy na mnie.

– Jest taki squat na Puławskiej – cedzi.

– Świetnie. Jedziemy – odpowiadam.

Idzie powoli w stronę korytarza, powoli zakłada kurtkę, buty. Przeciąga i spowalnia tę chwilę, jakby nie była wystarczająco przeciągnięta; ma odruchy małego dziecka, które nie chce pójść do szkoły.

Otwiera drzwi. Idę za nią. Trzymam rękę na broni. Wychodzę za nią na klatkę, która jest wciąż pusta i cicha, wciąż wyludniona. Tylko ciche bzyczenie czegoś za ścianą, niedaleko, maszyny, transformatora. Na drzwiach do mieszkania naprzeciwko ktoś nakleił świąteczną dekorację, grubego, wyciętego z pocztówki świętego mikołaja. Przykleił go akurat na judaszu. Przez krótką chwilę ten mikołaj jest plamą, w której skupia się wszystko, cała przestrzeń.

– Ktoś zepsuł windę. Przyjadą dopiero jutro – mówi.

Schodzi po schodach, powoli. Krok za krokiem. Idę za nią.

– Zauważyłem, wchodząc – odpowiadam.

Człapie jak skazaniec, drażni mnie. Zabiera mój czas. Przez chwilę mam ochotę ją szarpnąć, popchnąć; oczywiście zaraz odganiam tę myśl: może nie szarpnąć i popchnąć, lecz podnieść ją, wziąć pod pachę, zawlec do samochodu. Potrząsnąć. Tak naprawdę nie może jej się przytrafić nic lepszego niż to, że ten koleś zniknie z jej życia. Robię jej przysługę, jakbym jeszcze miał na to czas: na robienie przysług młodym i głupim dziewczynom, dla których najważniejsze są rowery z cienkimi ramami, kawa w papierowych kubkach oraz to, kto zauważył je w piątek o dwudziestej trzeciej na placu Zbawiciela w nowej kurtce uszytej z kolorowej ceraty przez najlepszą koleżankę.

– On może tam być, bo tam mieszka jego kumpel z zespołu, ale naprawdę nie mam pojęcia – mówi.

Dopiero wtedy orientuję się, że mówi to zdanie nienaturalnie głośno, głośniej niż na swoim normalnym poziomie, jakby kogoś wołała. Że poprzednie zdanie, to o windzie, również wymówiła głośniej niż słowa wypowiedziane przez nią w mieszkaniu.

Powinienem to zauważyć wcześniej, ale teraz jest już za późno. Drzwi do mieszkania naprzeciwko, drzwi z przyklejonym mikołajem. Zeszliśmy już na półpiętro. Ona zatrzymuje się z wyraźną ulgą. Ale najpierw słyszę odgłos otwieranych drzwi, a dopiero potem widzę tę ulgę. Jeszcze parę sekund później słyszę kliknięcie, trzask odbezpieczanego pistoletu.

Pistolet. Teraz sobie przypominam. Pies, który wszedł do jego biura, pies, którego głową ten trzeci, chyba Bujas, tak, Bujas, Bujas uderzył głową tego typa o ścianę, trzy razy, łup, łup, łup. To ten. Szeroki facet w polarze. Z tępym ryjem. W butach do wspinaczki, brudnych. Mówili coś o broni. On i Maluch. Gdy byłem tam w piątek.

Rozmawiałem z nim o broni. Pytałem, po co mu broń.

– Najpierw połóż na ziemi broń, bo na pewno jakąś masz – słyszę głos Malucha.

Nie odwracam się. Nie ruszam się. Trzymam ręce wzdłuż ciała. Czekam. Ona patrzy na niego, przeze mnie, patrzy na niego stojącego za mną. Kiwa głową.

– Idź do domu, Marta. Idź do mieszkania – mówi.

Słyszę jego głos. Rozedrgany i podniecony. Jest w złym stanie, znacznie gorszym ode mnie, jest jak po wielu dniach tortur, rażenia prądem. Rozpada się, rozpuszcza w powietrzu. Jest szalony. Jest już martwy. Jakaś część jego mózgu, ta jeszcze czynna, wie o tej śmierci.

– Idź do domu – powtarza.

Dziewczyna przemyka obok mnie, starając się na mnie nie patrzeć, nie dotknąć mnie żadną częścią swojego ciała.

– Broń. Broń, kurwa, na ziemię, teraz, kurwa, raz! – krzyczy.

Przysuwa się do mnie na trzy kroki. Stuk, stuk, stuk.

Łup, łup, łup. Na bezpieczną odległość. Gdyby przybliżył się bardziej, mógłbym uderzyć go łokciem w brzuch. Zakładając, że nie ma palca na spuście. Ale nie ma palca na spuście, wiem to, jest na to zbyt wielkim tchórzem. Boi się broni. Nie zna się na niej. Nawet nie wie, jak dobrze ją trzymać. Nigdy przedtem jej nie używał.

Słyszę, jak ona zamyka drzwi. Najpierw jedne. Potem drugie.

– Mam cię zajebać? – pyta.

– Czy myślałeś o dwóch ostatnich tygodniach swojego życia? – pytam.

Zamykam oczy. Widzę, jak coś miga, pod powiekami, rozżarzone, rysunek ze światła, mapa, rysunek z czterdziestego piętra, został tam, w moich oczach, teraz migocze, teraz lśni. Jak alarm.

– Zajebię cię, przysięgam – przysięga, nie wiem, na co i komu.

Wyjmuję broń. Powoli kładę ją obok siebie na schodach.

– Odwróć się i rzuć mi ją. Teraz. Odwracaj się – mówi.

– Czy myślałeś, że przez ostatnie dwa tygodnie robiłeś same najgłupsze rzeczy w swoim życiu? – pytam go.

Nie odpowiada. Odwracam się.

– Rzuć mi ją – mówi.

Widzę go. Jest blady, prawie przezroczysty, przypomina osobę w stanie terminalnym, przeżartą przez raka, umierającą z głodu. Brudne włosy w strąkach oblepiają mu głowę. Jest niedomyty. Śmierdzi, teraz to czuję, cuchnie jak bezdomny. Drży. Aby drżeć jak najmniej, zużywa całą swoją energię.

– To wszystko może się skończyć tylko w jeden sposób – mówię mu.

Rzucam broń obok niego. Próbuje, bardzo próbuje ją podnieść, wciąż patrząc na mnie i wciąż trzymając mnie na celowniku.

Wygląda jak żywe dzieło sztuki, poświęcone ludzkiej głupocie i desperacji. Jak ktoś, kto sam siebie skazał na śmierć.

– Idź. Idź przed siebie. Raz – mówi.

Idę. Idzie za mną. Ja narzucam tempo. Idziemy szybko. Myślę. Mogę znienacka odwrócić się na którymś półpiętrze, chwycić go za rękę, wykręcić, zabrać mu pistolet. Mogę poczekać, aż zejdziemy na sam dół, rozkojarzyć go czymś, jakimś gestem, trzasnąć go drzwiami, które będę otwierał pierwszy. Mogę wsiąść z nim do mojego samochodu, usiąść za kierownicą, wyjechać gdzieś, odrobinę za miasto, i rozbić samochód, po prostu wbić się nim w drzewo; w najgorszym wypadku coś sobie złamię, ale to ja mam poduszkę powietrzną, a nie on. On może zginąć na miejscu.

Mogę to wszystko zrobić. Zatrzymuję się na chwilę.

– Do przodu – mówi. – Dalej. Ruszaj, kurwa.

Odwracam się. Jednak trzyma palec na spuście.

– Nie odwracaj się. Idź do przodu. Szybko. Szybciej, do chuja – mówi.

Idę dalej. Mógłbym to wszystko zrobić, nie mam refleksu, kręci mi się w głowie. Jest mi znowu niedobrze. Cały czas jest mi niedobrze, ale czuję to raz mocniej, raz słabiej. Co jakiś czas kładę dłoń na ścianie. Dla podtrzymania równowagi. Nie będę od niego szybszy. Nie złapię go, nie rozkojarzę go niczym. Powoli uświadamiam sobie to, co jest najgorsze w całej tej sytuacji.

To, że wcale nie jestem w szczególnie lepszej formie od niego.

Wychodzimy z klatki na ulicę. Powietrze jest jeszcze zimniejsze, niż zanim tu wszedłem. Czuję mróz, czuję, jak ktoś przykłada mi do głowy zimną dłoń. On nie czuje już temperatury. Wiem o tym. Jest w samej koszuli, ale nie odczuwa zimna, nie odróżniłby teraz nawet zimna od ciepła.

To jego koniec, a on zabiera mnie ze sobą. Ostatecznie końce wymagają towarzystwa. Tu już nie chodzi o pieniądze. Pieniądze są już poza jego myśleniem. Korzyści są zbyt abstrakcyjną kategorią. On chce żyć, ale wie, że to niemożliwe. Dlatego się najeża, mały ssak, przyparty do ściany przez większego ssaka.

– Gdzie zaparkowałeś? – pyta.

Pokazuję mu ręką. On macha bronią. Drży mu szczęka, zęby klekoczą mu o siebie jak monety w dłoni deliryka, który resztką odruchów chce kupić w nocnym jeszcze jedną setkę.

Idziemy w stronę mojego samochodu.

– Kluczyki – mówi.

Odwracam się do niego. Patrzę mu w oczy. Jakby od środka był oblany benzyną i podpalony. Jakby zaraz miał się rozpaść.

– Tu nie chodzi tylko o ciebie, tłumaczyłem ci to już. Tu chodzi też o twoje dzieci. Ja nigdy nie skrzywdziłem dziecka. Nigdy bym tego nie zrobił. Ale znam chłopaków, którzy nie mają takich problemów. Zależy, co jest prymatem, cel czy środki – tłumaczę mu spokojnie.

– Kluczyki, kurwa, chuju, bo cię zapierdolę! – wydziera się.

Rzucam mu kluczyki. Podchodzimy do auta. Siada za kierownicą. Ja siadam od strony pasażera. Od czasu gdy kupiłem ten samochód, nie prowadził go nikt inny. Nikt nie dotknął jego kierownicy. Już za to powinienem go zabić.

Przekręca kluczyk w stacyjce, żeby to zrobić, rzuca mój pistolet sobie pod nogi. Drugi ma za pasem. Odpala silnik. Podnosi się, wyjmuje coś z kieszeni spodni. Wyjmuje kajdanki i rzuca mi na kolana.

– Skuj się – mówi.

– Dostałeś w promocji do pistoletu? – pytam bez cienia ironii.

Naprawdę zastanawiam się przez chwilę, czy ten w polarze dał mu gratis.

– Skuj się, kurwa, tymi jebanymi kajdankami – mówi powoli, słowa wypadają z niego w przerwach pomiędzy gwałtownymi wdechami i wydechami.

– Dostałeś w promocji do pistoletu czy do dymania tej małolatki? – pytam.

Bierze broń. Przystawia mi do głowy.

– Czy ty rozumiesz, co do ciebie mówię? Mówię ci, żebyś zamknął mordę, nie odzywał się do mnie więcej, nie mówił, kurwa, nic, ani słowa, nic, i skuł się kajdankami – mówi, a właściwie syczy, wypuszcza słowa z nadmiarem powietrza.

Biorę kajdanki. Skuwam się. Są chłodne. Uświadamiam sobie, że nigdy w życiu nie miałem na rękach kajdanek.

– To dobrze, że jest do tego przyzwyczajona. – Pokazuję mu skute ręce. – Dobrze. Mam nadzieję, że jest też przyzwyczajona do foliowego worka na łbie. I do paru innych rzeczy. Powiedzieć ci, do jakich, Maluch?

Nic nie odpowiada. Zapala papierosa.

– Tu się nie pali – mówię.

– Adres mieszkania – odpowiada.

– Tu się nie pali – powtarzam.

– Adres mieszkania – powtarza.

Zatrzymujemy się na światłach. Wyciąga swoją broń zza spodni, przystawia mi do głowy.

– Łowicka 14 – mówię mu.

Chowa broń z powrotem.

Miał zginąć w cywilizowany sposób. Ale za to, że zapalił w moim samochodzie, że swoimi brudnymi, zarażonymi łapami ćpuna dotyka mojej kierownicy, że jego gangrena wsiąka w moją tapicerkę, za to, że strząsa popiół pod siebie, za to wszystko stanie mu się coś cholernie złego. Zamykam oczy, zaczynam głęboko oddychać i wyobrażam sobie, widzę, z całą wyrazistością widzę, co mu się dzieje, i to pozwala mi spokojnie jechać na siedzeniu pasażera we własnym samochodzie w kajdankach.

Dopilnuję, aby cierpiał. Dopilnuję, aby ktoś urządził mu *120 dni Sodomy*, aby paru chłopaków potraktowało go jako surowiec dla sztuki współczesnej, aby ktoś uciął mu kutasa i jaja, a potem czymś tępym i rozżarzonym zrobił mu między nogami pizdę, wlewając mu jednocześnie kwas siarkowy do ust, oczu, w uszy. Jego ciało będzie zamienione w makabreskę. W dziwny śmietnik.

Dopilnuję, aby stało się to jeszcze dzisiaj.

Gdy jutro będę wsiadał do samolotu, on będzie już martwy.

Nie ma sensu uderzać w samego siebie. To strata energii. Tak, dałeś się zakręcić dwudziestolatce i koleżce z resztką mózgu zagotowaną od strachu i mefedronu, na co dzień równie groźnemu co upośledzone dziecko.

Mogłem go wywąchać na tej klatce. Mogłem skupić się i go poczuć. Nawet nie jego strach, po prostu jego smród.

Mogłem. Mogłem. Mogłem. Mogłem to, mogłem tamto. Wtedy, przez chwilę, jak iskra, dopada mnie myśl, że może tak naprawdę nic nie mogłem. Że mój rozdział już się kończy, mój epizod w tej brudnej książce z krwi i kostki Bauma. Że tak po prostu ma być. Nawet tak. Po prostu tak. Z ręki Malucha.

Każdemu na koniec jego własny dowcip.

Ale z drugiej strony droczę się z nim, wkurwiam go, bo wiem, że mnie nie zastrzeli, przynajmniej nie w tym momencie. W końcu w jakimś celu jedziemy do mojego mieszkania. W końcu on w swojej pomroczności jasnej, w swoim szaleństwie chce jeszcze coś dla siebie ugrać.

W mojej kieszeni dzwoni telefon. Pewnie ktoś chce coś kupić. To śmieszne, że właśnie teraz.

– I co, i teraz jest fajnie? Teraz czujecie się tacy ważni?

Teraz czujecie się jak królowie miasta, kurwa wasza mać? Kto was koronował, powiedz mi? Kto, do chuja, was koronował, kto dał wam berło? – pyta.

– Nie wiem, czemu mówisz w liczbie mnogiej – odpowiadam.

– Masz w ręku teraz chuja. Masz chuja, miękkiego, a nie żadne berło – mówi.

Jedzie szybko, ma w dupie sygnalizację. Wciska się na trzeciego. Patrzę na niego, ma ślinę w kąciku ust.

– Myślisz, że co? Że możecie przychodzić do mojego klubu, kurwa, straszyć moich pracowników, grozić mojej rodzinie, i co, po prostu sobie tak to wziąć? Myślisz, że tak można? Że trafiłeś na jakiegoś cwela, któremu można to robić? – pyta.

– Nie wiem, czemu mówisz w liczbie mnogiej – mówię mu jeszcze raz.

Czekam, co powie dalej. Mówienie go wyczerpuje, spala resztki tego, co jeszcze zostało w nim do spalenia, tego, co jeszcze w nim działa. Przychodzi mi do głowy, że może zaraz zemdleć. Dostać zapaści, zawału serca. Że może zaraz umrzeć.

– Tak myślałeś, a widzisz, jak teraz jest fajnie? Zaraz zobaczymy, co tam masz na chacie. Potraktujmy to jako rekompensatę, kurwa. Odszkodowanie. – Ma wytrzeszczone oczy, wpatruje się w jezdnię przed sobą, jakby chciał wessać ją w siebie, wchłonąć całą Warszawę.

Wygląda, jakby wciągnął w siebie całą Warszawę.

– Przecież dostałeś pieniądze z ubezpieczenia – mówię. – Przecież o to ci chodziło, gdy podpalałeś klub.

Nic nie mówi, ale jego twarz na chwilę się zmienia, wpada w grymas, jakby ktoś go ukłuł. Przełyka coś, co nagromadziło się w jego ustach, coś, czego pewnie nie można już nazwać śliną, co musi mieć bardzo gorzki smak, bo krzywi się, gdy przełyka.

– Aha, więc nie dostałeś żadnego ubezpieczenia – mówię.

Dalej nie odpowiada. Jesteśmy już na Narbutta. Jedzie chaotycznie, źle, ledwo kojarzy, co się dzieje na drodze, ale wie, gdzie jesteśmy.

– Zapomniałeś czegoś wypełnić. Jakichś formalności. Cały twój plan poszedł w pizdu – dodaję.

– Stul, kurwa, ryj! – Zdejmuje dłoń z dźwigni zmiany biegów. Bierze broń do ręki.

– Po prostu wszystko sobie spaliłeś. Wszystko, co zostało – mówię.

– Wysiadaj – odpowiada.

Nie wysiadam. Patrzę na niego. Dyszy jak skatowany pies. Próbuję popatrzeć w okna swojego mieszkania, wychodzące na ulicę. Jest w nich ciemno. Ale nie musi być w nich pusto. Wcale nie, problem z tą nocą, z tym momentem jest taki, że nic już nie musi się wydarzyć. Za to wszystko jeszcze może.

Właśnie dlatego w tej chwili jestem już zupełnie bezbronny, jestem małym i gołym dzieckiem, bo już nie zdołam na nic się przygotować, bo nie zdołam niczego przewidzieć. A do tego mój mózg – wiem to, czuję to, bo znowu wszystko na chwilę jest w jednym kolorze, w brązowym, a potem w niebieskim, wszystko widoczne jest jak przez tani filtr – mój mózg zaczyna tężeć, ścinać się, zapadać się, jestem ociężały, jestem zdekoncentrowany, wysuszony, chory, na dziwnym głodzie. Pewnie mam gorączkę.

– Wysiadaj – mówi Maluch.

Wysiadam.

– Idziemy do twojej chaty, szybko, raz! – szczeka.

– Chcesz się umyć? Dobrze, ale nie mam ubrań na zmianę – informuję go.

Chcę być gościnny.

– Ruszaj się, do kurwy nędzy! – znowu krzyczy, podnosi głos, popycha mnie lufą pistoletu, wciska mi ją między łopatki.

Więc idziemy, ja w kajdankach, on za mną. Idziemy powoli. Jak lunatycy. Jesteśmy lunatykami. Idziemy przez sen. Idziemy przez las. Teraz ja przeciągam, teraz ja spowalniam, jak tamta dziewczyna, dokładnie z tego samego powodu, aby wytrącić go z równowagi. Aby z wściekłości zrobił zły krok, zachwiał się, poślizgnął, czegoś nie zauważył. Podchodzimy do domofonu.

– Muszę zdjąć kajdanki, aby przesunąć kartę – mówię.

– Gdzie jest karta? – pyta.

– Schowaj tę broń. Już wiem, że ją masz. Tam jest portier. Zaraz zadzwoni po psy – tłumaczę mu powoli.

Nic nie mówi. Znowu drży. Wyciągam do niego ręce, zrozumiał, ale dopiero po chwili. Ale załapał. Wkłada kluczyk, rozpina kajdanki, momentalnie bierze mnie na celownik. Szukam karty w marynarce. Znajduję ją w momencie.

– Powiem ci coś jeszcze – mówię, otwierając kartą drzwi wejściowe do budynku. – Tu już nie chodzi o twoje czy moje straty. O pieniądze, które mogłeś jeszcze z tego wyjąć, a które dokładają ci się do długu. O to, ile ja mogłem zarobić na samym klubie, sprzedając tam towar.

Wchodzę do środka. Kiwam głową portierowi. On kiwa głową do mnie. Idziemy dalej. Przechodzimy na dziedziniec.

Dopiero teraz, chyba po raz pierwszy – może przez zimno, które trupimi palcami wciska mi się do nosa, uszu i ust, może przez Malucha, bo znowu wyciąga broń i znowu popycha mnie do przodu, może przez jakąś niewyraźną jeszcze świadomość, że wszystko może skończyć się już zaraz, teraz, i to w kretyński sposób, w konwencji rodem z Benny Hilla; może właśnie z tego wszystkiego – zaczynam myśleć, że lubię tu mieszkać.

Tak, lubię. To chyba to słowo. Nigdy nie wiedziałem

do końca, co znaczy lubić. Lubić to chyba znaczy być pozytywnie przyzwyczajonym.

– Są ludzie ważniejsi od ciebie i ważniejsi ode mnie. I oni stracili ważniejsze pieniądze. Chyba nie myślałeś, że przez następne dziesięć lat będzie tam dyskoteka dla ćpunów? Pokoje dla bezdomnych hipsterów? Grunt. Działka. Katastr. Znasz te pojęcia, Maluch? – zadaję mu pytania retoryczne, ale one już do niego nie docierają, na stałe zastygł w wielkim niezrozumieniu.

Macha pistoletem, pokazuje mi, abym wszedł na klatkę, a potem do swojej windy.

Przypomina mi się sytuacja, o której opowiadałem Pazinie – naćpany ogr, który trzymał mnie w swoim mieszkaniu czternaście godzin, próbując wydobyć ode mnie informacje na temat Piotrka. Przez czternaście godzin w kółko powtarzałem mu jedno zdanie. To zdanie brzmiało: „marnujemy czas, tracimy pieniądze".

To zdanie powiedziałem jeszcze paru innym kolesiom, którzy mierzyli do mnie z broni. Prędzej czy później, ale skutkowało. Jednak na Malucha nie podziałają już żadne zdania, żadne wyrazy. Wszystko, co do niego mówię, odbija się od niego jak piłka od ściany, wydaje nawet przy tym dźwięki, ciche klaśnięcia.

Winda się otwiera. Jesteśmy na właściwym piętrze, przy drzwiach mojego mieszkania. To ładne drzwi, z ciemnego, litego drewna. „Lubię je" – jeszcze raz pieszczotliwie powtarzam w myślach ten zwrot. Myślę o swojej kanapie od Philippe Starcka, myślę o robionych na zamówienie meblach, myślę o podgrzewanej podłodze w łazience. O tych odrobinach, które udało mi się wycisnąć ze świata. O moim małym, prywatnym złotym łańcuchu, którego prawie nikt nie widział. Nikt, poza paroma kobietami, zwłaszcza poza tą jedną, wciąż siedzącą w pokoju, który jest jak brudne akwarium, kurwą, której nigdy nie powinienem spotkać.

– Ładnie się tu urządziłeś – mówi, gdy wchodzimy do środka, i uderza mnie kolbą pistoletu w twarz.

Ból i kolory, pulsujące przez krótki moment, słono-rdzawy smak i drobiny ukruszonych zębów.

Maluch stoi nade mną w tej przepoconej, cuchnącej koszuli, z posklejaną brodą, jakby wsmarowywał w nią olej. Wygląda, jakby wszystko, co najobrzydliwsze w kulturze alternatywnej, skupiło się w jednej osobie. Wygląda jak ofiara zbiorowego gwałtu na darmowym festiwalu muzycznym.

– Ładnie się tu, kurwa, urządziłeś, za pieniądze zabierane ludziom. Bardzo ładnie. Piękne mieszkanie – mówi szybko, sapiąc.

– Nic nigdy ci nie zabrałem. Sprzedawałem ci towar. Ty przestałeś za niego płacić, Maluch – mówię gąbczasto, bełkotliwie, jakbym miał bułkę w ustach.

W ustach czuję ból. Może złamał mi żuchwę. Dotykam twarzy dłonią. Boli. Puchnie.

– Jesteś bandytą, jesteś złodziejem – powtarza to parę razy.

Zaczyna grzebać w moich szufladach, otwierać szafki w kuchni, zaczyna wyrzucać z nich zawartość, tłuc talerze. Szuka czegoś. To oczywiste czego.

– Gdzie to jest? – pyta.

Kopie mnie w brzuch. Znowu rzygam, rzygam niczym, rzygam tym, co zostało mi w żołądku, żrącymi kroplami czegoś.

– To ci nie pomoże – odpowiadam zgodnie z prawdą.

Podchodzi do szafy, wywala z niej rzeczy, garnitury, koszule, depcze po nich. Tańczy po moim mieszkaniu, chciałby je zniszczyć samym przebywaniem tutaj. Chciałby je zgnieść.

– Gdzie to, kurwa, jest, gdzie? – powtarza sam do siebie.

Znika w mojej łazience. Nie znajdzie tego. Nie znajdzie tego, ale na przykład strzeli mi wtedy w nogę, i to mnie zabije, zabije mnie nie rana od kuli, ale zabije mnie fakt pozostania tutaj, bo w tym momencie wszystko, co mam, wszystko, co namacalnie mam, co może mi pomóc, to mój bilet na samolot, bilet, z którego nie będę mógł skorzystać z przestrzeloną nogą.

„Nie znajdzie tego" – myślę jeszcze przez chwilę, obracam to zdanie w głowie, ale on to jednak znajduje, tam gdzie było schowane, w zdejmowanym panelu ściennym nad kiblem, obok licznika gazu. Torba, którą trzy godziny temu zabrałem z domu weselnego „Jezioro Łabędzie", z tego granicznego piekła.

Torba, w której jest reszta mojego stanu posiadania, torba, w której jest pół kilo mojej kokainy i sto tysięcy złotych – własność Piotrka.

„Idę na rekord – przechodzi mi przez głowę. – Jestem w czołówce peletonu wielkiego, międzynarodowego turnieju Strać Wszystko. Występuję w uwspółcześnionej adaptacji Księgi Hioba. Każdemu jego własny dowcip, podług woli, według preferencji".

To ostatni rozdział, i to miało się skończyć właśnie tak.

Teraz, gdy ma już to, po co przyjechaliśmy, zabije mnie. Każe mu to zrobić jego przeżarty mózg, jego wewnętrzne dziecko, głosy w jego głowie.

Na razie z całej siły kopie mnie w brzuch, o mało co samemu się przy tym nie przewracając.

– Ze wszystkiego można się wygrzebać, ze wszystkich kłopotów. Należy po prostu być sprytnym. Spryt – mówi, dotykając palcem swojej czaszki.

– Nie ze wszystkiego – odpowiadam.

– Nie myślałeś, że tak będzie, co? Jesteś zdziwiony, nie? Musisz być zajebiście zdziwiony. Musisz teraz myśleć: gdzie, w którym momencie się zagapiłem, w którym momencie zrobiłem coś nie tak? Powiem ci, w którym momencie zrobiłeś coś nie tak, kurwo jedna. W momencie, gdy wszedłeś do mojego klubu i próbowałeś mi go zabrać – coś, co zrobiłem własnymi rękami, moją ciężką pracą, kurwa, próbowałeś mi to po prostu zabrać. Próbowałeś wydymać Freda. Teraz Fred cię dyma – kopie mnie jeszcze raz, i jeszcze raz.

To, co nagle pojawia się w moich ustach, co z nich wypływa, jest jak zagęszczony kwas, jest niczym żelowy płyn do sanitariatów. Być może ostatecznie zniszczył mi żołądek.

– Teraz Fred cię dyma – powtarza.

– Stawiam na wygraną – odpowiadam.

– Co? – pyta.

– Stawiam na wygraną. Jak w tym filmie, w którym grałeś. Wszystko się skończy dokładnie tak samo – mówię z trudem, ból wiąże mi w ustach wyrazy, nie daje im wyjść.

– Że mnie znajdą i zabiją? To próbujesz mi powiedzieć? – pyta.

Wyciąga broń, mierzy we mnie, jakbym podsunął mu pomysł.

– Możesz być pewien, że nikt mnie nie znajdzie – mówi to, jakby sam próbował siebie przekonać.

– Ty jesteś tego pewien? – pytam.

– Nikt nawet nie sklei, że to ja, kurwa, nikt, nikomu nawet nie przyjdzie to do głowy. Nikt nawet nie będzie chciał szukać tego, kto to zrobił. Jesteś złodziejem, bandytą. Nikt nie będzie za tobą, kurwa, szlochał. Nikt nie przyjdzie nawet, jak będą wsadzać cię do ziemi – kolejne zdania wylatują z niego jak iskry. – Zabiję cię, bo groziłeś moim dzieciom. Właśnie dlatego – dopowiada po chwili, jakby nagle, trochę za późno, przypomniał sobie swoją kwestię ze scenariusza.

Podnosi broń. Ma palec na spuście. Więc to tak. Zamykam oczy. Staram się coś w sobie włączyć, a następnie się w to wsłuchać. Wygrać, jeszcze raz, moją piosenkę psa.

Tę wiszącą w powietrzu jak owoc, który można w każdej chwili zerwać. Albo *Wariacje Goldbergowskie*. Ewentualnie Strawiński. *Movements na fortepian i orkiestrę*. Uwiesić się na tym, wejść w to, być poza tym momentem, kiedy naciśnie spust.

Nie, *Wariacje Goldbergowskie*. Skup się na nich. Są najodpowiedniejsze. Zawsze były. Zawsze były o tym, że wszystko musi się w końcu urwać, nieważne, jak się rozwija, jak logiczne jest samo w sobie, jak perfekcyjną ma strukturę. Skutek trwa jedynie chwilę, jeszcze krócej od przyczyny. I zawsze, zawsze wygląda to tak samo. To urwanie. Ta koda. Ten koniec. Każda część *Wariacji Goldbergowskich* jest echem, wariacją poprzedniej, ale tak naprawdę wszystkie są takie same. „Czemu myślę o tym teraz? – pytam sam siebie. – No właśnie dlatego: myślenie o tym jest najodpowiedniejsze. W tym momencie, na sekundę przed zejściem z rąk ćpuna". Wszystko jest echem wszystkiego, wszystko jest lustrem wszystkiego, wszystko współgra ze sobą w kanonie. Wszyscy skończymy tak samo bez sensu.

To w końcu musiało się wydarzyć, w końcu musiało tak być.

To, czego chcesz, przychodzi do ciebie zawsze inaczej, wcześniej, później, w niedoborze, w nadmiarze. Do mnie przyszło w nadmiarze. Chciałem spać. Od tej pory będę już tylko spał. Rozpuszczę się we śnie.

Warszawa przepływa przeze mnie, w tym ostatnim momencie czarna rzeka płynie przez moje ciało, skupia się we mnie Warszawa, skroplona do gęstego, czarnego płynu.

Czekam. Niech to się już wydarzy.

Oczywiście, że się boję. Ale dobrze wiem, że ten strach nie ma na nic wpływu, niczego nie przyśpieszy ani nie spowolni. Jest, jak jest. Tak ma być. Tak wyszło. Chciałem, by było inaczej. Można sobie chcieć. Chcieć zawsze można. Nikt tego nie zabrania. Nikt za to nie płaci.

Gdzieś daleko, jak przez mgłę, sygnał. Może karetki. Może straży pożarnej. „Ale może policji – myślę przez chwilę. – Ale może policji".

Niech to już się stanie, w tym momencie. Zakończmy te sprawy, raz a dobrze.

– Kurwa – mówi.

Słyszę, jak z powrotem zabezpiecza broń. Słyszę, jak ją chowa.

Otwieram nieznacznie oko. Widzę, zaczynam z powrotem czuć, znowu wraca do mnie ból: zdaję sobie sprawę, jak paskudnie boli mnie żołądek, żuchwa, widzę, podnosząc się z podłogi, jak wrzuca oba pistolety, mój i swój, do mojej czarnej torby, przewiesza ją sobie przez ramię i klepie w nią otwartą dłonią, upewnia się, że ona wciąż istnieje.

Wychodzi z mojego mieszkania, zamyka drzwi, a ja zaczynam z powrotem czuć. Zaczynam czuć, jak ktoś powoli zdejmuje ze mnie ogromną cementową kołdrę. Widzę małego chłopca, który stoi obok śluzu, obok ciała wypełniającego już cały pokój, i uśmiecha się. Znika, gdy otwieram oczy. Pojawia się, gdy je zamykam, jeszcze na chwilę. Znika zupełnie. Próbuję się podnieść. Nie, muszę się jeszcze położyć. Jeszcze na chwilę.

Mój mózg zalewa wrząca fala, przypływ serotoniny, serotonina to ostatnie słowo, jakie wpada mi do głowy (znowu sygnał, znowu sygnał karetki albo straży, ale może policji), zanim wszystko w najwyższej rozdzielczości znowu rozbłyskuje przed oczami, i nie ma już nic, nie ma żadnej innej myśli (może ostatnią jest Maluch i jego ciało: pocięte, pokiereszowane, zgwałcone przyrządami, które normalnie służą do drobnych napraw w obejściu domowym) nie ma nic poza tym rysunkiem ulic i budynków, wieżowców, parkingów, samochodów, istnień, poza ogromną, oślepiającą mapą ze światła, tą, która na czterdziestym trzecim piętrze wyświetliła się przede mną jak fraktal.

I nie ma nic poza mną, i poza mapą ze światła.

Moje serce jeszcze bije.

Gdy wyważają drzwi, bije dalej. Najpierw to słyszę: ogłuszające huknięcie, jakby na klatce schodowej eksplodował granat.

– Otwarte – mówię, nie wiem, czy głośno, czy w myślach, ale mówię i zaczynam się głośno śmiać, a następnie wić z bólu, śmiać się i wić, śmiać się i wić na przemian.

– Wszyscy, kurwa, na ziemię! – słyszę wypowiedzianą głośno komendę, z akcentem wskazującym na wielokrotne jej przećwiczenie.

Otwieram oczy i potrzebuję chwili, aby zrozumieć, aby zobaczyć, że jest ich na początku czterech. Mają zielone, wojskowe uniformy z małym napisem „policja" naszytym pod szyją, kominiarki na twarzach, karabiny maszynowe w rękach. Za nimi wpada jeszcze kilku zwykłych psów w cywilu, jeśli nie liczyć zawieszonych na łańcuchach blach na szyjach. Przyjechali z antyterrorką. Zawsze przyjeżdżają z antyterrorką tam, gdzie jest jeden koleś, który po prostu nie może wstać i gdzie nie ma żadnych dowodów. Rozglądają się, a potem zaczynają biegać po moim mieszkaniu. Wygląda to komicznie, światła słabną, za chwilę nie będzie już świateł, a oni będą wyglądać, oni już wyglądają jak zły kabaret, jak banda przebierańców, zlot błaznów z internetu.

– Wiecie, czego szukać – rzuca ten, który wchodzi.

Rozpoznaję go. To ten, który wydmuchiwał dym do mojego samochodu. Ten, który brudził mi tapicerkę.

Znowu zaczynam się śmiać, nie mogę się powstrzymać, śmiech miesza się z bólem, jakby dwie ogromne dłonie rwały mi wnętrzności na kawałki niczym starą gazetę.

– Niczego tu nie ma – mówię i chyba udaje mi się to powiedzieć głośno, bo on odpowiada:

– Zaraz zobaczymy.

– Możecie sobie pooglądać telewizję – odpluwam te słowa razem z krwią, ze żrącym żelem.

Wszystko ze mnie wypada przez usta i rozchlapuje się na podłodze, czarne jak smoła.

Musieli minąć go na dziedzińcu. Musieli nie zwrócić na niego żadnej uwagi.

Tańczą i biegają po moim mieszkaniu. Trwa to już chwilę, będzie trwało jeszcze kilkanaście minut. Jak ślepi. Ślepi idioci. Nie znajdą nic. Wszystko, co mogliby znaleźć, zabrał stąd Maluch.

Powinienem mu podziękować, i bardzo mnie to śmieszy. Ale nie mogę się śmiać; gdy się zaśmieję, mój żołądek oderwie się od reszty ciała.

– Jest tu jeszcze ktoś? – pyta jeden z nich.

– Mówiłem, tylko ja – odpowiadam.

– Ręce. Dawaj ręce – mówi.

Podnoszę dłonie do góry. Zakłada mi kajdanki. Po raz drugi dzisiaj kajdanki. Zimne chrupnięcie. Jak dźwięk uderzenia pięścią w śnieg.

– Jedziemy – mówi.

– To jedźcie – odpowiadam.

Wszystko zaczyna się kręcić. Zamazywać. Jest tylko światło, światło przez mgłę.

– Pogadamy sobie, chuju.

Chcę coś mu odpowiedzieć. Chcę odpowiedzieć cokolwiek.

Cokolwiek, ale wszystko się urywa.

Czwartek

SEN

– Wstawaj. Wstawaj, no już – mówi kobieta, blondynka, która jest moją żoną, wiem to.

Dziwne uczucie komfortu, zapadania się, bardzo długiego leżenia w ciepłej pościeli, parę sekund później uczucie wychodzenia, wyszarpywania z czegoś wygodnego, miękkiego, jak brzuch matki.

– Wstawaj, za pół godziny muszą być w szkole – mówi.

Zapach niezmienianej od tygodnia pościeli, materiału przesiąkniętego ciałem, zapach, który nie pozwala wstać. Otwieram w końcu oczy. Widzę ją po raz pierwszy, ale znam ją na wylot, lepiej niż siebie samego. Jeszcze nie wiem, jak ma na imię, ale pamiętam, że nienawidzi polskiej kuchni, za to uwielbia włoską, pamiętam, że uprawia jogę i w każde wakacje wyjeżdża na dwa tygodnie na obóz jogi na Mazury, że lubi Davida Bowiego, filmy Wesa Andersona, serial *Girls*, zwłaszcza główną bohaterkę, tę grubą, która wsadziła sobie patyczek do ucha tak głęboko, że przebiła błonę bębenkową; wiem, że medytuje, biega półmaratony, jest współwłaścicielem domu mediowego. Wiem, że ma tatuaż na plecach, na lewej łopatce, kolorowego ptaka, że wzór znalazła w radzieckiej książce z bajkami.

Wiem, że ma młodszego brata, który mieszka w Australii, że jej rodzice są dobrze sytuowanymi ludźmi – na początku lat dziewięćdziesiątych otworzyli pierwszego McDonalda w Olsztynie. Teraz zajmują się podróżami i odpoczywaniem. Sprawdzaniem stanu konta. Ma z nimi dobre relacje, zwłaszcza z ojcem, chociaż bywało różnie. Zawsze bywa różnie.

Wiem, że jesteśmy ze sobą już od ośmiu lat. Jesteśmy małżeństwem od siedmiu. Wzięliśmy ślub kościelny, głównie po to, aby uniknąć napierdalanki z rodziną. Pobraliśmy się, gdy Justyna, tak, Justyna, pobraliśmy się, gdy Justyna zaszła w ciążę.

– Zrobiłam ci kawę – mówi.

– Nie możesz ty ich zawieźć? – pytam, podnosząc się z łóżka.

– Mamy zebranie w sprawie przetargu, mówiłam ci – odpowiada.

Wychodzi do łazienki. Jest w samych majtkach. Wciąż lubię oglądać ją nago. Jest szczupła, ma długie nogi, okrągły tyłek. Dzieci nie zabrały jej ciała, to znaczy zabrały najmniej, jak się da. Stoi przez chwilę w drzwiach, następnie wchodzi do łazienki.

Wiem, że mamy dwójkę dzieci, że urodziła bliźniaki. Już wiem, że za pół godziny trzeba zawieźć je do szkoły.

Mieszkanie jest przestronne, białe, oślepiająco jasne, wypełnione światłem po sam sufit. Pęcznieje od światła.

Poznaliśmy się na ostatnim roku ASP, pamiętam dokładnie, w jakich okolicznościach.

To było w „Jadłodajni Filozoficznej".

– Wyglądasz, jakbyś bardzo chciał stąd wyjść – powiedziała.

– Tak, chcę stąd wyjść – odparłem, bo nigdy nie lubiłem tego miejsca.

– To masz już z kim – odparła.

Całowaliśmy się tego samego wieczoru, chyba po tym, jak odkryliśmy, że pochodzimy z tego samego miasta, co wydało nam się niezmiernie romantyczne, a przynajmniej stanowiące jakąś koincydencję, na którą nie można nie zwrócić uwagi. No dobrze, przeznaczenie. Niech będzie. Nikt nie użył tego mocno podejrzanego słowa, ale oboje wtedy tak myśleliśmy.

Poszliśmy do łóżka parę dni później, chcieliśmy trochę pograć, poudawać, wytworzyć napięcie. Zrobić z tego wydarzenie. Od samego początku bardzo mi się podobała.

Wiem o tym wszystkim. Obrazy wyświetlają się w mojej głowie, gdy idę do łazienki, patrzę w lustro, myję zęby. Patrzę w lustro. Moja twarz jest moją twarzą. Jest bardzo wyraźna.

Zamieszkaliśmy ze sobą, gdy oboje byliśmy na ostatnim roku. Ja zaczynałem już pracować w reklamie, byłem art directorem w Ogilvy, chociaż niebawem miałem awansować na szefa kreacji. Nigdy nie chciałem być artystą. Na początku mierziła mnie maniera, z którą wszyscy na roku podchodzili do swojej raczkującej i niezgrabnej twórczości; w głębi ducha nabijałem się ze stylu życia, marzeń o wystawach, kontraktach galeryjnych, stypendiach, z tej pewnej taniości i niepotrzebności, z której prawie nikt nie zdawał sobie sprawy, a przynajmniej dość udanie ją wypierał. Była we mnie jakaś nihilistyczna przekora, przekonanie o niepotrzebności sztuki, o funkcjonowaniu jej dzisiaj jedynie jako rządzącego się dziwnymi zasadami rynku, na którym handluje się przedmiotami o wirtualnych wartościach.

Potem zrozumiałem po prostu, że jako artysta nie miałbym nic do powiedzenia.

Wtedy w reklamie jeszcze były pieniądze. Uwielbiałem je zarabiać. Uwielbiam zarabiać je dalej, jako szef kreacji w Barnaby & Partners. Gdy łapią mnie z tego powodu wyrzuty sumienia, uspokajam się myślą, że każdy to lubi.

Justyna też uważała, że ma niewiele do powiedzenia jako artystka. I też lubiła pieniądze. Co prawda teraz maluje obrazy, ale traktuje to bardziej jak swoją jogę albo swoje bieganie. To po prostu wypełnianie wolnego czasu. Przemalowuje głównie zrobione polaroidem zdjęcia naszych dzieci. Przypominają trochę obrazy Maciejowskiego.

Z każdą sekundą, z każdym krokiem po mieszkaniu wiem o tym coraz bardziej. Gdy z łazienki przechodzę do kuchni, gdy patrzę przez okno na park na Saskiej Kępie, gdy wypijam łyk kawy. Jest czarna, mocna, gorzka tak, że boli język. Wiem, że właśnie taką lubię, wiem, że rano muszę się naćpać. Rozglądam się po kuchni, patrzę na prosty, drewniany, robiony na zamówienie stół, na podwieszane szafki z metalowym wykończeniem. Za wystrój wnętrza w tym mieszkaniu odpowiada Justyna. Wiem o tym.

– Tato – mówi moja córka.

Moja córka ma na imię Zuzia. Wiem o tym.

– Słucham? – pytam ją.

Odwracam się do niej dopiero po chwili. Ma długie blond włosy w ciepłym kolorze siana, jak jej matka, jest ubrana w zieloną piżamę z żabą Kermitem. Nie chce spać w niczym innym, więc trzeba było jej kupić drugą taką samą na zmianę, gdy pierwsza jest w praniu. Zuzia nie wygląda, jakby miała się zebrać do szkoły w przeciągu dziesięciu minut.

– Muszę ci coś powiedzieć – mówi cicho, konfidencjonalnie.

Rok temu przeszła niezwykle ciężkie zapalenie jelita grubego. Spędziliśmy wtedy, nie śpiąc, siedemdziesiąt dwie godziny w szpitalu. Wiem o tym. Wyświetla mi się to w głowie.

– Co musisz mi powiedzieć? – pytam.

– Śniło mi się, że zobaczyłam ducha, i nikt mi nie wierzył – mówi.

Podchodzi do mnie. Przytula się do mojej nogi. Jest ciepła jak kompres.

– Jak wyglądał ten duch? – pytam.

– Był wysoki i blady. Miał długie ręce. Wisiały mu do kolan. O tak. – Pokazuje, opuszczając bezwładnie ręce wzdłuż ciała.

W drzwiach staje jej brat. Jej brat ma na imię Olaf, wiem o tym. Zuzia i Olaf, tak mają na imię moje dzieci. Olaf nie jest do mnie podobny. Ale jest podobny do kogoś, kogoś mi przypomina. Patrzy na mnie przez chwilę, jakbyśmy znali się zupełnie skądinąd, na kompletnie innej zasadzie. Ma ciemne, ostrzyżone na krótko włosy i wielkie, czarne oczy. Jest chudy, chudszy od swojej siostry. W ręku trzyma transformersa, nie rozstaje się z tą zabawką nawet na chwilę, chodzi z nią wszędzie. Transformers ma swoje imię, łacińskie, zasłyszane pewnie w kreskówce *Transformers,* ale nie potrafię go sobie teraz przypomnieć.

– Boli mnie noga – informuje mnie.

– Codziennie boli cię coś innego, zawsze rano. – Wypycham delikatnie ich oboje z kuchni. – Myć zęby i ubierać się. Szybko. Już. Raz.

Wychodzą z oporami, człapią w stronę łazienki, zakładam spodnie i koszulkę, potrzebuję chyba jeszcze jednej kawy, tym razem z cukrem, zwykłym, białym cukrem. którego nie mamy w domu, jest tylko brązowoczarny cukier z biomelasy przypominający ciasto. Gryzę kawałek wczorajszej bagietki, żuję ją dokładnie, aż zamieni się w moich ustach w maź. Czuję smak tej mazi. Smak rozmoczonego chleba. Kuchnię po brzegi wypełnia słońce. Jest w nim coś sztucznego. Ktoś za oknami podgrzewa ogromną lampę. Jej światło wpada do środka, oślepia, każe mrużyć oczy.

– Już? Gotowi? – pyta zza ściany Justyna.

Wchodzi do kuchni. Patrzy na mnie. Przez pierwsze

dwa lata naszego związku mówiłem jej, że ma piękne oczy. Powinienem znowu zacząć jej to mówić. W jej oczach jest zmęczenie i miłość.

– Co będziesz robił później? – pyta.

Później. Przypomina mi się, że nie idę dzisiaj do pracy. Że wziąłem wolne, aby pobyć trochę z rodziną.

– Znalazłam w końcu twój paszport – mówi.

– I co? Jeszcze ważny? – pytam.

– Spokojnie, jeszcze dwa miesiące – odpowiada.

– Akurat wrócimy – mówię. – Spokojnie.

Nie, nie chodzi jednak po prostu o bycie z rodziną. Teraz już wiem. W poniedziałek wylatujemy do Ameryki Południowej. Zaczynamy od Buenos Aires. Nigdy nie byliśmy w Ameryce Południowej. Zawsze chcieliśmy tam polecieć. Zamierzamy zacząć od Buenos Aires, potem kierować się w dół, następnie zrobić kółko. Urugwaj, Paragwaj, Boliwia, Chile, Peru. To będzie wspaniała wyprawa, cieszę się na nią, wiem o tym.

(Zamierzam spać w hotelu. Zamierzam przede wszystkim spać. To uczucie przebywania w czyimś brzuchu, w ciepłym materiale. Uczucie bycia nienaruszalnym).

To będzie wspaniała wyprawa.

– Zmuś je, żeby się w końcu ubrały, to je zabiorę – mówię do Justyny.

Czasami, gdy na nią patrzę, wydaje mi się, że w jej twarzy jest cała litość i miłość, jakie istnieją na świecie. Otwieram lodówkę, wyciągam coś jeszcze, byle co, aby zjeść cokolwiek, trafiam na oliwki. Kapie z nich tłuszcz, przez chwilę czuję się, jakbym miał w ustach coś zupełnie innego, coś nie do jedzenia, coś, co ma nawilżać i dezynfekować.

– Podział obowiązków – dodaję.

(Obca ręka na moim ramieniu).

Podchodzi do mnie, całuje mnie w policzek. Jest ciepła jak owoc, jak brzoskwinia, pachnie jak śmietankowy tort.

– Jaki samochód weźmiesz? – pyta.

– Saaba – odpowiadam. – Chyba pojadę saabem. Jest piękna pogoda. Dzieciaki uwielbiają jeździć z otwartym dachem.

Całuje mnie w prawe oko i wtedy następuje cięcie.

(Głos, który coś mówi, abym się obudził, ale znowu w ciemność, głos jakby wyślizgujący mi się z rąk).

Cięcie jest gładkie i płynne. Jeden plan naturalnie przechodzi w drugi.

Kuchnia się rozpuszcza, znika, jesteśmy już w samochodzie. Moje dzieci siedzą z tyłu. Rozmawiają o czymś, kłócą się. Zuzia koloruje książeczkę. Olaf też chce kolorować. Chce na złość, przeszkadza jej, wkurza go, że sam nie ma zajęcia.

– Pobaw się transformersem – mówię.

– Optimus nie jest do zabawy – odpowiada.

– A do czego? – pytam.

– On ma mnie chronić – odpowiada.

Jesteśmy w połowie drogi do szkoły. Stoimy w korku. Zalewa nas palący kisiel powietrza. Zostawiłem sobie tego saaba ze względu na otwierany dach, na pewną głupią nonszalancję, której istotą jest przecież jeżdżenie z otwartym dachem. No i dzieciaki to uwielbiają.

Spóźnimy się na pewno, wiem o tym. Będę musiał tłumaczyć się ich wychowawczyni, która jest wredną trzydziestoparoletnią cipą, traktującą rodziców jak petentów; z byle powodu zarzuca im brak zaangażowania i dezorganizację pracy w szkole, wylewa na nich swoje kompleksy, których ma na pewno mnóstwo, bo jest brzydka, blada, ma kanciastą twarz, grube i niezgrabne nogi.

– Nikt jej dawno dobrze nie wydymał – powiedziałem do Justyny pewnego razu i ona się zaśmiała, chociaż na co dzień nie znosi tego rodzaju uwag na temat kobiet.

– Przed czym ma cię chronić? Nic ci nie grozi – mówię do Olafa, mojego syna, dopiero teraz.

– Nie pojedziemy dziś do szkoły – odpowiada moja córka.

– Niby dlaczego, przepraszam? – pytam i dopiero wtedy rozumiem, że jej zdanie jest zaklęciem.

Gdy je wypowiada, wszystko zwalnia. Świat się rozciąga, jak wyciągnięta z ust, trzymana w palcach guma do żucia. Klaksony brzmią bardziej przeciągle, wysycają się echem, każdy dźwięk zachowuje się jak topiąca się stearyna. Pył zaczyna wirować w powietrzu w zwolnionym tempie. Ludzie, idący po chodnikach, stawiają coraz wolniejsze kroki, jakby występowali w nieokreślonym przedstawieniu, udawali kogoś, parodiowali się nawzajem.

– Jedź w prawo – powtarza moja córka.

02:52

Głosy w ciemności, bardzo miękkie, jak ze złej kopii starego filmu, jakby wszystkie dźwięki opiłować na krawędziach, zamoczyć je w oleju.

– A nie lepiej byłoby po pogotowie zadzwonić?

– Nie, nie sądzę, raczej nie.

– A jak on tu pierdolnie?

– Nie pierdolnie. Zostaw go jeszcze na piętnaście minut.

– Już tak mówiliśmy wcześniej i były, kurwa, problemy, ja nie chcę mieć problemów, bo to potem...

– Zostaw go jeszcze. Przykryj go czymś. Nikomu się nigdzie nie śpieszy. Nikt nigdzie się, kurwa, nie wybiera.

– Ej, ty, wstawaj.

Dźwięk klaśnięcia, dopiero po chwili, to klaśnięcie o moją twarz. Ale to niewiele zmienia.

– Zostaw go jeszcze.

Sylwetki, wiem, że zacząłbym je rozpoznawać, gdyby znowu wszystko nie zaczęło się jednak rozpuszczać, roztapiać, rozklejać, podgrzane jak maź, jak sos, z powrotem.

SEN

Odwracam się w jej stronę. Nie ma nic w dłoniach, kolorowanka gdzieś zniknęła. Mój syn siedzi obok niej. Oboje siedzą sztywni i zdyscyplinowani, przypięci do swoich fotelików, jakby to ktoś inny obok, ktoś, kogo nie widzę, wydał im niesłyszalne dla mnie polecenie. Transformers jest pomiędzy nimi, jak oddzielający ich miecz. Wygląda, jakby rzeczywiście ich chronił.

– O czym ty mówisz? – pytam ją.

Wtedy wszystko jeszcze bardziej rozciąga się i rozpuszcza, zamienia się w dźwiękowe błoto, świat staje się jeszcze bardziej zamazany, samochody przed nami zlewają się w jedną masę, jakby były z powoli podgrzewanej, zlewającej się w jedno modeliny.

– O tym, że musimy jechać poza granice miasta. Tam zobaczysz resztę – mówi moja córka.

– Tam, gdzie ci pokażemy – mówi mój syn.

– Czy wy nie oglądaliście wczoraj jakiegoś głupiego filmu? – pytam ich oboje.

Pytam, ale już zaczynam rozumieć.

Coś wsuwa się pod kruchą skórę tego świata. Mój syn, Olaf, nie jest już moim synem. Moja córka, Zuzia, nie jest już moją córką. Mój syn, który nie jest już moim synem – skądś go kojarzę. Teraz wiem skąd. Patrzy na mnie wielkimi, czarnymi oczyma, z zimnym spokojem kogoś, kto wie, że każde jego polecenie zostanie wysłuchane.

Znam go. Prowadził mnie do bloku. Jadł chrupki. Wjechaliśmy na górę. Ona tam była.

Zmienia się niebo, coś zasłania słońce, coś w rodzaju chmur, ale podobne do stalowych, monochromatycznych płyt. Jakby nad miastem zamknęła się kopuła.

– Zawróć – mówi moja córka, czyli dziewczynka z tyłu, która jeszcze chwilę temu była moją córką, ale teraz już nią nie jest, jest kimś zupełnie innym.

Jej ciało nieznacznie się zmieniło. Jest szczuplejsza, ma ostrzej zarysowane rysy twarzy. Chłopczyk z tyłu siedzi cicho. Patrzy na mnie bardzo uważnie, wzrokiem zwierzęcia studiującego potencjalne zagrożenie.

– Nie mogę zawrócić, jest korek. – Pokazuję przed siebie.

– Możesz – odpowiada.

– Musimy dojechać do końca – dodaje chłopczyk.

Wycofuję się, zawracam, jadę w drugą stronę. Samochody się rozstępują, znikają, kurczą, stapiają ze sobą w jedno, moje auto przecina tę masę jak mgłę. Drobiny materii i kolorów wirują nad naszymi głowami, przypominając konfetti zrzucane na nas z góry przez ogromną dłoń.

– Skręć przy pierwszym wjeździe w las – mówi chłopczyk.

– Jaki las? – pytam.

Ale już po chwili widzę, jaki las; już nie jesteśmy w mieście w słoneczny dzień; jesteśmy na jednokierunkowej, wyasfaltowanej, przypominającej strumyk szarego brudu drodze. Warszawa się rozpuściła, słońce zniknęło, wszystko, co otaczało nas jeszcze przed chwilą, zostało połknięte. Samochód sunie powoli, nie mam wpływu na jego prędkość, nie mogę ani przyśpieszyć, ani go zatrzymać.

Równie dobrze mógłbym zabrać dłonie z kierownicy, to nie miałoby znaczenia. To oni kierują mną, samochodem, wszystkim dookoła.

– Aby wszystko się dopełniło i zaczęło od początku, musimy dojechać do końca – mówi chłopczyk.

– Zawsze tak jest – dodaje dziewczynka.

– Pewnie chciałbyś wiedzieć, jak się nazywamy. Ale my nie mamy imion – mówi chłopczyk.

– Wiem, że bardzo chciałbyś uciec – mówi dziewczynka.

– Chciałbym – odpowiadam.

Odwracam się w ich stronę, usta dziewczynki się otwierają, wysuwa się z nich różowy, mięsisty śluz, na początku przypomina olbrzymi język, potem jest go coraz więcej, wymiotuje powoli, jakby zjadła kilogramy różowego kisielu, śluz ścieka jej po sukience w kwiaty, spływa na podłogę samochodu, po chwili przestaje. Zastyga.

Chłopczyk nie zwraca na to żadnej uwagi.

– Przy pierwszym wjeździe w las – mówi.

Po lewej stronie drogi widać wjazd w las, przerwę w drzewach; dopiero gdy się zbliżamy na odpowiednią odległość, wyrasta z nich pusty, pozbawiony napisu drogowskaz.

– Nie uciekniesz. Niestety, ale nie ma na to żadnych szans – mówi chłopczyk.

Wjeżdżamy w las. Nie czuję żadnego strachu. Wszystko, co było przed chwilą, moja żona, moje dzieci, mieszkanie, praca, to tylko niezgrabny rysunek, bazgroły.

– Wszystko zacznie się od początku, tak jak było – mówi chłopczyk. – Nie ma zmian, są tylko chwilowe tąpnięcia. Ruchy tektoniczne. Ale nic nigdy tak naprawdę się nie zmienia. To twoje wielkie marzenie, i nie tylko twoje. Aby coś się zmieniło. Aby przyszedł Mesjasz, aby wszyscy umarli. Aby spadł deszcz.

– Co mogę zrobić? – pytam go.

Las dookoła nas jest martwy, drzewa to wielkie, czarne dłonie. Nagle rozumiem, co steruje samochodem. Przyciąga go coś, w kierunku czego jedziemy.

Na tylnym siedzeniu nie ma już dziewczynki, która była moją córką. Jest tylko różowy, mięsisty śluz. Organizm. Znam go z bloku, z innego snu, z najwyższego piętra. Widzę drobne, pojawiające się w nim otwory, poruszające się usta. Ona rozwija się, rośnie. Chłopczyk siedzi obok. Nie zwraca na nią uwagi, ale widać, że jej pilnuje. Odgradza go od niej ten sam transformers, samotna zabawka.

– Nie masz na nic wpływu. Możesz się tylko modlić i śpiewać swoje piosenki – mówi chłopczyk.

– Czyli nic się nie wydarzy? – pytam go.

– Nawet nie wiesz, jak bardzo nic się nie zmieni – odpowiada.

Las się przerzedza, karłowacieje, zanika. Na końcu drogi majaczą fragmenty budowli.

(Kolejne szturchnięcia, poklepywania, głosy, echa głosów, plamy czegoś, co mogłoby być wyrazami, zdaniami, komendami).

Podjeżdżamy bliżej. To kościół, skądś go pamiętam. Stary ewangelicki kościół z szarą, popękaną elewacją, zapadniętym dachem, pokrytym czerwoną dachówką, zegarem na wieży, białą tarczą z rzymskimi cyframi, pozbawioną wskazówek.

– Po co tam jedziemy? – pytam.

– Po co tam wracamy? – odpowiada pytaniem na pytanie chłopczyk.

– Co jest w środku? – pytam.

– Chciałeś się pomodlić – odpowiada.

– Nie dosłownie, to tylko taka figura retoryczna – mówię.

Odwracam się w jego stronę, w tym momencie samochód zatrzymuje się tuż przed kościołem, ryje kołami w miękkiej, błotnistej trawie. Wiem, że nie odpalę go już z powrotem, że jako środek lokomocji stał się bezużyteczny.

– Musisz iść sam – mówi chłopczyk.

– Znowu zostawiasz mnie samego – odpowiadam.

– Znowu? Nikt nigdy nie zostawił cię samego – odpowiada. – Byłeś sam od początku.

Różowy śluz pokrywa całe tylne siedzenie, przykrywa chłopczyka niczym kołdra, powoli wchodzi mu do nosa. cienkimi strużkami wpełza mu do ust. Nie reaguje. Kiwa głową.

Patrzę na niebo i widzę na nim ślady, wypryski, emanacje; niebo przypomina błonę, skórę nieznanego gada, którą ktoś od drugiej strony podpala zapalniczką. Chłopiec się uśmiecha.

– Powodzenia – mówi. – Chociaż wiem, że nigdy się nie przyzwyczaisz. Nikt się nigdy nie przyzwyczai.

Wysiadam z auta. Stopy z cichym chlupotem wpadają mi po kostki w błoto. Zaczynam iść z trudem, powoli, w kierunku bramy kościoła. Zapach błota, ziemi, gówna, rozpadającej się organicznej materii. Mokrego, przerdzewiałego metalu. Już wiem, skąd znam ten zapach. Skąd znam ten budynek.

Gdy byłem mały, pojechaliśmy do małej miejscowości, gdzieś na Warmii, miejscowości, gdzie urodziła się moja babcia. Tamten kościół stał w środku miasta, wybudowany jeszcze przed wojną, teraz pusty, zabity deskami. Ludzie, którzy go wypełniali, zostali wywiezieni na Zachód, na Wschód. Pamiętam, że zadręczałem rodziców pytaniami o tamten budynek, o jego pierwotne przeznaczenie, o to, dlaczego stoi opuszczony, dlaczego nikt go nie wyremontował. I – to zajmowało mnie szczególnie mocno – co jest w środku?

Wydostaję się z błota, wchodzę na szerokie kamienne schody, prowadzące do drzwi kościoła. Drzwi są ze zbutwiałego drewna, pokryte śliskim szlamem. Gdy odwracam się w stronę mojego samochodu, jego już nie ma, w miejscu, gdzie stał, widać tylko lekką wypukłość ziemi, jakby świat po prostu go zjadł, nie zostawiając mi żadnej drogi powrotnej.

Moi rodzice mówili mi, że w środku nic nie ma. Że wszystko zostało rozkradzione. Że nawet gdyby można było wejść do środka – twierdzili, że pod deskami okna są po prostu zamurowane – nie miałoby to sensu.

Czułem i wiedziałem, że kłamią.

Patrzę na niebo, na którym pojawiają się wielkie, brązowe bąble, wrzody koloru brązowego brudu, tylko po to, aby za chwilę pęknąć białym światłem, rozlewającym się po niebie jak mleko, tylko po to, aby za chwilę zniknąć.

Czuję i wiem, że ktoś nadchodzi.

Na drzwiach pojawia się napis, wyświetla, namazany kredą, niewprawny, koślawy, jakby napisany lewą ręką – ODDAWAJ, KURWO, CO ZABRAŁAŚ.

Wiem, że już czas, nie wiem tylko, czy to ja naciskam drzwi, czy to one otwierają się same.

03:04

– Koniec tego dobrego – słyszę.

Zimna woda, bardzo zimna, na mojej twarzy, nagle. Połykam powietrze, razem z wodą, wpadające do ust, gwałtownie. Charczę. Pluję. Krztuszę się. Kaszlę, głośno, spazmatycznie.

– No dobrze. Idziemy rozmawiać – mówi.

Ręce, szarpią mnie, podnoszą. Ktoś otwiera drzwi, wypycha mnie na zewnątrz. Byłem w jakimś pomieszczeniu, teraz idę do następnego.

Wszystko się kręci. Korytarz, oni. To, co widzę, wyostrza się powoli. Bardzo powoli. Popychają mnie do przodu. Ten obok. Śmierdzą papierosami, tak intensywnie, jakby codziennie kąpali się w naparze z kiepów. Twarz jednego z nich robi się ostrzejsza, rozpoznaję ją.

To ten, który opowiedział dowcip o wybijaniu zębów. Ten wtedy, w nocy, przy wylotówce na Gdańsk.

– Wyspałeś się, księżniczko? – pyta.

Nie odpowiadam.

– Już dobrze się czujesz? Już możesz iść? – pyta.

Nie odpowiadam.

– Już możesz. Już jesteś zdrowiutki. Jesteś śliczny, księżniczko. Brakuje ci tylko rajstopek – mówi, odpowiadając samemu sobie.

Nie reaguję.

– Prokurator cię tak prędko stąd nie wypuści, księżniczko – mówi.

Nie odpowiadam. Bardzo chce mi się pić. Od środka jestem wypalony, wyżarty, jakbym całymi dniami pił detergenty. Idziemy. Dalej. Wszystko się kręci.

– Nic nie znaleźliście – mówię.

Oni milczą. Wszystko przyśpiesza. Jeszcze mocniej. Muszę się zatrzymać. Wymiotuję niczym, po prostu wydaję dźwięki, charczę. Mój żołądek próbuje wyrzucić z siebie pustkę.

– Masz szczęście, że masz pusty bebech, bobyś zlizywał to, kurwa, do czysta, księżniczko – mówi dowcipniś.

Idziemy dalej. Wpychają mnie do pomieszczenia. Jest niewielkie, czyste sterylnością korporacyjnego kubika. „Zmienili się – myślę. – Odświeżono ich". Laptop Macintosha, wiatrak, paprotki, świeżo pomalowane ściany. Przed tym laptopem Macintosha, zamkniętym, pod paprotkami, siedzi ten, który będzie mnie przesłuchiwał. Nie rozpoznaję go, widzę go pierwszy raz w życiu, na pewno. Rzucają mną na krzesło.

Wszystko w mózgu zaczyna powoli wracać na swoje miejsce. Najpierw ciało. Pierwszy jest ból. Żuchwa, żołądek, krtań. Ręce. Rozmasowuję nadgarstki. Mrugam oczami. Pić, potwornie chce mi się pić.

Wygląda na pięćdziesiąt kilka lat, ale jest psem, więc może mieć równie dobrze niecałe czterdzieści; ma krótkie, siwe włosy, równo przystrzyżone. Nie ma munduru, nosi marynarkę, przyciasną, pod marynarką tak samo przyciasną koszulę. Roztył się i spuchł, a nie stać go na nowe. Ma spoconą twarz, spojrzenie wielkiego i głupiego psa. Bardzo długo nie spał, widać to po nim, być może tyle co ja.

Potem na swoje miejsce wracają fakty. Maluch. Torba. Pieniądze. Towar. Oni. Skąd wiedzieli o moim mieszkaniu? Jak je znaleźli? Kto mnie podał? Pazina? Z zemsty? To całkiem możliwe. W końcu znała adres, w końcu była w moim mieszkaniu parę ładnych razy. Poszła na policję, powiedziała, że przyszedłem do niej z bronią. Że przestraszyłem jej alimenciarza. Że pchnąłem ją na podłogę. Pazina jest mściwa. Czy Pazina jest mściwa?

– Dzień dobry, panie Jacku – mówi spokojnie siwy. – Jestem oficerem prowadzącym pana sprawę, nazywam się Marek Piechota.

– Raczej dobry wieczór – odpowiadam.

– Nie wkurwiajmy się wzajemnie, a wszystko pójdzie gładko – mówi.

– Nie wiem, co jest gładkiego w tej sytuacji – odpowiadam.

– Nie wkurwiajmy się, a konkretnie ty mnie nie wkurwiaj – stwierdza.

Odwraca się za siebie, do pustej ściany, na której nie ma zegara. Odwraca się z powrotem do mnie.

– A w ogóle to skąd wiesz, że dobry wieczór? – pyta.

Patrzę na ręce. Dopiero teraz zdaję sobie sprawę, że zabrali mi zegarek.

– Niczego nie znaleźliście – mówię.

– Spokojnie. Ja będę zadawał pytania, a ty będziesz odpowiadał. Od czasu do czasu pytanie zada ci również oficer Malczak – mówi, wskazując głową za mnie.

Za mną stoi dowcipniś. Uśmiecha się kwaśnym uśmiechem złego dziecka. Czy Pazina jest mściwą osobą? To pytanie wali mi o czaszkę jak młot, muszę je z siebie wyrzucić, ludzki charakter nie ma tutaj żadnego znaczenia.

Po prostu tylko ona znała adres.

– Więc: imię i nazwisko – mówi.

– Mam prawo do jednego telefonu – odpowiadam.

– W jakich okolicznościach poznał pan Mariusza F.? – pyta.

– Czy mogę prosić o coś do picia? – pytam.

Siwy patrzy na mnie przez chwilę bez wyrazu, jak kot wgapiony w telewizor.

– Nie mogę mówić. – Pokazuję na suche usta.

– Idź, zrób mu kawy – mówi siwy do dowcipnisia.

Dowcipniś wychodzi. Siwy patrzy na mnie przez chwilę. Potem coś zapisuje w leżących przed nim dokumentach.

– W jakich okolicznościach poznałeś Mariusza F.?

– Czy kawa może być z cukrem? – pytam.

– Czy Mariusz F. był twoim stałym klientem?

03:17

– Nigdy nie miałem żadnych relacji z Mariuszem F. Nie sprzedawałem mu kokainy, nie brałem z nim kokainy, nie rozmawiałem z nim, wydaje mi się, że nigdy nie znajdowałem się z nim w jednym pomieszczeniu, nie stałem za nim nawet w kolejce w sklepie.

– Czy Mariusz F. kontaktował się z tobą telefonicznie? Ile razy w tygodniu?

– Nie parkowałem nawet swojego auta obok jego auta. To znaczy może kiedyś. Nie wiem, czym jeździ. Nie oglądam telewizji.

– Mamy nagrania z monitoringu.

– Macie różne nagrania z różnych monitoringów.

– Widać cię na nim, jak wchodzisz do budynku, w którym jest jego mieszkanie.

– Kawa. Cukru nie było.

– Dziękuję. Może być bez. Nie wiem nawet, czy kiedykolwiek pomyślałem o Mariuszu F.

– Więc co robiłeś w mieszkaniu Mariusza F.?

– Czy ja to, co powiedziałem, powiedziałem po łacinie?

– Smakuje ci kawka, kurwo?

– On występuje w telewizji, prawda? Coś kojarzę, ale mało oglądam.

– Co robiłeś w mieszkaniu Mariusza F.?

– No dobrze. Niby kiedy byłem w mieszkaniu tego całego Mariusza F.?

– W nocy z ostatniej soboty na niedzielę. Około drugiej.

– Byłem wtedy w Hongkongu. Możecie zapytać moją mamę.

– Więc na obrazie z kamery jest twój brat bliźniak?

03:52

– Być może. O niczym nie wiem.

– Będziesz tak powtarzał do sprawy. Wiesz, ile można siedzieć do sprawy? Pół roku. Rok.

– O niczym nie wiem. Nie chodzę po mieszkaniach ludzi występujących w telewizji. Mam inne zajęcia.

– Półtora roku. Dwa lata.

– Nie przypominam sobie, żebym nawet wąchał kokainę. To niehigieniczne.

– Przestań pierdolić.

– Nie piję alkoholu i nie palę papierosów. Tylko zielona herbata.

– Kto jest twoim hurtownikiem?

– To podobno bardzo czyste ścierwo. Podobno najlepsze. Opierdala samych celebrytów.

– No dobrze, ale nas nie interesują klienci.

– Nie wiem nic o rynkach zbytu żadnego ścierwa. Inwestuję na rynkach walutowych. Wpuszczam pieniądze w różne instrumenty finansowe. Tym się zajmuję. Zatrzymaliście niewinnego człowieka.

– Z zeznań Mariusza F. wynika, że w ciągu ostatnich dwóch lat sprzedałeś mu kokainę mniej więcej o wartości ośmiuset tysięcy złotych. Chcemy wiedzieć, skąd ona pochodzi.

04:37

– Nie wiem, skąd pochodzi kokaina. Słyszałem, że gdzieś z Ameryki Południowej.

– Mamy inaczej rozmawiać?

– Nie wiem, jak możemy inaczej rozmawiać.

– Formalnie właścicielem twojego mieszkania jest firma Ampix, spółka z ograniczoną odpowiedzialnością, z siedzibą w...

– Wynajmuję od nich to mieszkanie.

– Gdzie obecnie znajduje się Michał Dubieszyński, na którego zarejestrowana jest firma?

– Skąd mam to wiedzieć? Nie widziałem go w życiu na oczy.

– Nie widziałeś na oczy właściciela mieszkania, w którym mieszkasz?

– Są biura nieruchomości. To takie firmy. Mogę pokazać w internecie, jak to działa.

– Formalnie mieszkasz w Olsztynie, przy Andersa 41 mieszkania 29. Mieszkają tam Ewa Nitecka i Leszek Nitecki.

– Jestem słoikiem.

– Nie rozumiem.
– Słoik to taki termin.
– Wiem, co oznacza ten termin.
– To czego pan nie rozumie?
– Wielu rzeczy.
– Nie wiem, czy zdołam coś panu wyjaśnić. Czy mogę prosić o jeszcze jedną kawę?
– Nie wkurwiaj mnie.
– Nie przemeldowałem się do Warszawy. Jeszcze nie kupiłem tu mieszkania.
– Nie kupiłeś mieszkania, ale wynajmujesz mieszkanie za sześć tysięcy złotych miesięcznie.
– Wiele osób tak robi.
– Wiele osób tak nie robi.
– Czy wy przeprowadzacie tu jakieś badania socjologiczne? Wolę wynajmować. Nie wiem, gdzie będę mieszkał za pół roku.
– Ja wiem, gdzie będziesz mieszkał za pół roku. W śledczym.
– Nie, za pół roku to już będzie pod celą. Z chujem w dupie aż po jaja.
– To bardzo ciekawe, co mówicie.
– W dowodzie masz nazwisko Grajcar.
– Jacek Grajcar.
– Twoi rodzice nazywają się inaczej.
– To nazwisko panieńskie matki.
– Czemu masz w dowodzie to nazwisko?
– Zmieniłem.
– Jakiś powód?
– Sprawa między mną a ojcem.
– Wciąż jesteś zameldowany w jego mieszkaniu.
– To nie znaczy, że tam bywam.
– Nie odbierasz korespondencji?
– Mama przesyła mi do Warszawy.
– Wiesz, kurwa, że żartuję.

– To skoro już pan się przyznał, że pan żartuje, może zamówi mi pan taksówkę do domu.

– Nie jesteś jakiś specjalnie inteligentny, powiem ci. A ty udajesz. Udajesz inteligentnego. I śmiesznego. Takiego śmiesznego gościa.

– Nie udaję inteligentnego.

– Mariusz F. zeznał, że kokaina, którą zażył w nocy z 20 na 21 grudnia, gdy potrącił śmiertelnie Annę Kabaszuk, pochodziła od ciebie. Że byłeś u niego w mieszkaniu mniej więcej o pierwszej w nocy. Sprzedałeś mu około trzydziestu gramów.

06:01

– Nic o tym nie wiem.

Dowcipniś kopie w krzesło. Przewracam się na podłogę. Jest chłodna.

– Nic o tym nie wiem. Nie wiem nic o Mariuszu F. Nie wiem nawet, że potrącił jakąś kobietę. Nie oglądam telewizji.

Dowcipniś podrywa mnie z podłogi i sadza z powrotem na krześle.

– Mam prawo do telefonu.

– Masz prawo opierdolić mi pałę.

– Masz niebezpiecznie dużo homoseksualnych żartów. Tak jakby była w tobie jakaś potrzeba.

– Zamknij mordę, pedale.

– Wsłuchaj się w siebie. Naprawdę. To podstawa, aby być szczęśliwym.

– Zamknij mordę, kurwa, bo będzie nieprzyjemnie.

– A przecież jest tak przyjemnie.

– Jedziesz na śledczy. Zaraz.

– Możecie mnie trzymać tylko czterdzieści osiem godzin.

– Prokurator ma inny pomysł.

– Czy mogę prosić jeszcze o coś do picia? Czy w moim mieszkaniu znaleziono jakieś narkotyki?

– Posiedzisz tu sobie. Jeszcze raz. Ostatni. Potraktuj to jako dogrywkę, koło ratunkowe. Jakkolwiek. Ostatnią szansę. Zadam to pytanie normalnie, grzecznie, po ludzku. Skąd pochodziła kokaina, którą dostarczałeś Mariuszowi F.?

– Nawet nie wiecie, o co tak naprawdę chcecie zapytać.

Dowcipniś kopie jeszcze raz w krzesło. Przewracam się jeszcze raz.

– Brakuje wam pomysłów.

Dowcipniś kopie mnie w brzuch.

– Już! Kurwa! – Siwy go powstrzymuje.

Dowcipniś sapie, próbuje się opanować. Jest podniecony. To zawsze ich podnieca.

– Już. Posadź go – mówi mu siwy.

Dowcipniś sadza mnie z powrotem na krześle.

– Od początku. Skąd pochodziła kokaina, którą dostarczałeś Mariuszowi F.?

06:49

– Zabieraj go.

Dowcipniś podciąga mnie z krzesła, stawia do pionu. Nie opieram się. Opór tylko go podkręci. Słyszę, jak sapie tuż przy moim uchu. Jego oddech śmierdzi, jakby odżywiał się samym najtańszym mięsem, podrobami, parówkami. Patrzę na siwego. Jego twarz zmieniła kolor od momentu, gdy tu wszedłem. Poczerwieniał na szyi i policzkach. Wygląda jak pijany sercowiec. Ma dość. Jest wyczerpany. Tak naprawdę wie, że nic nie wystruga z tej sytuacji. Że najpóźniej za trzydzieści kilka godzin będzie musiał mnie wypuścić. Muszę tylko zadzwonić do Piotrka. Piotrek musi wysłać adwokata.

Muszę lecieć do Argentyny. Dzisiaj wieczorem. Odprawa kończy się o dwudziestej drugiej. O dwudziestej drugiej muszę być na lotnisku.

– Zabieraj mi go, kurwa, z oczu – mówi sercowiec.

Korytarz. Z powrotem. Ten sam. Już nie wiruje. Już idę prosto. Kawa w moim pustym żołądku to jedynie drażniący, kwaśny nadbagaż. Żołądek nie wchłania płynu. Jestem odwodniony. Zwymiotuję dopiero w celi. Do kibla, do zlewu, gdziekolwiek. Dowcipniś popycha mnie do przodu.

W pewnym momencie, gdy robię krok, podstawia mi nogę. Tracę równowagę, przewracam się na twarz.

– To teraz sobie pogadamy, kurwa – mówi.

Podnosi mnie i rzuca mną o ścianę, tak jakby nie wiedział, co robić, od której strony i jak zacząć mnie bić, bierze mnie z powrotem za klapy marynarki i uderza z główki w twarz, nie słychać chrupnięcia, nic mi nie złamał, tak mi się wydaje, przynajmniej tego nie czuję, po chwili uderza mnie w brzuch, bez żadnej logiki, bez planu, jakby dopiero się przymierzał do właściwego bicia, jakby sprawdzał, co sprawi mu najwięcej przyjemności.

– Ej! – krzyczy ktoś z drugiego końca korytarza.

– Jesteś taki, kurwa, wygadany, wiesz, co tu się robi z takimi wygadanymi jak ty? Pokażę ci, kurwa. Wszystko ci pokażę – mówi.

– Już daj mu spokój – mówi drugi gliniarz, ten, który zasmradzał mi samochód.

– Rozjebię mu ten przecwelony ryj – mówi dowcipniś.

– Wyluzuj – mówi zasmrodzony. – Musisz wyluzować.

– Musisz wyluzować, bo macie na mnie cały chuj, a jutro będzie tu adwokat – mówię mu, czując, jak po twarzy spływa mi krew.

On zaciska zęby, najchętniej by mnie zabił, rozerwał gołymi rękami. Rozumiem go w pewien sposób. Jest tu pewnie od czterdziestu ośmiu godzin. Ciągnie amfę zwyczajnie po to, by móc jeszcze funkcjonować. Jak rozjuszony, ale wytresowany pies, robi jeszcze tyle, ile może: popycha mnie mocno do przodu, abym szedł dalej korytarzem. Idzie za mną. Już nic nie mówi. Ja nic nie mówię.

Niedługo będzie tu adwokat. Wykupi mnie stąd. Porozmawiam z Piotrkiem. Wytłumaczę mu wszystko. Wszystko odpracuję, jak wrócę. Odpracuję to szybko. Może oddam mu mieszkanie jako część długu. Ale żeby wrócić, muszę wyjechać. Muszę wyjechać, żeby przeżyć.

Już jutro będę w hotelu. W zimnej pościeli. Schowany. Skulony. Będę na drugim końcu świata.

Światło na korytarzu jest zimne i wchodzi mi w oczy jak dwa tępe noże. To światło jest wszędzie, oświetla całą Warszawę. Odpocznę od niego. Odpocznę od świateł.

– Jak na razie poleżysz tu sobie – mówi ten, który zasmradzał mi samochód.

Otwiera drzwi celi. Dopiero teraz widzę, jak wygląda.

– Ale się nie przyzwyczajaj – dodaje.

– Nie zamierzam – odpowiadam mu.

Wpycha mnie do środka. Zatrzaskuje za mną drzwi.

Kładę się na pryczy, z powrotem zamykam oczy. Dopiero teraz czuję ból, ogarnia moją twarz, największy jest w żołądku, ten w żołądku uderza potworną falą, kasuje każdą inną myśl, każde inne odczucie; łapię się za brzuch, zwijam się w kłębek, jakbym chciał zdusić go ciałem. Uczucie, jakbym trawił milion żyletek. Trochę oddechów w ciemności. Mija tak szybko, jak się pojawił, ale jeszcze wróci, wiem o tym.

Zamykam oczy. Szepty na korytarzu, kroki. Zamknąć oczy, zanim obudzą mnie za pół godziny jedynie po to, aby odbyć jeszcze raz tę samą rozmowę. I jeszcze raz, i jeszcze raz. Dopóki nie dadzą mi zadzwonić, dopóki nie przyjedzie tu ktoś od Piotrka.

Zamknąć oczy, oddychać równo, w jednym tempie.

Odprawa kończy się o dwudziestej drugiej.

Równo, w jednym tempie.

Odprawa kończy się o dwudziestej drugiej.

SEN

Wiedziałem, że tam wrócę, że nie trafię w żadne inne miejsce. Drzwi do kościoła zatrzaskują się za mną z tępym hukiem; nie muszę się odwracać, aby wiedzieć, że przestały właśnie istnieć, że za mną jest już wyłącznie lita ściana. W samym dźwięku było coś ostatecznego, nieodwracalnego.

Środek jest cały ze złota. Wszystko jest ze złota. Całe to złoto wygląda, jakby jeszcze przed chwilą było płynne. Jakby właśnie zastygło, nagle schłodzone.

Nie ma ław. Jest długi korytarz, obity czerwoną wykładziną. Nie ma żadnych okien. Ściany są jednolite, jednolite sklepienie jest znacznie wyższe, niż sugerowałaby to wysokość kościoła oglądanego z zewnątrz; z podłogi wyrastają złote kolumny, stylizowane na antyczne, rzeźbione w liście, owoce i figury. Na samym końcu ołtarz, majestatyczny, masywny, nieregularny, wielka góra nadtopionego złota, której poszczególne elementy zlewają się w jedno, w ogromną bulwę, złoty, zastygły wyciek.

Nad ołtarzem, na sklepieniu, zawieszona w powietrzu rzeźba: złoty Chrystus z rozciągniętymi ramionami, przybity do niewidzialnego krzyża.

Po obu stronach złote zlewy. Z kranów kapie woda na czerwone, aksamitne poduszki. Dźwięk kilkudziesięciu kapiących kropel jest jak młot, jak uderzenia wielkiego, bijącego pod budynkiem serca.

Złoto zaczyna się poruszać, zaczyna mówić, otwierają się w nim usta.

Znam mężczyznę, który stoi na końcu korytarza, pod tym ołtarzem, znam jego twarz, okrągłą, jakby przyklejoną do okrągłej, ogolonej głowy. Mężczyzna jest w czarnym stroju, koszula i spodnie, jest boso. Czeka na mnie.

– No chodź, Jacuś. No chodź – mówi. – Mieliśmy się spotkać. Nie odpisujesz na moje SMS-y. Nieładnie.

Dobrze wiem, kim jest. Znam jego imię.

Z ogromnej, służącej za ołtarz złotej bryły wystają resztki płaskorzeźb, kupidynów, figur świętych, owoców, antycznych figur, Apollinów, Dawidów, ale też fragmentów broni, ciał dziwek, twarzy, które znam z Warszawy: Paziny, Stryja, Piotrka, Beaty; samochodów, mebli, pomieszczeń, drzwi, okien, salonów, łazienek – wszystko złączone w jednym tańcu, w zamazanej orgii. W tej bryle, w jej złotym szaleństwie, otwierają się czarne otwory i formują w twarze, dziesiątki, setki twarzy otwierających usta, zaczynających śpiewać niemą pieśń, ale mężczyzna zaraz je ucisza, wystarcza jeden ruch jego dłoni i ołtarz staje się na powrót jednolity.

Wiem, że jego dłoń ma władzę nad tą przestrzenią, że ma władzę nad wszystkim.

Podchodzę do niego, trwa to bardzo długo, zapadam się w czerwoną wykładzinę tak samo, jak w błoto na zewnątrz kościoła, moje stopy wpadają w nią po kostki, by wyłonić się z niej brudne, cuchnące, ubłocone. Wiem, że złoto jest tak naprawdę złudzeniem optycznym, że jest tylko skorupką. Że to wszystko jest tak naprawdę słomą, gównem, błotem, ziemią, torfem, rdzą. Że pod spodem tej skorupki dzieją się prawdziwe, niewidoczne teraz procesy, wzajemne przeżeranie się, zjadanie, trawienie tańczącej pod nią materii.

Mężczyzna kładzie mi dłonie na barkach.

– Ten deszcz, o którym wspominałeś – mówi – nikomu się nie opłaca.

– Co teraz? – pytam go.

– Nie tylko ty byś chciał, gwarantuję ci – odpowiada. – Nie tylko ty.

– Co teraz? – powtarzam pytanie.

Uśmiecha się. Podchodzi do ołtarza, zanurza dwa palce w złotej mazi, która ścieka mu po dłoni, podchodzi do mnie, chwyta mnie za twarz, a gdy to robi, moje ciało przeszywa paraliżujący prąd, nie mogę się ruszyć, nie mogę nawet mrugnąć okiem.

– Spróbuj. Przypomnij sobie, że to twój ulubiony smak. Zrozum, że wyrok już został wydany i nie ma od niego żadnej, żadnej apelacji, Jacuś – mówi.

Wpycha mi palce do ust, a wtedy wszystko zaczyna ściekać, jego palce nie są już palcami, są różowym ciałem, bezkształtnym, śliskim, wszystko zaczyna robić się ciemne, świat zaczyna zanikać, ostatnie, co widzę, to jego twarz – uśmiechnięta, tak znajoma, a jednocześnie tak obca twarz, która wypełnia wszystko, co jest widoczne, podczas gdy w ustach znowu czuję smak rzygowin, żrący, mdły; już wiem, że nigdy nie poczuję innego smaku, że został włożony we mnie na stałe.

– Pamiętaj, że to nie jest więzienie. Owszem, nie możesz stąd wyjść, ale masz zupełną dowolność, jeśli chodzi o dekorację wnętrz. Masz dużo pieniędzy, nawet jeśli teraz nie masz ich w ogóle, już za chwilę z powrotem będziesz miał dwa razy tyle, stać cię będzie na najlepsze i najwygodniejsze łóżko, na najładniejszą tapetę – mówi.

Jego twarz rozmywa się w plamę. Widzę już tylko kolory. Czerwony, żółty, zielony, pomarańczowy, brązowy, czarny. Nieregularne, coraz słabsze. Spadające w czerń.

– Ale nigdy stąd nie uciekniesz, Jacuś, kurwa, to właśnie było w tobie dziecinne. To śmieszne marzenie. Ale rozumiem to, każdy ma marzenia – słyszę jeszcze jego głos.

Jestem wchłaniany, już wiem, przez co, przez kogo.

– Po prostu trzeba zapomnieć o fantazjach. O wszystkich możliwych – głos mężczyzny wypowiada to zdanie jako ostatnie. Niknie.

Jeszcze przez chwilę, zanim zapadnie zupełna ciemność, spod kropel różowego śluzu padającego mi na oczy, widzę chłopczyka, stojącego w pokoju, w opuszczonym bloku na końcu osiedla, na jedenastym piętrze, chłopczyka, który z poważną miną, trzymając w ręku zabawkowego transformersa, patrzy, jak jestem zjadany.

– Ona nie zna litości, ale jest sprawiedliwa. Połyka wszystko i wszystkich. Nie czuj się skrzywdzony – mówi.

Chcę mu powiedzieć, że nie czuję się skrzywdzony, że wiem, że wszystko dzieje się zgodnie z planem.

Chciałbym mu to powiedzieć, ale przestaję widzieć i słyszeć cokolwiek.

08:12

Rozmowa zza drzwi. Najpierw cicho, potem głośno; dźwięk przesącza się także przez ścianę. Otwieram oczy. Czuję się, jakby potrącił mnie samochód. Budzi mnie rozmowa i ból brzucha. Mam rany wewnątrz ciała. Potrafiłbym narysować ich kształt. Aby podnieść się i usiąść na pryczy, potrzebuję do tego ogromnej dłoni, która mnic chwyci, podniesie, posadzi. Dłoń w końcu się pojawia, ale ściska mnie mocno, całego, zgniata mi żebra. Siadam. Czuję, że cała moja zawartość, wszystko, co jest pod skórą, zostało przetarte na papkę.

– Kurwa jebana mać – głos numer jeden zza drzwi.

– No i nie ma chuja, musimy go puścić – drugi głos.

– Kurwa mać – ponownie głos numer jeden, to głos dowcipnisia, poznaję go.

Chwila ciszy. Oddycham. Pluję.

– Jak to musimy? – pyta dowcipniś.

– Prokurator wyznaczył zaporową kaucję, tak jak było mówione. Przed chwilą przyjechał facet, mówi, że jest jego papugą. Usłyszał kwotę, kiwnął łbem i wyjął gotówkę z walizki. Dwieście koła – mówi głos numer dwa.

– Dwieście koła, kurwa – mówi głos numer jeden.

– No już nawet nie przeliczaj tego na to, co tam teraz przeliczasz, wiesz – mówi głos numer dwa.

– Kurwa, a zarzuty? – głos numer jeden, ciszej.

– Nic nie ma na niego. Nie miał nic w domu. Na kamerach nie ma żadnego handlu. Samochód był czysty – odpowiada głos numer dwa.

Cisza. Szuranie butów o linoleum, ciche mlaskanie. Odgłosy prób myślenia, zastanawiania się.

– No, nawet samochód był czysty – powtarza głos numer dwa.

– Dogadali się piętro wyżej, jak zwykle – mówi dowcipniś.

– Ja go teraz muszę wypuścić – mówi głos numer jeden.

– Daj mi go chociaż na piętnaście minut. Nikt się nie dowie. Kurwa, urządzę go jak siemasz – nalega dowcipniś.

– Układ, nie układ, wąchają się tam pewnie po kolbach, to jest polecenie służbowe, Janek, ja nie mogę inaczej, kurwa – mówi głos numer dwa.

Janek Malczak – tyle informacji wystarczy, aby go znaleźć i zrobić mu krzywdę. Znajdę go; wtedy już podowcipkujemy wspólnie. Poopowiadamy sobie całe tony kawałów. Ale pierwsze rzeczy pierwsze.

Podnoszę się z pryczy. Niech otworzą drzwi, niech zobaczą mnie stojącego.

– No *sorry*, jeszcze raz – mówi głos numer dwa.

Otwierają się drzwi. Czuję, jak światło z korytarza zdziera mi twarz.

– Wyłazisz – mówi.

Jego też rozpoznaję, to ten bez rynienki nad górną wargą, ten, który wygląda, jakby jego matka piła w ciąży denaturat. Stoi w drzwiach i gdy w końcu zdołam dostrzec jego twarz, widzę, że jest w niej ciepła rezygnacja. To twarz pozytywnego bohatera programów informacyjnych. Lekarza, który ratuje dzieci z wadami serca. Ale może twarzom, które zdradzają cechy upośledzenia, automatycznie przypisuje się dobro i troskę, może nawet ja wpadam w tę pułapkę.

– Jeszcze się zobaczymy, księżniczko – mówi dowcipniś.

Rozkładam powoli ręce na tyle, na ile pozwala mi ból brzucha. Pokazuję mu, że jeśli chce, może uderzyć mnie jeszcze raz.

– Ty nawet nie masz pojęcia, jak niedługo cię urządzimy, kurwo – cedzi. – Ty sobie nawet tego nie wyobrażasz.

Może ja mam przejebane. Ale to Janek już za pół roku będzie pobierał rentę z tytułu znacznego stopnia niepełnosprawności. Najgorszy typ policjanta to ten, który w swoim własnym mniemaniu jest uczciwy, ten odchowany na Pasikowskim i starych filmach w stylu *Serpico*; błędny rycerz, chcący zaprowadzać sprawiedliwość w pojedynkę wbrew otaczającej go korupcji i kumoterstwu, w czym mają mu pomóc cięte jego zdaniem uwagi oraz niedokładnie ogolony ryj. W swoim mniemaniu dowcipniś Janek jest takim właśnie wojownikiem o prawdę. Ale tak naprawdę dowcipniś Janek jest głupią kurwą, która jest tak zajęta napierdalaniem zatrzymanych, wąchaniem mefedronu, chlaniem i ćwiczeniem odzywek do lustra, że nawet nie zauważa, jak jego wielka kariera bycia ścierką do sracza właśnie zatrzymała się w miejscu i nie zamierza ruszyć do przodu nawet o centymetr.

– Musicie mnie odprowadzić. Nie pamiętam, jak tu wszedłem – mówię im.

Upośledzony kiwa głową. Idzie przy mnie powoli. Człapię, ale po chwili moje ciało jakby się otwiera, rozkurcza, zaczynam się prostować, ruszać głową, rękami, ból żołądka ustaje, mogę iść prosto. Powoli zaczynam wyobrażać sobie to, co mogłoby mnie naprawić. To dobry znak.

Odwracam się, widzę dowcipnisia; stoi w korytarzu, patrzy na mnie z niekłamaną nienawiścią. Gdy spotyka moje spojrzenie, spluwa.

Powoli, drobnymi krokami idę w piekące, złe światło.

09:45

Zacząłem się śmiać dopiero wtedy, gdy zobaczyłem się w lustrze. Śmiałem się długo, prawie do wyczerpania, przez kilkanaście minut; nie mogłem przestać, śmiech zaatakował mnie z gwałtownością nowotworowego kaszlu. Musiałem klęknąć na podłodze, aby się uspokoić.

Gdy pół godziny wcześniej dotarłem do mojego samochodu, jeszcze się nie śmiałem. Resztka towaru była wciśnięta w poszycie tapicerki w fotelu pasażera. Zapomniałem o niej. Nie wywąchały jej nawet psy. O ile w ogóle ich użyli. Wyciągnąłem ją, wpakowaną w mały, mokry, zgnieciony worek. Zacisnąłem ją mocno w garści. Potem nacisnąłem mały przycisk, który wysuwał drugie dno schowka, małą szufladę podobną do odtwarzacza CD. Wyjąłem z niej moją ostatnią forsę, zawiniętą w folię śniadaniową. Dwadzieścia tysięcy dolarów. Delikatnie przejechałem po nich palcami, jakby dziękując im, że wciąż tu są. W mojej sytuacji to żadne pieniądze. Po prostu zapłacę nimi za pościel, za chłodny pokój.

Zajmę się wszystkim, jak wrócę. Spokojnie. „Spokojnie" – jeszcze parę razy powtórzyłem ten wyraz w myślach.

Usiadłem na śniegu obok samochodu, opierając się o przednie drzwi od strony pasażera. Na ulicy nie było nikogo, okna mieszkań, biur sprawiały wrażenie zupełnie opustoszałych. „W wyludnionych miastach jest coś bardzo szlachetnego" – pomyślałem.

Warszawa byłaby na swój sposób piękna, gdyby wszystkich jej mieszkańców zabiła eksplodująca cicho bomba, neutronowe czknięcie, które zamieniłoby w pył całą miejską faunę.

Przyszło mi do głowy, że po martwych miastach można nawet spacerować.

Wszystko, co zostało, wtarłem w dziąsła. Momentalnie przyszło rozluźnienie, znieczulenie i głęboki oddech, uspokajający wszystko w środku jak długa, świeża fala, jak przypływ. Czułem, jak wypełniający mnie przecier zaczyna powoli układać się z powrotem w organy – wątrobę, śledzionę, jelita, mózg.

Dopiero wtedy, gdy powoli wstawałem z ziemi, podpierając się ręką, coś przykuło moją uwagę. Coś przyklejonego do podwozia przy przednim kole, czarna skrzynka wielkości mniej więcej starej nokii, czarna z prostym wyświetlaczem. Oderwałem ją i ponownie oparłem się o samochód, nie zwracając uwagi na to, że brudny śnieg do reszty przemoczył mi już ubranie. I tak nadawało się tylko do wyrzucenia.

GPS. Mały, plastikowy GPS. „Dlaczego coś takiego nie przyszło mi do głowy?" – zapytałem sam siebie, chyba nawet na głos, wciskając się plecami we własny samochód, nie zastanawiając się jeszcze, kto i po co przyczepił to do mojego podwozia; ile z tego, co wydarzyło się przez ostatnie kilka dni, jest efektem tej małej, chujowej skrzynki, którą pewnie można kupić w prowadzonej przez Wietnamczyków hali handlowej, stoisko obok skarpet i swetrów.

„Dlaczego w ogóle o tym nie pomyślałem?" – zapytałem sam siebie bezgłośnie, ściskając w dłoni czarne pudełko, jakbym chciał je zgnieść.

Myśl, że ta sama osoba, która przykleiła ten GPS, wiedziała, gdzie chowam towar, gdzie jeżdżę, z kim się spotykam, promieniowała w mojej głowie, gdy szedłem w stronę swojego mieszkania, mokry od błota i śniegu, lekko się zataczając, przypominając człowieka, który przez ostatnie dwadzieścia cztery godziny zaliczył cztery różne izby wytrzeźwień.

Pulsowała we mnie, gdy podszedłem do wyważonych drzwi, zrywałem z nich żółtą taśmę z napisem „policja", i gdy zadzwoniłem na pogotowie ślusarskie, gdy pół godziny później grubawy, podenerwowany facet przyjechał założyć mi nowy zamek.

Ta myśl tkwiła w mojej głowie również wtedy, gdy śmiałem się do rozpuku, oglądając siebie w lustrze: bladego, z kilkudniowym zarostem, z twarzą, która wyglądała, jakby ktoś wypompował z niej całą wilgoć, całe osocze i krew. Byłem ubłocony i brudny, miałem sine plamy pod oczami, nasadę nosa przypominającą bezkształtną kulę ciasta i ukruszoną jedynkę.

„Tak właśnie wygląda wpadka – przeszło mi przez głowę, gdy powolnymi ruchami próbowałem umyć się i ogolić. – Tak właśnie wyglądają nieciekawe perypetie. Tak właśnie wygląda malarska symbolika głupoty, nieopatrzności, niezwracania uwagi".

Po drodze do domu kupiłem w aptece kroplówkę. Na połączony widok mojej twarzy i stu złotych polskich farmaceutka sprzedała mi ją bez recepty. Przymocowałem ją teraz do ściany za pomocą lasotaśmy, i już leżąc w wannie, próbowałem przez parę minut wkłuć wenflon w odpowiednią żyłę. Pokłułem sobie całą rękę, ale w końcu się udało. Musiałem to zrobić. Wiedziałem, że jestem tak odwodniony, że mogę stracić przytomność w każdym możliwym momencie. Na ten luksus mogłem pozwolić sobie dopiero na pokładzie samolotu, wpatrzony w ekranik z filmem, przykryty kocem, trzymając dłonie obok nietkniętego samolotowego posiłku.

Leżałem bez ruchu, słuchając plumkania elektrolitów, które powoli wtłaczały się w moją krew, jednostajnie, kropla za kroplą. Chciałem leżeć w wannie godzinę, równo odmierzoną przez nastawiony w telefonie alarm, ale wcześniej zadzwoniła Pazina.

– Przepraszam – powiedziałem jej cicho, rozbawiony własnym głosem, ledwo wyciekającym z gardła jak anemiczny strumień.

W słuchawce jest cisza, więc powtarzam „przepraszam" jeszcze parę razy, doskonale wiedząc, że pomysł, aby kogoś namierzać, śledzić, przyczepiać urządzenia do podwozi samochodów, leży jednak poza jej wyobraźnią.

– Mówiłeś, że nic mu nie zrobicie – odzywa się dopiero po chwili.

– Przepraszam, że groziłem ci bronią w twoim mieszkaniu. To było niepotrzebne i nieeleganckie – mówię, starając się nadać swojemu głosowi odpowiednio patetyczny ton. Rozbawia mnie to jeszcze bardziej. Mam głos młodego księdza, który zachorował na gruźlicę.

– Kurwa, mówiłeś, że nic mu nie zrobicie, że Maluch będzie cały – powtarza głośno, na granicy krzyku.

Podciągam nogi do siebie. Woda jest lekko ciemna od brudu, który odpada z mojego ciała. Staram się trzymać wyprostowaną nieruchomo rękę z wenflonem na krawędzi wanny. Z wkłucia ścieka długa, ciemnoczerwona nitka krwi, spływa mi z ręki, zbliżając się do krawędzi wody.

– Mówiłem, że nie mam żadnego wpływu na to, co mu się stanie – odpowiadam.

– Znaleźli go zmasakrowanego na Mokotowie, gdzieś w krzakach. Wczoraj nad ranem. Jest na intensywnej terapii – mówi głośno, powoli, stara się cedzić każdy wyraz, być jak najbardziej zrozumiała, pomimo własnej furii. Im bardziej jest wściekła, tym bardziej reżyseruje swoje zachowania. Znam ją na pamięć.

– Mówiłem ci, że za to nie odpowiadam. Nie wiem, kto to zrobił. Jest naprawdę dużo ludzi, którzy mogliby to zrobić, Pazina – mówię powoli, każdy wyraz wychodzący z moich ust wbija mi się od razu w żołądek jak nóż.

– Nie wyjdzie z tego, najprawdopodobniej. Ma urazy mózgu, pęknięty kręgosłup, wypadło mu jedno oko. Silne krwotoki wewnętrzne. Ktoś go praktycznie zabił – mówi cicho.

Przychodzi mi do głowy, że miał przy sobie broń. Przychodzi mi do głowy coś jeszcze.

– A czy ktoś znalazł przy nim torbę? Czarną, sportową torbę? – pytam, podnosząc się na chwilę do pozycji siedzącej.

Zimna woda płynie mi po plecach. Wenflon wysuwa się mi się z żyły, syczę z bólu.

– Pierdol się, Jacek – mówi.

– Po prostu powiedz, czy znaleźli przy nim torbę, Pazina – mówię.

– Ja nie pójdę na policję ani nic z tych rzeczy. Ale chcę, żebyś żył od tej pory z wiedzą, że jedyna osoba, która była ci bliska w tym mieście, na tym jebanym świecie, jedyna osoba, która ci pozostała, uważa, że jesteś zwykłym bandziorem, gnojem, który powinien iść do więzienia, zresztą będzie w nim bardzo szybko – mówi szybciej i głośniej, już krzyczy w słuchawkę.

– Ile jeszcze razy mam powiedzieć, że cię przepraszam? – pytam.

– Spierdalaj – odpowiada.

– Więc nic nie wiesz o żadnej torbie? – pytam.

– To naprawdę nasza ostatnia rozmowa – mówi i rozłącza się.

Cisza.

Ostrożnie wychodzę z wanny, wyjmuję wacik z szafki,

przykładam do wkłucia po wenflonie. „Miał przy sobie dwa kopyta – myślę. – Moje i jego. Miał przy sobie dwie spluwy, a i tak ktoś zdołał po prostu do niego podbiec i go zmasakrować. Może to byli Stryj ze Śniadym i Bujasem, może byli to inni ludzie od Piotrka, mógł to być ktokolwiek. Wychodząc z mojego mieszkania, musiał już nie myśleć i nie czuć, iść przed siebie napędzany ostatnimi elektrycznymi wyładowaniami wyczerpanego organizmu, potykać się o samego siebie, nie słyszeć niczego, poza chrobotem w głowie, odgłosami umierających myśli. Dopamina spaliła mu mózg. Być może nawet nie pamiętał tego, że był u mnie w domu, że mnie tam zawiózł, być może ściskał tę czarną torbę kurczowo, aż drętwiała mu pięść, nie pamiętając, co jest w środku, wiedząc jedynie, że jest to ostatnia jakkolwiek cenna rzecz, jaka została mu przypisana przez los".

Nie zauważył i nie usłyszał tych, którzy do niego podbiegli. Oni może zauważyli go przypadkiem, może go śledzili.

Jak będzie miał szczęście, umrze za parę dni. Jak będzie miał pecha, za parę tygodni. A jeśli będzie miał prawdziwy niefart, lekarze jakimś niebotycznym, niepotrzebnym wysiłkiem odratują go, zrobią z niego zdrowego, wychuchanego inwalidę, srającego w stomijny worek i śliniącego się jak małe dziecko.

Problem z ludźmi takimi jak Pazina, właściwie z większością ludzi, polega na tym, że nie rozumieją tego, że tacy ludzie jak Maluch sami spowodowali to, co ich spotkało. Nie chodzi nawet o to, że zasłużyli. Nikt nie zasługuje na nic. Chodzi o to, że poszli w złym kierunku, otworzyli nie te drzwi, zrobili to z powodu własnego niedowidzenia, dezorientacji. Problem z większością ludzi polega na tym, że są przekonani o konieczności chronienia innych ludzi przed konsekwencjami ich własnych czynów. Nie rozumieją, że to kompletnie bezcelowy wysiłek.

Nie ma nic złego w tym, co spotyka Malucha, tak samo jak nie ma nic złego w palaczach umierających na nowotwór płuc, alkoholikach umierających na wątrobę, ludziach, którzy jadąc dwieście na godzinę, rozpłaszczyli siebie wraz z całą rodziną o nadjeżdżającego tira. Tak naprawdę nie ma w ogóle nic złego w śmierci, w chorobie, w złych wypadkach.

To się po prostu dzieje. Większość ludzi traktuje złe wypadki jako część pewnej narracji, fabuły. Robi z nich okazję do melodramatu, przyczynek do wielkich pytań o sens.

Zakładam czyste ubrania, powoli i dokładnie. Wkładam sportowe buty, wygodne, włożone przedtem tylko raz, aby rozchodzić, sznuruję je powoli.

Nie ma żadnego sensu, żadnych strun, siatek, na których podwieszona jest rzeczywistość. Są tylko wielkie, czarne serca pod wielkimi miastami. Czerń błyszcząca własnym światłem. Ciemność widoma.

Pakuję do torby bieliznę, skarpetki, kosmetyki, kilka książek, na których przeczytanie może teraz w końcu będzie czas. Mann, Proust, Celine, literatura dla starców, książki na śmierć. Odtwarzacz MP3, w środku głównie Bach, głównie fugi i kantaty, oczywiście *Wariacje*, trochę Schumanna, trochę Haydna.

Bilety. Dwa bilety, drugi na nazwisko Paziny. Ten drugi kupiony odruchowo, bez pytania jej o zdanie. Wrzucam go do torby na wszelki wypadek. Nie mam biletu powrotnego. Kupię go na miejscu.

Leki nasenne na wszelki wypadek. Nie potrzebuję nic więcej. Po namyśle, chyba w ramach żartu, wrzucam do torby kolorowe klapki, które kiedyś przez przypadek wrzuciłem do koszyka w sklepie odzieżowym.

Ciemność widoma. Czarny płomień. Pod spodem, tuż pod betonową skórą. Tylko tyle. Nic więcej. Niektórzy przeczłapują przez swoje życie, nigdy nie dowiadując się o jej istnieniu. Inni błądzą i wpadają w nią tak, jak wiejskie dziecko, bawiąc się, wpada do źle zabezpieczonego szamba. Jak Maluch. A jeszcze inni, i tych jest najmniej, znają tę ciemność, umieją stanąć przed nią na baczność i popatrzeć na nią tak, jak patrzy się na partnera, na kogoś, kto nigdy nie będzie twoim przyjacielem, ale może nie być twoim przeciwnikiem. Popatrzeć na nią bez strachu, wysłuchać, co ma do powiedzenia. Złożyć jej propozycję.

Biorę torbę i idę w kierunku samochodu, ostatni raz rzucam okiem na moje mieszkanie, na podłogę, na której wciąż są ślady butów małp z AT, na porozrzucane po całej podłodze rzeczy, papiery, książki, na wysunięty na środek salonu stolik z telewizorem.

Posprzątam, gdy wrócę, zajmę się wszystkim, gdy przyjadę.

„Potraktuj to wszystko jako lekcję pokory – przechodzi mi przez głowę. – Potraktuj to jako instrukcję, jak nie postępować dalej. Wykład z ostrożności. Wykaz potencjalnych błędów".

Patrzę na to mieszkanie i rozumiem, że jednak go nie trawię i że muszę się z niego wyprowadzić.

Zamykam drzwi. Idę do samochodu.

11:50

Patrzy na mnie podejrzliwie, ale to podejrzliwość sześćdziesięcioletniego, potulnego mężczyzny, dla którego najostrzejszą przeprowadzoną w przeciągu ostatnich kilku lat rozmową było zapytanie córki podczas świątecznego obiadu, kiedy doczeka się wnuka. Poza tym sprawia wrażenie miękkiego, flegmatycznego człowieka o skromnych, kolekcjonerskich przyjemnościach; gościa, który nie odzywa się, nawet oglądając mecze polskiej reprezentacji.

Jak zwykle od razu mnie rozpoznał. Na pewno słyszał

o tej sprawie, na pewno wchodzi mu przez myśl, że to mogę być ja. Ale nikt nigdy nie podał mojego nazwiska, a on go nigdy nie poznał.

– Pana Fajkowskiego nie ma – mówi.

– Wiem, że kazał panu tak mówić każdemu, kto przychodzi – mówię. – Wiem też, że jest załamany tym, co się stało. Ale to ważna sprawa, wie pan. Jestem z zarządu telewizji.

– Pana nazwisko? – pyta.

– Dubieński – odpowiadam.

Byłem przygotowany na usunięcie z listy osób niepytanych o nazwisko. Byłem gotowy również na to, że lista w ogóle przestała istnieć. Musiałem tylko sprawdzić w internecie spis członków zarządu telewizji. Zajęło mi to chwilę. Wybrałem najmłodszego.

– I w jakiej sprawie? – pyta.

– Sprawie, która na pewno poprawi mu humor – odpowiadam.

Dobrze, że jest tym razem sam. Czasami siedzi z nim jeszcze drugi gość, wygolony na krótko małolat, który ma po prostu robić za tło. Mógłby być bystrzejszy od niego w tej sytuacji.

– Nie skreślamy pana Mariusza. Jest filarem naszej stacji, nie odwrócimy się od niego, i o tym właśnie chcę mu powiedzieć – mówię.

Patrzy na mnie zza okularów. Potem zagląda do księgi gości. Potem znowu patrzy na mnie.

– Wczoraj wieczorem. W obronie godności kobiety – pokazuję palcem na podstawę nosa.

Kiwa głową. Daje mi plastikową kartę. Wchodząc po schodach, zakładam czapkę.

Otwiera mi drzwi po dziesięciu regularnych, spokojnych stuknięciach. Z całej siły uderzam go pięścią w ryja, łapie się za nos, robi parę kroków do tyłu, wchodzę do środka, zamykam drzwi.

Nie wiem, na czym go zastałem, jest półnagi, w samych dresach, jego wątła klatka piersiowa przywodzi na myśl choroby, które teraz są wyleczalne, ale jeszcze sto lat temu wybijały całe społeczeństwa. Na dużym, zawieszonym na ścianie telewizorze leci film porno. Kilku zamaskowanych mężczyzn po kolei pieprzy w tyłek bardzo młodą, zakutą w dyby dziewczynę. Trudno ocenić, czy jest pełnoletnia. Wygląda na czternaście lat. Obraz jest niewyraźny, dźwięk jakby dochodził ze studni, dziewczyna płacze. Na stoliku przed telewizorem jest koks, resztki, rozdrobniona na szklanym stoliku mgiełka pyłu, kilka kresek, szklanka z whisky.

Ma mocno podkrążone oczy. Teraz, gdy jego włosy nie są ułożone przez stylistę, widać, że łysieje.

– O kurwa, kurwa, po co tu przychodzisz, kurwa, zaraz tu będzie policja – mówi.

– Ja już byłem na policji. I coś mi powiedzieli. Dużo ciekawych rzeczy – odpowiadam.

Na barku stoi zamknięta butelka whisky, z całej siły uderzam nią o stół, szkło rozbryzguje się dookoła, alkohol formuje się w plamę na podłodze. W mojej dłoni zostaje szyjka i kawałki rozbitego szkła. On się cofa. Ja idę do przodu. Mój krok do przodu to jego dwa kroki do tyłu.

– Powiedzieli mi, że wszystko im ładnie opowiedziałeś na mój temat – mówię – a wiesz, że tego się nie robi.

– Nie miałem wyjścia, kurwa, nie miałem wyjścia – odpowiada.

Wchodzimy do niego do sypialni, on siada na swoim łóżku, chwytam go za gardło, podnoszę, drugą ręką uderzam go jeszcze raz. Osuwa się na podłogę. Chwytam go za szyję, przystawiam mu to, co trzymam w dłoni, do twarzy, tak aby szkło było jak najbliżej oka.

– Umiem się wykaraskać z takich sytuacji, wiesz. Byłoby głupio, gdybym nie umiał. To tak, jakbyś ty nie umiał poradzić sobie z tym, że zepsuło ci się ucho na wizji – tłumaczę mu.

– Co miałem zrobić? – pyta głośno, prawie krzycząc.

– Mogłeś zapytać wcześniej, co masz zrobić. Wtedy na przykład powiedziałbym ci, że masz mówić, że mnie nie znasz – informuję go.

– Bo cię nie znam – zawodzi – bo cię, kurwa, nie znam.

– Skądś wiedzieli, gdzie mieszkam, mimo że mieszkanie jest na inne nazwisko – mówię. – Skądś wiedzieli, gdzie mnie szukać.

Milczy i drży. Przypomina chorego na progerię nastolatka. Zaraz zsika się pod siebie.

– Skądś wiedzieli, gdzie mnie szukać, chociaż bardzo dużo czasu poświęciłem na to, aby nie mogli mnie znaleźć – mówię.

– Ile chcesz forsy? – pyta.

– Skąd ty o tym wiedziałeś? – pytam.

Dyszy szybko jak przestraszone zwierzę. Źrenice rozszerzają mu się i zwężają. Pachnie jak stary, chory na anginę człowiek: naftaliną, antybiotykami, stęchłym potem.

– Dziewczyna – mówi w końcu.

– Jaka dziewczyna? – pytam.

– Modelka – odpowiada. – Sypiałeś z nią. Już o niej rozmawialiśmy.

– Jaka modelka? – pytam ponownie.

Kładzie się na podłodze i zaczyna się trząść. Odsuwam butelkę od jego twarzy. „O czym on mówi, do kurwy nędzy, o kim on mówi?" – pytam sam siebie w myślach, chwytam się znowu za brzuch, znów zaczyna mnie boleć. „O czym on, do cholery, mówi?" – zadaję sobie to pytanie, ale uczucie towarzyszące tej czynności jest podobne do uczestnictwa w teleturnieju; przypomina chwilę, w której prowadzący w finałowym pytaniu za sto milionów prosi cię, abyś po prostu podał nazwisko panieńskie matki. Wtedy ze stresu, z lęku twoja głowa robi się pusta, mózg kasuje wszystko, co dotyczy twojej matki, przestajesz pamiętać, jak ona ma w ogóle na imię.

– Wstawaj – mówię.

– Nie znam się na tych kryminalnych kodach, grepsach, kurwa, ja jestem z innego pokolenia, jak ja widzę chłopaka w szerokich spodniach, to od razu boję się, czy on mi nie zajebie samochodu, rozumiesz? – mówi, otrzepując się z niewidzialnego brudu.

Przechodzi z powrotem do salonu.

– Jaka modelka? – pytam raz jeszcze.

– Czy ty wiesz, o co chodziło? O całą moją karierę, kurwa. Mieli na mnie znacznie więcej. Mieli na mnie od zajebania. Rozliczenia, finanse. Nieprawidłowości w spółkach, w nieruchomościach. Monity. Kary. Mam zawieszone wszystkie źródła dochodu, to znaczy według umów muszą wypłacać mi pensję do końca roku, ale wszystkie moje programy zostały zdjęte z anteny do odwołania. Czy ty widziałeś gazety? Moje zdjęcia podpisane: „Morderca", „Narkoman"? A pod spodem mikołaj z colą, bo przecież są, kurwa, święta. „Zabił w święta". Wiesz, zabić w święta ma zupełnie inną wagę, niż zabić w jakąś inną porę roku.

– Powiedz imię – mówię.

Nie reaguje. Wyłącza film akurat w momencie, gdy dziewczyna, tym razem związana na podłodze czymś wrzynającym się w jej ciało, jakby struną od fortepianu, zaczyna wymiotować spermą. Nalewa sobie whisky, opiera się o bar. Czuje, że znowu trzyma w rękach lejce tej sytuacji. Że może mi jeszcze coś wmówić, że zdaniami załatwi wszystko. Tak jak załatwiał do tej pory.

Wypija. Bierze głęboki oddech.

– Musiałem się pokajać, wywiad ze mną idzie w poniedziałek – tak, jestem narkomanem, pijakiem, zabłądziłem, potworny błąd, nie do naprawienia. Wybaczcie mi. Naprawdę, klękam przed wami. Pomimo moich pieniędzy, mojego sukcesu, a może właśnie z powodu moich pieniędzy, mojego sukcesu, trafiłem na dno. Tak, ksiądz Tischner miał rację – czarne murciélago nie wypełni pustki w twojej duszy. Postaram się to naprawić. Wpłaciłem pół miliona złotych gotówką na Hospicjum Braci Sandałowych Brata Kleofasa... Rozumiesz? Pisałem wczoraj sam te odpowiedzi. Kupa śmiechu, naprawdę. To są naprawdę uleczalne rzeczy. Na tym etapie tę kwestię wizerunkową da się załatwić. Ale ci przemili panowie z prokuratury... ci przemili, naprawdę sympatyczni panowie zagrozili mi, że dobiorą mi się do kont, do papierów. Mówiąc ogólnie, wejdą mi na zaplecze. A ja przepuszczałem, to znaczy, oczywiście moi ludzie, którzy są do tego wynajęci, przepuszczali moją forsę przez Arubę, kurwa, przez Wyspy tego, no, Cooka, bo to, kurwa, robi każdy, przysięgam ci, każdy. No i ją wstrzykiwali, że tak powiem, w różne tam deweloperskie sytuacje, w różne instrumenty, wysokiego, kurwa, ryzyka... W lotnisko, to dla biedaków, wiesz, tanie linie lotnicze, wiesz które, tam trzeba było szybko grunty przejąć, bo była okazja... Pewnie rozumiesz, na czym to polega. Zawsze, gdy ty zarobisz, ktoś traci. Zawsze. No i ktoś tam dał zaliczkę na mieszkanie, ktoś tam kupił jakieś udziały i ktoś się spłukał, jeden, drugi, trzeci... Mnie nic do tego. Ja po prostu dałem swoją forsę, aby nią poobracać. Ale wiesz, z racji, że to ludzie z otoczenia premiera, ci moi wspólnicy... Zatrzymałoby się na mnie. Wszystko. Nikt nie szukałby dalej. Byłoby to niewskazane. – Słucham go i czekam, aż w końcu straci oddech, bo mówi tak szybko, jakby startował w jakimś turnieju.

Dopiero teraz widzę, że na twarzy ma odbarwienia, chorobowe plamy, bielma, które normalnie musi maskować kosmetykami.

– Wiesz, jak to jest z Polakami? Polacy wybaczą ci, że waliłeś żonę po rogach, wybaczą ci, że wciągałeś kokainę z kurwami, że zrobiłeś dziecko jakiejś sarence i kazałeś jej się potem skrobać. Że pojechałeś na polowanie i zajebałeś ostatniego, słuchaj, łosia srebrnonosego w Polsce, i umieściłeś zdjęcie na Instagramie z tym zajebanym łosiem. Ale nie wybaczą ci tego, że wzbogaciłeś się kosztem normalnego... „Który skrzywdziłeś człowieka prostego. Śmiechem nad krzywdą jego wybuchając, Gromadę błaznów koło siebie..."*. Rozumiesz, nie? Rozumiesz? – pyta tonem osoby przyzwyczajonej do tego, że jest najinteligentniejsza w pomieszczeniu.

Nie odpowiadam, podchodzę do niego i znowu walę go pięścią w twarz, i jeszcze raz, coś chrupie mu w gębie, przewraca się na stolik, zrzucając z niego piloty, próbuje wstać.

– Imię – mówię.

– Nie pamiętam. Myślisz, że pamiętam imiona wszystkich dziewczyn, z którymi spałem? – pyta.

– Imię – powtarzam głośniej.

– Beata – odpowiada cicho.

Cofam się o krok, odruchowo. On to widzi. Obserwuje mnie uważnie od samego początku. Stoi już prosto, ale tak, jakby zaraz miał się przewrócić. Jest w nim coś jednocześnie delikatnego i cuchnącego, jak w stuletnim jajku.

A więc to tak. Nie, to nie boli. To nawet nie dziwi. A więc to tak. Kolejna sprawa, która powinna wydawać mi się oczywista.

– No sypiałem z nią trochę, z tą twoją dupą, przez ostatnie parę miesięcy – mówi po krótkiej chwili, jakby potrzebował jej na znalezienie w mózgu pliku z odpowiednim nagraniem. – Zabrałem ją na wakacje. Bez zbędnych ekstrawagancji, wiesz. Nurkowanie na Malediwach. Ale od razu było widać, że żadna z niej pani Bovary.

---

* Czesław Miłosz, *Który skrzywdziłeś*, [w:] tegoż, *Wiersze wszystkie*, Znak, Kraków 2011.

Przecież ją znasz. Powiedziała mi, że miała z tobą, jak to uroczo i staroświecko określiła, romans. Gdy to wszystko się stało. Że się z tobą ostatnio spotkała. Mówiła nawet, że byłeś jej miłością. No ale, wiesz, takie dziewczyny nie miewają miłości. – Opiera się o barek. Z nosa leci mu krew. Nie próbuje jej zatrzymać. – Skoro chcesz ode mnie otwartości, to ją masz. Proszę bardzo. Jak na spowiedzi. Ci panowie z policji i ci panowie z prokuratury nie wiedzieli, jak znaleźć twoje mieszkanie, bo byłeś sprytny. Zresztą za to cię zawsze lubiłem, że jesteś sprytny. Nienawidzę kretynów, muszę ci powiedzieć. To sprawa smaku, sprawa smaku, „w którym są włókna duszy i cząstki sumienia"* – mówi i nagle się uśmiecha. Chyba dlatego, że widzi, że ja się nie uśmiecham. Że moja twarz jest w tym momencie jak skamielina, jak zwapniona opuchlizna.

– Sam jej powiedziałeś – dodaje po chwili.

Nie odpowiadam, podchodzę do niego o krok.

– Ona pewnie w tym momencie, wiesz, nie mogła mówić. – Szczerzy się.

Podchodzę o jeszcze jeden krok do przodu.

– Powiedziała, że odezwie się do ciebie i dowie się, gdzie mieszkasz. Dałem jej za to dziesięć tysięcy. Myślisz, że to mało? – pyta.

Nic nie mówię. Ręce trzymam wzdłuż ciała. Dopiero teraz czuję, że w jego mieszkaniu jest chłodno, nawet zimno, że pomimo mrozu na zewnątrz jest tu jakby wyłączone ogrzewanie. „Musi cały czas się schładzać – myślę. – Musi robić sobie bez przerwy cały czas coś w rodzaju krioterapii, inaczej jego ciało się przegrzeje, usmaży się żywcem".

Gdy zbliżam się do niego, coś się w nim zmienia. Jakiś

* Zbigniew Herbert, *Potęga smaku*, [w:] tegoż, *Zbigniew Herbert. 89 wierszy*, Wydawnictwo a5, Kraków 1998.

ukryty w nim mechanizm nagle zostaje wyłączony. Zastyga. Podnosi ręce do góry i mówi:

– Już, już, już. Kochany. Spokojnie. Musiałeś się wyżyć, rozumiem to. Nigdy nie wierz kobiecie, i inne takie. Musiałeś i dlatego ci pozwoliłem. Ale jeśli uderzysz mnie jeszcze raz, przy wyjściu stąd zawinie cię ochrona i odda policji. Rozumiem, że już raz cię wykupili z aresztu – mówi tonem tak pewnym, jakby prowadził którąś ze swoich audycji.

Jakby ktoś zdmuchnął mgłę z jego oczu. Nagle pojawia się w nich niespotykana trzeźwość. Krew z nosa spływa mu już na szyję, zastyga na niej w brązowawych zaciekach. Wie, że wygrał. Że wygrał już w momencie, gdy tu wszedłem.

– Zastanów się, czy wykupią cię z niego drugi raz w przeciągu dwudziestu czterech godzin – mówi spokojnie.

Podchodzę do niego zupełnie blisko. Znowu zaczyna drżeć, ale delikatnie, to naturalna reakcja ciała.

– Po prostu mam wyrzuty sumienia w stosunku do ciebie. Dlatego w ogóle tu wszedłeś, bo mam pewne wyrzuty sumienia, mam je, bo cię lubię – mówi. – Ale mogę ci to jakoś zadośćuczynić.

Wie, że nie myślę już o nim. Wie, że myślę o niej.

Że myślę o pokoju, który wygląda jak brudne, różowe akwarium, który już zawsze, zatrzymany w czasie, będzie wyglądał jak brudne, różowe akwarium, akwarium pełne brudnej wody, pełne po sufit brudnej wody, która dusi, wpada do ust i nosa, wypełnia płuca.

Z rękami w górze, jakbym miał przy sobie broń, idzie i otwiera szafkę. Obserwuję go, jak czegoś szuka, powoli, metodycznie. Wyjmuje plik błyszczących prostokątów z kredowego papieru, przegląda je po kolei, szukając konkretnego.

– Jest – mówi w końcu.

Podchodzi do mnie. Dopiero teraz obciera sobie nos, krew zostaje mu na dłoni. Pokazuje mi czarno-biały kartonik: zdjęcie trzech mocno umalowanych kobiet z udrapowanymi włosami, z nazwą jakiejś marki odzieżowej wydrukowaną fantazyjną czcionką, adres, jakieś miejsce przy placu Trzech Krzyży, dzisiejsza data. Zaproszenie na jego nazwisko.

– Będzie tam dzisiaj, jakbyś chciał z nią o tym porozmawiać – mówi.

Dopiero teraz zauważam, że jedną z tych kobiet jest ona. Jej rysy są wygładzone, zamazane przez makijaż. Gdy ją rozpoznaję, sztylet rozpruwa mnie od środka jak stare prześcieradło. Ale nawet gdybym chciał jakoś pokazać to ciałem, wyrazem twarzy, już bym nie mógł.

– Mnie się w sumie znudziła. Jest stara, dwadzieścia cztery lata, i wiesz, nie jest zbyt pomysłowa. Rozumiesz, co mam na myśli. No i rzadko goli cipę – mówi z widocznym niesmakiem.

Biorę to zaproszenie, zgniatam je, rzucam na podłogę. Widzę, że triumfuje. Widzę, że wie, że nie mogę mu nic zrobić. Wie, że schwycił lejce. Że wygrał.

– No cóż, szkoda, podobno ma być całkiem niezłe żarcie. Wiesz, nie możesz powiedzieć, że nie dałem ci tego, po co przyszedłeś – mówi.

Teraz to on idzie do przodu, ale ja nie mam zamiaru się cofać.

Patrzę na zegarek. Nie mam dla niego więcej czasu. Skupiam się, sznuruję się od środka, próbuję się zasklepić, aby nie wypuścić z siebie nic na zewnątrz, aby nie pozwolić sobie samemu na to, aby chociaż go dotknąć. Bo gdy dotknę go raz, wtedy już nie przestanę; wtedy go zamorduję.

– Powiem ci coś jeszcze. Ta dziewczyna, wtedy, w nocy, z tym dzieckiem... Mogłem zahamować. Widziałem ją dosyć dobrze już z daleka – mówi.

– Nie obchodzi mnie to – odpowiadam.

– Ale tego nie zrobiłem. Specjalnie tego nie zrobiłem. To był, jakby to powiedzieć, pewien pomysł – mówi.

Idę w kierunku drzwi, nie czekam, aż skończy.

– Oczywiście, żałuję go. Ale powiem ci, o co chodziło. Chciałem... – słyszę, jak podnosi głos, aby mnie zatrzymać, ale przerywam mu wywód trzaśnięciem drzwiami.

Wracam jak automat do samochodu: korytarz, winda, schody, portiernia, rzucam portierowi kartę wstępu, nawet na niego nie patrząc.

Ma rację. Powiedziałem jej, gdzie mieszkam. Zapytała o to, leżąc obok mnie, w różowym pokoju, a ja jej powiedziałem. Stoję jeszcze przez chwilę przed wyjściem, staram się głęboko oddychać, pomimo bólu. To całkiem zabawne, że oprócz tortur jest jeszcze jedna, niezwykle zabawna metoda pobierania od kogoś informacji. Wystarczy podarować mu sytuację, której pragnął, włożyć go w nią.

Ja chciałem wydymać głupią kurwę w jej wynajętym mieszkaniu, posłuchać tego, co do mnie mówi, przede wszystkim ją powąchać, jej dotknąć, bo uzależniłem się od jej faktury i jej zapachu.

„Nic to. Po prostu zrobiłeś to sobie sam" – powtarzam. Dzień jest szary i czysty, powietrze jest świeże, dziwnie świeże jak na Warszawę, ale to może ta wielka nieobecność ludzi, ich chwilowa migracja, która powoduje naddatek tlenu we wdychanym powietrzu.

Nawet nie zwracam już uwagi na ból żołądka, który rozchodzi się po całym ciele, spowalnia je, postarza o kilkadziesiąt lat. Dzwoni Pazina.

– Nasza przedostatnia rozmowa miała być ostatnią – mówię.

Ktoś stoi przy moim samochodzie.

– To Balon – mówi.

– Co Balon? – pytam.

– Jego dziewczyna była przy tym. Dzięki Bogu jej nic nie zrobili. Ale wszystko widziała. Rozmawiałam z nią przed chwilą – mówi Pazina. – To Balon z jakimiś dwoma dresami go tak załatwili.

Podchodzę bliżej. Poznaję ich oczywiście. Z daleka wyglądają jak dwa ożywione sześciany. Są spokojni i wyspani, przypominają roboli na pięć minut przed rozpoczęciem kolejnego dnia w fabryce. To Śniady i Bujas.

– Pazina, torba. Czy coś mówiła o torbie? – pytam.

– Tak... mówiła, że miał przy sobie jakąś torbę czy coś. Nie wiedziała, co w niej jest. Zabrali mu ją – mówi.

Śniady na mój widok się uśmiecha, kładzie dłoń na drzwiach mojego samochodu.

– Podobno musieli złamać mu rękę w nadgarstku, aby mu wyrwać tę torbę – mówi Pazina.

Machnięciem dłoni daję im znać, aby zaczekali. Śniady tylko kiwa głową. Gdzieś, z oddali, słychać sygnał karetki. W powietrzu pojawia się kwaśna nuta, a może to resztka zapachu z mieszkania mojego byłego najlepszego klienta?

– Kto dokładnie? Kto z nim był? – pytam.

– Jego nie ma już w Polsce, Jacek – mówi Pazina. – Balon podobno wpadł do „Kulek i Kostek"...

– Do czego? – pytam.

– „Kulki i Kostki". Jego knajpa przy placu Zbawiciela, za kościołem. Powiedział, że wyjeżdża, że wraca za dwa miesiące, zostawił kasę na czynsz, w gotówce. Miał przy sobie cały plik forsy, jakieś kilkadziesiąt tysięcy. Menedżer stamtąd mi opowiedział – mówi i po chwili dodaje: – Próbowałam go dla ciebie namierzyć. Ale jest już po sprawie.

– Nigdy nie jest po sprawie – mówię.

– Jest po sprawie. Maluch zmarł dwadzieścia minut temu – mówi. – Gdy Balon się dowie, a pewnie już się dowiedział, nigdy nie wróci stamtąd, gdzie poleciał.

Śniady szczerzy zęby, pokazuje mi dwoma prostopadle złożonymi dłońmi, abym kończył.

– Ja też cię przepraszam – mówi.

– Bądź o dwudziestej pierwszej trzydzieści na Okęciu – rozkazuję jej.

– Co? – pyta.

– Ej, kurwa, zaczynasz być niegrzeczny – mówi Bujas.

– Spakuj kilka najpotrzebniejszych rzeczy i bądź o wpół do dziesiątej na Okęciu – mówię i dodaję: – Na razie.

Rozłączam się, nie czekając na to, co powie. Śniady się przeciąga.

– Jedziemy – mówi.

– Domyślam się – odpowiadam.

– No to jak się domyślasz, to git, to wsiadaj. Nie masz przy sobie nic? – pyta.

– Nic. – Podnoszę ręce.

– Jedziemy twoim czy naszym? – pyta.

– Moim – odpowiadam.

Śniady uśmiecha się, kiwa głową, otwiera drzwi.

– Zapraszam – mówi.

13:50

– Jest bardzo duży problem, więc będziesz musiał porozmawiać z Piotrkiem – mówi Śniady.

Siedzi obok mnie, na fotelu pasażera. Nie musi pokazywać mi, że ma pistolet, żebym wiedział, że go ma.

– Wciąż nie odbiera – mówi z tylnego siedzenia Bujas. – Co on się tak na burdelu zasiedział?

– Dobijaj się do skutku – mówi Śniady.

– Kto nie odbiera? – pytam.

– Piotrek jest wkurwiony. Bardzo. Dlatego lepiej, żebyś na początek oddał mu tę forsę, którą wczoraj zawinąłeś od jego szwagra. Nie wiem, kurwa, czy ci wybaczy, żeś mu kopytem przed nosem machał, ale jak zobaczy z powrotem pieniądze, to może, wiesz, trochę poprawi mu się humor. Bo ma, kurwa, nie najlepszy – mówi i wyciąga z kieszeni telefon.

– No ni chuja, ode mnie nie odbiera, ni chuja – mówi Bujas z tylnego siedzenia.

Nie wiem, gdzie mam jechać. Jadę na razie przed siebie. Niech oni podejmą decyzję. Jestem spokojny. Oddycham głęboko. Nie muszą mnie straszyć. Wiem, jak rozmawiać z Piotrkiem.

Nawet jeśli tamten to był jego szwagier.

– Ja spróbuję – mówi Śniady.

Widzę kątem oka, jak wybiera numer Stryja.

– Stryj gdzieś zniknął? – pytam.

– Rozumiem, że jedziemy teraz po ten hajs? – pyta Śniady.

– Nie, nie jedziemy po hajs – odpowiadam.

Słyszę piknięcie i pocztę głosową. Gdziekolwiek jest Stryj, ma wyłączony telefon. Stoimy na rogu Kazimierzowskiej i Narbutta. Nasz samochód jest jedynym poruszającym się pojazdem. Rozglądam się. Miasto przypomina ogromny, chłodny i szary kamień.

Chcę włączyć muzykę, ale w ostatniej chwili zabieram palec. To nie jest ten moment.

– Nie rozumiem – mówi Śniady.

– Nie mam tych pieniędzy. Zostały mi skradzione – mówię, wrzucam bieg i ruszam do przodu.

Samochód płynie przez miasto jak wrzucona do morza kostka mydła.

Śniady parska śmiechem. Zanosi się nim długo, Bujas również zaczyna się śmiać, prawem dziwnej echolalii, od ich rechotu przez chwilę rezonuje całe wnętrze auta.

– Coś często ci te pieniądze kradną. Może ochronę zatrudnij? – rechocze Śniady.

Jest tak rozbawiony, że w kącikach oczu pojawiają mu się łzy.

– Tak wyszło – mówię.

– Ty nie jarzysz – stwierdza Śniady, wyciąga z kieszeni broń, odbezpiecza i przystawia mi do głowy.

Nie reaguję. Zatrzymuję się na czerwonym świetle. To zabawne, ale broń przy głowie nie robi na mnie już żadnego wrażenia. Jak dowcip, który zupełnie przestaje śmieszyć, opowiedziany więcej niż parę razy.

– Kurwa, Piotrek powiedział, że jak mamy przywieźć cię gołego, to od razu mamy jechać z tobą nad Wisłę. To od razu masz się kąpać – mówi.

– Ja się z nim dogadam – odpowiadam.

– Oj, kurwa, uwierz mi. – Śmieje się. – Uwierz mi, że tym razem się z nim nie dogadasz.

– Powiedz mi, gdzie on jest. Pojedziemy tam – mówię.

– Nie, kurwa. Zrozum po dobroci. To dla twojego dobra. Pojedziemy tam, gdzie jest jakikolwiek hajs, który możesz mu zawieźć – stwierdza.

Chowa broń, jakby uznał, że już wszystko mi wytłumaczył. Wyciąga z powrotem telefon. Jeszcze raz wybiera numer Stryja.

– Gdzie on jest? – pytam. – Gdzie jest teraz Piotrek?

– U swojego szwagra na weselu. Tam, gdzie wpadłeś wczoraj w odwiedziny. Powiem ci, że są kurewsko źli. Są źli, że muszą być źli na weselu. Na weselach ludzie powinni być weseli, a nie źli – odpowiada.

Odwracam się, aby kątem oka spojrzeć na Bujasa, ale on tylko wpatruje się w to, co widzi za szybą, z miną jadącego po raz pierwszy samochodem niemowlaka. Bezwiednie rozmasowuje sobie pięści.

– Więc dzwoń szybko do kogoś, kto może załatwić jakieś pieniążki, i jedziemy, bo tam jest zajebiście nieprzyjemna sytuacja – mówi Śniady.

Zaciskam zęby. Biorę telefon do ręki. Nie tak miało być.

– Jeszcze raz. To dla twojego dobra – powtarza, wybierając jeszcze raz numer Stryja.

– Nie mam nikogo, kto mógłby pożyczyć mi jakieś pieniądze – mówię.

– Masz na bank. Po prostu się skup – mówi Śniady.

14:20

Jestem pod twoim domem, musze z toba porozmawiac – piszę do niej SMS-a.

– Bez pięćdziesięciu koła minimum nie pokazywałbym się tam nawet – mówi Śniady, ziewa i się przeciąga, a gdy to robi, coś strzyka mu w plecach.

– To gallardo? – pyta Bujas, wskazując na samochód za szybą.

W szarym świetle dnia ten dom wygląda szarzej, biedniej, zwyczajniej, po polsku. Płaski dach, baranek, drewno ułożone pod drewnianą wiatą. Spryskiwacze do trawy, halogeny. Nie zdziwiłby mnie ogrodowy krasnal.

Nie wyjdzie. To mało prawdopodobne. Ale jesteśmy tutaj, abym przynajmniej raz spróbował, udowodnił swoją rację.

– Kurwa, przesadziłem wczoraj z obciążeniem na nogi – stwierdza Śniady, strzyknięcie spowodowało ból, więc krzywi się, jakby zjadł coś niestrawnego.

– A te nowe suple? Te firestartery, to jak? – pyta Bujas.

– Chujowe. Pali mięcho, i tyle. Po prostu trzeba jeść normalnie, a nie żreć jakieś świństwa – stwierdza Śniady z miną specjalisty.

– Nie możesz wejść i zapukać? – pyta Bujas.

– Jej mąż jest w domu – odpowiadam.

– Dymasz ją, co? – pyta Śniady.

– Nie. – Kręcę głową.

– Jasne. No pewnie. – Kiwa głową Śniady i uśmiecha się jeszcze raz.

Nie udaje mu się dodzwonić do Stryja. Zrezygnowany, chowa telefon do kieszeni.

– I jak z tym z klubu, z tym fajfusem? – pyta, jakby nagle olśniony.

Nikt nie otwiera drzwi. Nie wygląda nawet, aby ktoś był w środku, chociaż oprócz gallardo są zaparkowane jeszcze dwa samochody, czerwone BMW 328 Hommage Concept i czarny jaguar XF. Te samochody i ten dom nie spełniają jednak swojego zadania, nie informują o stanie konta, o pozycji; w tym świetle, w tym dniu są tak samo biedne i szare jak wszystko dookoła.

Wyjdz na 5 min – piszę jeszcze jednego SMS-a.

– Nie żyje – odpowiadam.

– Że co? – Śniady jest ewidentnie zaskoczony.

– Ty go dojechałeś? – pyta Bujas.

– Ktoś go dojechał. Nie wiem kto. Było wielu w kolejce – odpowiadam.

– Masz bardzo dużo problemów, chłopie, tak jakbyś chciał sobie ich narobić. – Śniady kręci głową i nagle dodaje:

– Chyba idzie. Stara jakaś. Stara i wkurwiona.

Jest ubrana i umalowana tak, aby wyglądać na swój wiek. Odpowiednio do roli. Rzeczywiście jest wściekła, zamyka furtkę szerokim gestem, tak aby wydała huk, podchodzi do samochodu od strony kierowcy. Ma włosy upięte w kok, zrobione paznokcie, buty na obcasie. W środku odbywa się jakaś uroczystość, świąteczny obiad, dopiero teraz to do mnie dociera. Fakt, że ludzie, których znam z nocy, naprawdę mają w ciągu dnia swoje inne, dzienne życie. Życie, w którym nie istnieję, z którego jestem wyparty, w którym nie pojawiam się nawet w myślach.

Ci ludzie funkcjonują w schizofreniach, w rozdwojeniach, a ja jestem postacią, która zaludnia u nich tę przestrzeń delirium. Jestem bohaterem z ich snu. Być może w swoich dziennych, jasnych życiach są uczciwi, normalni i porządni. Być może są w nich mądrymi i dobrymi ludźmi. Być może nawet ci najporządniejsi ludzie muszą czasami śnić o tym, że są źli, napędzani instynktem, rozpadający się na małe i brudne kawałki, i ja obsługuję im ten sen, jestem jego producentem wykonawczym.

„Może ja po prostu należę do pewnego świata, który nie jest wcale całością świata?" – myślę przez chwilę.

Puka w szybę kierowcy, opuszczam ją. Pachnie słodko, bardzo dużą ilością perfum.

– Spierdalać stąd – mówi.

– Mam do ciebie ogromną prośbę – mówię i czuję, jak wykrztuszam to zdanie, jak jego wypowiedzenie jest przeciw mnie.

– Spierdalaj spod mojego domu – mówi.

– Widzisz? – mówię do Śniadego. – To nie jest wcale takie proste. Jedziemy.

– Zaraz, zaraz – odpowiada Śniady i przechylając się przeze mnie, patrząc jej w twarz, mówi: – Jest tu pewien problem. Pani może nam pomóc go rozwiązać.

– Jakie wasze problemy mam rozwiązywać? – pyta. – Zjeżdżajcie stąd, bo zaraz zadzwonię po policję!

– Trzy minuty. To prośba. Zwykła, ludzka prośba – mówię do niej, zdając sobie sprawę, że nie umiałbym powiedzieć „proszę cię".

Patrzy na mnie przez chwilę z pewną troską, jakbym był jej synem. Wzdycha, otwiera tylne drzwi od strony kierowcy.

– Przesuń się – mówi do Bujasa, ten grzecznie dociska się do drzwi, ona siada z tyłu. – Podsuń sobie fotel – mówi do mnie.

Robię to, Śniady zaczyna się śmiać, opuszcza szybę, spluwa.

– Nie na mój podjazd, chamie – mówi, wyciąga z kieszeni garsonki puder, zaczyna poprawiać sobie makijaż.

– Jest taka sprawa... – zaczynam, ale ona przerywa mi ruchem ręki, delikatnym i władczym.

– Odjeżdżajcie stąd w tym momencie. Pojedziemy z dwieście metrów dalej, i tam porozmawiamy. Potem mnie przywieziesz, ale nie wysadzisz mnie pod samym domem – mówi, wciąż patrząc w lusterko.

Gdy jest trzeźwa, jest zupełnie inną osobą, niż gdy widuję ją w nocy. Trzyma swoje nerwy na wodzy, ściska je w pięści, doskonale kontroluje każdą swoją reakcję. Jest wystudiowana i ostrożna nawet we wściekłości. Nie pozwala sobie na żadne rozchybotanie, żadną stratę równowagi. Przychodzi mi na myśl, że jest nawet pociągająca. Odjeżdżam.

– Mam obiad z dziećmi i rodziną męża. Zrobiłam dwie zupy krem, sałatę, casserole z jagnięciny. Dwa desery – mówi.

Jadę powoli, wjeżdżam na główną ulicę, ona widzi przystanek autobusowy.

– Tutaj, na awaryjnych – mówi i chowa lusterko do torebki.

– Zrobiłem się głodny – mówi Śniady.

– No to jedź na Orlen na hot doga – odpowiada mu. – Więc ujebałam się po łokcie, a potem będę słuchała cały dzień opowieści moich dzieci, będę musiała odbyć ciężką rozmowę z moim synem, dlaczego jest kretynem, na dodatek kretynem, który dał się wyrzucić z prestiżowej uczelni, a potem muszę odbyć kurtuazyjną rozmowę z dziewiątym w tym roku chłopakiem mojej córki. Ten akurat jest młodym dyplomatą, pracuje w MSW, znamy jego rodziców.

– Przepraszam, że ci przeszkadzam – mówię.

– Do meritum – odpowiada.

Widzę kątem oka, jak Bujas wierci się obok niej, jest ewidentnie zaaferowany obecnością kobiety, która umie mówić. Trochę nie rozumie tej sytuacji. Wygląda jak uczniak przyłapany na waleniu konia w klasie.

– Potrzebuję pięćdziesiąt tysięcy w gotówce. Za miesiąc oddam ci forsę albo w towarze – mówię.

– Inaczej kolega będzie miał problem. – Śniady kręci głową.

– Jaki problem? – pyta zdezorientowana, wytrącona z równowagi, jakby to pytanie wyrwało ją z głębokich rozmyślań.

– My tylko mu pomagamy znaleźć rozwiązanie – mówi Śniady.

– Zaraz, powtórz. Czego potrzebujesz? – pyta.

– Pożyczyć od ciebie pieniądze – mówię, całe moje ciało spina się, aby wytoczyć z siebie to zdanie, czuję się, jakbym odpluwał tkwiące w przełyku szkło.

Wybucha śmiechem, zaczyna się śmiać, po chwili śmieją się wszyscy, ona, Śniady, Bujas, rechoczą w najlepsze, ona zasłania usta, jak dobrze wychowana kobieta z wyższych sfer, dla której nadmierne okazywanie emocji jest czymś nieprzyzwoitym, śmieją się we troje, jakbym opowiedział im nieprzyzwoity dowcip.

Śmieje się jeszcze przez chwilę.

– Już rozumiem, dlaczego masz problemy – mówi po chwili Śniady, wycierając łzy.

Gdy ich śmiech gaśnie, Bujas momentalnie przybiera wyraz twarzy zdziwionego niemowlaka, jakby ktoś nagle wyciągnął z niego wtyczkę.

– Odwieźć panią do domu? – pyta Śniady.

– Nie pokazuj się tu więcej – mówi do mnie. – Naprawdę. To było co prawda bardzo śmieszne, super, to mi naprawdę poprawi humor na resztę dnia. Ale, proszę, nie masz tu czego więcej szukać.

– Ma przejebane – mówi do niej Śniady.

– To w ogóle nie jest moja sprawa. Mój syn ma przejebane. Wyrzucili go z Oxfordu – mówi.

Wykręcam i jadę z powrotem w kierunku jej domu. Oczywiście ona zdaje sobie sprawę z tego, co może mi się stać, że jest jednak pewne prawdopodobieństwo, niewielkie, ale jest, że wieczorem będę martwy albo będę inwalidą. Ale odcina to od siebie, nie poczuwa się do żadnej odpowiedzialności, to nie jest jej sprawa, to tylko odpryski z jej snu. Nie mam jej tego za złe. Nawet ją za to szanuję. To zdrowa i naturalna reakcja.

– Wiesz, co jest najzabawniejsze? – mówi po chwili. – To, że po Nowym Roku idę na swój pierwszy mityng terapeutyczny. I chyba o tym opowiem. Jak to przyjechał do mnie mój diler i próbował pożyczyć ode mnie forsę.

– Koledze może się dzisiaj przytrafić coś nieprzyjemnego – mówi Śniady.

– Gdybyś nie napluł mi na podjazd, powiedziałabym, że nawet cię lubię – odpowiada. – A ty, Jacek, posłuchaj, trzeba było skończyć to swoje ASP i malować obrazki. Nie miałbyś wtedy takich problemów. Wysadź mnie tutaj.

Zatrzymuję się, otwieram drzwi. Wysiada. Cała się otrzepuje z niewidzialnego brudu, patrzy ze wstrętem na mój samochód, na mnie, na Bujasa, jakby właśnie wyszła z brudnej obory pełnej zwierząt.

– Powinieneś mi podziękować, że nie zadzwoniłam po policję – mówi.

– Dziękuję – odpowiadam.

– Do widzenia – mówi do Śniadego.

– Do widzenia – odpowiada Śniady.

Patrzy na nią, jak idzie do domu, energicznie i szybko, potem odwraca się do mnie i mówi:

– Trzeba było ją dymać. Wtedy może by ci pożyczyła.

– Jedźmy do Piotrka. Mówiłem ci. To absurd – odpowiadam.

– Nie potrafiłeś zrobić tak, aby ludzie chcieli ci pomagać – stwierdza Śniady, znowu wyciągając telefon z kieszeni. – A to jest zawsze ważne. Bez tego zawsze wypierdoli się człowiek na ryj. Tak jak ty teraz.

– Ludzie nigdy sobie nie pomagają. Po prostu czasami mają swój interes w tym, aby ktoś zyskał. Chcą poprawić sobie samopoczucie, przywiązać kogoś do siebie, mieć dług wdzięczności – odpowiadam.

– Pomagają. Tylko trzeba być człowiekiem – mówi Śniady.

– To chyba jednak gallardo. Pojeździłbym takim – mówi Bujas.

Jeszcze przez moment siedzimy bez ruchu. Cisza i szarość. Myślę o niej jeszcze przez chwilę. Zastanawiam się, co powiedziała swojej rodzinie, gdzie wyszła, kto tu był, po co. Patrzę na zegarek. Mam jakąś tam rezerwę czasu, ale niewielką, kurczącą się bardzo szybko.

– Maja pisze, że Stryj nie przyszedł rano po wypłatę – mówi Bujas z tylnego siedzenia.

– Dziwne – mówi Śniady.

– On bez hajsu, to wiesz. Zawsze przylezie, nawet po dwa złote – komentuje Bujas.

– Hm – mruczy Śniady.

Z oddali, zza drzew, widzę, jak ktoś otwiera drzwi jej domu, w progu staje mężczyzna, nie rozpoznaję go z tej odległości, nie widzę, czy jest młody, czy stary, nie wiem, czy to jej mąż, czy syn. Ktoś chce się upewnić, czy nie kłamała.

– No dobra. Jedźmy. To i tak nie moja sprawa – mówi Śniady.

14:59

Pod „Jeziorem Łabędzim" nie ma gdzie zaparkować. Samochody stoją w nieregularnym szeregu, wychodzą z nich kobiety w pozłacanych, ciężkich jak zbroje sukienkach, obsypane brokatem, poirytowane i palące cienkie papierosy, wciśnięci w źle dobrane garnitury mężczyźni, jakby sklonowani z tego samego, polskiego genotypu, różniący się od siebie jedynie poziomem zgąbczenia i zaczerwienienia. W końcu zatrzymujemy się kawałek dalej, za przystankiem autobusowym, jakieś sto metrów od wejścia do budynku.

W miarę zbliżania się do niego dochodzą do mnie urywane dyskusje o pierdołach, spod ołowianych marynarek i dekoltów paruje stres. „Za mało jednak daliśmy". „Gdzie są kwiaty?". „Zadzwoń do opiekunki". „A ona to w piątym miesiącu jest, ale wcale nie widać".

– Chodź – mówi Śniady.

Sam jest zdenerwowany, być może ponad potrzebę. Wszyscy patrzą na nich, nie na mnie, to oni są poubierani w dresy i czarne kurtki, milczący, ja jednak mam na sobie marynarkę, wyglądam jak weselny gość.

Nagle zatrzymuje się i mówi:

– Kluczyki.

Pokazuje pistolet włożony w spodnie. Wzdycham, wyciągam je z kieszeni i daję Bujasowi. Chowa je do lewej kieszeni dresów.

Idziemy dalej. Kątem oka widzę tył budynku, widzę przykryty płachtą staw na karpie. Przed wejściem stoją państwo młodzi. Mijamy ich, są rzeczywiście młodymi ludźmi, bardzo młodymi, oboje mają najwyżej po dwadzieścia parę lat. On wygląda komicznie, jakby był poskładany z niepasujących do siebie elementów: do wielkiego, jakby napompowanego powietrzem garnituru jest doczepiona głowa o wyrazie twarzy przypominającym biały chleb, bezkształtna gęba, która równie dobrze mogła mi mignąć w którymś z teledysków Pioruna. Ona jest szczupłą, pomimo zimy spieczoną na mahoń dziewczyną, o żylastych, umięśnionych nogach, wąskich ustach, narysowanych wypisanym długopisem brwiach. Stara się nie uśmiechać, pewnie ze względu na zęby. Widać jej ciążę, widać ją dobrze, ciąża przypomina piwny brzuch, wygląda, jakby zamiast dziecka miała urodzić worek cebuli.

Śniady daje mi znak ręką, abym się zatrzymał. Przed dom wychodzi kelner z tackami pełnymi szampana. Goście, idąc z parkingu pod wejście do domu weselnego, ustawiają się w szpaler przed budynkiem, za napompowanym garniturem i świeżo upieczoną żoną. Podchodzi do nich fotograf. Wśród gości jest Piotrek.

„Już nie każ im tu tyle stać, zimno jest". „Czekaj, zdjęcia muszą zrobić!". Ojciec, wygolony na łyso, nawet umięśniony facet przed pięćdziesiątką – od razu widać, że trzydzieści ostatnich lat życia przemieszkał w Niemczech wschodnich – staje obok panny młodej i kładzie jej rękę na ramieniu. Ona odruchowo podskakuje, jakby przeszedł ją prąd.

Piotrek widzi nas stojących z boku. Spotykam się z nim spojrzeniem. Momentalnie czerwienieje, widzę to nawet z tej odległości kilkudziesięciu metrów. Kobieta obok, okrągła blondynka o świniowatej urodzie, ze świeżo zrobionym balejażem, mówi mu coś na ucho. Ta kobieta musi być jego żoną. Nigdy jej nie poznałem.

Śniady kiwa do niego głową. Piotrek delikatnym ruchem głowy pokazuje staw z karpiami.

Śniady popycha mnie lekko do przodu. Idziemy dookoła budynku. Dociera do mnie dziwna świeżość powietrza pomimo zapachów gumy i spalonej papy, którymi jest wysycone, jakby położone tu zakłady pracowały non stop. Do tego zgniła woda, zapach rybiego mięsa, robaków. Przykładam dłoń do ust. Obchodzimy całe ogrodzenie, stoimy przy tylnej furtce. Śniady wpisuje kod.

– Byliście już tutaj – zwracam uwagę.

– A czemu mieliśmy tutaj nie być? – pyta mnie.

– Ja byłem tu świadkiem na weselu koleżki – mówi Bujas, chuchając w dłonie.

– Na tym, na którym panna młoda złapała pana młodego, jak robił świadkowi lachę? – pytam.

– Że co? – odpowiada pytaniem na pytanie.

– Nic, nic – odpowiadam.

Furtką przechodzimy na podwórko, które już znam. Po ciemku nie było widać przykrytej płachtą sterty opon, tuż za stawem z karpiami. Nie było widać świątecznych dekoracji, ogrodowego mikołaja, zwojów świątecznych lampek.

Nie było widać czarnego, chrupkiego błota, które upodabnia ziemię do sierści zwierzęcia, ubłoconej świni.

Przechodzimy przez korytarz, teraz udekorowany setkami białych i różowych balonów, wzdłuż stołu pokrytego zastawą, teraz dwa splecione łabędzie triumfują na jego środku.

Na scenie stoi zespół, czwórka anemicznych, wychudłych mężczyzn o króliczych twarzach i włosach wymodelowanych przez nieokreślony śluz. Rozmawiają o kolejności utworów. Nie ma już dziewczyn z Białorusi, są polskie kelnerki o wydatnych piersiach, twarzach przypominających kolorowe bulwy warzyw, stojące na baczność z uśmiechem. Idziemy korytarzem; jedyne, co jest takie samo jak wtedy, to zapach kapusty, panierki, margaryny, ziemniaków.

Wchodzimy do biura, a właściwie zostaję do niego wepchnięty przez Śniadego. Rozglądam się. Ten sam kalendarz Rynpolu, ta sama wykładzina, to samo szklane gówno pod ścianą. Za biurkiem Gruby z podstawą nosa zaklejoną plastrem, przed nim talerz z połową obiadowego dania, ziemniaki, panierowany kotlet. W pomieszczeniu nie ma Romka, który był swój. Gruby odkłada sztućce. Na mój widok zaczyna się śmiać. Śmieje się długo i głośno.

– Szybko trafiłeś z powrotem – mówi. – Masz coś dla mnie?

– Nie. Nic – odpowiadam.

– To po coś tu, kurwa, przyjechał?! Dać przewiercić sobie kolana fleksem? Czy o co ci chodzi? Szukasz chuja do dupy!? – pyta.

– Porozmawiać z Piotrkiem – odpowiadam.

Oblizuje palce. Jest pewny siebie. Rusza się zupełnie inaczej.

– To zaraz sobie pogadasz z Piotrkiem. Piotrek ci powie, co o tym myśli. Wszyscy sobie pogadamy – mówi.

Drzwi się otwierają. Do środka wchodzi ojciec panny młodej. Na palcu ma sygnet. Sygnet jest złoty, ale zabrudzony, wpada w herbaciany kolor. Na paznokciach również widać resztki brudu, których nie dało się doszorować.

– Problem mamy, taki delikatny – mówi. – Mogę zająć chwilkę?

– Za chwilkę zajmiesz mi tu chwilkę, kochany – mówi Gruby.

Łysy odwraca się w moją stronę, patrzy na Śniadego i Bujasa, uśmiecha się. Szczerzy zęby.

– Ogrzewanie nie działa. Ludzie nie będą siedzieć w kurtkach i szalikach, no kochany – mówi.

– Jest napalone, zaraz się nagrzeje, proszę cię, moment – odpowiada Gruby.

Podchodzi do niego z otwartymi w przyjacielskim geście ramionami.

Zamykam oczy, wciągam klej i kurz zawieszone w zastałym powietrzu. To oczywiste, dlaczego nie robi to na mnie wrażenia, dlaczego to jest mi zupełnie obojętne, jak oglądany jednym, półprzymkniętym okiem słaby film. O dwudziestej drugiej to wszystko będzie za mną. Za dwadzieścia cztery godziny zobaczę pod sobą zupełnie inne światła, w zupełnie innym odcieniu.

„Może nie wrócę" – myślę przez chwilę.

– Nie, nie za chwilę – mówi łysy. – Nie za chwilę, bo ja jestem dzisiaj twoim klientem, kolego, i płacę ci tu ciężki pieniądz za wesele mojej córki, i nie ma żadnego „za chwilę". Za chwilę to ty możesz iść strzelić kupę, a teraz, kurwa, pójdziesz i napalisz w piecu.

Gruby wzdycha. Chce coś powiedzieć, ale słychać pukanie do drzwi. Otwierają się, ojciec panny młodej robi krok w bok.

W drzwiach stoi Piotrek. Jego twarz ma kolor przejrzałych owoców. Zamyka drzwi.

– Piotruś, no kurwa, przecież ja mam teściową, Luśkę, wiesz, płuca ma chore – mówi. – A tu jest jak w psiarni, nie wiem, czy wy po prostu na lodówkach oszczędzacie, czy o co chodzi? Ludzie mi się do domu rozjadą.

– Wiesiek, weź daj nam, kurwa, piętnaście minut, co? – pyta go Piotrek.

– Słuchaj, Piotruś, to twoja sprawa, że tu jest wesele, myśmy inne domy oglądali – zaczyna, ale Piotrek delikatnie kładzie mu rękę na ramieniu, delikatnością kogoś, kto jest delikatny wyłącznie dlatego, że powstrzymuje się, aby nie zabić człowieka gołymi rękami.

– Wiesiek, daj teściowej ibukurwaprofen i wyluzuj trochę czapę, co? – mówi, patrząc mu w oczy.

Wiesiek kiwa głową i wychodzi. Piotrek sapie. Zamyka drzwi.

„Ta komedia to tylko ostatnia karmiczna rata za wyjazd. Teraz musisz być spokojny i zrelaksowany – myślę. – To jak rozmowa z rodzicem".

Mój ojciec był furiatem, człowiekiem zabetonowanym w swoich nieokreślonych frustracjach, i pamiętam, że bardzo wcześnie nauczyłem się nie bać, rozmawiając z nim, wmawiać sobie, że najwyżej mnie uderzy, że tak naprawdę nie może mi nic zrobić. Rozmawiając z nim, zawsze patrzyłem przez niego, jakby był powietrzem, po chwili stawał się tylko mówiącą plamą.

Przydałoby mi się trochę jedzenia. Na pewno trochę towaru. Być może pomógłby mi weselny tłusty rosół, gotowany godzinami. Być może naoliwiłby mi żołądek.

– To jest mój szwagier, do kurwy nędzy! – syczy.

– Twój szwagier próbował mnie ojebać – mówię spokojnie.

– Był naćpany jak świnia. Po prostu wziął kasę, wziął towar, nastraszył nas bronią i wyszedł – mówi Gruby, powoli siadając z powrotem za biurkiem i pakując sobie kawałek kotleta do ust.

– On i jego kolega, który wyglądał, jakby zabił własną matkę scyzorykiem za denaturat – mówię spokojnie, a Piotrek jest kolorową, mówiącą plamą.

– Nawąchany był jak świnia – mówi Gruby z ustami pełnymi kotleta.

Słyszę, jak Bujas się śmieje.

– Dzięki, że wpłaciłeś za mnie kaucję – zmieniam temat. – Wszystko ci oddam. To dużo, wiem, to może być nawet jakieś pięć pak, ale to naprawdę kwestia paru miesięcy. W najgorszym wypadku.

Piotrek milczy. Sapie. Wyciąga z kieszeni jakieś tabletki, połyka trzy.

– Pół bańki, kurwa, ty naprawdę jesteś z Marsa, człowieku – mówi Śniady.

– Nie wpłaciłem żadnej kaucji – mówi po chwili Piotrek. – O czym ty, kurwa, pierdolisz?!

– Nie rozumiem – odpowiadam.

Bo rzeczywiście nie rozumiem. Ktoś musiał mu przecież powiedzieć, ktoś z jego ludzi na psach, że mnie aresztowano. Do aresztu musiał przyjechać jego papuga, jego papuga musiał dać pieniądze. Taka kiedyś była umowa. Dlatego jestem tu, a nie tam.

– Jakiej, kurwa, kaucji? – pyta Piotrek.

– Wjechali mi na klawisz – zaczynam spokojnie relacjonować. Przed wypowiedzeniem każdego zdania biorę w głowie każdy wyraz do ręki i spokojnie oglądam go pod światło, czy na pewno jest pasującym elementem.

Słychać pukanie do drzwi. Nikt nie reaguje.

– Wiedziałem. Wiedziałem, że się na tobie wyjebię, jakbym pierwszy raz na łyżwach jeździł. Wiedziałem to od samego początku – mówi.

– Wjechali mi na klawisz, nic nie znaleźli, bo parę minut wcześniej zdążył okraść mnie ten pedał od „Betlejem" – mówię. – Nic nie powiedziałem. Siedziałem w celi, mielili mnie, a potem puścili, bo powiedzieli, że przyjechał adwokat i dał pieniądze, od razu tyle, ile było ustalone.

– Co ty bredzisz, człowieku? Jaki pedał od „Betlejem"? Jaki adwokat? – powtarza Piotrek.

– Kurwa, jest tu, bo się powalił, ale pewnie nawet tego nie pamięta, skoro twierdzi, że wczoraj chcieliśmy go opierdolić. To on nas opierdolił. – Gruby kończy kotlet, wyciera usta chusteczką.

Jeszcze raz pukanie do drzwi.

– Wlazł – mówi Piotrek, jakby to on zarządzał tym biurem.

Do środka wchodzi grubawy, na oko osiemnastoletni chłopak z fryzurą na rondel i świńskimi oczkami, przekarmiony w dzieciństwie. Jest ewidentnie podniecony, nie wiadomo tylko, z jakiego powodu. Patrzy na to, co dzieje się w biurze, wzrokiem dziecka, które trafia na kłótnię dorosłych w momencie, gdy chce im powiedzieć o tym, że znalazło na ulicy pięć złotych i niebieski kamyk i jest to najszczęśliwszy dzień w jego życiu.

– Wujku Jacku, ciocia Sylwia mówi, że ją zatarasowałeś – mówi głosem wskazującym na to, że jest eunuchem.

– Ciocia Sylwia to ma zatarasowany mózg od tych prochów, co jej konował przepisuje – mówi Piotrek.

– No ale ona musi właśnie gdzieś jechać, do apteki czy coś – powtarza chłopak.

– Damian, to mnie, kurwa, przeparkuj! – woła Piotrek, wyjmuje kluczyki z kieszeni i rzuca chłopakowi.

– A mogę się karnąć? – Na twarzy chłopaka wykwita nadzieja psa, który wbiegł za właścicielem do sklepu mięsnego.

– Nie, Damian, kurwa, masz mnie przeparkować, a teraz spierdalaj – mówi Piotrek.

– Dobrze, wujku – mówi Damian.

Damian wychodzi. Zamyka drzwi.

– Ten mój brat, kurwa, jak on zda maturę? Patrzę na niego i zastanawiam się, czy on w ogóle umie czytać? – pyta retorycznie Gruby.

Dopiero teraz zauważam między nimi podobieństwo.

Drzwi się zamykają.

– Byłeś na psach? Czemu do mnie nie zadzwoniłeś? – pyta.

– Nie pozwolono mi – odpowiadam i dodaję: – To w związku z tym gościem z telewizji. Tym, który potrącił kobietę. Chcieli mieć medialną sprawę, problem w tym, że nic nie mieli oprócz pomówienia. Miałem czysto w mieszkaniu, w samochodzie też. Na pewno teraz będą węszyli, ale dlatego wyjeżdżam. Wracam za trzy tygodnie, góra za miesiąc, i wtedy cię spłacę. Do wakacji, wydaje mi się, że do wakacji będziemy git.

– Do wakacji? – pyta Piotrek.

– Tak, do wakacji – odpowiadam.

– Kurwa, zamknij te drzwi – mówi do Grubego.

Cofam się o krok, ale Śniady popycha mnie w jego kierunku. Staję przed nim. Piotrek spod przymkniętych powiek patrzy mi prosto w oczy.

– Dajże, kurwa, to kopyto – mówi do Śniadego.

Śniady podaje mu swoją broń.

– Do wakacji? Wyjeżdżam? Ty, kurwa, wyjedziesz na oddział zamknięty, pojedziesz na wycieczkę w kaftan, wyleczyć sobie, kurwa, łeb. Ale najpierw mnie spłacisz, nie w pół roku, ale, kurwa, w trzy dni! – woła.

– Miałem pecha – odpowiadam.

– Nie miałeś pecha, ale próbowałeś mnie wyruchać, ty parówo, próbowałeś ukręcić loda, najdurniejszego, kurwa, z możliwych, przychodząc do mnie i mówiąc mi, że okradł cię jakiś ktoś, kurwa, pedał, ktoś, coś, skądś tam! – wywrzaskuje końcówkę tej wypowiedzi, jego twarz robi się czerwona i napuchnięta, drobinki jego śliny trafiają na mój ubiór. Wciąż trzyma dłoń wzdłuż ciała, nie celuje we mnie, jeszcze przez chwilę. – Dałem ci szansę wtedy, jak cię poznałem, dałem ci szansę, wiesz dlaczego? – pyta w końcu.

– Nie wiem dlaczego – przyznaję.

Ociera twarz, jeszcze przez chwilę wciąż patrzy mi w oczy.

– W każdej pracy jest tak, że pewnego dnia przychodzi do ciebie, w sensie do szefa, taki młody, nagrzany koleżka, po którym widzisz, że zrobi wszystko, aby mieć tę robotę. Pokroi własną matkę i odda ją pokrojoną na, kurwa, narządy, zrobi to, żeby tylko u ciebie pracować. Imponuje ci to, imponuje ci, że ten młody koleś chce oddać najlepsze lata swojego życia, aby wykonywać tę robotę, która wydaje ci się tą najchujowszą robotą, której przecież nikt normalny nie chciałby robić. Więc go bierzesz, bo będzie robił ją najlepiej, bo jest zdeterminowany, bo jest napalony, bo ma w tym jakąś swoją, kurwa, sprawę – mówi.

Mówi pięknie, ale kłamie. Gdy pierwszy raz się spotkaliśmy, nie byłem u niego na żadnej rozmowie o pracę.

Po prostu przyjechałem do niego kupić towar, razem z człowiekiem, od którego kupowałem przed nim; ilości, które mógł dostarczyć mi ten człowiek, okazały się niewystarczające. Rozmawialiśmy normalnie w hinduskiej restauracji, przy stole, z forsą w leżącej obok stolika teczce. Jedliśmy i rozmawialiśmy o interesie.

Ale niech mówi dalej. Przymykam oczy. Pozwalam mu kompletnie się rozmazać.

– I dajesz mu tę robotę z jeszcze jednego powodu.

Opiera się o biurko Grubego, oddycha ciężko i chrapliwie, jego zdrowie jednak wcale nie zostało naprawione przez basen i siłownię, emocje rozregulowują mu układ krążenia. Wyciąga tabletki z kieszeni. Bierze jeszcze jedną.

– Wpadasz w pewną, jak to się mówi, pułapkę myślową. Widzisz takiego lamusa jak ty, chudego lamusa, z którego w duchu się śmiejesz, cipę z dobrego domu, takiego siusiaka, fafluka, który ni chuja nie powinien dać sobie rady na ulicy. Ale dodajesz dwa do dwóch i myślisz sobie, że to jest tak absurdalne, że musi się udać. Bo on jest za bardzo zdeterminowany i za bardzo przestraszony, żeby być nieuczciwy. Będzie jak najwierniejszy pies – mówi.

– Nie byłem przestraszony – odpowiadam zgodnie z prawdą.

Fakt, że stoi przede mną z bronią w ręku i opowiada mi bajki, zaczyna mnie trochę swędzieć. Odwracam się. Śniady patrzy na to wszystko z uśmiechem. Bujas spogląda na swoje paznokcie wzrokiem sugerującym szczere zdziwienie, że je posiada.

– Byłeś, Jacuś, i bardzo chciałeś być kimś innym – mówi Piotrek. – To są najsilniejsze motywacje. To jak z siłownią. Wytrwasz najcięższy trening, jeśli chcesz się zmienić, pokazać innym ludziom, że potrafisz dojebać. Że potrafisz się zmienić. Wszystko jest tu, w głowie.

Widać, że się uspokaja. Być może uspokaja go myśl o siłowni, o tym, że w swoim mniemaniu potrafi sprostać każdemu wysiłkowi. Pukanie do drzwi.

– Ja muszę iść zrobić im to ogrzewanie – mówi Gruby.

– Idź – odpowiada Piotrek.

– Ale ja chcę moje pieniądze. Dzisiaj – mówi, wstając.

– To są w większości moje, kurwa, pieniądze, więc zapierdalaj naprawić ten piec czy co tam. Ty nie jesteś od poważnych rzeczy, tylko od tortów i rosołów – mówi do niego Piotrek.

Gruby wstaje, jakby był obrażony. Podchodzi do drzwi. Znowu zagląda przez nie ojciec panny młodej.

– Już idę, już idę – mówi Gruby.

– No tak, bo tutaj już naprawdę jest nieciekawie i... – zaczyna mówić, resztę jego słów ucina trzaśnięcie drzwiami.

Gdy wychodzi, zbliżam się do Piotrka. Nie wypuszcza broni. Patrzy na mnie, znowu ma taki sam wyraz twarzy jak wtedy w Intercontinentalu. Przede wszystkim jest wyczerpany.

– Próbował mnie załatwić. Jego koleżka stał pod tymi drzwiami z nożem. Czekał, aż wyjdę – mówię.

– To mój szwagier. Sugerujesz, że chciał mnie okraść mój własny szwagier. Jego ojciec i ojciec Wieśka, tego, który tu wszedł, mojego brata stryjecznego... – Chrząka i zaczyna kasłać. – Nieważne. Nie wierzę ci. Wierzę w coś innego, Jacuś. Wierzę, że człowiek leci do forsy jak pies do cieczki, Ty byłeś do tej pory rozsądny, ale nagle zwąchałeś sos i poczułeś w gaciach, jak ci stoi. No i doszedłeś do wniosku, że przytniesz w chuja, a wieczorem spierdolisz sobie na lotnisko i wylecisz sobie do tej całej Afryki, czy gdzie tam lecisz – mówi.

– W ten sposób straciłbym pieniądze, a nie je zyskał, i wiesz o tym. – Kręcę głową.

To kłujące uczucie, jak ukąszenie owada – że ma mnie

za takiego durnia. Ale może po prostu nie potrafi wyobrazić sobie kogoś inteligentniejszego niż on sam. Może on w moim wieku na moim miejscu postąpiłby właśnie w ten sposób.

– Masz trzy dni, aby przynieść mi tę forsę i ten towar, bo inaczej cię zabiję. A potem szukaj sobie innego hurtownika. Ale nie wiem, czy go znajdziesz – mówi, chrząkając.

Wtedy znienacka słychać potężne huknięcie, jakby ogromna pięść z całej siły uderzyła w podłogę.

Najpierw słyszę, jak Śniady krzyczy „kurwa!", następnie kuca, i dopiero potem widzę, jak szyba zamienia się w tysiące małych kawałków szkła, padam na podłogę, ułamek sekundy później pada Piotrek. Wszystko zwalnia. Wszystko się zawiesza, jakby obsługującemu rzeczywistość komputerowi zagotował się procesor.

– Co jest, do chuja!? – krzyczy za mną Bujas.

Dziesiątki innych krzyków, kobiecych, krzyków dzieci, wykrzykiwane imiona i smród wdzierający się przez szybę, smród palącej się blachy i gumy.

Piotrek podnosi się, wstaje, biegnie w kierunku drzwi, Śniady leci za nim; dopiero wtedy, gdy wybiegają, widzę, że pistolet, który Piotrek miał w ręku, został na podłodze. Bujas podnosi się ostatni, ma najsłabszy refleks. Schylam się po pistolet. Odwracam się do Bujasa, celuję w niego.

– Kluczyki – mówię.

Zaczyna szukać ich w prawej kieszeni.

– Druga – przypominam mu.

Daje mi je do ręki, a wtedy uderzam go bronią w głowę, mocno, nieprzytomny osuwa się na podłogę. Robię to odruchowo, nie myślę o tym. Bawi mnie tylko błyskawiczność, z jaką traci przytomność, prostota, z jaką można kogoś jej pozbawić. Wychodzę i wybiegam na korytarz. Jestem cały w drobinach szkła, otrzepuję się szybko i pobieżnie.

Biegnę korytarzem, słyszę płacz, szloch i krzyk, głównie kobiet, stół weselny jest już praktycznie pusty, ostatni ludzie biegną w kierunku wyjścia. Tylko panna młoda ze swoją cebulastą ciążą, narysowanymi długopisem brwiami stoi i się trzęsie, zupełnie zdezorientowana, przytula ją jakaś inna, równie żylasta i równie szpetna kobieta.

– Damianek, Damianek był w środku – mówi, słowa bezładnie wypadają jej z ust.

Wymijam ją, biegnę do głównego wyjścia.

– Damianek był w środku – słyszę za sobą.

Dym, śnieg i pył tańczą w powietrzu, w którym unosi się smród nadpalonego metalu i tlącej się gumy. Wszyscy goście stoją zbici w jedną, spanikowaną kupę, ktoś uspokaja wrzeszczącą z całych sił, skuloną kobietę, ktoś próbuje się gdzieś dodzwonić, ktoś próbuje się czegokolwiek dowiedzieć. Większość ludzi stoi jednak nieruchomo w tępym niezrozumieniu, łącznie z kelnerkami i muzykami weselnego zespołu, wpatrzona w samochód Piotrka, a właściwie w to, co z niego zostało. Wybuch wybił szyby w stojących obok samochodach, kilka nawet w samym „Jeziorze Łabędzim", które wygląda teraz jak po ataku walczących o niepodległość Łomianek terrorystów, a sam samochód zamienił w buchający czarnym dymem, pęknięty blaszany wrzód, buchający kłębami pary.

– Daaaaamiaaaaaaaaaaan!!! – krzyczy kobieta, pewnie matka tego młodego grubasa, na widok palącego się kłębowiska blachy, które jeszcze parę chwil temu było terenowym nissanem.

Do wraku podbiega jakiś facet, próbuje dostać się do środka, ale odciąga go ojciec panny młodej. Widzę w tłumie Piotrka, stoi z szeroko otwartymi oczami i próbuje się do kogoś dodzwonić. Nie zwraca na mnie żadnej uwagi. Idę szybko, ale nie biegnę, w stronę mojego samochodu, co chwila odwracając się, by sprawdzić, czy nikt za mną nie idzie, ale nie, wszyscy są zajęci eksplozją, swoimi próbami zrozumienia sprawy. Dopiero wtedy, gdy jestem już przy moim aucie, z daleka, mrużąc oczy, dostrzega mnie Śniady, ale pokazuję mu pistolet, który trzymam w ręku. Podnoszę go wysoko. W moją stronę odwraca się też Piotrek. Patrzy na mnie z przerażeniem dotyczącym zupełnie innej sprawy, ale też z pewnym nieokreślonym żalem.

„To dobrze wyszło, dobrze się stało – mówię sobie w myślach. – Dobrze uwolnić się od kontrahenta, który jednak miał problemy. Niedługo mógł przestać być wypłacalny. Dobrze też uwolnić się od kontrahenta, który cię nie szanuje. Spłacę go i tak. Wtedy, gdy wrócę".

Słychać zgrzyt, a potem tąpnięcie, a potem wrzask, gardłowy, przeraźliwy wrzask dziesiątek kobiet. Dopiero otwierając drzwi od samochodu, widzę, co się wydarzyło. To Gruby, który przytargał z zaplecza wielkie metalowe szczypce, z pomocą Śniadego, nie czekając na policję i karetkę, zrywa to, co zostało z drzwi kierowcy. Gdy w końcu mu się to udaje, płaczliwy krzyk kobiet wznosi się jeszcze bardziej, przypomina setki alarmowych syren.

Wsiadam do samochodu, bardzo szybko wykręcam, jadę w przeciwnym kierunku. Dzwoni mi telefon. Znam ten numer. Nie odbieram.

Jest wpół do piątej. Mam pięć godzin. Myśl, że mam jeszcze czas, jest całkiem zabawna, ale jedynie przez moment. Ten czas jest po to, by coś załatwić. Rozliczyć się z kimś. Ja też mam swoje sprawy. Nie jestem obiektem niczyich rozliczeń. Mam jeszcze jedną swoją sprawę. Palącą. W środku. Jak nóż. Właśnie, nóż. Otwieram schowek. Telefon dzwoni jeszcze raz. Nie odbieram. Nóż, który przywiozłem stąd, z „Jeziora Łabędziego", motylkowy, brudny, ciężki, chropowaty w dotyku, z niezrozumiałą inskrypcją na dziurawej rękojeści.

Wtedy coś pojawia się w moim żołądku, wypełnia go

od zera, jakbym najadał się własnym ciałem. Jakby pojawił się w nim, zupełnie znikąd, zimny, lodowaty kamień.

Ten kamień, gdy się pojawia, zostaje już na dobre, zabija każdą inną obecność, jak gorączka lub głód zabija każdą inną myśl, nie ma już we mnie nic innego.

To było przy placu Trzech Krzyży. Chyba. Tak, na pewno przy placu Trzech Krzyży.

16:45 (Threnus)

Gdy robi się zupełnie ciemno, gdy kończy się zmierzch, gdy ciemny fiolet przechodzi w czerń jak za pstryknięciem palców, wtedy wszystko zaczyna być prawdziwe. Wraz z dniem kończy się sen. Sprawy zaczynają być widoczne w swojej prawdziwej istocie. Schodzą z nich metafory i ornamenty, zmywa się z nich brudna piana.

Jestem na głównym rondzie, przy skrzyżowaniu Alei Jerozolimskich i Marszałkowskiej. Znowu przypomina mi się, że są tutaj kamery, które fotografują blachy i przekierowują je do bazy danych, jeśli przejedziesz przez to skrzyżowanie więcej niż trzy razy w ciągu godziny innym pojazdem niż karetka lub taksówka.

Nie wiedzieć czemu, przypominam sobie o tym dopiero teraz.

Przypomina mi się wiele rzeczy. Przypominają mi się niewiadome, dużo niewiadomych, których nie ma teraz sensu rozwiązywać. Kto wysadził samochód Piotrka? Kto założył mi GPS? Kto się do mnie włamał? Kto mnie okradł?

Wiem jedno – skąd policja wiedziała, gdzie jest moje mieszkanie. Ta wiedza mi wystarczy. W tej chwili nie potrzebuję już więcej tropów, podpowiedzi, rozwiązań.

Czas zaśpiewać. Noc jest czysta jak świeżo umyta szyba. Szyba w szpitalu. Jestem sam, nareszcie sam do końca, przetrwaliśmy te dni, tyle tych dni, ja i mój samochód. *Ważne są tylko te dni, których jeszcze nie znamy**. Zaśpiewajmy *Memu miastu na do widzenia***. Na pożegnanie jego więźniom, ku pokrzepieniu ich serc. Zaśpiewajmy, w dwuosobowym składzie, ja i samochód, u kresu nocy, poklaszczmy, na chwilę odrywając dłonie od kierownicy i dociskając jeszcze pedał gazu.

Zaśpiewajmy *Za ostatni grosz****, *Aleję gwiazd*****. Zaśpiewajmy, i tak nikt nas nie słyszy, a my nie słyszymy nikogo. Z zamkniętego samochodu przez ścianę pracy silnika nie słychać westchnień, zdań, mlaśnięć, cmoknięć, gwizdnięć, ciamkań, nie słychać nawet kroków.

Otwieram usta, bardzo szeroko, piosenka zaczyna wychodzić mi przez gardło, rodzę ją jak ogromne, bezkształtne dziecko. Wydostaje się z moich ust, pęka w powietrzu jak balon, samochód od środka zawiewa czarna chmura, obłok pyłu.

Jestem syty. Mój żołądek jest spokojny. W środku jest lód.

To jest moja piosenka psa.

Ludzie nie znaczą zupełnie nic. Znaczą tyle co niewyraźne cienie na ulicach, oglądane z perspektywy samochodu, plamy znikające w ułamku sekundy.

To jest moja piosenka psa.

Ludzie są tylko po to, aby się popałętać i potem zniknąć. Jak jakiś żart, o którym wszyscy zapomnieli. Którego nikt nawet nie opowiedział. Ludzie jedynie wchodzą i wychodzą, bez sensu, jak do i z tramwaju. Czerń nie ma końca i nic w niej nie słychać. Wszystko, co istnieje, wyśmiewa się z siebie nawzajem.

To jest moja piosenka psa.

---

* Piosenka autorstwa Marka Grechuty pt. *Dni, których nie znamy*.

** Tytuł piosenki zespołu Budka Suflera, sł. Adam Sikorski.

*** Tytuł piosenki zespołu Budka Suflera, sł. Marek Dutkiewicz.

**** Tytuł piosenki Zdzisławy Sośnickiej, sł. Marek Dutkiewicz.

Ludzie trwają chwilę, trwają cicho. Nie zostaje po nich żaden ślad. Przez tę krótką chwilę wierzgają, ocierają się o siebie, próbując jak najwięcej zeżreć, jak najbardziej wchłonąć siebie nawzajem. W większych skupiskach przypominają pianę. Jedyna miara, według której należy ich mierzyć, to efektywność. Zwinność robaków. Ci najefektywniejsi zjadają najwięcej swoich pobratymców, rosną, żyją najdłużej, mają najliczniejsze potomstwo; część tego potomstwa umrze, ale część będzie dalej pomnażać dobra nagromadzone, wchłonięte, nadtrawione przez swoich rodziców. Ci nieefektywni myślą, że ktoś będzie chciał im pomóc, ufają i kochają, wyznają wartości, wierzą w siebie nawzajem. Tacy giną najgłupiej i najszybciej.

To tylko ruchy pod mikroskopem. Drgania bakterii. Bezużyteczne dane. Nic, czego nie pokazałaby prosta komputerowa symulacja.

Ludzie kochają urojenia. Drżą od nich. Nazywają je sensami. Te „sensy" rozpuszczają się w powietrzu w momencie wypowiedzenia. Sama umiejętność ich sklecania jest pewnym fabrycznym uszkodzeniem.

Ludzie wciąż myślą, że dla tych słabych, skazanych na wymarcie robaków również jest miejsce, że racja jest po ich stronie, że pogląd, jakoby robaki, zamiast zjadać się nawzajem, mogły w spokoju koegzystować, zlepione w jedną, szczęśliwą breję, jest poglądem prawdziwym. To nie jest żaden prawdziwy pogląd. To tylko fantazja tych słabszych robaków.

Poza tym większość ludzi nosi w sobie nadzieję, rosnącą wraz z każdym przeżytym dniem, nadzieję, że ruchy robaków mają w sobie jakiś ukryty schemat, wzór, że są pewną narracją, opowieścią, która ma doprowadzić do szczęśliwego zakończenia. Są przekonani, że ruchy robaków ktoś obserwuje. Że ten ktoś ma dla nich w kieszeni ukryty jakiś prezent.

To niezmiernie szkodliwe i smutne sentymenty; pomyślcie przez chwilę, ile ich macie, jak codziennie nosicie je ze sobą. Jak głęboko wierzycie w wyrazy. Szczęście, zaufanie, radość. Wsparcie. Miłość. Nadzieja. Sens. Zdrowie. Harmonia. Dobro. Dobrobyt. Prawda. Sprawność.

Tymczasem to jedynie wyrazy, wyrazy, pod którymi najwyżej kryje się chęć robaków, aby poruszać się szybciej, żyć trochę dłużej.

Piosenka trwa, jest oczywista, jest najbanalniejszą piosenką z możliwych, ale tętni, wybijam jej rytm na kierownicy, jeżdżę w kółko po rondzie de Gaulle'a, jeżdżę po moście Śląsko-Dąbrowskim, zjeżdżam na Powiśle, zawracam, wjeżdżam do góry.

Śpiewam, krzyczę, mój krzyk brzmi jak głos starej i głupiej małpy.

Wszystko, co robicie, wszystkie wasze codzienne czynności, wszystkie tworzone przez was konstrukcje są sklecane w jakimś niejasnym celu. Na samym końcu nitek, które dziergacie, próbujecie dostrzec jakieś światełko, jakiś refleks, cień czegoś. Wyraz Bóg nie jest już modny, a wy nie wymyśliliście jeszcze lepszego. Język tańczy dokoła tego światełka. Iluzja nawija się na iluzję. Mimo to, gdy o nich myślicie, jest wam cieplej. Wszystko sprowadza się do okoliczności. Na końcu dnia zawsze będziecie chronić tylko siebie. Gdy będziecie mieli okazję, aby zjeść drugiego robaka, zrobicie to zawsze. Szybko, ale ze smakiem.

Nie ma czegoś takiego jak sens, jak bezinteresowny gest. Opowiadacie bajki. Wszyscy opowiadacie bajki. Ślinicie się z podniecenia, próbując je sobie wmówić. Jeśli nie zdołacie wmówić ich sobie dostatecznie dobrze, płacicie innym ludziom. Słuchacie bajek. Opowiadacie bajki.

To jest moja piosenka psa.

Nie musicie jej słuchać, nawet nie możecie, bo nikt jej nie słyszy, ale pomyślcie, pomyślcie przez chwilę, ile zła wyrządzacie, wierząc w fantazje, wpatrując się w fatamorganę na końcu nitki. Zła, czyli bezsensu, straty energii, bo tym jest właśnie zło: zło jest błędnym ruchem, zło jest marnotrawstwem czasu i surowców.

Jeśli ktoś zrozumie, że wyrazy to tylko wyrazy, jeśli ktoś otworzy oczy trochę szerzej i przyjmie ten widok, widok pustyni, jeśli pogodzi się z tym, że jego jedynym zadaniem jest trwać jak najdłużej, wtedy może być pijany i szczęśliwy, spokojny ze swoim zimnym kamieniem w żołądku.

To jest moja piosenka psa.

Wasze szczęście, marzenia, waszych bliskich, waszą miłość, wasze rodziny, waszych rodziców, wasze dzieci, waszych przyjaciół, wasze sukcesy, wasze altruistyczne zachowania, wasze plany, wasze domy, wasze nadzieje, wasze wakacje, waszą młodość i waszą dorosłość, wasze szczęścia i wasze depresje, wasze kryzysy i wasze wzloty, całą tkankę waszego życia, pierdolić waszą kulturę, wasze książki, filmy, muzykę, wasze prawo, wasze zasady, waszą kulturę, wasze budowle, kodeksy, waszą moralność, wasze poczucie dobra i zła, wasze wierzenia, wasze opowieści, waszą jedność, przede wszystkim waszą wiarę w jedność, waszą wiarę w dobro, wasze wizje splecionych rąk, wystawionych ku górze, wiarę we wspólnotowość, poczucie sensu i poczucie bezsensu, waszą tożsamość, waszą walkę o istnienie, wasze ciche prośby o życie wieczne, gdy nikt nie słyszy, bo większości z was nie wypada – to nic nie znaczy. To nigdy nic nie znaczyło.

Prawie każdy jest w jakiś sposób religijny. Nikt nie zdoła tak naprawdę zaakceptować tego, że to tylko ruchy robaków. Rzeczywiście w to uwierzyć. Tymczasem to prawda. To jest moja piosenka psa.

Wszystko to byłoby całkiem zabawne, gdyby gdzieś istniał ktoś, kto patrzy na to akwarium z robakami, na cały kompleks postawionych obok siebie akwariów z kotłującymi się w nich milionami małych robaków, zaciera ręce, uśmiecha się, czekając tylko na moment, aż dla czystej zabawy zaleje je wrzątkiem. Wszystkie.

Jeśli jest Bóg, to wygląda właśnie tak, i to jest moja piosenka psa.

W nocy na samej granicy świateł, centymetr przed ciemnością, wszystko jest wyraźne w najwyższej możliwej rozdzielczości. Zamykam usta, ale wciąż śpiewam, a kamień w moim żołądku rozlał się na cały organizm, jest mną, czuję go pod skórą, gdzie nie przyłożyłbym palca.

Zatrzymuję się na placu Trzech Krzyży, chowam twarz w dłoniach, dotykam palcami czoła, jest zimne. Takie jak ma być. Mam temperaturę ciała niewiele wyższą od temperatury trupa, czyli idealną.

W strukturze robaków przydzielono mi rolę ducha.

Wysiadam z samochodu, chwiejnie, może dopiero teraz ten wybuch, a może to wszystko, co stało się przez ostatnie dwadzieścia cztery godziny, rezonuje w moim ciele.

Chowam nóż w kieszeni, tam gdzie jego miejsce.

Mój największy błąd polega na tym, że zakładałem, że nie dam się nabrać na rzeczy, na które daje się nabrać większość robaków. Że ktoś może mieć w stosunku do ciebie dobrą intencję. Działać tylko po to, abyś ty czuł się zadowolony, rozluźniony, może nawet szczęśliwy.

Dał jej dziesięć tysięcy złotych. To dużo, bo szkoda na nią tyle pieniędzy. Szkoda na nią nawet piątaka.

Gdy dochodzę do wejścia, przypominam sobie, aby zamknąć usta i przestać bezgłośnie mówić, przestać śpiewać.

Szkoda na nią nawet śliny.

Gdy dochodzę do wejścia, przypominam sobie, aby przestać iść chwiejnym krokiem.

Ludzie, którzy się kłębią. Uśmiecham się do nich.

Uśmiech na mojej własnej twarzy. Pokrywają ją blizny i opuchnięcia, ale to moja twarz i moja sprawa, ich wzrok zatrzymuje się na niej, by za moment się ześlizgnąć, patrzą gdzieś przez chwilę, następnie odwracają się z powrotem do siebie, do swoich twarzy. Nie wziąłem zaproszenia, przypominam sobie. Dawał mi zaproszenie, ale go nie wziąłem. Pogniotłem je i wyrzuciłem. Przypominam sobie jeszcze inne rzeczy. Wiele innych rzeczy. Moje ciało na podłodze mojego mieszkania. Moje ciało w różowym pokoju, na rozkładanym łóżku, pokryte płynami, które samo wyprodukowało. Czyjeś ciało obok mojego ciała. Przebywający tu ludzie są przede wszystkim nieźle ubrani, bycie nieźle ubranym jest ich główną treścią i zadaniem. W swoich niezłych ubraniach stoją przy gazowych grzybkach, emitujących ciepło, palą pod nimi papierosy, z kieliszkami i papierowymi kubkami w rękach wymieniają uwagi, głaszczą się, dotykają, część oczywiście mnie rozpoznaje, uśmiechają się do mnie nienaturalną bielą zębów, nienaturalną, bo tak naprawdę ich zęby, tak jak wszystko, co posiadają, jest czarne.

Weseli ludzie, każdy ponad każdym, każdy ponad stanem, każdy dopiero rozpoczynający swój wieczór. Wypacykowani geje, ich rozszczebiotane koleżanki w okolicach czterdziestki, szukające wzrokiem swoich nastoletnich córek, czy nie poznikały już z kimś w toaletach, czy nadal stoją nieopodal, zblazowane, ze wzrokiem wklejonym w smartfony; wielkomiejskie wieśniaki ze śluzem i tłuszczem wsmarowanymi we włosy, ekskluzywnym torfem i leczniczą glinką wklepanymi w obwisłe i spieczone ciała, w gorzkich chmurach perfum; dwudziestoparoletnie, chude i brzydkie laski, które zarabiają całkiem niezłe pieniądze, prowadząc blogi i przychodząc w takie miejsca jak to. Cienkie papierosy, drinki na tyle mocne, aby barmani mogli jak najszybciej iść do domu się wyspać. Słychać cichy dźwięk, jakby metaliczny szelest. Ten dźwięk – to spienięża się rzeczywistość. Patrz, słuchaj. Ci ludzie kroją przynależną im część tego miasta jak tort. Kokaina. Słuchaj, patrz. Kto przywiózł im dzisiaj kokainę?

– Ty też w robocie, mordeczko? – Klepnięcie w plecy. Pytanie, odpowiedź.

Odwracam się. To Ksawery. Gazowe grzybki odbijają się w jego oczach; wygląda, jakby płonęły mu źrenice. Zrezygnował ze sztucznie patynowanych spodni, lepiej się uczesał, ma na sobie czarny garnitur. Z wyglądu, ale również z charakteru nie różni się niczym od stojących tutaj dyrektorów, szefów egzekutyw, prezesów, inwestorów, doradców, CEO.

– Zmieniasz asortyment? – pytam.

– Słyszałem, że miałeś jakieś perypetie – odpowiada.

– Nie, nie miałem żadnych. Ludzie pierdolą – informuję go.

Odchodzimy na bok. On wciąż się uśmiecha, to zaciśnięty uśmiech gada, który napił się krwi. Wszyscy naokoło zresztą napili się krwi, właśnie po niej mlaskają, musiała być smaczna.

– No nie wiem. Mam nadzieję, że u ciebie dobrze. Słuchaj, ktoś cię wydzwonił czy tak wpadłeś, bo jak coś, to ja tutaj, wiesz, zarabiam trochę dzisiaj – mówi. – Dostałem trochę dobrego kolumbiana w bonusie i...

– Pracuj. Pracuj dzielnie, Ksawery. Polska czeka na twoją chwałę – odpowiadam.

– Wiesz, nie chcę ci się wpierdalać. To taki incydent. Żeby wszystko było między nami jasne, nie? – mówi.

– Jestem tu prywatnie. W obronie honoru kobiety – dodaję, wskazując miękką kulkę opuchlizny, kulkę chleba wszczepioną u podstawy nosa.

Rozumiem nagle, że on się mnie boi, że nie spodziewał się mnie tutaj, że jestem w tym momencie dla niego jak była dziewczyna, znienacka zjawiająca się na urodzinach, ale jest mi to obojętne, interesuje mnie już wyłącznie to, co mnie cieszy, a cieszy mnie lód, który zastąpił mi wszystkie narządy wewnętrzne.

– Sam mówiłeś, rynek jest pojemny, ludzie nie wytrzymują stresu, tempa. Mordeczko. Wszyscy się najemy, spokojnie. – Klepię go w ramię i zostawiam zdezorientowanego.

Idę dalej, wślizguję się między ludzi, przeciskam się przez nich, w końcu pokonuję podwórko, ten brudny spacerniak w kształcie kwadratu, i dochodzę do samego wejścia do klubu. Dwóch rosłych, łysych typków, jakby wyciętych z azbestu; każdy z nich mógłby być Stryjem lub Śniadym, i gdyby byli to Stryj lub Śniady, teraz nawet bym ich nie poznał.

– Zaproszenie – mówi jeden z nich.

– Nie mam. – Uśmiecham się i rozkładam ręce.

– To spierdalaj – odpowiada.

Zamykam oczy. Może szczęście to właśnie coś w rodzaju zimna. Otwieram je z powrotem.

– Muszę zobaczyć się z kimś, kto jest w środku – mówię.

– A ja muszę jebnąć Adrianę Limę. No ale jakoś nie idzie, powiem ci. Nie odpisuje mi na SMS-y – odpowiada ten po lewej.

Stoimy tak przez chwilę, wszyscy znając treść i kolejność zdań, które zaraz mają być wypowiedziane. Już mam wbić się między nich, wcisnąć, złamać ten nadchodzący dialog, jakbym był pewien, że rozstąpią się przede mną, jakby tak naprawdę byli z masła, gdy znowu słyszę swoje imię, za plecami, gdy znowu ktoś ich dotyka.

– Jacek! – słyszę.

– Tak, to ja – odwracam się.

– Jacek, no Jacek, no, świetnie, Jacek, fajnie cię widzieć. Chodź, pogadamy – mówi Łukasz, czyli sympatyczny, cyniczny, młody pedał w muszkach i fularkach.

Teraz przypomina mi kogoś w rodzaju niewidzianego przez piętnaście lat przyjaciela z obozu młodzieżowego w liceum. Kogoś przynależnego do zupełnie innej rzeczywistości. Łukasz to sympatyczny człowiek o miłym usposobieniu. Schowałem do kieszeni dużo jego banknotów, dużo banknotów jego znajomych, i schowam ich o wiele więcej, gdy wrócę.

„Za dwa, trzy lata będzie potwornym kokainistą". Uśmiecham się do tej myśli. Może dalej będzie wtedy sympatyczny. Na pewno będzie się uśmiechał. Jeszcze częściej niż teraz. Zdobędzie swoim pięknym uśmiechem cały świat.

– Nic z tego nie będzie, Łukasz. – Uśmiecham się do niego.

– Z czego? – pyta, przewracając oczami, nie rozumiejąc.

– Muszę wejść do środka. A nie mam zaproszenia. – Pokazuję palcem na drzwi strzeżone przez parę ogrów.

– A masz coś? Bo ten tutaj ma straszne gówno – odpowiada. – Przywiózł jakąś polopirynę i pierdoli, że kolumbijskie. Ci, co muszą, to wąchają, ale wiesz... ja jednak też bym coś strzelił. Jest strasznie drętwo. To będzie totalna chujnia, ten pokaz, między nami, to jest kompromitacja...

– Tak, Łukasz, jasne, oczywiście, ale najpierw muszę załatwić coś w środku. – Znowu pokazuję mu palcem drzwi.

– Ale teraz jest przerwa między pokazami. Za pół godziny dopiero będzie następny, tam w środku nic nie ma. DJ-e się podpinają – odpowiada.

– Mam tam klienta – mówię.

– No dobra, stary, dla ciebie wszystko. Przecież żyjemy dobrze. Żyjemy ze sobą całkiem nieźle. – Wyszczerza się i znowu klepie mnie w ramię, i nawet mi to nie przeszkadza, to całkiem zabawne – stać na tym brudnym śniegu, który wszędzie jest taki sam, na pokrytym logotypami ekskluzywnej wody podwórku i klepać się po ramionach, uśmiechać się, gdy to wszystko obciąża nóż, nóż i lód, motylkowy nóż pokryty drobnym pyłkiem rdzy.

– O, siemasz, siemasz, dobrze cię widzieć – mówi roztrzęsiony blondyn, który stracił kupę forsy.

Jest tutaj, bo pewnie chce ją odzyskać, a żeby to zrobić, musi się pokazać. Jest głodny, to widać, stołówka nie wydała mu dzisiaj jego porcji juchy. Jest w stanie bardzo źle ukrywanej paniki.

– Jak twoje problemy? – pytam go.

– Różnie, różnie. Lepiej. Prawnicy działają, wiesz. Dogadują się między sobą. W biznesie trzeba być twardym, wiesz, jak w tym serialu, *House of Cards*. Widziałeś *House of Cards*? Nie ma żadnych sentymentów, stary, tego się właśnie nauczyłem. Nie ma ani przyjaźni, ani sentymentów. No to jak, masz coś może? Na kreskę? – pyta.

– Kreskę na kreskę? – pytam.

Nie rozumie, ale na wszelki wypadek kiwa głową.

Dopiero teraz orientuję się, że jakieś mięśnie w moim organizmie, które były cały czas napięte, teraz popuściły, i ja też wciąż się uśmiecham, zadowolony, wyluzowany, rozprężony.

– Mam. – Uśmiecham się do niego. – Oczywiście, że mam. Dla ciebie zawsze, kochany. Ale najpierw muszę wejść do środka. Załatwić jedną sprawę.

Łukasz pokazuje ochroniarzom palcem na mnie, po czym podnosi kciuk do góry. Uśmiecham się do Łukasza. Uśmiecham się do rozdygotanego. Uśmiecham się do wszystkich zebranych, do ich rodzin i najbliższych przyjaciół. Pozdrawiam ich wszystkich bardzo serdecznie.

Zaraz wchodzimy na wizję, Jacek. Jesteś podpięty?

– Zaraz wracam, Łukasz, daj mi piętnaście minut – mówię, po czym przechodzę przez dwa stojące przy wejściu ożywione kartony, znikam w środku, zatrzymuję się na chwilę przy balustradzie, oddycham.

Klub z góry wygląda jak wielka, symetryczna dziura w ziemi. Na samym dole jest parkiet, obecnie zastawiony krzesłami i rampą, po której niedługo będą spacerować kobiety i mężczyźni. Parkiet otoczony jest dwoma kwadratami balustrad, górnym i dolnym, od których odchodzą pająkowate odnogi korytarzy, prowadzące zapewne do baru i mniejszych pomieszczeń. Ale ja muszę dostać się jeszcze gdzie indziej, muszę wejść na zaplecze, znaleźć odpowiedni pokój.

Czuję spokojne uniesienie. To stan, który pewnie znaczna grupa ludzi uzyskuje dzięki wciąganiu towaru: normalny, głęboki oddech, migotanie pod czaszką, poczucie lekkości, szybkie, ale miękkie ruchy, długie, ale spokojne kroki. Oddycham głęboko, chociaż powietrze w tym miejscu jest jak w kopalnianym szybie, czarne i stałe, bez cyrkulacji.

Gdyby tutaj wybuchł pożar, wszyscy zginęliby na miejscu, zanim dobiegliby do wyjścia. Schodzę po schodach, nie mijam praktycznie nikogo, jacyś kolesie od kabli i dźwięku powoli i od niechcenia coś dokręcają i sprawdzają, poruszając się jak we śnie.

Lód piecze, parzy. Przyjemnie. To dziwne, ale mam ochotę na alkohol. Muszę coś uczcić, dopiero podejrzewam co. Podchodzę do baru, na przygotowanych tacach stoją rozstawione kieliszki szampana, szklanki whisky. Biorę jedną szklankę, wypijam łyk, nikt nie zwraca na mnie uwagi: ani znużona, licząca coś kelnerka, ani dwóch zapatrzonych w swoje telefony barmanów. Alkohol jest przyjemny, to też dziwne, jest słodki, ciężki, piekący, uświadamia mi, że jednak wciąż mam pusty żołądek. Ale nie wdziera się w niego, wpływa w niego naturalnie jak olej do silnika. Przeciągam się i uśmiecham.

Wszystko w naturalny sposób, w swoim naturalnym tempie, rozpada się, rozkłada na kawałki. Wszystko jest tak, jak ma być.

Jacek, witamy cię w naszym programie. Przyznam się, że jesteś w nim niecodziennym gościem. Niespotykanym, chociaż idealnie wpisujesz się w jego formułę. Ludzi, których przeciwieństwa losu uczyniły silniejszymi. Ludzi, którzy wykonują niebanalne zawody. Ale tak w ogóle, to po raz pierwszy gościmy w naszym programie kogoś, kto trudni się profesją, hm, nie tylko niebanalną, ale też nie do końca legalną, właściwie zupełnie nielegalną. Przyznam, że jestem wyjątkowo podekscytowana.

Co czujesz po tych paru dniach, Jacek? Jak na ciebie wpłynęły? Przyznam się, że słuchałam twojej opowieści ze zgrozą. Czy chcesz chusteczkę? Nie? No dobrze. Przez chwilę sprawiałeś dziwne wrażenie, jakbyś... nieważne. Przez te kilka dni przeżyłeś więcej, niż niektórzy ludzie przeżywają przez całe życie. Zadam ci pytanie, które zadajemy wszystkim naszym gościom – jak to jest, gdy twoje życie wymyka się spod kontroli, ale tak zupełnie, w ułamku sekundy? Czy zdałeś sobie już z tego sprawę? Czy czujesz, że trzymasz lejce z powrotem w ręku? Że jesteś z powrotem na dobrej trajektorii?

Tak, tylko teraz muszę pójść do przodu. Przejść przez parkiet pokryty śliskim gumolitem, czekający na kłębiące się na zewnątrz kilkaset osób. Mam jeszcze ostatnią, finalną sprawę do załatwienia i wtedy wszystko wróci do normy.

Wiesz, powiem ci, że podstawą jest określić to, co jest twoim faktycznym celem, co tak naprawdę leży u podstaw wszystkich twoich ruchów. Czym jesteś tak naprawdę zdeterminowany.

Nigdy nie będzie tak, że po drodze wszystko uda się bezproblemowo. Ale najważniejsze jest to, co na końcu. Światełko na końcu nitki, zbawienie. Zagalopowałem się, przepraszam.

Przydarzyły mi się różne rzeczy, ale przede wszystkim

chciałem zdążyć na samolot, dzisiaj o dwudziestej drugiej. Przepraszam was na chwilę, zaraz do was wracam.

Wejście za scenę to małe drzwi, jak do kibla; gdy je otwieram, ci snujący się kablarze i monterzy nawet nie zwracają na mnie uwagi, dla nich, skoro tu jestem, to znaczy, że mogę tu być.

Za drzwiami jest korytarz, długi i wąski, biały, z drzwiami po obu stronach. Przychodzi mi do głowy, czy w ogóle jest stąd jakieś inne wyjście. Idę powoli, do końca, głosy należą do młodych kobiet i mężczyzn, głosy są pewne siebie, mocno osadzone, krzykliwe, głosy mogące coś sprzedawać, występować w reklamach.

Idę szybko, miękko i cicho. Wkładam dłoń do kieszeni. Natrafiam na stal.

Jestem z powrotem. Czy czuję, że trzymam lejce z powrotem w ręku? Oczywiście, że tak. Nie mogę powiedzieć, że parę spraw mnie nie zaskoczyło. Gdybym powiedział teraz tobie i telewidzom, że wszystko przewidziałem, wiesz... Zawsze jest tak zwany czynnik ludzki. Czy uważam się za współwinnego w tej tragicznej sprawie? Mariusza F.? Nie, oczywiście, że nie. Ale z całego serca współczuję rodzinie tej biednej kobiety, współczuję jej córce, że straciła matkę.

Na jak długo wyjeżdżam? Jeszcze nie wiem. Aż sytuacja się uspokoi. Czy chciałbym zostać tam na zawsze? Nie można chcieć tego, co jest niemożliwe. Czemu niemożliwe? Ha, ha, ha! Ha, ha, ha!

Tak, to miał być mój perlisty, wystudiowany śmiech aktora. Po prostu odpowiem śmiechem, mam prawo odpowiedzieć śmiechem. Ale nazwijmy rzecz po imieniu. Stąd po prostu nie można uciec. Marzenia są tylko marzeniami.

Na końcu korytarza są metalowe drzwi, oznaczone fluorescencyjną naklejką. Bardzo dobrze. Mógłbym stąd po prostu wyjść, normalnie i szybko, ale po co? Po co być niedyskretnym, skoro można inaczej?

Słyszeliśmy, że lubisz śpiewać. Tak, to prawda. Uprawiam śpiew bezgłośny. Po prostu otwieram usta.

Jak to jest iść na takie spotkanie, Jacek? Opowiedz nam teraz, jakie to uczucie? Nasi widzowie czekają, aż stanie się coś strasznego. Ale ja rozumiem, że nóż ma po prostu znaczenie symboliczne?

Podchodzę do drzwi, ostatnich po prawej. Wsłuchuję się w głosy, splatające się ze sobą, sklejone, jak fałdy ciała w upał, i po chwili wyróżniam ten właściwy.

Jak to jest iść na takie spotkanie, Jacek? Cudownie. Bo, wiesz, mówiłem o robakach, ale robaki mają też swoje przyjemności. Należy je celebrować, rozsmakowywać się w nich.

Przyklejam się do ściany, drzwi się otwierają. Ze środka wychodzą dwie dziewczyny, długonogie, wysokie, wychudzone, w luźnych ubraniach.

– Idziemy zajarać, będziemy za piętnaście minut – rzucają w środek pomieszczenia.

– Jasne, ja tu zostanę, jeszcze się poprawię – znajomy głos wypływa ze środka jak zatruty miód.

Robaki mają swoje przyjemności, na przykład zawsze mogą się nawzajem ukarać. Wyegzekwować zadośćuczynienie.

Czy mógłbyś opowiedzieć to trochę prościej, Jacek? Ale to wszystko jest proste. W moim ciele jest lód, i on jest po prostu zamrożonym mną.

Wchodzę do środka, zamykam za sobą drzwi i opieram się o nie. Pokój jest niewielki, podłużny, z rzędem oświetlonych luster do makijażu po lewej, z ustawionymi pod ścianą wieszakami po drugiej, wieszakami, na których wisi mnóstwo kolorowych ubrań, materiałów, płaszczy. Gdy mnie widzi, jej twarz tężeje, ścina się jak białko wylane na wrzątek. Pewnie nie poznałbym jej na ulicy, z kilkoma warstwami makijażu, z wysoko upiętymi włosami, w srebrnej, asymetrycznej sukience, która wygląda jak skafander, z przyborami do makijażu w wąskich dłoniach. Pewnie potrzebowałbym chwili, aby zdiagnozować, skąd dobiega to ukłucie, i zrozumieć, że to była ona.

Ale teraz jest wyraźna, wyraźna jak na dłoni.

– Co ty tu robisz? – Było oczywiste, że o to zapyta.

W drzwiach jest klucz, więc przez chwilę zastanawiam się, co tak naprawdę chcę zrobić. Dopiero po chwili to do mnie dociera.

– Nie możesz tutaj być. Zaraz pójdę po ochronę – mówi.

Musi wstać, aby odzyskać swoje właściwości, aby z powrotem mieć w sobie coś z ostrego przedmiotu, aby sprostać tej konfrontacji, być w niej równym przeciwnikiem.

– Przerażasz mnie, czuję się nieprzyjemnie z tego powodu, że tu jesteś, i nie chcę, abyś tu był – mówi.

– No tak. Wszystko rozbija się o czucie się przyjemnie lub nieprzyjemnie – odpowiadam.

Wyjmuję nóż z kieszeni.

Twoja rodzina, Jacek, podobno nie byłeś nawet u nich na święta, ale czy byłeś w kontakcie z nimi przez ten czas? Nie, nie byłem. Nie jestem z nimi w żadnym kontakcie. Dlaczego, Jacek? Przepraszam, zaraz do was wracam.

– Wyjdź stąd – mówi.

Drżą jej usta. Mocno je zaciska. Kładzie dłoń na blacie stolika, pełnego kosmetyków, pudrów, jej sobowtór stoi w podświetlonym lustrze, jakby chciała się o niego oprzeć.

– To moja wina, a nie twoja – mówię.

– Nie rozumiem – odpowiada, cofając się o krok.

Ja robię krok do przodu.

– To moja wina, dałem się nabrać. Przyjechałem.

Chciałem, abyś mnie oszukała – mówię, kiwając głową do tego, co nieuchronne.

– O czym ty, kurwa, mówisz? – pyta.

– Nie mógł przynajmniej zabrać cię na jakieś wakacje? Wysłać cię do jakiegoś resortu na Ibizie? Popiłabyś sobie szampana, podawałabyś dupy ruskom albo czarnuchom. – Wzruszam ramionami.

– Nie masz prawa mówić takich rzeczy, nie masz prawa mnie obrażać, a to, co się stało, to była... to była pomyłka – cedzi.

– Po prostu dał ci dziesięć tysięcy – mówię.

Blednie lekko, widać to spod warstw makijażu; nagle jakby zmieniły odcień.

– Miałem z tego powodu bardzo dużo nieprzyjemności. To w pewnym sensie moja wina. Sam tego chciałem – informuję.

– Wyjdź stąd, kurwa – mówi, chwyta coś, nie widzę, co to jest, bo podbiegam do niej, chwytam ją i mocno wykręcam jej rękę, to chyba fryzjerskie nożyczki; spadają na podłogę z głośnym trzaskiem.

Przyciskam ją mocno do siebie. Chwytam ją za szyję. Przystawiam jej nóż do policzka. Dłoń, którą miałem na szyi, przekładam na jej usta, zaciskam je, trzymam mocno. Z kącików oczu spływają jej łzy. Nóż delikatnie zagłębia się w policzek, ostrze wciska się pod skórę, płytko, na milimetr, to wystarczy, aby na policzku pojawiła się krew.

– Popatrz na siebie, ty kurwo – proszę ją spokojnie.

Jacek, cześć synku. No cześć. Nie, nic się nie stało. Jacek? Zjesz kolację? Nie? Posłuchaj, posłuchaj, co ci powiem, synku. Powiem ci to, rozumiesz, powiem ci, bo to jest bardzo ważne, to jest najważniejsza rzecz na świecie. Czemu płaczę? Nie, wcale nie płaczę. W ogóle nie płaczę, w żadnym wypadku, synku. Po prostu chcę ci coś powiedzieć. Chodzi o to, abyś, cokolwiek by się działo, cokolwiek, przysięgnij, abyś nigdy nie podnosił ręki na kobiety, dobrze?

Dobrze, mamo, ale czemu płaczesz, co się stało, czy tata ci coś zrobił?

Zamknąć, następnie otworzyć oczy to jak uciąć. Zaciskam dłoń na jej twarzy tak mocno, jakbym chciał zgnieść jej żuchwę, skruszyć zęby. Ścisnąć ją jak miękki owoc. Próbuje coś powiedzieć, ale te wyrazy odbijają się od mojej dłoni, są tylko śliną.

– Tępa, pusta kurwa – nazywam ją po imieniu, chwytam za kark i popycham w kierunku drzwi; odbija się od nich jak szmaciana lalka.

– Ratunku! Pomocy! Ochrona! – krzyczy, wali w drzwi, ale podbiegam do niej szybko, chwytam ją za usta, przyciskam znowu do siebie, otwieram drzwi.

– Po prostu musisz to zaakceptować. Przyjąć karę – mówię.

Coś krzyczy, próbuje ugryźć mnie w dłoń, próbuje mnie kopnąć.

– Mam też pistolet – mówię.

Z całej siły próbuje się wyrwać, więc przykładam jej nóż do drugiego policzka, z poprzedniego ścieka już czerwona łza.

– Karzę też w pewnym sensie siebie – mówię. – A teraz bądź cicho, bo już wiesz, że mogę cię zabić w każdej chwili.

Jacusiu, to jest najważniejsze. Nie zawsze będziesz porządny. Nie zawsze będziesz szlachetny. Będziesz się starał, ale nie zawsze będziesz. (To było w kuchni, jeszcze przed remontem, na lodówce nalepki przedstawiające bohaterów z kreskówek, pistacjowe kafelki, szafki ze sklejki, mama siedziała na podłodze, wciskała się tak mocno w meble, jakby chciała, żeby ją połknęły. Trzymała się za twarz, a taty nie było w domu. Tata był zły, bo nie chciał mu wyjść wiersz. Coś nie pasowało mu w wierszu). Będziesz się starał, ale nie zawsze będziesz. Ale nigdy nie podnoś ręki na kobiety. Nie podnoś ręki na słabszych. Cokolwiek by się działo, bo nic tego nigdy nie usprawiedliwi. Będziesz stracony.

Na korytarzu nikogo nie ma, jeszcze; jej koleżanki palą gdzieś papierosy, pewnie na zewnątrz, jeszcze; styliści wciągają kreski w kiblu, a cała publiczność wciąż jest na zewnątrz, uśmiechnięta do siebie nawzajem, przytulona do gazowych grzybków. Popycham ją w stronę wyjścia ewakuacyjnego. Uciszyła się, już nie krzyczy, nie pluje w środek mojej dłoni. Tylko gwałtownie oddycha. Jej serce bije szybko, jak u schwytanego ptaka. Drzwi są otwarte. Nad nami są schody. Mam cichą nadzieję, że doprowadzą nas w okolice miejsca, w którym zaparkowałem.

Zamykam drzwi. Dyszy ciężko i głęboko, jest przerażona.

– Myślisz, że cię zabiję? – pytam.

Przełyka ślinę. Nie odpowiada. Jest cicho, a gdy jest naprawdę cicho, to bezdźwięczność staje się treścią. Słychać nagle muzykę ścian, odpadanie złuszczonych płatów farby, szum wody w kaloryferach, ciche pstryknięcia nieuziemionej, schowanej w ścianach instalacji elektrycznej.

Powinienem zakazać sobie dożywotnio wstępu do samego siebie.

Powinienem sam się wykląć.

Powinienem, ale tak naprawdę nie mam najmniejszego zamiaru, bo wszystko jest na swoim miejscu.

– Ty naprawdę myślisz, że cię zabiję – mówię.

– Nie wiem, co zrobisz – odpowiada po chwili.

W drzwiach jest klucz. Jakby rzeczywistość chciała zrekompensować mi pewne poprzednie niedogodności. Przekręcam go w zamku i chowam do kieszeni.

Ale co się stało, mamo? Już nic, proszę, idź stąd. Idź na zewnątrz, do kolegów. O której on przyjdzie? Powiedz mi, o której on przyjdzie?

Jacek, jesteś tam? Odpłynąłeś gdzieś myślami. Przypomniała mi się po prostu taka sytuacja z dzieciństwa. Dzieciństwa? Czy twoje dzieciństwo było szczęśliwe? Nie wiem. Nie wiesz? Czy byłeś kochany, czy troszczono się o ciebie? Wychowywano mnie. Karmiono. Nie zostawiono mnie samego, w sumie mnie nie bito. Może parę razy ojciec stracił nad sobą kontrolę. Ale czemu o tym rozmawiamy? Jakie to ma w ogóle znaczenie? Ma duże w kontekście tego, co zrobiłeś. Czy ja jestem tu na jakiejś psychoterapii? Nienawidzę psychoterapeutów, przepraszam. To potworni oszuści, najgorsi z możliwych. Wmawiają ludziom, że są wyjątkowi, że ktoś się o nich troszczy.

– On nie dał mi żadnych pieniędzy. Kłamie – syczy, wpatrując mi się w oczy.

– Kiedy planujesz przestać być kurwą? – pytam.

– Kłamie. Nie dał mi żadnych pieniędzy. Przyszedł do mnie z jakimś facetem, chyba policjantem, który mówił, że cię zna. Zastraszyli mnie, kurwa, powiedzieli, że wystarczy, że zrobią mi testy na obecność we krwi, przedłożą je moim rodzicom... kurwa, Jacek.

Zaczyna płakać. W końcu, bo zaczynało to już trochę dziwnie wyglądać.

– Za dziesięć lat? Jak będziesz miała trzydzieści cztery? Wtedy chcesz mieć co? Męża i dzieci? – pytam.

– Ten gliniarz... on chyba nazywał się Marek, jakoś tak. Mówił, że cię zna. Że jest twoim kolegą. Mój brat ma dwadzieścia lat, ma wyrok w zawieszeniu, powiedział, że to żaden problem, żeby mu go odwiesić... Jacek, kurwa, błagam cię, ja jebię, przecież ja bym tego sama nie zrobiła. A on, Mariusz, ja się z nim przespałam raz czy dwa, ale on sobie zaczął wyobrażać jakieś rzeczy na mój temat... Wypisywać, wydzwaniać... Nękał mnie, potrafił wysłać do mnie tysiąc SMS-ów na dobę, powiedział, że nigdzie w Warszawie nie dostanę pracy, nigdzie, jeśli tego nie zrobię... – Zaczyna krztusić się łzami, płacze rzęsiście, broczy wodą, zużywa do tego wszystkie swoje umiejętności aktorskie.

– Męża, który nie będzie zadawał ci żadnych pytań o tych wszystkich mężczyzn, którzy cię dymali, a potem szaleli za tobą, chcieli zostawiać dla ciebie swoje przymarszczone żony, czyścić do zera złote kredytówki, wszędzie cię zabierać, demolować dla ciebie wszystko, co udało im się zbudować. Męża, który nie będzie zastanawiał się na głos, co robiłaś, gdy jeszcze miałaś świeżą twarz i gdy cycki nie wisiały ci jak stare skarpety? – pytam.

Kucam przed nią. Chwytam ją za włosy, podnoszę jej twarz do góry. Patrzę na nią. Z tym całym zepsutym makijażem wygląda jak złe malarstwo. Jednak jest w tym wszystkim jakaś prawdziwa. Prawdziwa, czyli zepsuta, i w dodatku bezdennie głupia.

– Ja nie miałam innego wyjścia, ja cię przepraszam, ja nie wzięłam od niego złotówki, Jacek, proszę cię – zaczyna błagać.

– Chcesz mieć dzieci? Ile? Dwójkę? Chcesz mieć dom pod Warszawą? Jeździć na obozy jogi, wstrzykiwać sobie botoks do gęby, czytać poradniki, jak szczęśliwie żyć? Chodzić na kursy gotowania pięciu przemian? Interesować się historią feminizmu? Mieć nowe przyjaciółki, które gdy chlapną kilka butelek wina, zaczną rozmawiać o małych fiutach swoich mężów? – pytam.

– Proszę cię – błaga i jęczy – ja naprawdę, przysięgam ci, nic od niego nie wzięłam.

– Może nawet zwiększę twoje szanse na znalezienie takiego mężczyzny. Takiego wspaniałomyślnego faceta. Oprócz pieniędzy musi mieć w sobie litość. Musi mieć w sobie coś z filantropa – mówię.

– O czym ty, kurwa, mówisz? – pyta.

– Wiesz, co jest smutne w dzisiejszych czasach, gdy o nich myślę? – mówię. – Że kiedyś bycie kurwą oznaczało różne rzeczy. To była przeważnie konieczność. Czasami była to broń w walce ze światem. Teraz to po prostu zabawa.

– Nikt nie dał mi żadnych pieniędzy. Oni to na mnie wymusili. – Przypomina zacięte, zepsute urządzenie.

– Dziewczyny takie jak ty bawią się w bycie kurwami, tak jak dzieci bawią się w chowanego – mówię.

Drży i płacze, otwiera usta, aby krzyknąć, i wtedy znowu chwytam ją dłonią za twarz i przyciskam do ściany. Mocno. Z całych sił. To ciało jest mi już zupełnie obce. Kiedyś było mi bliskie, było czymś, co pragnąłem mieć w dłoniach, marzyłem, aby leżeć obok niego, chciałem wdychać jego zapach, ale teraz, razem ze swoją zawartością, jest dla mnie po prostu jak pudło pełne rzeczy, które już do niczego nie służą, od których należy się odciąć, które jak najszybciej należy wynieść na śmietnik.

Jest letnie, a przez to obrzydliwe w dotyku; rzeczy powinny być albo zimne albo gorące.

To jest niezwykle ważne, Jacek. To trochę odpowiada na pytanie, kim jesteś. Ale nie ma czegoś takiego jak pytanie, kim się jest. Jest się sumą reakcji na bodźce, reakcje następują według pewnych wzorów, a te wzory kodują się na wczesnym etapie rozwoju. Niektóre mechanizmy. Ale mnóstwo rzeczy, które robimy, jest też po prostu przyjemnością. Największą przyjemnością, uważam, jest sprzątanie. Kto nie umie czerpać satysfakcji ze sprzątania, jest człowiekiem ułomnym, niepotrzebnym światu.

Nóż wchodzi w policzek, głęboko, na centymetr, tworząc bliznę aż do samego ucha, z jej twarzy tryska krew, spływa jej po szyi, otwiera szeroko oczy, składam nóż, chowam go do kieszeni.

Na tym kończę, chociaż powinienem ją wypatroszyć, poluzować ją jak kaczkę przed pieczeniem.

O której on wróci? O której on wróci, to go zabiję, mamo, przysięgam. Nie, nic nie zrobisz, Jacek. Nic nie zrobisz. Uspokój się. Zobacz, ja już jestem spokojna. Zobacz. To twój ojciec jest ciągle, bez przerwy niespokojny. (Wstaje, jak gdyby nigdy nic, wygładza ubrania przeciągłymi, powolnymi ruchami dłoni, zaczyna odgrzewać mi obiad). Otwieram drzwi lodówki, pokryte nalepkami, a ona pyta, czego szukam, przecież wszystko jest tutaj.

Nadal krwawi. Próbuje krzyczeć.

– Chcesz taką na drugim policzku? – pytam.

Kręci głową. Czuję ciepło na wysokości swoich bioder. Zeszczała się w majtki.

– To zamknij mordę. Dopóki nie wbiegnę po tych schodach. Potem już możesz się drzeć, ile ci się podoba – mówię.

Bezwładnie zsuwa się po ścianie na kolana.

– Jeśli powiesz komuś, że to ja, to znajdę cię i zabiję. Rozumiesz? – pytam.

Gdy ojciec wróci do domu, rzucę się na niego z nożem, będę próbował wbić mu go w nogę, tam gdzie ma tętnicę udową. Uderzy mnie w głowę, naprawdę mocno, tak że wyląduję na drzwiach, zbijając w nich szybę. Będzie śmierdział jak zwykle, mój ojciec zawsze strasznie śmierdział przetrawionym alkoholem, tanimi papierosami, starym ciałem, znoszonymi ubraniami.

– Rozumiesz? – ponawiam pytanie.

Nie odpowiada. Osuwa się po ścianie. Odruchowo otrzepuję ręce na znak zakończenia. Powoli wchodzę na schody, zostawiając ją na dole. Siedzi tam, podobna do kukły, której ktoś nienaturalnie ułożył ręce i nogi. Krew spływa jej na ubranie. Ma nieruchomą twarz kogoś, kto zupełnie nie rozumie, co się stało, ale powoli dociera do niego, że stracił coś, co jest dla niego najważniejsze.

Przypomina mi się zdanie, które kiedyś przeczytałem w jakiejś kiepskiej książce, że każdy człowiek jest krwawą książką, jest czerwony, na którejkolwiek stronie by go otworzyć.

Dopiero gdy jestem na półpiętrze, ona zaczyna potwornie wyć. Ktoś wbiega, gdy jestem o kolejne piętro wyżej, tuż przy wyjściu.

Ten ktoś, kto wbiega, nie idzie za mną. Drzwi ewakuacyjne są otwarte. Zamykam je za sobą. Wychodzę na zewnątrz na podwórko ze śmietnikiem z drugiej strony budynku. Spokojnie przechodzę przez furtkę na ulicę. Wyrzucam nóż do kratki ściekowej, jakbym ją zabił, a przecież tak naprawdę nic jej nie zrobiłem. Po prostu straciła swoją jedyną moc, ale nigdy na nią nie zasługiwała.

Podchodzę do samochodu, lekki jak śmieć, jak foliowa torba rzucana przez wiatr, prawie nie dotykam chodnika. Moje nogi są poza mną. Nie mam w nich czucia. Z daleka słychać, jak na podwórku klubu robi się głośniej. Słyszę to zamieszanie jeszcze przez chwilę, dochodząc do auta. Może powinienem wrócić tam, jak gdyby nigdy nic. Ale nikt z nich nic nie zrobi. Nie są przyzwyczajeni do tego typu sytuacji, nie wiedzą, jak się zachować. Są kompletnie nieimpregnowani przed przemocą. A ona jest jedynie dziwką i modelką, nie jest nikim poważnym, i nikt nie zwraca na nią najmniejszej uwagi. Przez chwilę będą wstrząśnięci, ale to będzie wstrząs podobny do tego, jakby ktoś rozbił im szklany, designerski stolik za kilkanaście tysięcy euro. To po prostu zniszczenie czegoś ładnego, nic więcej.

Biorę w dłonie trochę śniegu i smaruję sobie nim twarz. Jest gorzki. „Tak smakuje brud" – przychodzi mi na myśl.

Mam jeszcze ponad cztery godziny do odlotu. Zajadę do domu zostawić samochód. Wezmę taksówkę. Tak będzie lepiej.

To bezwzględne i brutalne, Jacek. To potworne. Nie, to nie jest ani bezwzględne, ani brutalne. To jest po prostu, to jest zwyczajne. To wiąże się z tym, że ludzie pozwalają sobie robić różne rzeczy. Że dobrowolnie przyjmują rolę tych słabszych. Stają się niewolnikami z własnego wyboru, nie zachowując się jak silniejsze osobniki, pozwalając sobą pomiatać, brudzić swoje życie, zabierać swoją przestrzeń, tlen i pieniądze. Każdy człowiek ma prawo skrzywdzić tego, kto mu przeszkodził. Bycie słabszym robakiem to wybór. Więc czy ty się właśnie zemściłeś, Jacek? Tak, w pewnym sensie tak, zemściłem się. Ale przede wszystkim pokazałem, że przeszkadzanie mi, wchodzenie mi w drogę ma pewne konsekwencje.

Mówiłeś o krzywdzeniu kobiet, Jacek. Mówiłeś o krzywdzeniu kobiet, a przed chwilą pociąłeś kobiecie twarz. Ona to sobie zrobiła. Słucham? Ona to sobie zrobiła. Poprosiła o to. Już jakiś czas temu. Szła dokładnie w tym kierunku. Nikt nie kazał jej tego zrobić.

Jesteś wstrętną osobą, Jacek, przepraszam, ale powiem to przy wszystkich telewidzach, to naprawdę nie do pomyślenia... Przepraszam, że ci przerwę, ale każdy jest obrzydliwą osobą. Na swój sposób.

Wszyscy jesteśmy identyczni.

Jesteś wstrętną osobą, synku. Nie, dziękuję, mamo, nie chcę kanapek, wystarczy obiad. Słyszysz, co mówiłam? Jesteś wstrętną osobą.

Brzmisz jak aktorka, mamo. Aktorka ze złego serialu. Ze spalonego teatru, tak się mówiło?

Wsiadam do samochodu. Gdy zapalam silnik, przez chwilę mam wrażenie innego zapachu w środku auta, zupełnie obcego. Jakbym się pomylił. Tak jakby ci wszyscy ludzie, którzy nim jechali, zabrali mi go przez samo przebywanie w nim. Zawłaszczyli jego przestrzeń. Jakby to nie był już mój samochód. Wciągam powietrze, opuszczam szybę.

Nie, to nie samochód. To miasto zaczęło pachnieć inaczej. Innym, obcym zapachem. Jakbym już znalazł się gdzie indziej. Jakbym już wyjechał.

Mam prawie cztery godziny. To znaczy, że jeszcze mam

czas na powolną przejażdżkę. Pomacham miastu na do widzenia.

Dopiero we wstecznym lusterku widzę kogoś, kto wybiega na zewnątrz za mną wyjściem ewakuacyjnym, ale nie potrafię nawet powiedzieć, kto to, czy to kobieta, czy mężczyzna, czy duch.

19:10 (Excoriator)

Zamykam drzwi, opieram się o samochód. Nic nie widać, fotokomórka nie uruchomiła automatycznie świateł, ale znam ten garaż, umiem poruszać się w nim po omacku. Dostrzegam kontury innych aut, w ciemności przypominają rzeźby.

To koniec. Jakieś dziesięć razy sprawdziłem, czy samochód jest czysty, czy zamknąłem mieszkanie. To początek długiej i pięknej przerwy. Jestem na nią gotów.

Zrobiłem mnóstwo błędów. Ale przynajmniej dokonałem wyboru. Nawet nie tyle wyboru, co pewnego zabiegu.

Są rzeczy, które przeszkadzają w byciu efektywnym. Powodują gorączki, majaki, rozchwiania. Te rzeczy należy jak najszybciej z siebie usuwać, rugować, wycinać jak cysty. To są emocje, sympatie, potrzeby bliskości. Słabości. To one sprowadzają błędy, takie jak te z ostatnich paru dni. Błędy prawie katastrofalne, ale jeszcze do naprawienia.

Dobra. Jade. Mam niewiele rzeczy. Bede musiala kupic. Jade, nie wiem czemu, nie pytaj dlaczego, glupi skurwysynu. Jade z toba do Argentyny. To Pazina. Uśmiecham się do tej wiadomości jakąś resztką, którą w sobie zachowałem, chyba tylko dla niej.

W garażu jest chłodno, nie zimno, ale właśnie chłodno, ten chłód głaszcze, głaszcze czulej i sprawniej niż drugi człowiek. Daje mi przedsmak tego, co wydarzy się już za kilkanaście godzin. Gdybym był człowiekiem w ogólnym znaczeniu tego słowa, pomyślałbym zdanie w rodzaju „nie mogę się doczekać".

Dotykam drzwi samochodu. Są zimne. Czuję się dobrze. Najlepiej od dawna. Być może najlepiej, odkąd pamiętam. Z podróżną torbą na ramieniu ruszam w stronę wyjścia z garażu.

Wtedy nagle włącza się fotokomórka i wszystko staje w świetle, żółte, szare i brzydkie samochody z niekształtnych brył przyjmują swoją właściwą, kolorową formę, rzędy zaparkowanych audi, toyot, fiatów, chevroletów czekające na ranek, na swoich śpiących właścicieli. „Dlaczego dopiero teraz?" – myślę, odruchowo ściskając pasek od torby.

Głos. Za mną. Gdy go słyszę, moje serce podskakuje tak wysoko, że uderza mi w podniebienie.

– Zaraz, zaraz, Jacuś, poczekaj sekundę. Nie śpiesz się tak, to bez sensu.

Poznaję go od razu.

Odwracam się, stoi obok mojego samochodu. Ma najobrzydliwszą skórzaną kurtkę, jaką w życiu widziałem. Wygląda jak uszyta ze skajowego obicia starego, tandetnego mebla. Pali papierosa, który dziwnie śmierdzi tanimi, cynamonowymi perfumami. Światła garażu odbijają się na jego świeżo ogolonej głowie. Podnosi okulary i znowu je opuszcza. Na nogach ma ubłocone mokasyny, przypomina handlarza z bazaru z początku lat dziewięćdziesiątych, kogoś, kto oficjalnie sprzedaje rozłożone na leżaku pudełka discopolowych kaset, ale w pochowanych pod spodem wiadrach trzyma swoją prawdziwą ofertę: spirytus i naboje do kałasznikowa.

– Cześć, Jacuś. Nie odpisujesz na wiadomości – mówi Dario.

SMS. *Jade, bo jestes jednak moim jedynym przyjacielem, i to swiadczy o tym, ze kompletnie przegralam zycie. Jade. Niestety. Jade.* Pisze Pazina.

– Wyjeżdżam – pokazuję mu wyjście z garażu.

– Wiem – mówi.

Stoimy przez chwilę naprzeciwko siebie. Dario wyciąga rękę i robi nią nieokreślony, miękki gest, jakby rzucał zaklęcie.

– Wsiadaj do samochodu – mówi głosem ciepłym jak budyń, lepkim, ten głos ląduje mi na plecach i ścieka po nich jak zimny żel.

– Za dziesięć minut mam taksówkę. Porozmawiamy, jak wrócę – odpowiadam i odwracam się, aby na niego nie patrzeć; po prostu powoli idę w kierunku wyjścia.

Ale wiem, że za chwilę usłyszę za sobą znajome kliknięcie, kliknięcie, które już staje się nudne, i rzeczywiście je słyszę, i słyszę go również, jak mówi:

– Dobrze wiesz, że nie masz już żadnej kontroli, Jacuś – mówi.

Kładę torbę na podłodze.

– Wyjeżdżam – powtarzam to słowo jeszcze raz jak zaklęcie.

– Chcę ci pomóc, Jacuś. Bo nawet nie wiesz, jak masz przejebane – mówi powoli i cicho.

Odwracam się. To ten sam pistolet, który miał wtedy w knajpie. Uśmiecha się, opuszcza rękę. Zaczyna się śmiać.

– Naprawdę musimy odpierdalać cyrki? Głupie formalności? Taki fajny gość jesteś, Jacuś. Od razu cię polubiłem. Co prawda powiedziałem wtedy, że mi się nie podobasz. Ale po prostu już wisiały nad tobą wszystkie twoje przygody. Ludzie mają aury. Wierzysz w aury? – pyta.

Próbuję się uspokoić. Sprawić, aby mój oddech nie wypadł z rytmu. Po prostu Dario jest moją ostatnią niezałatwioną sprawą. Musiał wrócić. Musiał się tu znaleźć.

– Przejedziemy się moim samochodem – mówi.

Podnoszę torbę, idę w kierunku jego auta. Powoli. Mam jeszcze prawie trzy godziny. Przyłapuję się na myśli, że jeśli będzie próbował przeszkodzić mi w wyjeździe, potrafię go zabić. Potrafię zabić każdego, nawet ludzi stojących w kolejce do odprawy.

– Wrzuć na tylne – mówi i otwiera drzwi.

Jeździ nowym, czarnym BMW X5. Jak na niego to skromny samochód. W środku jest bałagan. Śmierdzi jego papierosami, zapach jest intensywniejszy, przypomina zepsute korzenne ciasto.

Dario przeciąga się, coś pstryka mu w plecach, syczy.

– Mam dla ciebie konkretną propozycję – mówi, siadając za kierownicą.

Przekręca kluczyk w stacyjce. Samochód wypełnia potworna, rockowa piosenka z lat osiemdziesiątych, jedna z tych, których słuchał w samochodzie mój ojciec z szumiących, przegrywanych od kolegów kaset.

– O dwudziestej drugiej muszę być na lotnisku – mówię.

– Oj Jacuś, nikt nic nie musi, ty również nic nie musisz. – Szczerzy się.

W jego oczach jest dziwna wilgoć. Piosenka wwierca mi się w uszy, śpiewa ją zawodzący facet, gitara kwili jak kopany pies. Dario wyciąga do mnie dłoń.

– Daj mi pistolecik, Jacuś – mówi.

Patrzę mu w oczy. Przekonanie o byciu Bogiem lśni w jego oczach jeszcze mocniej, jakby miał w nich lampy, flary; pewność tego, że ma pełny wpływ na rzeczywistość, że wszystkie jego polecenia zostaną wykonane. „Prawie wszystkie" – nagle zdaję sobie sprawę i parskam śmiechem.

– Co cię tak śmieszy, Jacuś? – pyta.

– Nie mam pistoletu. Jest w mieszkaniu – odpowiadam.

Chowa broń do kabury. Również zaczyna się śmiać.

– No tak. No tak, przecież ty wybierasz się na lotnisko. No tak. Jacuś, Jacuś, Jacuś – powtarza.

– Jak tu wjechałeś? – pytam.

– Normalnie. Samochodem – odpowiada z grymasem na twarzy, jakby parę minut temu usłyszał najzabawniejszą rzecz w swoim życiu i dopiero co przestał się śmiać, ale jeszcze nie opuścił go ten zastygły ślad rechotu, który już dawno zdążył zamienić się w ból.

Jestem spokojny. Co prawda boję się go, to normalne, mniejsze zwierzę zawsze boi się większego i groźniejszego. Dario, bez najmniejszych wątpliwości, jest tym groźniejszym. Ale pomimo strachu mój oddech jest wyrównany i płytki. Nie ma możliwości, abym nie zdążył na ten samolot. Poza tym nie ma możliwości, aby tego dnia jeszcze coś się wydarzyło. Wszystko miało już miejsce. Limit zwrotów akcji właśnie się wyczerpał. To ostatnia sytuacja do przejścia. Przedostatnia stacja. Jestem o tym przekonany całą swoją osobą, jestem w tym przekonaniu absolutnie spokojny, chłodny jak lód, którym się stałem.

Powtarzam sobie jeszcze raz w myślach, że mogę go zabić, że jest to wykonalne. Z sekundy na sekundę myślę o tym coraz poważniej. Muszę go jedynie obserwować w skupieniu, uważnie. Każdy, absolutnie każdy ma jakieś krótkie momenty nieuwagi, wystarczy je dostrzec.

Nie mam pistoletu ani noża, ale mam jeszcze chwilę, aby wyobrazić sobie to, jak mógłbym to zrobić, znaleźć odpowiedni przedmiot.

Odpala silnik, rusza, zaczyna powoli sunąć między autami. Gdy zakręca, wysuwa delikatnie koniuszek języka do przodu, jak skupione dziecko. Zaczynam liczyć w myślach, obliczać czas. Jestem pewien, że chce swój towar, ten, który ktoś – wciąż nie wiem kto – wyniósł z mojej kawalerki na Gocławiu. Najgorsze jest to, że nie mam niczego, co mógłbym dać mu w zamian. Nie mam żadnych pieniędzy. Nie mam żadnych informacji o żadnych ludziach. Nie mam przy sobie nic oprócz tych dwudziestu tysięcy, które mam wziąć ze sobą do Argentyny. Dla Daria takie pieniądze to pestki, kapsle. Dwadzieścia tysięcy dolarów to zdecydowanie za mało, aby zrezygnował z pomysłu zabicia lub torturowania kogokolwiek. A przecież może mieć w stosunku do mnie taki zamiar. To wcale nie jest wykluczone.

– Gdzie jedziemy? – pytam.

– Pamiętasz, co ci powiedziałem, jak ostatnio się widzieliśmy? – pyta.

Drzwi do garażu uchylają się powoli i płynnie jak śluza. Wyjeżdżamy na zewnątrz, przez krótką chwilę czuję, jakbyśmy wpadali w ogromne gardło. Ale zaraz wszystko wraca do normy. Wszystko jest z powrotem w normie.

– Nie pamiętam. Mówiłeś dużo rzeczy. Nie nadążałem – mówię zgodnie z prawdą.

Zapala swojego kolejnego, cuchnącego papierosa. Zaczyna się kolejna piosenka – polska, pulsująca i płaska, brzmiąca, jakby nagrano ją na zabawkowych instrumentach wyciętych z kartonu. Wokalistka, której nie znam, śpiewa przeciągłym, sztucznym głosem o tym, że jest czyimś grzechem. Ta piosenka brzmi, jakby śpiewała ją sflaczała, gumowa lalka.

– Izka to była dupa! – mówi i zwiększa głośność. – Ja pierdolę, jak pierwszy raz byłem pod celą w Wałczu, to chłopaki bili konia tylko do niej, mówię ci! Raz zaczęli jednego cwelować i przykleili mu do mordy jej twarz wyciętą z gazety.

– Mówiłeś coś o jakichś pieniądzach, które zostały na gondoli – mówię.

Wyjeżdża z Mokotowa, ale nie jedzie na Okęcie. Jedzie w zupełnie przeciwnym kierunku. Drapie się po głowie.

– Nie, Jacuś, nie, nie, nie. W ogóle nie o to chodzi – mówi. – Mówiłem o sprzątaniu. O tym, że nikt nigdy za ciebie nie posprząta.

Kiwam głową. Najgorsze, najniebezpieczniejsze w tym człowieku jest to, że czasami rzeczywiście ma rację.

– Ale są sytuacje, w których nabrudziło się za bardzo – mówi dalej. – Ty jesteś w takiej sytuacji. Że ktoś musi posprzątać za ciebie. Pomóc ci.

– Nie rozumiem – odpowiadam.

– To świadczy, że jesteś szaleniutki, Jacuś. Ale to dobrze – mówi.

Przyśpiesza. Jedziemy na prawy brzeg Wisły. Jestem spokojniejszy, coraz bardziej, z minuty na minutę. Schładzam się. Prostuję. Czuję się tak, jak jeszcze tydzień temu. Całym sobą wiem, że to już nie wróci, kolory, straty równowagi, bóle żołądka, problemy ze snem. Całym sobą mam nadzieję, że to wrażenie nie jest złudne.

– Po co bić pianę? Zacznijmy pod początku – mówi.

Jedzie szybko, ma gdzieś sygnalizację, wyprzedza na trzeciego, robi to zupełnie mechanicznie, interesuje go wyłącznie to, aby dostać się do celu swojej podróży. Wszystko inne ma w dupie. Miasto jest jego własnością, budowlą z klocków, ma prawo po nim jeździć tak, jak mu się podoba.

– Lubię cię – mówi. – Lubię cię. Mam taką rzadką cechę, że lubię tych mądrych. Z reguły lubi się tych głupich, prawda? Lubi się tych, których można wyjebać, przekręcić, tych, którzy nie są zagrożeniem. Ja lubię mądrych. Lubię sobie porozmawiać, rozumiesz. Lubię sobie poobracać sprawy w głowie, popatrzeć na nie z różnych kątów. Lubię czytać i myśleć, i to nie tylko dlatego, że długo leżałem w pierdlu, bo niby każdy, kto długo był pod celą, lubi myśleć i czytać. Tak się przynajmniej uważa, że jak ktoś grzeje puchę, to cały czas czyta. Gówno prawda, kurwa, większość cały czas wali konia.

Wykonuje przy tym gest, przykłada dłoń zwiniętą w pięść między swoje nogi, porusza nią w górę i w dół. Niemiłosiernie go to rozbawia. W kieszeni w drzwiach leżą różne szpargały, między innymi długopis. Mógłbym go nim zabić, gdyby wychodził z samochodu. Wbić mu go w tętnicę.

– Gdzie jedziemy? – pytam.

– Zapraszam cię do siebie – mówi. – Do siebie do domu. Zapraszam tam tylko ludzi, których lubię, żeby było jasne. Lubię cię i chcę ci pomóc, Jacuś.

– W czym? – pytam.

Jestem ciekawy. Jestem ciekawy nie tego, co zaraz się wydarzy, ale jego samego. Nie mam pojęcia, co chce zrobić. Jaka jest logika jego działań.

– W twoim szczęściu. Abyś był szczęśliwy, Jacuś. Szczęście jest najważniejsze – mówi.

Wjeżdżamy na Rembertów, w martwą strefę przygaszonych okien, hałd śniegu zalegających na podwórkach jednorodzinnych domków, pustych ulic, bladych od księżyca, i drobnych lamp wątle migoczących świątecznych dekoracji.

Krąży przez chwilę po bocznych uliczkach, jakby dla zabawy, a potem kieruje się na najdalej wysuniętą krawędź dzielnicy. Przejeżdżamy nieopodal pustej, pokrytej śniegiem pętli autobusowej, oświetlonej trupio bladym światłem lampy.

– Podoba mi się ta nazwa, Mokry Ług – mówi, mlaszcząc. – Nie wiem dlaczego, ale jest coś ciepłego w tej nazwie. Coś smacznego.

Zatrzymuje się pod domem na samym końcu ulicy.

– Jak pizda. Pizda to taki mokry ług, co nie? – pyta.

Nie odpowiadam. Rozglądam się. Próbuję wypatrzyć, czy w mroku, poza granicą światła, w krzakach, nie czają się jakieś sylwetki. Czy nie czeka na mnie nikt jeszcze.

– Wiem, że to daleko, ale daleko to znaczy spokojnie. Nikt nie zawraca dupy – stwierdza.

– Za trzy godziny muszę być na lotnisku – powtarzam jeszcze raz jak zaklęcie.

Dario w ogóle nie reaguje; po paru sekundach odwraca się do mnie, wyciąga rękę, kładzie mi ją na kolanie. Strącam ją.

– Spokojnie. Nie jestem pedałem. – Szczerzy się.

– Po prostu mnie nie dotykaj – odpowiadam.

– Daj sobie pomóc, Jacuś – mówi.

– Pomaga się w czymś. Nie ma czegoś takiego jak pomoc sama w sobie. Pomoc jest zawsze w jakiejś sprawie – mówię.

– Za to cię lubię – mówi, uśmiechając się. – Masz łeb.

Wychodzi z samochodu, przez chwilę szuka czegoś w kieszeni, w końcu znajduje pilota do bramy. Naciska guzik; brama w ogrodzeniu zaczyna się powoli otwierać. Dom wygląda na opustoszały. Ma kształt kwadratowego i nieforemnego klocka, do drzwi frontowych prowadzą strome schody; nad wejściem widać zadaszenie, podtrzymywane przez niby-antyczne słupy. Pokryty płytą bitumiczną dach ma kolor rdzy, starej krwi. Nic się tu nie zgadza, nic tu do siebie nie pasuje, cała ta sceneria jest pijanym żartem. Przed domem rosną drzewa, teraz gołe; jest ich na tyle dużo i rosną tak gęsto, że latem muszą go zupełnie zasłaniać.

– Paskudny skurwysyn, co? No trudno, kiedyś tak się budowało. Chodź, chodź za mną – mówi i macha ręką.

Zarzucam sobie torbę na ramię, nie chcę zostawiać jej w jego samochodzie. Ruszam za nim. Śnieg pod moimi butami wcale nie sprawia wrażenia, jakby był śniegiem. Jest gęsty, lepki jak błoto. Próbuje wessać mnie pod swoją powierzchnię.

Otwiera drzwi, wchodzimy do środka. Uderza mnie zapach starego ciała, antybiotyków, jedzenia w słoikach. Przez chwilę w moim żołądku znowu coś jakby tańczy, drży, chce się wydostać na zewnątrz, ale uspokajam tę sensację jednym, zdecydowanym przełknięciem śliny.

Wiem, że wszystko będzie dobrze.

Zapala światło, jesteśmy w ciasnym, małym korytarzu, na jednej ze ścian wisi wielkie lustro w drewnianej ramie. Idziemy dalej. Przechodzimy do kuchni połączonej z salonem.

Są domy, mieszkania, o których się wie, że właściciel nie żyje. Śmierć zostaje w ścianach. Ten dom musiał należeć do jego rodziców, dziadków. Ciężkie meble, w latach siedemdziesiątych zapewne luksusowe, zdobione drewniane szafki, ogromna lodówka, ciężkie krzesła. Telewizor z wypukłym kineskopem, książki rozrzucone w bezładnych stertach. Ściany w kolorze jasnej kawy z mlekiem, brudne, nieodświeżane od dobrych paru lat. Gdzieniegdzie kępki sierści, jakby w domu były zwierzęta, chociaż w ogóle ich nie słychać. W kącie pomieszczenia ustawione sprzęty, które powinny stać w garażu: łopata, worki foliowe, plastikowe wiadra.

Ściany są pokryte obłędną liczbą obrazków, suwenirów, proporczyków; wszystko pochodzi sprzed kilkudziesięciu lat i przypomina ekspozycję antykwariatu – reprodukcje malarstwa, nadrukowane na dykcie pocztówki, pejzaże, kwiaty, Matki Boskie wielu maści i rozmiarów, drewniane pamiątki z pieszych wycieczek po górach. W tym wszystkim, zupełnie znikąd, przyklejony do ściany kalendarz ze starego magazynu porno z rozkraczoną babą o wielkiej, natapirowanej, przypominającej Jona Bon Joviego fryzurze.

„On tu nie mieszka – myślę. – To coś w rodzaju domku letniskowego, kryjówki".

– Normalnie mam chatę na Wilanowie – mówi, jakby czytał w moich myślach.

– Więc czemu jesteśmy tutaj? – pytam.

– Czego się napijesz, Jacuś? Herbatki? – odpowiada pytaniem na pytanie.

Zanim odpowiem, zauważa:

– Masz krew za paznokciami.

Oglądam je pod światło. Ma rację. To krew z jej policzka. Już dawno zdążyła się ściąć.

– Krew najlepiej pod zimną wodą, Jacuś – mówi i odkręca kran.

Kładę torbę na podłodze. Podchodzę do zlewu, zaczynam szorować paznokcie, systematycznie, powoli, drucianą szczotką do mycia naczyń.

– Więc, Jacuś, masz kłopoty, i one się dopiero zaczęły, wiesz o tym. Chcą cię zabić. Chcą i zrobią to, chyba że zostaniemy przyjaciółmi. Kolegami już jesteśmy, ale musimy zostać przyjaciółmi – mówi, rozkładając ręce.

– Kto chce mnie zabić? – pytam.

Siadam na krześle. Jest twarde i niewygodne.

Dobiega mnie dźwięk, lekkie szurnięcie z dołu, jakby coś poruszyło się w piwnicy. Dario też to słyszy, bo odwraca głowę w tamtym kierunku. Uśmiecha się przez chwilę. Wlewa wodę do plastikowego czajnika.

– Cała ekipa Piotrka. I nie tylko. Wielu chłopaków się na ciebie czai. Warto od czasu do czasu pierdolnąć kogoś, kto jest ciepły, szemrany. A ty straciłeś pieniądze, cudze pieniądze. Dużo. Kuku na muniu ci się zrobiło. Byłeś na psach i chuj jeden wie, co im tam powiedziałeś. A zaraz pewnie będziesz znowu. Ta dziewczyna, na przykład. Oszalałeś, Jacuś, do reszty. Oślepłeś, chłopino. Nie widzisz, co robisz. To się zdarza nawet najlepszym. My nie pracujemy, proszę ja ciebie, w księgowości. To najcięższa praca z możliwych. Każdemu odpierdala.

– Skąd o tym wiesz? – wyrywa mi się i żałuję tego pytania już w momencie, gdy ze mnie wypada, niechciane jak beknięcie przy kolacji.

Krzesło wpija mi się w plecy. Wstaję, ale Dario daje mi ręką znać, abym usiadł. Nie siadam.

– Wiem wszystko, Jacuś. Wiem wszystko, co się dzieje, i wszystko zależy ode mnie. To sobie ustalmy raz na zawsze. Od niedawna nic nie odbywa się bez konsultacji ze mną. Dla ciebie to może być, rozumiesz, nienaturalne, psuć ci porządeczek. Ale ty jesteś młody, jesteś znikąd, nie pamiętasz starych czasów.

Czekam, co powie dalej.

– Dlatego też chcą cię zabić. Nikt cię nie szanuje, Jacuś. Z nikim się nie przyjaźnisz. Lubili cię, bo miałeś wtyki w różnych środowiskach, bo rynek się rozszerzał, bo okazało się w pewnym momencie, że nie tylko bandziory ćpają, ale też te wszystkie zwykłe siusiaki, młodzieżowcy, korpoludki, oni też lubią sobie powąchać. Dlatego byłeś potrzebny. Przez jakiś czas. Teraz już nie jesteś.

W końcu siadam, dopiero gdy to robię, zdaję sobie sprawę, że moje nogi zrobiły się miękkie wbrew mnie.

– Nie mam twojego towaru – mówię. – Miałem go, ale teraz go nie mam. Skradziono mi go.

– Wiem. Wiem nawet, kto to zrobił. Nie przejmuj się, Jacusiu ty mój kochany. Nie martw się – odpowiada.

Gdy to mówi, na moich plecach pojawia się raz ciepło, raz zimno, jakby dwie różne osoby na przemian przykładały mi dłonie do gołej skóry. Dario podchodzi do mnie i podaje mi kubek z herbatą. Mógłbym oblać go wrzątkiem, obezwładnić go, w końcu go zabić. Mógłbym, teoretycznie, ale nic takiego nie robię.

Teraz już rozumiem. Rozumiemy to obaj. Ja siedząc, Dario stojąc. Obaj wiemy, że wszystko skupiało się do tego punktu. Właśnie tutaj miało się zatrzymać. Dopiero teraz zaczynam rozumieć, że straciłem wszelką kontrolę. Że jestem zupełnie bezwolny.

Gdy Maluch prowadził mnie na muszce, gdy tamte kurwy wlekły mnie korytarzem na przesłuchanie, mogłem się ruszyć, mogłem coś odpowiedzieć, mogłem zachować honor, nawet jeśli dostałbym w twarz, został postrzelony. W tamtych sytuacjach był jakiś mały wentyl, rozszczelnienie; w ich rozgrywaniu się był jakiś element mojej zgody, mojego pozwolenia.

W tej sytuacji nie mam żadnego udziału. Dario może zrobić wszystko. Może nie pozwolić mi oddychać i wtedy przestanę oddychać. Dopiero teraz zaczynam czuć, że mam usta pełne śliny, że ze strachu nawet nie mogę jej przełknąć; a gdy w końcu ją przełykam, uświadamiam sobie z kolei, jak suchy jest mój przełyk. W środku jest duszno i ciepło, kaloryfery muszą być rozgrzane do czerwoności, okna nie były otwierane od sierpnia. W powietrzu nie ma prawie żadnej wilgotności. W tym pomieszczeniu można by suszyć mięso.

– Więc mogą to zrobić jeszcze dzisiaj. Mogą to zrobić na lotnisku, bo wiedzą, że wylatujesz. No ale do rzeczy. Ja chcę dać ci to, co miałeś wcześniej. Pracę i bezpieczeństwo. Nawet więcej pracy i więcej bezpieczeństwa – mówi, wypija głęboki łyk herbaty, siorbie.

Otwiera na chwilę lodówkę, czegoś w niej szuka. Widzę, że w lodówce są jeszcze dwa inne pistolety, leki, kroplówka, zestaw narzędzi chirurgicznych, dużo opakowań zawiniętych w folię aluminiową. Jedyne artykuły spożywcze to samotny red bull i napoczęta butelka wódki. W końcu ją zamyka, jakby nie znalazł tego, o co mu chodziło.

– Dlaczego? – pytam.

Nie mogę się ruszyć i przez chwilę boję się, że będzie to trwać bardzo długo. Odstawiam herbatę na podłogę. Nie piję jej. W końcu poruszam nogą. Jest zdrętwiała, jakbym godzinami leżał związany w nienaturalnej pozycji, przygniatając sam siebie.

– Myślałem w ogóle o tobie. Ty jesteś bardzo ciekawy gość – mówi.

Ściąga w końcu kurtkę, rzuca ją na kanapę. Pod spodem ma koszulę w kratę, być może tę samą co wtedy, a może ma dziesiątki identycznych koszul, może po prostu składa się z koszul, z kolejnych warstw materiału; podwija rękawy, uważnie oglądając swoje ręce.

– Jesteś zupełnie z innej mańki. Na tym to wszystko sobie oparłeś – mówi. – Na tym, że jesteś tak inny, że ktoś się tobą interesuje, rozumiesz, ktoś ma cię za cwela i pedała, ktoś inny chce się dowiedzieć, o co w ogóle chodzi, że taki gość jak ty jest na ulicy, handluje narkotykami, i robi to dobrze, dobrze zarabia. Z tych chłopaków w detalu nikt nie zarabia tyle co ty. Tak mówił mi Piotrek. Dobrze to sobie wymyśliłeś, Jacuś. Dobrze siebie sobie wymyśliłeś.

– Mam problem z Piotrkiem – mówię.

– Wiem – odpowiada. – Ale Piotrek to już nie jest problem.

Powoli wstaję z krzesła. Nie mogę siedzieć. Biorę do ręki kubek z herbatą. Zaciskam oczy. Stopniowo pod powiekami pojawia się czerwony kolor.

– Za tydzień Piotrka już nie będzie. Może za dwa. Kiedy mi się to znudzi, że biega zesrany, to wtedy... Teraz jest zesrany, po tej bombie w aucie, jest zesrany, i mnie to bawi, jak taki grubas pierdolony lata i się plami, gówno mu leci z dupki. To mnie śmieszy. Jak mnie przestanie bawić, to go, kurwę, odjebię – mówi, patrząc na mnie.

Jego wzrok ma niespotykaną ostrość, jakiej jeszcze przed sekundą w ogóle nie miał; jego usta są prostą kreską. „Dario nie ma jednej twarzy, ale kilka – uświadamiam sobie. – Kilka w dosłownym sensie, każdy nowy grymas sprawia, że robi się zupełnie niepodobny do siebie sprzed chwili".

Jest chory psychicznie, ale wszystkie odnogi tej choroby trzyma w sztywno zaciśniętej pięści. Boją się go wszyscy ludzie, których zna, ale mało kto potrafi zrozumieć niuanse jego potworności, zobaczyć jej istotę.

Może dlatego mnie potrzebuje, może to ma na myśli, mówiąc o tym, że mnie lubi, bo jestem mądry.

Ten człowiek, Dario, wciąż nazywajmy go Dario, chociaż nie wiadomo, jak naprawdę ma na imię, zabił dużo ludzi, niektórzy z tych ludzi umierali długo, a on zapominał o tym już parę dni później, wystarczy, że wyjechał odpocząć do ciepłego kraju.

Przez chwilę się zastanawia, zaczyna człapać w miejscu, jakby chciał przyśpieszyć proces myślowy. W końcu go kończy, na znak tego zwycięstwa pstryka palcami.

– To tylko interesy – mówi. – Ja i moje chłopaki... No cóż, Jacuś, całe to miasto jest dłużne mi i moim chłopakom. Prezydent Warszawy, kurwa, jest nam dłużny. Wszyscy, którzy robią tu interesy, jakiekolwiek, gdziekolwiek, są nam dłużni, bo gdy dziesięć lat temu nas powsadzali, daliśmy nasze pieniądze do obrotu wielu ludziom, ludziom z miasta, ludziom odpowiedzialnym za działki, za parcele, za zarządzanie nieruchomościami, powierzyliśmy... Wiesz, ludzie myśleli, że jeszcze długo nie wyjdę. Albo że klawisz znajdzie mnie na pasku, na którym ktoś mnie przedtem powiesił. Znajdzie mnie tak, bo wiem rzeczy. Bo mam dojścia. Haczyki na ludzi, Jacuś. Ale ja nie tylko wiem rzeczy. Ja umiem handlować tym, co wiem. Dobra, wracając do meritum, Jacuś, do sedna. Nie przejmuj się Piotrkiem. Rucham go kutasem po całości. Jest pedałem i skończy jak pedał. Mogłoby nawet być mi przykro. Ale nie jest.

Znowu dźwięk pod podłogą. Łączę go z sierścią.

– Masz tu psy? – pytam.

– Nie. Nienawidzę zwierząt. Potwornie śmierdzą – odpowiada.

Chowam ręce do kieszeni. Muszę przyśpieszyć tę rozmowę. Muszę stąd wyjść najszybciej, jak się da.

– Co mi oferujesz? – pytam.

Znowu się uśmiecha, odwraca i patrzy na mnie przez chwilę. Kładzie mi rękę na ramieniu. Nie strącam jej. Ściąga okulary, składa je, kładzie ostrożnie na blacie kuchni. Gdy zaczyna mówić, mam wrażenie, jakby ktoś zaczął smarować powietrze olejem. Mówi miękko, płynnie, jego wywód wylewa się z niego na podobieństwo tłustego, ciepłego płynu.

– Oferujesz... Nie wiem, czy „oferujesz" to dobre słowo, Jacuś – mówi. – Po prostu jesteś zbyt cennym okazem, by cię zabić. Możesz dla mnie dobrze zarobić, po prostu. No i do tego obserwować cię, tak, to jest przyjemność. Bez kitu. Ogromna przyjemność. To jak oglądać aktora w filmie. Ty jesteś aktorem w filmie. Normalnie takiego chłopaka bym utłukł, pedała, wyruchał, utłukł, wybił mu zęby i kazał żreć te zęby z podłogi. Ale jak oglądam go w kinie, to jest fajnie. Fajnusio. I ja ciebie oglądam trochę w kinie, Jacuś. Film taki oglądam z tobą sobie. Nie wiedziałem przedtem, że taki ktoś może dać sobie radę. Ty sobie, wiesz, wymyśliłeś, że będziesz zły. Byłeś, tak mi się wydaje, bo to po tobie widać, zdolnym dzieckiem. Takim zdolnym dzieckiem, które szybko umie pisać i czytać. Widziałem takie dzieci. Moja siostra ma takie dziecko. Chłopczyka takiego, Adasia, czteroletniego, co włączysz mu telewizor i on zapierdala te bajki japońskie pojebane, wszystkie te, co tam chcesz, Bionikle czy jak to się tam nazywa. Z pamięci recytuje całe odcinki bajki. To potrafi człowieka przestraszyć, Jacuś, ja wiem, ja zdaję sobie z tego sprawę. No i takie zdolne dzieci potrafią dużo rzeczy. Potrafią czytać, liczyć, potrafią analizować. Szybko rozumieją, że mogą zostać, kim chcą. Idzie za tym, wiesz, jakaś fantazja, o której szybko zapominają, tak jak u ciebie. Ty byłeś takim zdolnym dzieckiem i ty sobie wymyśliłeś, że będziesz zły. Że nie będziesz lekarzem, prawnikiem, czy kim tam chciałeś zostać, czy może właśnie aktorem, prawdziwym aktorem, co gra w prawdziwych filmach, a nie takim aktorem, którym jesteś teraz, proszę ciebie, co gra sobie w takim filmie, który widzę tylko ja. W każdym razie, Jacuś, ty chciałeś być zły, Jacuś, bo chciałeś, żeby cię szanowano. Żeby się ciebie bali. Żebyś był groźny, żeby tatuś się ciebie bał, żeby koledzy ze szkoły, którzy w szatni po lekcjach napierdalali cię codziennie i robili ci kręcenie wora, żeby oni wszyscy się ciebie bali, o tym marzyłeś, nie? Żeby to ci koledzy się bali, żeby srali w rajty gównem rzadkim, marzyłeś, siedziałeś w szatni, miętosiłeś w łapkach takich malutkich woreczek na kapciuszki i się bałeś. Potem wracałeś do domu i tam był tatuś, groźny, pewnie zajebał ci na łeb parę razy albo coś ci zniszczył, i też się bałeś. Ja to rozumiem. Ja bałem się ojca, zbierałem modele. Sklejałem, rozumiesz. Pamiętam, wiesz, jak raz sklejałem takiego dwupłatowca. AN-2, antonow 2, model „Colt", piękny, najpiękniejszy samolot. Potem parę razy pilotowałem prawdziwego antonowa. Mój ojciec wołał mnie na obiad, pamiętam, nie słyszałem go, to w końcu wszedł do mnie do pokoju, Jacuś, pokoiku takiego malutkiego mojego, wziął ten dwupłatowiec, rozjebał go i kazał mi go zeżreć. Rozumiesz, zeżreć. Zjeść. Bo jak wolę siedzieć i sklejać to gówno, niż iść normalnie zjeść obiad, jak człowiek, to, kurwa, zjem se dwupłatowiec. No i jadłem, kurwa, z klejem, ze wszystkim, a mój tatko stał i się śmiał, płakałem i wpierdalałem, potem od tego kleju do modeli miałem zatrucie żołądka, musiałem pojechać na pogotowie, Jacuś. Bałem się ojca. Rozumiem to wszystko. No ale inni też się mnie bali, Jacuś. Bo ja od początku byłem, wiesz, inny. Podobno, mówią tak, bo nie pamiętam, że jak miałem cztery lata, to podusiłem ciotce wszystkie gęsi. Tak mi mówili, podusiłem, proszę ja, kurwa, ciebie, pięćdziesiąt gęsi, i jak moja ciotula Haneczka kochana, świeć Panie nad jej duszą, weszła do zagrody, to miałem palec przy ustach, pokazywałem na te gęsi i powiedziałem do niej: „Cyt, cyt, cichutko, nie budź gąsek, bo gąski śpią". Więc inni też się bali. Już od małego. Wiem, jak to jest się bać, i wiem, jak to jest, gdy inni się boją. Wszystko wiem, Jacusiu. Miałem kolegę w podstawówce, takiego frajera, pedała takiego, który cały czas siedział na korytarzu, rozumiesz, i coś czytał, proszę ja ciebie, i tak codziennie przez osiem lat podstawówki, każdego dnia, a ja przechodziłem i wypierdalałem mu kopa na tę książkę, wtedy on wstawał, podnosił ją, brał do ręki, siadał z powrotem i znowu czytał. Bez słowa. Codziennie. On do dzisiaj pewnie marzy, aby mnie zabić, i jeśli ktoś mnie kiedyś zabije, ktokolwiek, kiedykolwiek, to nie będzie żadna, wiesz, kurwa policyjna ani żaden chłopak z miasta, tylko to będzie ten gość. Ja to wiem. Pewnego dnia przyjdzie do mnie do chaty z nożem w ręku, ja mu otworzę drzwi, a on wejdzie i mnie zajebie, i ja nic nie zrobię, nic nie będę mógł zrobić, pies go jebał, pedał jebany.

Nie przerywam mu. Niech mówi. Patrzę na zegarek. On podchodzi i znowu mnie dotyka, wbija mi wskazujący palec w splot słoneczny.

– Ty, ty Jacuś – mówi dalej – nie jesteś zły. Wymyśliłeś sobie siebie, że będziesz bezdusznym kawałem skurwysyna z twarzą jak cegła, ciuchami z żurnala i że tak będzie najlepiej. Że będziesz zadawał się z bandytami i wtedy ludzie się od ciebie odpierdolą. Ty sobie to wymyśliłeś. Ty zostałeś bandytą z tak zwanych pobudek rozumu. Narysowałeś siebie, Jacuś. I to mi się w tobie podoba. Że stworzyłeś taką nieprawdę na swój temat. Na temat swój i na temat wszystkiego, całego świata, bo ty patrzysz na świat właśnie tak, z pobudek rozumu, cały czas tworzysz nowe myśli na temat tego świata, hodujesz je, podlewasz, non stop, kurwa, myślisz o tym świecie, jaki on tak naprawdę jest. A świat jest prosty, na świecie najważniejsi są koledzy, żaden pieniądz nie śmierdzi, a wszystkie baby to kurwy, oprócz naszych matek. Tyle, prawda, tylko tyle. To proste, Jacuś. Ale ty nie chcesz tego zaakceptować, nie umiesz przyswoić prostoty, takiej prawdziwej prostoty myślenia, bo ty jesteś w środku wciąż wrażliwy chłopak. Ty wciąż masz to w sobie. To po tobie widać. Chamy tego nie widzą, chamy myślą, że może tyś pedał albo jakiś psychol, niektórzy myślą, że jesteś, wiesz, na łeb zaburzony, w skrócie mówiąc: pierdolnięty, skoro ci uchodzi na sucho, skoro nikt cię nie odstrzelił, że masz głowy na koncie odjebane, że jak ruchasz, to tylko jakieś sado-maso, tłuczesz te prostytutki tymi pejczami, drutem kolczastym, potem je znajdują zawinięte w te dywany nad Wisłą, od tej strony, w krzakach znajdują, Jacuś, i nikt nie wie, co i jak, a co się zresztą będzie interesował. Kurwa to kurwa. Mówię ci to, abyś zrozumiał, że ludzie też myślą o tobie, nie tylko ty o nich. Różne rzeczy gadają na twój temat. A cały ten burdel zaczął się dziać, bo ktoś cię po prostu rozkminił. Że jesteś zwykły chłopak. Zwykły lamus. Że w nocy smarkasz w poduszkę i chcesz do mamy. Że masz zmazy nocne. Że cycuszki lubisz ssać. Że jesteś flaczek taki. Chuj do szczania. I nie powiesz mi że jest inaczej, patrzę ci w oczy i nie powiesz mi, że jest inaczej. Dlaczego poszedłeś pociąć tę kurwę, co? Dlaczego pociąłeś jej tego ryja paskudnego, co? Bo ją kochasz, Jacuś, dlatego to zrobiłeś, bo ją kochasz, ale ta kurwa cię zdradziła, cycaty cwel, bo jakbyś nie kochał, tobyś nie poczuł tej gwałtowności, tego pieczenia w dupce, nie zagotowałoby ci się we łbie to całe szary wary.

Łapię oddech. Wciąż nic nie mówię. Z dołu dochodzą kolejne stuknięcia i poruszenia.

– Żyłeś w bajeczce, Jacuś. Czas zejść na ziemię. I ja ci pomogę zejść na ziemię, co więcej, pomogę ci w końcu stać się tym, kim chcesz. Pomogę ci, bo cię lubię. Bo chcę, żebyś dla mnie pracował. Bo zarobisz dla mnie pieniążki, a ja będę miał z kim sobie pogadać. Bo będę miał mądralę, który mi doradzi. Coś dla mnie przekmini. Pojedziemy sobie na wakacje razem, poruchamy dupeczki. Może jakieś tajlandzkie takie, dupeczki z siusiaczkami, one fajne są, mówię ci. Najlepsze. Zresztą co byś tylko chciał, sobie kupisz i sobie poruchasz. Bo dobrze zarobisz. Będziesz jeździł, gdzie chcesz. Kupisz sobie dom. Pootwierasz sobie interesy, legalne. Za dziesięć lat będziesz już w pełni legalny. Będziesz srał na ludzi, szczał. Będziesz mógł robić, co chcesz. Takie chuje jak Piotrek – to oni będą pod tobą. Będą kucać, żeby się trochę tylko napić z twojego siusiaka, z dzióbkami otwartymi jak małe pisklaki, będą kucać. Pomogę ci, a ty dasz sobie pomóc, bo inaczej cię zabiją, bo już cię rozkminili, bo popatrzyli pod spód tego aktorzenia, tego twojego przebrania, i zobaczyli, że jesteś zwykły chłopaczek, zwykły pedałek. Jacuś, studiowałeś na tej całej sztuce, więc, kurwa, możesz sobie wyobrazić, co się stanie. Jak tylko cię dojadą, namalują tobą obraz.

Patrzę na zegarek.

– Nie patrz już na zegarek. Masz cały czas na świecie – mówi.

Patrzę na niego. Jego oczy błyszczą, jakby były podświetlone.

– Chodź ze mną do piwnicy. Coś ci pokażę. Chodź, nie bój się – mówi i wyciąga rękę.

„Ciemność widoma – przechodzi mi przez głowę. – To on jest ciemnością widomą. Chce mnie zaprowadzić do swojego domu, pod powierzchnię miasta. Pod chodniki, pod ulice. Tam chce złożyć mi propozycję".

– Zostaw herbatkę tutaj, chodź, pokażę ci coś – mówi.

Wychodzimy z tej niby to kuchni, niby to salonu do dalszej części domu, gdzie jest coraz więcej przedmiotów i zapachów, smrodu zbutwienia, zagrzybienia, octu.

W wielkich plastikowych, poukładanych pod ścianą workach widać przedmioty: ubrania sprzed dziesiątków lat, kapoty i palta, książki, potłuczone naczynia, gruz.

– Usuwam stąd babcię nieboszczkę – mówi. – Mieszkała tu ostatnie piętnaście lat. Zmarło jej się na wiosnę. Prawie sto lat żyła. Cudowna kobieta.

– Mam niewiele czasu – odpowiadam.

– Mówiłem ci, kochany, przed chwilą, masz cały czas na świecie. – Odwraca się tuż przed pomalowanymi białą, olejną farbą drzwiami, przez które prawdopodobnie wchodzi się do piwnicy.

Odwraca się, otwiera, wchodzi do środka.

Przez chwilę w ciemności schodzimy po schodach, potem Dario zapala światło. Wszędzie jest brud – na ścianach, na gołych betonowych schodach – brud pochodzący z ziemi, zmieszany z kurzem, zastygły we wrośniętych w ściany warstwach. Samotna, goła żarówka kolebie się pod sufitem, wyławiając z ciemności kolejne niepotrzebne przedmioty – stare kalosze, opakowanie po niemieckim proszku do prania, zwoje kabli, sznurów, drutu.

Zanim zejdzie na sam dół, odwraca się, patrzy na mnie i mówi:

– Pomogę ci stać się tym, kim chcesz być. Wtedy obaj będziemy szczęśliwi, Jacuś.

Schodzę za nim, idziemy przez chwilę korytarzem, po bokach są pozbawione drzwi wejścia do kolejnych pomieszczeń. Jest ciemno, głucho. Nagle słychać odgłosy, stuknięcia, szamotania, sapnięcia. To pewne: ktoś jest w pomieszczeniu na końcu korytarza, za zamkniętymi na klucz drzwiami, do których przyklejony jest stary, piłkarski plakat.

– Potraktuj to jak prezent na dobry początek współpracy – mówi Dario.

– Więc rozpoczęliśmy już współpracę – odpowiadam, wpatrując się w drzwi.

Ten ktoś, to coś, co jest za nimi, wydawało te dźwięki, które słychać było w salonie, gdy jeszcze przez chwilę myślałem, że to po prostu pies.

– Tak, rozpoczęliśmy.

– Wyjeżdżam – mówię.

Zaczyna się śmiać.

– Ja też zawsze się cieszyłem na wyjazdy. Myśmy lubili z chłopakami z pruszkowskich pojechać na Teneryfę, do Grecji, na jachty, na żagle, jak jeszcze nie było tych jebanych *last minute*, jak nie przyjeżdżały tam wieśniaki z biedaszybów, tylko ludzie z pieniążkami – odpowiada po chwili.

– Wyjeżdżam i nikt mnie nie znajdzie – odpowiadam z niepewnością pięciolatka, której nie potrafię połknąć.

– Każdego można znaleźć, Jacuś – mówi.

W krótkiej chwili jasności, otrzeźwienia, podczas której lód z całego mojego ciała wpełza w końcu do mojej głowy, w momencie dziwnej ulgi, którą moje ciało komentuje głębokim, długim i zupełnie nieplanowanym wydechem, rozumiem, że nie wrócę już z Argentyny. Że to, co planowałem jako urlop, jest ucieczką. Że nie mam do czego wracać, że on znowu ma rację, że zostanę zastrzelony, utopiony w Wiśle, w najlepszym przypadku aresztowany w dwadzieścia cztery godziny po tym, jak wysiądę z samolotu.

To koniec. To jedyne wyjście. Z czarnego, bijącego pod spodem miasta serca idzie długa, śliska nić, nić wrośnięta w mój żołądek, w moje serce, ale teraz najwyższy czas ją przeciąć. Po to właśnie tu jestem, stoję przed tymi drzwiami, aby to zrobić.

Nie wiem, co będę robił. Mam dwadzieścia tysięcy dolarów. To niewiele, ale to coś. Wynajmiemy z Paziną jakieś mieszkanie. Ona zacznie pracować w barze. Ja na początku może też będę wykonywał jakąś głupią pracę, dokładnie w tym samym rodzaju, będę gdzieś sprzątał, kimś się opiekował, szatkował kapustę na zapleczu jakiejś restauracji. Będziemy szczęśliwi w tym sensie, że będziemy rozmawiać tylko tyle, ile będzie to potrzebne. Pazina wie, że nie trzeba rozmawiać. To jedna z jej najlepszych cech. Pewnie nawet zaczniemy ze sobą sypiać. Z braku laku, ale takie relacje są najczystsze, gdy dwoje ludzi jest na siebie skazanych, gdy nikt inny już ich nie chce, gdy oni nie chcą już nikogo. Potem znajdę może trochę lepszą pracę, o ile w miarę szybko nauczę się języka.

To będzie dziwne życie, biedne. Ułomne. Ale będzie życiem gdzie indziej.

A może będę robił to, co robiłem tutaj, przecież tutaj też nikogo nie znałem, tutaj też wystarczyło wyrazić chęć, poznać kilka kluczowych osób. Wtedy sprawa będzie wyglądać inaczej. Wtedy bardzo szybko z powrotem mogę mieć dużo pieniędzy.

„Ile kokainy w Argentynie można kupić za piętnaście tysięcy dolarów? Z jakim przebiciem można ją sprzedać? Przecież dowiem się tego w pierwszym lepszym klubie – odpowiadam sobie w myślach na własne pytanie. – To żaden problem".

Wszystko zacznie się od jutra, zupełnie od nowa.

– Oj, Jacuś, Jacuś. No dobra. Konkrety. Wynajmujesz sobie inne mieszkanie, ja mam już dla ciebie nowe dokumenty – mówi, nagle obrzucając mnie kolejnym spojrzeniem, jakiego jeszcze u niego nie widziałem; skwapliwym spojrzeniem nauczyciela.

– Dario, chyba się nie rozumiemy. Ja jeszcze się nie zgodziłem – odpowiadam, ale jakby mówił to ktoś inny, ktoś, komu w ogóle nie wierzę.

– Mieszkanie mam dla ciebie, fajne, na Żoliborzu, w apartamentowcu, pusty prawie, bo kolega deweloper lipę ma trochę. Ale mieszkanie fajne. A towar, towarek, to mam hurtowników swoich, i właśnie przyszedł do Warszawy bardzo dobry transport, przez Morze Czarne, że tak powiem. Teraz na Krymie wygodniej sprawy załatwiać, powiem ci. Mam dla ciebie na próbę pierwszy kilogram. Musisz mi najpierw odpracować cenę hurtową tego kilograma, Jacuś, oczywiście, no i papugę, kochaniutki – mówi.

– Jakiego papugę? – pytam.

To coś, co jest za drzwiami, nas słyszy. Słyszy nas i zaczyna wyć.

– No a kto cię wypuścił z więzienia, Jacuś? Przyjechał mój człowiek, pan mecenas, znamy się od lat, przyjechał do tego aresztu i poręczył za ciebie dwieście tysięcy, no bo jak inaczej? Nie byłoby cię tutaj. Trzymaliby cię do następnych świąt. No ale sprzedasz mieszkanie szybko, jedno, to na Gocławiu, i się rozliczymy, i będzie dobrze – mówi.

– Zaraz, to ty wysłałeś... Skąd ty wiedziałeś, że byłem aresztowany? – pytam, słowa wylatują ze mnie, jakbym wykrztuszał wodę z płuc podczas sztucznego oddychania.

– Wszystko da się zrobić, Jacuś. Ludzie ludzi robią. – Wyszczerza się, i kładzie dłoń na drzwiach.

To coś za drzwiami wciąż wyje, ale to wycie jest wytłumione, jakby dobywało się ze zrośniętych ust. Naciska klamkę, ale jeszcze nie popycha drzwi, i mówi dalej:

– Jacuś, jeszcze jedno ci powiem. Twój największy błąd jest taki, że wydaje ci się, że ty żyjesz w próżni. Łatwo tak myśleć, jak się całymi nocami popierdala po mieście samochodem i jakieś trupy, zombie, duchy, kurwa, kupują od ciebie wąchanie. Ale nie żyjesz w próżni, bo wszystko, co robisz, ma jakiś wpływ. Poruszysz kamyczkiem i to ma wpływ na wszystko, bo kamyczek coś przesunął, otworzył jakąś zapadeczkę. Rozumiesz? – pyta i otwiera drzwi.

Za drzwiami, w pomieszczeniu wielkości małej łazienki, przywiązany do krzesła lasotaśmą, skuty kajdankami siedzi Stryj. Cały we własnej krwi. Jest otępiały z bólu. Z dziur w przewierconych kolanach na podłogę sączą się strumyki krzepnącej krwi. Jego twarz jest napuchnięta, pokryta setką drobnych ran, kresek, wygląda, jakby na jego twarzy małe dziecko próbowało narysować cyrklem mapę prowadzącą do ukrytego skarbu. Jest bosy, w palcach u stóp ma powyrywane paznokcie. W ustach ma brudną szmatę. Obok jest wiadro. Nie wiem, co jest w wiadrze. Stryj stara się nie patrzeć w jego stronę. Tak naprawdę poznaję go po kształcie głowy, jest tak zmasakrowany, że jego rysy twarzy giną w mieszaninie krwi, brudu, łez i smaru.

– Musisz zacząć jako nowy człowiek, Jacuś – powtarza Dario i ostatecznie przestaje się uśmiechać.

Coś słychać zza ściany, rytmiczny odgłos jak bicie ogromnego serca.

Dario podchodzi do drewnianej, zbitej gwoździami półki, na której są narzędzia, śrubokręty, obcęgi, wiadra. Na półce leży również pistolet. Dario bierze go do ręki.

– Jestem najżyczliwszą ci osobą, jaką spotkałeś w życiu, Jacuś. Może oprócz twojej mamy – mówi.

Stryj zaczyna wyć, Dario podchodzi do niego, ostrożnie bierze w dwa palce wepchniętą w jego usta szmatę, delikatnie ją wyciąga, wrzuca do wiadra. Z ust Stryja wydobywa się długa, przeciągła samogłoska, potem wylatuje ślina, całe mnóstwo, ścieka mu na zaplamione ubranie, zwisa mu z brody ciężkim, białym glutem.

Musieli go długo męczyć, bardzo długo. Musiało im się to podobać. Musieli przestawać na chwilę, zostawiać go tutaj na godzinę, dwie, potem znowu tutaj zaglądać i zaczynać od początku. Nie robił tego sam, miał kogoś do pomocy. Może po prostu stał i się patrzył.

– To ten kolega miał mój towarek – mówi Dario. – I dał ci go, Jacuś, a jak się dowiedział, że towarek jest gorący, to ci go zajebał z powrotem, prawda? I nie tylko to, wyczyścili ci klawisz po całości, Jacuś, prawda?

Nie rozumiem. Patrzę na Stryja, potem na Daria.

– No, powiedz mu. Powiedz mu, jak podrzuciliście mu kradzione, a potem sami go ojebaliście. Powiedz mu – mówi.

– Dlatego mu to zrobiłeś? Tylko dlatego, że coś mi ukradł? – pytam.

– No nie, nie tylko dlatego. Trzeba zdjąć kilka głów, aby postawić kropkę, jak to się mówi, nad i – mówi.

– Kurwa, litości... ja nic... – wydusza z siebie Stryj. Ledwo mówi.

– GPS... Przykleiliśmy ci GPS – mówi Stryj. – Wtedy, już w ruskiej restauracji. Ja ci go przyczepiłem, zanim wszedłem. No i zobaczyliśmy wtedy, gdzie to chowasz, pojechaliśmy za tobą na ten Gocław.

Patrzy na mnie zmęczonym, ale twardym spojrzeniem. Jego oczy nie potrafią prosić, nawet jeśli prośby wypadają mu przez usta. Wciąż go szanuję. Jest mi go w pewnym sensie szkoda.

– Od początku chodziło o to, aby cię opierdolić – mówi z trudem, każdy z wyrazów ginie mu w środku ust, za każdym razem musi zużyć wszystkie siły, jakie ma, aby go w końcu wypowiedzieć.

Bicie czarnego serca. Czuję je, jest gdzieś niedaleko. Pod nami albo obok, w jednej z części tej piwnicy, która nie ma końca, która ciągnie się pod całą Warszawą, jej korytarzami można dojść do „Betlejem", a może nawet do „Jeziora Łabędziego", albo jeszcze dalej, można iść nią bez końca, żyć w niej wiecznie, w ciemności zastępującej wszystko, łącznie z powietrzem.

To ostatni etap. Tak to właśnie miało wyglądać. To musi tak wyglądać.

Może zamieszkamy z Paziną gdzieś nad morzem, po prostu. Na wybrzeżu, na jakiejś wyspie. Nie wiem, dlaczego wciąż myślę o mieszkaniu z Paziną. Gdzieś, gdzie noc nie jest treścią wszystkiego, gdzie noc jest lekka i rześka jak zimny, gazowany napój, gdzie mija szybko, bo natychmiast przegania ją nasycony, rozżarzony dzień, od którego kręci się w głowie. Będę miał tylko jedną parę spodni, będę jadł wyłącznie owoce, nie będę musiał się do nikogo odzywać, tak jak tutaj, z tym że nie będę musiał też nikogo ciąć, stać obok torturowanych osób w piwnicy, dawać się okradać, być przesłuchiwanym.

Przecież ludzie tak żyją. Przecież niektórzy ludzie tak żyją. Przecież nie wszyscy ludzie, jacy istnieją, znajdują się w Warszawie.

– Jesteś mój, Jacuś – mówi Dario i podaje mi broń.

Nie chcę jej brać. Nie chcę jej nawet dotykać, ale moja dłoń bierze ją i zaciska się na rękojeści. Jest czymś oczywistym, przypomina trochę kuchenny przyrząd, który od wieloletniego używania delikatnie zmienił kształt, przystosował się do dłoni, jest oswojony, pozbawiony temperatury. Dario staje tyłem do Stryja. Kładzie mi dłonie na barkach.

– Najpierw będziesz ogarniał tych klientów, co już masz. Ale potem pomyślimy dalej. Rozszerzymy naszą, że tak powiem, działalność usługową. Nie będziemy przejmować klubów w centrum miasta, włazić tam jak debile, tylko otworzymy własne. Będziemy im tam sprzedawać wszystko, alkohol, wąchando, cipeczki, pootwieramy restauracje z dobrym jedzeniem dla tych wszystkich blogerów, będziemy serwować te rukole, kurwa, nie rukole, falafele, srele, ty się na tym znasz, wiesz, jak to dobrze zrobić, jak to ma wyglądać, spędzasz z tymi niedojebami całe życie, więc będziesz wiedział, jak to ogarnąć, Jacuś. Przejmiemy Warszawę, Jacuś. Taki mądrala jak ty będzie mi bardzo, bardzo potrzebny.

– Ja wyjeżdżam, Dario – mówię.

Dario wyciąga swój pistolet i przystawia mi go do głowy.

– Najpierw, Jacuś, trzeba zrobić z ciebie mężczyznę. A potem będziemy pracować. Wiesz, co się robi, jak ktoś chce cię zabić, jak ktoś się na ciebie czai – mówi.

– Nie, nie, kurwa, dogadamy się... – bełkocze Stryj.

Jego ciało odruchowo podejmuje jeszcze jedną próbę uwolnienia, usiłuje wyrwać się z lasotaśmy, ale nie potrafi, jest już na to zbyt słabe, zbyt skatowane.

– Wyjeżdżam i musisz mnie zabić, żebym tego nie zrobił – odpowiadam zbyt cicho, aby miało to jakiekolwiek znaczenie.

– Odjeb go – mówi Dario. – Odjeb cwela, który cię okradł. No, zrób to!

Mam broń przy głowie i broń w dłoni, a przede mną siedzi Stryj, człowiek w stanie, w jakim człowiek przestaje już być człowiekiem.

Nie wiem, czy Dario strzeli, jeśli ja nie strzelę. Nie rozumiem tego, co ma w oczach.

– Odjeb go, no strzelaj, Jacuś – mówi.

– Wyjeżdżam, Dario. Wyjeżdżam, muszę wyjechać – odpowiadam.

To koniec. Już nigdy nie zobaczę Warszawy, nigdy już tu nie będę. To dobrze. To najlepsze wyjście. Teraz tylko dojechać na lotnisko, przeciąć nić.

– Wiem, Jacuś. Przecież mówisz o tym cały czas. Mówiłem ci, że to rozumiem. Zrób to. Zrób swoje, a wyjdziesz sobie stąd i pojedziesz na lotnisko, czy gdzie tam chcesz i sobie odpoczniesz – mówi dobrotliwie jak wujek, nie opuszczając broni.

Przeciąć nić. Być może to jedyny sposób, aby ją przeciąć.

– Nie można nigdy niczego udawać, Jacuś. Nie można udawać. Trzeba wejść w prawdę. Prawda to wielkie, otwarte i piękne drzwi, powiem ci. Przed nimi jest błoto i ugór, ale gdy się je otworzy i wejdzie do środka, odkrywa się skarbiec. Cały ze złota – mówi Dario.

– Nie! Nie, kurwa! – charczy Stryj. – Proszę, nie! Nie, kurwa!

– Inaczej umrzesz, Jacuś. To ci gwarantuję. Beze mnie umrzesz, i to szybko. Umrzesz od razu, gdy wrócisz z tej swojej wycieczki, tego samego dnia, gwarantuję ci to – szepcze Dario, szepcze mokro, jego szept jest wilgotny od brudnej śliny.

Przeciąć nić. Uciec stąd. Jeśli powie mi, abym nie oddychał, to przestanę oddychać. Dario może wszystko. Ja nie mogę nic. Ale potem pozwoli mi stąd wyjść. Wtedy ucieknę. Wyjdę. Serce bije.

– Jacuś, nie mamy czasu. Podobno ci się śpieszy na samolot – mówi Dario.

Chociaż stoi obok, jego głos dochodzi z daleka.

Uciec. Przeciąć.

Strzał.

To zwykła i prosta chwila, naciśnięcie guzika w pilocie, nic wielkiego, to trwa moment, gdy moja ręka podnosi pistolet i naciska spust, a głowa Stryja przestaje istnieć z dźwiękiem tak samo banalnym jak odgłos dłoni uderzającej w nadmuchany foliowy worek.

– Dobry chłopak – mówi Dario i czuję, jak śmierdzi, całując mnie w policzek.

Kurwa.

W myślach go przepraszam, przepraszam go za to, musiałem to zrobić, aby stąd wyjść, bo muszę stąd wyjść, aby stąd uciec. Nić została zerwana. Dopiero teraz czuję, że zaczynam się trząść, i dopiero teraz widzę, że wszędzie jest czerwony kolor, że czerwony kolor jest wszystkim, zalewa całą przestrzeń, jest go coraz więcej, z każdym uderzeniem czarnego serca. W to, co istnieje, na stałe wkradło się opóźnienie. Brak synchronizacji. Nie mogę już dłużej stać.

Zaczynam płakać, potwornie boli mnie głowa.

– Stało się, Jacuś. Przemieniłeś się. Już nie udajesz. Dobry chłopak. Nie przejmuj się.

Robię krok. Coś chrupie mi pod nogami. To drobiny mózgu i czaszki. Kucam przed martwym Stryjem, jakbym chciał zawiązać sobie but. Kucam na chwilę.

Nie mogę klęknąć, nie mogę mieć spodni we krwi.

Gdzieś, daleko stąd, noce są rześkie.

– Pojedź teraz do domu, przebierz się, odpocznij – mówi Dario. – Weź prysznic. Prześpij się. Jutro, o dwunastej, przyjedziesz tu z powrotem. Dam ci papiery, numery, klucze do nowego mieszkania, no i ten kilogram.

Chrząka jak świnia.

– To jak w korporacji, Jacuś – mówi. – Szuka się dobrych pracowników, po prostu. I jak się ich znajdzie, trzeba ich wdrażać od razu.

– Wyjeżdżam. Mówiłem ci, że wyjeżdżam – mówię cicho, ale ten wyraz jest już bezkształtny, nie przypomina niczego w języku polskim, wylatuje z moich ust w formie przeżutej mazi.

– Nigdzie, kurwa, nie wyjeżdżasz, Jacuś. Zaczynamy od jutra – mówi Dario.

Jego głos jest teraz blisko, tuż przy mojej głowie.

Dario otwiera drzwi. Patrzę na Stryja. Z jego głowy została tylko żuchwa. Jakby coś eksplodowało. Jakby wybuchł wielki wrzód.

Coś czarnego za ścianą obok bije głośno i równo jak dzwon.

– Uświadom sobie w końcu, że nigdzie nie wyjeżdżasz, że nic nie zrobisz, że nie pójdziesz zrobić kupy, dopóki ja nie powiem ci „sraj", Jacuś – mówi Dario.

Wstaję. Wciąż nie mogę uspokoić rąk. Coś się zmieniło. Coś zostało na stałe przebudowane.

– Jedziesz do domu – mówi Dario. – Widzimy się jutro o dwunastej.

Chcę powiedzieć jeszcze raz, że wyjeżdżam, ale już nie mam siły.

– Rucham cię kutasem. Ale inaczej niż innych. Ciebie rucham z miłością – mówi Dario.

Znowu zaczyna się śmiać.

21:45 (Diluvium)

Widzę ich z okna taksówki, zwalniają, gdy nas mijają.

Może zwalniają, a może wszystko po prostu zwolniło. Może czas się przeciągnął, taśma, na której wszyscy jesteśmy nagrani, wessała się w ogromną głowicę i niedługo już wszystko ostatecznie się zatrzyma.

Jadą w klinie, przypominając kawalerię. Wyglądają jak anioły.

W swoich białych kombinezonach zlewają się w jedno ze swoimi białymi motorami, jedynie na twarzach mają założone wielobarwne maski, pamiątki po dziwnym karnawale, który odbywał się wiele lat temu, na innej planecie. Robią figury akrobatyczne, podrywają jedno koło do góry, stają na siodełkach.

Każdy z nich przejeżdża obok taksówki, każdy patrzy mi w oczy.

„Są aniołami" – myślę, nie wiem dlaczego. Może dlatego, że ich motory są białe, może dlatego, że nie są szczupli, smukli, pozbawieni płci w swoich białych kombinezonach. Nie są ani kobietami, ani mężczyznami. Są aniołami z chwilową wizytacją w piekle, za chwilę odpłyną. Na stałe nie ma tu dla nich miejsca, zresztą wcale nie zamierzają o nie prosić.

– Popierdoleni – powie taksówkarz, i to będzie jedyne słowo, jakie wypowie przez całą podróż.

Nie pamiętam, kiedy ostatnio jechałem taksówką.

Na kolanach mam torbę, w torbie są pieniądze, dokumenty, bilety. Przyciskam ją do siebie mocno, bardzo mocno. Mógł mi to wszystko zabrać, wystarczy, żeby znowu przystawił mi broń do głowy. Nie zrobił tego, nie pomyślał o tym. Ale z drugiej strony ja też wciąż miałem w dłoni broń. Może chciał ustawić mnie ze sobą na równej pozycji. Może chciał mi zaufać.

Niektórzy schodzą pod beton, na najniższe piętro miasta, stają twarzą w twarz z ciemnością i słuchają tego, co ona ma do zaoferowania. Ale zawsze przegrywają. Gdy wchodzi się w układ z ciemnością, nie ma żadnych negocjacji co do warunków kontraktu.

Warszawa jest pustynią. Składa się z krwi i cementu. Jej mieszkańcy są mieszkańcami pustyni. Mogą umrzeć każdego dnia. Grzebią paznokciami w krwi i cemencie, aby znaleźć wodę.

Jestem mieszkańcem pustyni. Właśnie zostawiam ją za sobą. Nie szkoda mi jej. Nie szkoda mi niczego. Nie szkoda mi Stryja, nie szkoda mi Beaty, nie szkoda mi nikogo. Niewiele potrzeba, aby wydarzenia rozpuściły się w powietrzu. Wystarczy jedno mrugnięcie okiem, aby tego, co się dzieje, już nie było. Na moich oczach miasto nagle zamienia się w sen.

Droga wyjścia jest z obu stron zaklejona reklamami, billboardami, najeżona stacjami paliw, stacjami napraw, stacjami drogi krzyżowej. Nikt w niej nie mieszka. Jest tunelem prowadzącym na zewnątrz. Suniemy nim powoli, droga jest śliska. Nie czuję się spokojny ani przestraszony. Nie czuję radości. Lód stopniał, i nie zostało już zupełnie nic. Ściskam torbę. Z radia kapie muzyka, niezmiernie cicho, znam ją doskonale, to *Wariacje Goldbergowskie*. Nie zawracam sobie głowy tym zbiegiem okoliczności.

Zamykam oczy, ale nie wytrzymuję zbyt długo; powieki już na stałe mam zalane od środka czerwonym kolorem. Czy Dario miał rację? Nie wiem, nie mam pojęcia.

Nie chciałem być nikim innym, bo nie można być nikim innym, gdy jest się nikim, zero pomnożone przez każdą liczbę wciąż jest zerem. Jestem tylko robakiem. Chciałem tylko sprawnie i szybko się poruszać. Mieć do czynienia z jak najmniejszą liczbą robaków.

To, że musiałem kogoś zabić, robi wrażenie wyłącznie na moim ciele, które wciąż jest rozstrojone, szybciej pracuje, pompuje krew, wpuszcza i wypuszcza powietrze.

Podjeżdżamy pod terminal lotniska. Daję taksówkarzowi pieniądze.

– Nie wkładał pan nic do bagażnika? – pyta.

Kręcę głową. Wysiadam. W ręku ściskam torbę. Drzwi zatrzaskują się same. Panuje dotkliwe zimno, stoję w samej marynarce. Może być brudna od krwi, ale mam nadzieję, że w świetle lotniska nie będzie tego widać. Może nikt nie będzie patrzył na moje paznokcie. Tam też mogą być resztki krwi.

Wykąpię się i przebiorę na miejscu.

Taksówka odjeżdża. Widzę Pazinę, która stoi przy drugim końcu budynku, pali papierosa, stoi nad stertą bagaży, poznaję ją po gwałtownym tańcu, który odbywa w miejscu, gdy na kogoś czeka i jest zniecierpliwiona.

Mam jeszcze chwilę, aby podejść do niej i się przywitać. Odwracam się. Chcę jeszcze popatrzeć na miasto, ledwo widoczne, jak czerń namazana na czerni.

Nic się nie zmieni. Wszystko będzie żyć wiecznie takie, jakie jest. Małe, oślepione ludziki wciąż będą zderzać się o siebie nawzajem i o karton. Drapać o karton, do krwi. Czasami będą spać, będą śnić i marzyć o tym, że coś się wydarzy, że na niebie pojawi się znak, że na końcu nitki zaświeci złote światło.

Ale nic się nie stanie. Nie będzie już żadnej zmiany. Nawet na gorsze. Być może to miasto wyczerpało już swój limit na apokalipsy. Co może jeszcze wydarzyć się na pustyni?

Dopiero teraz zauważam, że obok mnie stoją pojedynczy ludzie, mężczyzna w garniturze, łysy, z brodą, w skupieniu wpatrzony w swój telefon, kobieta między czterdziestką a pięćdziesiątką, w okularach przeciwsłonecznych, z drugą kobietą, młodszą, być może córką, milczące. Gdzieś w oddali, niedaleko Paziny, jest jeszcze jeden facet.

Nie zwracają na mnie najmniejszej uwagi.

Nie wiem, kim są, dokąd jadą, czy uciekają na stałe ani czy uwierzyliby mi, gdybym opowiedział im, kim jestem i co mi się przytrafiło. Może po prostu wzruszyliby ramionami, bo wbrew temu, co powiedział Dario, wszyscy żyjemy w próżniach.

Nie wiem, kim są, ja jestem handlarzem narkotyków i mordercą, tak wyszło, tego chciałem, może za chwilę będę kimś zupełnie innym, a może nie, może zabiorę to, kim jestem, ze sobą. Może właśnie to jest jakaś prawda o życiu, że spełnione życzenia to krzyż, garb, który wlecze się ze sobą do końca życia.

Pazina macha do mnie ręką. Wtedy dzwoni mi telefon. To Dario. Nie odbieram. Trzymam telefon w kieszeni. Idę w kierunku Paziny, macha ręką w moją stronę. To kolejna jej cecha – do Paziny zawsze trzeba podejść, ona nigdy nie podejdzie do ciebie.

Idę w jej stronę. Jestem lekki. Wszystko zostało za mną. Nic już się nie wydarzy.

– No chodź tu, Jacek! – krzyczy Pazina.

Uśmiecham się do niej, chociaż wiem, że tego nie widzi. Znowu dzwoni Dario i nie wiedzieć czemu, wtedy odbieram.

– Jacuś, zapomniałem ci o czymś powiedzieć – mówi.

Nie odpowiadam. Pazina nadal macha ręką. Z telefonem przy uchu powoli idę w jej stronę. Dopiero teraz czuję, że pasek od torby wpija mi się w bark.

– Jeśli jednak pojechałeś na to lotnisko, kochaniutki, to musisz mnie posłuchać – mówi Dario.

– Mów – odpowiadam.

– Wiesz, bardzo mnie denerwuje, kiedy ktoś już zgadza się dla mnie pracować, a nie wykonuje moich poleceń, Jacuś. Bo warunki są jasne. Ja wydaję polecenia, tak? Masz być u mnie jutro o dwunastej – mówi.

„To już jest za mną – powtarzam sobie w myślach. – To już jest za mną. Wszystko, co było, jest za mną. Do widzenia".

– Spierdalaj, Dario – mówię, podchodząc coraz bliżej Paziny.

– Ha, ha, spierdalaj, no fajnie, Jacuś, fajnie, słuchaj, ja wiem, że pewnie jesteś w takim razie na tym Okęciu, ja to rozumiem, bo sam bym pojechał. Ale daj mi dwie minuty. Poczekaj, tylko znajdę okulary – mówi.

Jestem już o parę kroków od Paziny. Ubrana w dresy i puchową kurtkę, ma ten zdenerwowany i zniecierpliwiony wyraz twarzy, zresztą jak zawsze, kiedy się widzimy. Paziny nie bawią żadne wstępy, musi przejść od razu do zasadniczej części każdego spotkania, każdego wydarzenia.

W pewnym sensie za nią tęskniłem.

– No kurwa, myślałam już, że w ogóle nie przyjedziesz – mówi.

Pokazuję jej palcem telefon, na znak, że rozmawiam.

– A więc, Jacuś – mówi Dario. – A więc Andersa 41, mieszkania 29. Ewa Nitecka, Leszek Nitecki. Olsztyn, dobrze mówię, tak?

Mój palec zostaje w powietrzu.

– Tata pracuje jako dyrektor literacki w Teatrze im. Stefana Jaracza, tak? W pracy jest od dziesiątej do piętnastej. Mama na emeryturze, prawda? Codziennie siedzi w domu albo w jakieś te sprawy angażuje się, jogi, kółka dziergania, to wszystko, co robią świeżo starsze panie, prawda, Jacuś? Albo, o! U ciotki Marleny siedzi. Marlena Domagańska, ulica Dworcowa 30, mieszkania 7. Tak? Czy nie pamiętasz, bo dawno nie byłeś?

– Spierdalaj – odpowiadam.

Pazina mruży oczy.

– Nie do ciebie – mówię szeptem.

– Ale raczej w domu jest. I można ją zastać. Odwiedzić. W odwiedziny wpaść, na herbatkę do twojej mamusi. Kochanej mamuleńki Jacusieńka, ha ha ha! Przecież Olsztyn niedaleko, mamunia pewnie dobre ciasto mi zrobi, mi i chłopakom, jak wpadniemy – mówi.

Robię się sztywny. Patrzę na Warszawę, na to, co z niej widać, z tego miejsca. Zmienia kolor.

– Czy mamunia wie, jak to jest pić wrzątek? No dobra. Może się dowie. Dalej. Paulina Nitecka. Ale niedługo będzie Kuczyńska, bo ślub na wiosnę. Mówili ci już? Jak nie, to ci powiedzą. Roczny Kacperek. Nie widziałeś nigdy Kacperka, co? Ślub trzeba szybko robić, bo w brzuszku już kiełkuje nowy Kacperek. Nie wiedziałeś, co? Masz bardzo słaby kontakt z rodziną, a przecież rodzina najważniejsza – mówi.

Coś przetacza się pod spodem miasta, słyszę to, jakby wielka bestia przewracała się na drugi bok.

– Więc mieszkają na Warmińskiej 8, mieszkania 11, a ich sklep jest na Artyleryjskiej 15. No więc też można wpaść do twojej siostruni. Może oni są biedni i ona nie chce dzidziusia. Możemy jej w tym pomóc. Na żywca, ale poza NFZ-em, Jacuś. Michałek sobie popatrzy. Michałek, tak? Mąż Paulinki ma na imię Michałek? Dobrze mówię? – pyta Dario.

Drży mi dłoń. Opieram się o ścianę terminalu. Chmury, widać je, czerń na czerni, w coś się układają. Układają się w uśmiech.

– To tyle, Jacuś. Zaczynasz od jutra. Masz naprawdę

dobre warunki pracy. Podanie o urlop możesz napisać później. Buziaki – mówi Dario.

Chowam telefon do kieszeni, nie patrząc nawet, czy się rozłączyłem, czy on to zrobił.

– Wyglądasz jak ściana – mówi Pazina. – Coś się stało?

– Co słychać? – pytam, odwracając się do niej.

– Co się stało? – pyta.

– Co słychać, Pazina? – mówię, a moje słowa to ostre, przeciskające się przez przełyk kawałki gruzu.

– U mnie po staremu, on wrócił do żony – odpowiada po chwili. – No bo dziecko najważniejsze. Ale pewnie to, że do jego dziewczyny wpadają znienacka w gości uzbrojeni koledzy, też jakoś dało mu do myślenia. No więc jestem tu, i chuj mu w dupę, i tobie też chuj w dupę, bo nie wybaczyłam ci, jeśli o to ci chodzi. Ale może dam ci szansę na miejscu. Będziesz musiał naprawdę stawiać mi przez te trzy tygodnie najlepsze żarcie, Jacek. Będziesz musiał traktować mnie, kurwa, tak, jak nie traktował mnie mój własny ojciec.

Więc to tak. Podpisałem ten kontrakt nie dzisiaj, podpisałem go wiele lat temu. Może podpisałem go wtedy na Młocinach, na tym parkingu, gdy odbierałem pierwszy kilogram i gdy ta dziewczyna, do dziś nie wiem, kim ona była i co jej się stało, uciekła w mrok. Gdy zostałem sam, zupełnie sam obok samochodu, z torbą prochu pod zamkniętym McDonaldem.

A może podpisałem go jeszcze wcześniej, gdy na jakiejś imprezie z ludźmi pracującymi wtedy w mediach, w pismach lifestylowych, w których świetnie się wtedy zarabiało – nie pamiętam, kto mnie tam zaprowadził – przestraszony, nieśmiały i zaciekawiony, zapytałem, ile ktoś zapłacił za worek towaru, który grupa rozweselonych osób szła właśnie wciągnąć do łazienki.

– Cztery stówy, stary – usłyszałem. „Ale wygraliśmy przetarg. Kto bogatemu zabroni?".

Cztery stówy. Takich worków na tej dziwnej imprezie, która w trakcie zamieniała się w coś w rodzaju nieśmiałej orgii, ludzie zaczynali się rozbierać, pieprzyć, gwałtownie tarmosić, tańczyć – takich worków domówiono na tej imprezie jeszcze z pięć.

Obserwowałem totalnie naćpanych ludzi, zarabiających na co dzień dobre pieniądze, mających uporządkowane, higieniczne i dobrze zaprojektowane życie, spoconych, brudnych, krzykliwych, w gwałtownych ruchach ściągających z siebie bieliznę. Nie zwracałem na nich najmniejszej uwagi.

Liczyłem, cztery stówy razy pięć, razy dziesięć, razy trzysta pięćdziesiąt sześć. Liczyłem to i czułem wolność, czułem, jakby ktoś otworzył we mnie okno i wpuścił przeciąg.

Przede mną jest asfalt. Wielka rzeka, wielka pustynia asfaltu. Jestem przytwierdzony do niego na stałe.

Rozsuwam torbę. Wyciągam bilet. Daję go Pazinie. Bierze go, chowa do kieszeni, zapala kolejnego papierosa.

– Więc tyle mi zostało, że lecę do Argentyny z dilerem narkotykowym, kurwa, to jedyna atrakcja, jaką ma mi do zafundowania życie, jedyna. Ale trudno. Bierzesz, co jest ci dane – mówi.

Patrzę na nią. Uśmiecham się do niej najszczerzej, jak potrafię. Podchodzę do niej, nachylam się, całuję ją w usta. Smakują papierosami, gumą do żucia, czymś słodkim, chyba błyszczykiem. Odskakuje, jakby poraził ją prąd.

– Pojebało cię? – pyta.

– Lecisz sama – odpowiadam.

Przez chwilę nie rozumie, co do niej powiedziałem.

– Pojebało cię? – pyta jeszcze raz.

– Leć sama. Nie wracaj. Oczywiście, gdy się do mnie odezwiesz, kupię ci bilet powrotny, ale nie wracaj. Nie wracaj tutaj, Pazina, obiecaj mi to. Proszę cię – mówię, ale to nie jest mówienie, to odkrztuszanie kamieni.

Jej oczy otwierają się bardzo szeroko. Papieros wypada jej z rąk. Podnoszę go, wkładam jej z powrotem między palce. Otwieram torbę. Wyjmuję moje ostatnie pieniądze, dwadzieścia tysięcy dolarów, i jej daję.

– To powinno ci wystarczyć na początek, aby jakoś się tam urządzić. Zapłacić za parę miesięcy za mieszkanie, jak skończy ci się hotel, masz na trzy tygodnie zajebisty hotel. Potem może znajdziesz sobie robotę, może nie. Ale nie wracaj – proszę ją.

– O czym ty pierdolisz? Czemu nie jedziesz? Nie lecę sama. Spierdalaj. Nie ma mowy.

– Lecisz sama. Abym każdego dnia wiedział, że można stąd uciec, Pazina, przeciąć nić – gdy to mówię, na chwilę łamie mi się głos na wyrazie „nić".

Ona nic nie odpowiada. Przybliża się. Chowa pieniądze do swojej torby, na samo dno. Zaczyna płakać.

– Musisz to zrobić. Zawsze o tym marzyłaś. Potraktuj to jako rekompensatę za wszystkie przykrości, jakie ci wyrządziłem – mówię.

– Od początku wiedziałeś. Od początku wiedziałeś, że nie polecisz – mówi.

– Może masz rację – odpowiadam.

Być może ma rację. Coś pod spodem miasta się ślini, coś otwiera szeroko usta, coś czeka na kolejną porcję pokarmu.

Być może ma rację, bo nie licząc niektórych rodzajów raka, wszystko, co spotyka ludzi, wyrządzają sobie sami.

– Stało się coś strasznego – mówi cicho.

Dotyka mojego policzka dłonią. Nie przeszkadza mi to.

– Cały czas dzieje się coś strasznego. Jestem bandytą, Pazina – mówiąc to, odruchowo patrzę na swoje paznokcie.

– Wszyscy jesteśmy bandytami – mówi i całuje mnie jeszcze raz w policzek.

Potem mnie przytula. Jest ciepła, a może to ja dopiero zdaję sobie sprawę, jak dotkliwie jest mi zimno.

– Bardzo cię lubiłem. Jesteś jedyną osobą, którą poznałem i którą bardzo lubiłem – mówię z ustami zatrzymanymi przy jej karku.

Pazina zaczyna mówić cicho, mówić „ciii", głaskać mnie po głowie. Dopiero po chwili się odrywa, jakby zdała sobie sprawę, że przesadziła. Ja zdaję sobie sprawę, że mogłaby to robić dalej. Ale jest już za późno.

– Jak już mówiłem, na trzy tygodnie masz opłacony świetny hotel. Potem wynajmiesz mieszkanie. Może zwiedzisz cały kontynent – mówię.

– Będę pisać. Musisz wiedzieć, że inne miejsca naprawdę istnieją – odpowiada.

– Jeśli będziemy kiedyś o tym rozmawiać, nie pytaj mnie nigdy o to, dlaczego z tobą nie poleciałem – mówię.

– Dziękuję – odpowiada.

– Nie dziękuj – mówię.

Kobiecy głos przez megafon wspomina coś o odprawie, nie słyszę go, nie słyszę zbyt wiele, poza szumem, pulsem krwi w swoim ciele, które drży znowu, mocno, może od zimna, może nie.

– W takim razie muszę iść na odprawę – mówi.

Pociąga nosem. Jeszcze raz ociera oczy.

– Idź – mówię.

– Trzymaj się, Jacek – mówi.

Kiwam głową i już nic do niej nie mówię. Już nic nigdy do niej nie powiem, wiem o tym. Mam nadzieję, że trafi jej się życie, które będzie jej jakoś tam odpowiadać.

Macha do mnie ręką i powoli, nie odwracając się, znika w budynku terminalu.

Odwracam się w kierunku Warszawy. Warszawa również milczy, ja wypuszczam powietrze, rozcieram dłonie, spluwam w nie. Warszawa wie, co mógłbym jej powiedzieć, więc milczę, nie marnuję słów. Podnoszę głowę. Chmura jest nade mną. Przypomina bezkształtną plamę, ogromną wypukłość, narośl. Coś spada mi na twarz i na dłonie.

To krople wody.

To deszcz.

Wystawiam dłoń przed siebie, pozwalam, aby spadło na nią kilka kropel, a potem oglądam ją w świetle terminala.

Krople zabrudziły mi dłoń, zostawiły na niej czarne smugi, jakby ktoś zabarwił ten deszcz czarnym tuszem.

Z nieba leci czarna, zimna woda.

Uśmiecham się. Zaczęło się.

Dzwoni telefon.

Spis treści

nowa
proza
polska
JAKUB
ŻULCZYK
WZGÓRZE
PSÓW
Świat Książki
JAKUB ŻULCZYK
WZGÓRZE PSÓW

Wzgórze Psów

Dojrzała książka autora kultowych powieści *Ślepnąc od świateł* i *Zrób mi jakąś krzywdę* oraz współtwórcy serialu „Belfer".

Zimna, ciemna warmińsko-mazurska prowincja. Na jej tle doskonale skonstruowany mroczny thriller: zaskakujący, niepokojący, wciągający od pierwszej strony. Ale to tylko najprostsze odczytanie powieści Żulczyka. Tajemnicze zaginięcia ludzi, makabryczne odkrycia związane z ich odnalezieniem, dramat rodzinny głównego bohatera to pretekst do mistrzowsko nakreślonego portretu lokalnej społeczności oraz uwikłanej w miejscowe układy rodziny. Żulczyk pokazuje, jak ojcowie niszczą swoich synów, mężowie – żony, przyjaciele – przyjaciół. Zajmuje go pamięć o krzywdzie i wybiórczość tej pamięci. Prowincja Polski jako miejsce, w którym widać metafizyczną prawdę o „polskim losie" i Warszawa jako miejsce, gdzie przyjezdny z prowincji może wygrać albo przegrać, ale nie może spokojnie żyć. Czy karą za zło może być inne zło? Gdzie jest granica w wymierzaniu sprawiedliwości? Jak zwykle Żulczyka interesuje to, co kryje się pod powierzchnią.

JAKUB ŻULCZYK
nowa
proza
polska
ZRÓB MI
JAKĄŚ
KRZYWDĘ
Świat Książki
JAKUB ŻULCZYK
ZRÓB MI JAKĄŚ KRZYWDĘ

Zrób mi jakąś krzywdę

Debiut literacki Jakuba Żulczyka. Powieść ukazała się po raz pierwszy w 2006 roku.

Zrób mi jakąś krzywdę to obecnie książka kultowa, wciąż czytana, przeżywana i cytowana, a jej nieskrępowany romantyzm i punkrockowy język wciąż oczarowują kolejnych czytelników.
Zrób mi jakąś krzywdę to przede wszystkim romans – historia dwudziestopięcioletniego Dawida i piętnastoletniej Kaśki, którzy pewnego letniego dnia wyruszają w szaloną podróż po Polsce. Na swojej drodze spotkają zarówno dresiarzy, jak i bogate emerytki, świadków Jehowy, a także aktorów porno oraz pewnego chorego psychicznie prywatnego detektywa. Podczas tej dziwacznej wyprawy oboje zostaną skonfrontowani z podstawowymi pytaniami o miłość, przyjaźń i dorosłość.

JAKUB
ŻULCZYK
nowa
proza
polska
WYDANIE
DRUGIE
POPRAWIONE
RADI
ARMA
GEDD N
JAKUB ŻULCZYK
Świat Książki

Radio Armageddon

Poprawione wydanie kultowej dla wielu czytelników powieści. Przejmujący obraz zbiorowej samotności w czasach, kiedy każdy gest sprzeciwu prędzej czy później zamienia się w towar, i w świecie, w którym każde wypowiedziane słowo ostatecznie staje się po prostu hałasem. Tej powieści nie można przeoczyć: to nasz czas i nasz świat.

Tytułowy zespół Radio Armageddon, założony przez czworo znajomych, powstał jako wyraz pełnego furii buntu przeciwko płytkiej wszędobylskiej rzeczywistości. Wszystko się komplikuje, kiedy w niewiadomych okolicznościach ginie lider zespołu, Cyprian, a sama rzeczywistość okazuje się ometkowana, niepodatna ani na gniew, ani na idealizm, za to w każdej sferze bezlitośnie rządzona przez znacznie potężniejsze mechanizmy sprzedaży i kupna. Współczesność staje się wściekłym i równocześnie bezradnym krzykiem pokolenia urodzonego po 1989 roku, dla którego dobra konsumpcyjne i odniesienia historyczne nie odgrywają już znaczącej roli („Wszystko już było, więc skoro mamy wszystko, nie mamy nic" – jak cynicznie stwierdza jeden z bohaterów), natomiast świadomość nieustającego formatowania przez media, slogany reklamowe i wolnorynkową pseudoideologię jest niezmiernie dotkliwa.

Instytut

Tajemnicze i makabryczne wydarzenia, które rozgrywają się w tytułowym Instytucie, czyli mieszkaniu głównej bohaterki powieści, Agnieszki, to jedynie rama. Owszem, mocna, niemniej jednak sam obraz przedstawia sprawy znacznie prostsze i codzienne. Poczucie porzucenia. Samotność. Brak pieniędzy. Zdradę. Upadek młodzieńczych ideałów. Choćbyśmy się zaklinali, że tak nie jest, życiem większości z nas nie rządzą żadne reguły, ale przypadek i – właśnie tak! – banał. Jakub Żulczyk w *Instytucie* przedstawił tę prawdę w poruszający, mistrzowski sposób.